여러분의 하는

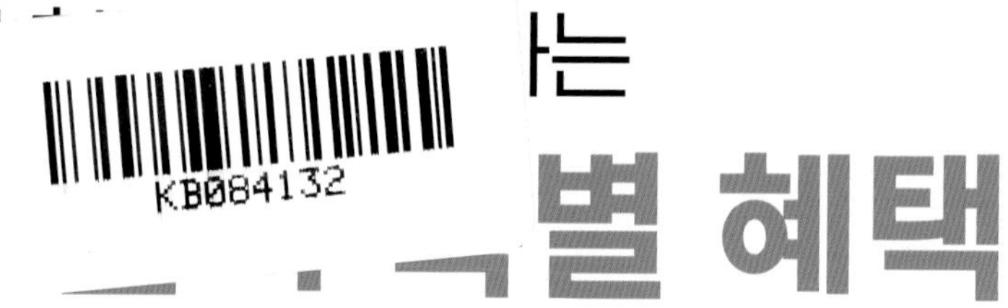

해커스공무 별 혜택

FREE 공무원 행정학 **특강**

해커스공무원(gosi.Hackers.com) 접속 후 로그인 ▶ 상단의 [무료강좌] 클릭 ▶ [교재 무료특강] 클릭 후 이용

해커스공무원 온라인 단과강의 **20% 할인쿠폰**

3FD52695A5FB49RX

해커스공무원(gosi.Hackers.com) 접속 후 로그인 ▶ 상단의 [나의 강의실] 클릭 ▶
좌측의 [쿠폰등록] 클릭 ▶ 위 쿠폰번호 입력 후 이용

* 등록 후 7일간 사용 가능(ID당 1회에 한해 등록 가능)

합격예측 **온라인 모의고사 응시권 + 해설강의 수강권**

F2E69EADC699DD5D

해커스공무원(gosi.Hackers.com) 접속 후 로그인 ▶ 상단의 [나의 강의실] 클릭 ▶
좌측의 [쿠폰등록] 클릭 ▶ 위 쿠폰번호 입력 후 이용

* ID당 1회에 한해 등록 가능

쿠폰 이용 관련 문의 **1588-4055**

단기 합격을 위한 해커스공무원 커리큘럼

입문

탄탄한 기본기와 핵심 개념 완성!

누구나 이해하기 쉬운 개념 설명과 풍부한 예시로 부담없이 쌩기초 다지기

TIP 베이스가 있다면 **기본 단계**부터!

기본+심화

필수 개념 학습으로 이론 완성!

반드시 알아야 할 기본 개념과 문제풀이 전략을 학습하고
심화 개념 학습으로 고득점을 위한 응용력 다지기

기출+예상 문제풀이

문제풀이로 집중 학습하고 실력 업그레이드!

기출문제의 유형과 출제 의도를 이해하고 최신 출제 경향을 반영한
예상문제를 풀어보며 본인의 취약영역을 파악 및 보완하기

동형문제풀이

동형모의고사로 실전력 강화!

실제 시험과 같은 형태의 실전모의고사를 풀어보며 실전감각 극대화

최종 마무리

시험 직전 실전 시뮬레이션!

각 과목별 시험에 출제되는 내용들을 최종 점검하며 실전 완성

PASS

* 커리큘럼 및 세부 일정은 상이할 수 있으며,
자세한 사항은 해커스공무원 사이트에서 확인하세요.

단계별 교재 확인 및
수강신청은 여기서!

gosi.Hackers.com

해커스공무원

명품 행정학

기본서 | 2권

해커스공무원

서문

승리는 가장 끈기 있는 자에게 돌아간다.

많은 수험생 여러분들이 행정학 과목의 방대한 양에 막연한 두려움을 느끼곤 합니다. 더불어 2022년부터 9급 행정학개론이 일반행정직의 필수과목으로 변경되면서, 과목의 중요성이 높아졌습니다. 이에 **『해커스공무원 명품 행정학 기본서』**는 수험생 여러분들이 행정학 과목을 보다 쉽게 이해하고 효율적으로 학습할 수 있도록 내용을 구성하였습니다.

『해커스공무원 명품 행정학 기본서』는 다음과 같은 특징이 있습니다.

행정학의 핵심 내용만을 체계적으로 구성한 본 교재는 본인의 학습 과정 및 수준 등에 맞추어 수험 생활 전반에 두루 활용할 수 있도록 다음과 같은 특징을 가졌습니다.

첫째, 본문에 수록된 '핵심정리', '개념PLUS' 등 다양한 학습장치를 통해 행정학의 기초부터 심화이론까지 꼼꼼하게 학습할 수 있습니다.

둘째, 중요한 기출문제를 엄선하여 수록한 CHAPTER별 '학습 점검 문제'를 통해 본문에서 학습한 내용을 다시 한번 확인하고 문제 응용력을 키울 수 있습니다.

셋째, 각 PART 도입부에 수록된 '10초 만에 파악하는 5개년 기출 경향'을 통해 최근 5개년 공무원 행정학 기출문제의 출제 비중을 파악할 수 있으며, 혼자 학습하는 경우에도 학습의 강도를 조절할 수 있도록 도와줍니다.

그 밖의 자세한 책의 구성 및 특징은 **'이 책의 활용법(p.8~9)'**을 참고하시기 바랍니다.

행정학 학습은 어떻게 해야 할까요?

행정학은 낯선 용어들과 방대한 범위로 많은 수험생들이 부담을 가지고 시작하는 과목입니다. 그러나 우리에게 중요한 것은 학문으로서의 행정학 완성이 아닌, 시험에 출제되는 행정학 이론만을 효율적으로 학습하는 것입니다.
빠른 시간 내에 고득점을 하기 위해서는 먼저 기본 개념부터 차근차근 익히는 것이 가장 중요합니다. 기본 개념을 정확하게 이해해야 응용문제가 출제되어도 대처할 수 있는 능력을 키울 수 있습니다. 기본적인 개념과 이론을 어느 정도 학습한 후에는 전체의 흐름을 잡으며 학습을 심화시켜야 합니다. 이 때 이론과 기출문제를 연계하여 학습하면 기출 개념과 지문들을 숙지할 수 있고, 문제풀이 감각을 함께 배양할 수 있습니다. 그 후 실전동형모의고사를 통해 실전 감각을 익히면서 핵심이론 정리부터 마무리까지 체계적으로 학습해야 합니다.

더불어, 공무원 시험 전문 사이트 **해커스공무원(gosi.Hackers.com)**에서 교재 학습 중 궁금한 점을 나누고, 다양한 무료 학습 자료를 함께 이용하여 학습 효과를 극대화할 수 있습니다. 부디 **『해커스공무원 명품 행정학 기본서』**와 함께 공무원 행정학 시험 고득점을 달성하고 합격을 향해 한걸음 더 나아가시기를 바랍니다.

2024년 7월

송상호, 해커스 공무원시험 연구소

목차

1권

PART 1 행정학 총설

PART 2 정책학

CHAPTER 6 정책평가론

CHAPTER 7 기획론

PART 3 행정조직론

CHAPTER 1 조직이론의 기초

CHAPTER 2 조직의 구조

CHAPTER 3 조직관리

CHAPTER 4 조직과 환경

CHAPTER 5 조직혁신

목차

2권

PART 4 인사행정론

PART 5 재무행정론

PART 6 지식정보화 사회와 환류론

PART 7 지방행정론

10초만에 파악하는 5개년 기출 경향

최근 5개년(2024~2020) 출제율

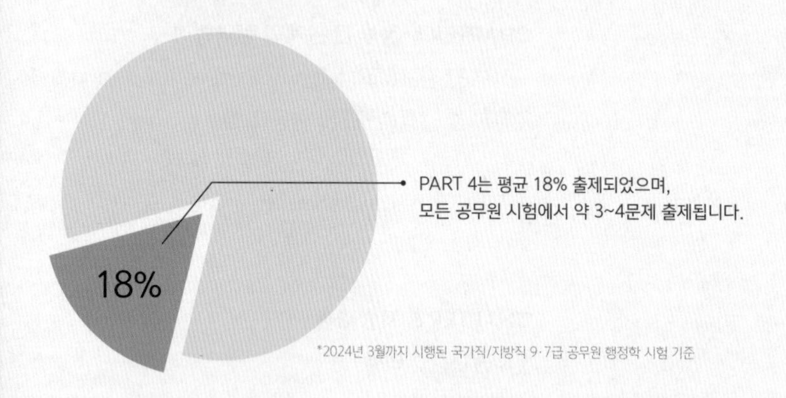

*2024년 3월까지 시행된 국가직/지방직 9·7급 공무원 행정학 시험 기준

CHAPTER별 출제율

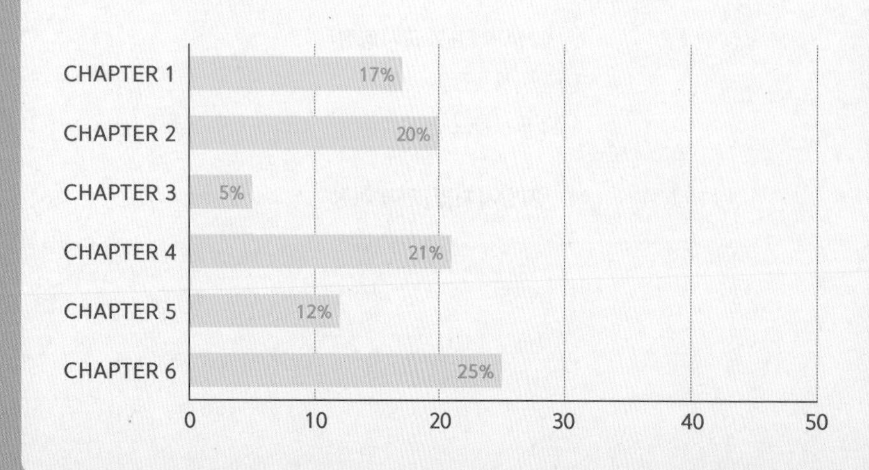

PART 4

인사행정론

CHAPTER 1

인사행정의 기초

1 인사행정의 본질

1 인사행정[1]의 의의와 목표

❶ 인사행정의 3대 변수
1. 임용
2. 능력발전
3. 사기관리

1. 의의

(1) 인사행정(public personnel administration)이란 '정부가 추구하는 행정목표의 달성을 위한 인적 자원(human resource)의 효율적 관리 활동'을 의미한다.

(2) 즉, 정부의 목표를 달성하는 데에 필요한 ① 인적 자원을 충원하고, ② 능력을 발전시키며, ③ 근무의욕을 고취하고, ④ 행동규범을 확립 · 통제하는 동태적인 관리활동을 말한다.

2. 목표

정부가 추구하는 행정의 목표달성(민주화 · 경제발전 · 사회복지 · 통일 등)에 기여하도록 인적 자원을 활용하면서, 인사행정이 이루어지는 일련의 과정 속에서 인사행정체제가 발전되도록 하는 것이다.

2 정부의 인사행정과 기업의 인사관리 비교

공행정(행정)과 사행정(경영)이 상호 공통점과 차이점을 함께 가지고 있듯이, 정부조직의 인사행정과 기업의 인사관리는 여러 가지 점에서 비교되고 있다.

1. 공통점

(1) 조직의 효율적인 목표 달성을 지원하기 위한 수단적 성격의 관리활동으로, 인재 충원 · 적재적소 배치 · 능력발전 도모 · 근무의욕 고취 등의 활동 국면으로 이루어진다.

(2) 활동 국면에서 사용되는 관리기법이나 절차 등이 유사하다.

2. 차이점

인사행정은 정부 목표의 실현을 위한 관리활동이라는 점에서 기업 목표의 달성을 위한 인사관리와는 다른 특성을 지닌다.

(1) 법적 제약에 의한 인사경직성 vs 재량여지 · 탄력성

정부의 인사행정은 주요 기준과 절차 등이 법률이나 규칙에 의하여 규정되어 있어 행동규범이 엄격하고, 인사관리가 경직적이다.

㉑ 자격요건, 시험방법, 승진 및 전보, 근무성적평가, 보수체제, 신분보장, 단체활동, 정치활동영역 등

(2) 행정서비스와 재화의 비시장성 vs 시장성

정부활동은 공익성으로 인해 계량화가 곤란하다. 그 결과 인사행정에서는 공무원의 기여도에 따른 보수산정 · 인센티브제 등의 적용이 힘들고, 정치 · 경제 · 역사 등 거시적 요인에 의한 제약을 받는다.

(3) 직무의 다양성과 유동성 제약 vs 유연성

정부활동에는 국방, 치안, 교정 등 민간부문에서 수행하지 않는 분야가 많아 인사행정에 있어서 직장 간 유동성이 제약된다. 그에 따라 신분보장이나 연금관리, 퇴직관리가 민간부문보다 강화되고 있다.

(4) 정치성과 공공성 vs 효율성

인사행정은 정치적 상황 속에서 공익을 실현하기 위해 작용하므로, 경제적 능률성만 추구하는 것이 아니라 공공성 · 사회적 형평성 · 행정의 지속성 등을 보장하기 위한 다양한 규범이나 요구가 개입된다.

㉨ 공무원 보수, 고위직 인사, 대표관료제 등

3 현대 인사행정의 특징

인사행정은 지금까지 축적되어 온 연구의 지식과 경험 위에 성립되고, 이 모든 것을 종합 또는 포괄하고 있는 것으로 이해되고 있다. 현대 인사행정의 일반적인 특징은 다음과 같다.

1. 개방체제적 성격

현대 인사행정은 행정체제를 포함한 상위체제로부터 다양한 요구를 수용하고, 이에 적절히 대응하는 성격을 갖고 있다. 즉, 체제적 관념에 입각한 상황 적응적 접근방법이다.

2. 가치갈등적 성격

인사행정은 시대나 정치적 상황의 산물로서 다양한 가치를 내포하며, 서로 갈등하기도 한다.

3. 종합학문적 성격

인사행정에 대한 체계적 연구나 효율적인 관리전략의 수립은 여러 관련학문(정치학 · 조직행동론 · 인사심리학 등)의 종합학문적 접근을 통해서 가능하며, 가치기준의 다원화에 대응한 접근방법의 분화와 통합 등으로 요약할 수 있다.

4. 인적자원관리(HRM)적 관점

현대행정은 인적자원관리적 관점에서 비용이나 통제적 측면보다는 인적자원의 관리와 투자의 관점에서 접근하여 조직구성원의 능력개발과 효율적 인적 관리에 더 많은 관심을 둔다.

5. 환경적 영향

한 정부의 인사행정을 지배하는 가치나 원칙은 그 정부의 정치 · 경제 · 사회문화적 환경의 특수성에 의해서 결정된다.

2 인사행정 제도의 발달

1 엽관주의와 정실주의

1. 개념

(1) 엽관주의(spoils system)

공무원의 인사관리나 공직임용에 있어 그 기준을 정당에 대한 충성심 · 공헌도에 두는 제도이다.

(2) 정실주의(patronage system)

공무원의 인사관리 · 공직임용의 기준을 인사권자에 대한 개인적 충성 · 혈연 · 학벌 등에 두는 제도이다.

2. 발달요인

정치적으로는 민주주의의 핵심적 요소인 **(1)** 정당정치의 발전에 따라 공직의 특권화 방지 · 책임성 확보, **(2)** 집권정당과 관료조직의 동질성에 의한 정책추진력 제고, **(3)** 대통령 지지세력의 확보 등을 배경으로 발전하였다. 한편, 시대적으로는 **(4)** 입법국가시대의 행정의 소극성 · 단순성 · 비전문성 등을 조건으로 하고 있다.

3. 성립과정[1]

[1] 인사행정제도의 변천

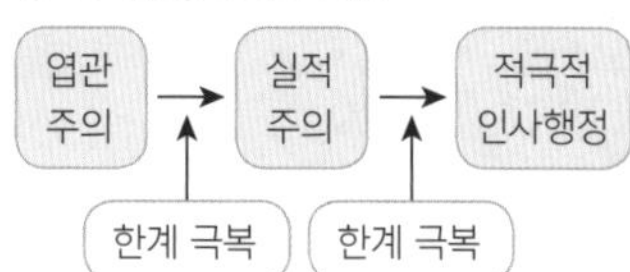

(1) 엽관주의

미국에서 잭슨(Jackson) 대통령이 처음으로 인사행정에 공직경질제를 도입하였고, 링컨(Lincoln) 대통령이 가장 많이 활용하였다. 마시(Marcy)의 '전리품은 승리자에게 속한다'는 주장과 같이 선거에서 승리한 집권정당이 모든 관직을 전리품처럼 정당활동에 대한 공헌도와 충성도에 따라 임의대로 처분하였다.

(2) 정실주의

영국에서 발달한 정실주의는 개인적 친분이나 학연 · 지연 등에 의거하여 공직에 임용하는 제도이다.

① **은혜적 정실주의:** 국왕이나 장관이 자신의 세력확장이나 반대파 회유책을 위해 개인적으로 신임하는 자를 공직에 임용하였다.

② **정치적 정실주의:** 명예혁명 이후 입법부의 지위 확립과 더불어 입법부의 다수당 지지자를 관직에 임용하였다.

4. 엽관주의와 정실주의 비교

엽관주의	정실주의
· 미국에서 발달 · 정당에 대한 충성도, 당파성이 중요 · 정권교체로 광범위한 공직경질(신분보장 ×) · 1883년 펜들턴 법(Pendleton Law) 제정으로 실적주의로 대체	· 영국에서 발달 · 정치인 개인에 대한 충성 · 혈연 · 학연 · 지연 · 금권이 중요 · 임용 후 종신고용(신분보장 ○) · 1853년 추밀원령 제정으로 실적주의로 대체

5. 엽관주의의 장단점

(1) 장점 - 정당화의 근거

① 민주정치의 기초가 되는 정당정치 발전에 기여한다(국민의사 존중, 책임정치).

② 관료제의 민주화에 기여한다(공직의 만인에 대한 개방, 공직경질로 침체·특권화 방지).

③ 집권정치인에 대한 높은 충성심 확보와 공무원의 효과적 통솔이 가능하다.

④ 정당 이념의 철저한 실현과 공약의 강력한 추진이 가능하다.

⑤ 리더십 강화에 기여하고, 중대한 정책 변동에 대응이 유리하다.

⑥ 행정의 민주성, 대응성, 참여성, 책임성 확보가 가능하다.

(2) 단점 - 현실적인 폐단

① 정권교체에 따른 대량 경질로 행정의 계속성과 전문성이 훼손된다.

② 행정경험 없는 무능한 자의 임명으로 업무능률이 저하된다.

③ 공무원이 정당의 사병으로 전락하여 공평한 임무수행이나 책임성을 기대하기 곤란해진다.

④ 불필요한 공직남설로 예산 낭비와 행정의 비능률이 초래된다.

⑤ 신분보장 미흡으로 부정부패 유인을 제공한다.

⑥ 실적주의에 비해 임용의 기회균등과 공정성이 상실된다.

6. 최근의 엽관주의[1] 경향

(1) 대통령의 강력한 정책 추진력을 확보하기 위해 상위직급에 대해서 부분적인 정치적 임용이 고려되고 있다.

(2) 적극적 인사행정의 측면으로 엽관주의와 실적주의 간 조화의 움직임이 현저하다.

[1] 우리나라의 엽관주의
강력한 정책 추진력을 확보하기 위하여 장관, 차관 등 정무직공무원과 별정직 일부를 엽관주의로 임용하고 있다.

2 실적주의

1. 의의

(1) 실적주의(merit system)란 공직에의 임용 및 승진 등 인사행정의 기준을 실적, 즉 개인의 능력 및 자격에 두는 제도이다.

(2) 전통적 의미로는 다음과 같은 사항을 본질적 요소로 하고 있다. ① 엽관인사에 반대하는 '반엽관주의', ② 부당한 압력으로부터 공무원들을 보호하려는 '보호주의', ③ 인사행정에 당파적 영향을 배제하려는 '중립주의' 등이 이에 해당한다.

2. 대두배경

(1) 엽관주의 병폐 극복 노력

실적주의는 정당정치가 부패함에 따라 공직이 정당간부들의 특수 이익을 도모하기 위한 금권정치의 도구로 전락하자, 관료를 정당의 예속에서 해방시켜 전체 국민을 위한 봉사자로 전환시키고자 하는 움직임으로 출현하였다.

핵심 OX

01 엽관주의는 정당정치의 발달과 관련이 깊다. (O, X)

02 엽관주의 강화는 행정의 민주성을 증진시키는 데 도움이 된다. (O, X)

03 엽관제의 확립은 행정의 전문화에 도움이 된다. (O, X)

01 O
02 O
03 X 엽관제는 능력 중심의 인사가 아니라 정치적 보상(당파성)에 의한 임용이므로, 행정의 전문성과 능률성이 저해된다.

(2) 행정국가의 출현

자본주의와 산업화의 발달에 따른 국가 기능의 양적 확대와 질적 분화로 사회문제 해결을 위한 행정의 전문성 요구가 증대되었다.

(3) 가필드(Garfield) 대통령 암살사건

1881년 엽관운동가에 의한 가필드(Garfield) 대통령의 암살사건이 발생하였다.

(4) 진보주의 운동

행정 능률화를 요구하는 진보주의 운동(정부개혁운동 · 행정조사운동)이 전개되었다.

3. 실적주의의 성립과 발전

미국에서는 펜들턴(Pendleton) 법 제정(1883년)으로 실적주의의 기초를 수립하고, 공직에 대한 정당의 지배와 공무원의 정치활동을 금지하는 해치(Hatch) 법 제정(1939년)으로 실적주의가 확립되게 되었다.

(1) 펜들턴(Pendleton) 법의 주요 내용

① 초당적 · 독립적 인사위원회를 설치한다.
② 공개경쟁채용시험(전문과목 위주)에 의한 임용을 실시한다.
③ 가산점 부여에 의한 제대군인 특혜를 인정한다.
④ 정치헌금 · 정치활동을 금지한다(정치적 중립).
⑤ 조건부임용제(시보임용제[1])를 실시한다.
⑥ 민관인사교류 확대 등을 시행한다.

(2) 특징

엽관주의가 초래한 병폐를 극복하고자 실적주의를 도입하였으며, 직무 중심의 개방형 임용으로 행정의 전문화와 능률화에 기여하였다.

(3) 영국의 실적주의

① **미국보다 앞선 정실주의 개혁운동:** Northcote-Trevelyan 보고서 발표와 1855년 추밀원령(Order-in-Council)에 의한 공무원제도 개혁(독립적인 인사위원회 설치)으로 실적주의의 기초가 형성되었다. 그 후 1870년 추밀원령에 의해 실적주의가 확고하게 뿌리내리는 계기가 마련되었다.
② 1870년 추밀원령에 의한 개혁 내용
㉠ 공개경쟁시험제도를 확립한다.
㉡ 계급의 분류를 시행한다.
㉢ 재무성의 인사권 강화 등을 시행한다.

4. 특징[2]

실적주의는 이념적으로 자유주의와 개인주의 · 정치행정이원론을 배경으로 하며, 다음과 같은 특징을 가지고 있다.

(1) 과학적 관리론의 영향으로 인사행정의 합리화 · 과학화 · 객관화 등을 지향한다.

(2) 공직취임의 기회균등을 보장한다.

(3) 임용에 있어 공개경쟁과 능력 · 자격 · 실적 기준을 적용한다.

[1] 시보임용제
1. 신규 채용자의 적응 훈련을 주요 목적으로 하며, 시보임용제를 통하여 공무원으로서 적격성 여부를 판단하게 된다.
2. 우리나라는 5급 이하의 신규 채용에 도입하고 있다.

[2] 실적주의의 이념적 배경
1. **자유주의:** 개인의 자유와 자유로운 인격 표현을 중시하는 사상 및 운동으로, 사회의 집단은 개인의 자유를 보장하기 위해 존재한다고 본다.
2. **개인주의:** 다른 사람들과의 경쟁 속에서 그 자신의 실력에 의해 평가된 개인을 중시한다.

(4) 실적 기준에 의해 인사관리와 퇴직관리를 실시한다.

(5) 공무원의 정치적 중립과 신분을 보장한다.

(6) 정치적 영향력으로부터 중립적인 중앙인사기관을 설치하고 인사권을 집권화시킨다.

5. 평가

(1) 실적주의의 정당성

① 공직취임의 기회균등을 보장하여 민주적 요청에 부합한다.

② 실적 기준에 의한 인사행정으로 공무원의 자질 및 행정의 능률성을 향상시킨다.

③ 신분보장을 통한 행정의 계속성과 직업적 안정성을 확보한다.

④ 행정의 전문화와 직업공무원제[1] 발전의 기반이 된다.

⑤ 정치적 중립성, 행정의 공정성 확보에 기여한다.

(2) 실적주의에 대한 비판

① **기회균등의 비현실성:** 사회적 신분이 낮은 사람들은 장기간 양질의 교육을 받을 처지에 있지 못하므로, 교육을 받지 못하는 사람들 측면에서 보면 기회균등이란 차별적인 가치에 불과할 뿐이다.

② **소극성 · 경직성:** 초기의 실적주의는 반엽관주의에 치중하여 인사행정의 소극성 · 경직성을 초래함으로써, 적극적으로 유능한 인재를 공직에 유인하거나 장기적으로 잠재적인 능력을 발전시키는 일에 소홀하였다.

③ **집권화:** 중앙인사기관에 인사 권한이 집중되어 각 부처인사기관의 실정에 맞는 신축적인 인사행정이 곤란하다.

④ **비인간화 · 소외유발:** 실적주의가 직위분류제 등 기능적 합리성에 바탕을 둔 공무원 분류방법 · 과학적 인사관리 등과 결합될 때에는 직위와 직무의 전문성 및 기술성만을 강조한 나머지 인간의 물질화 · 소외현상을 유발할 수 있다.

개념PLUS 모셔(Mosher)의 실적주의에 대한 논의

1. 실적주의에 기여한 요인

모셔(Mosher)는 청교도윤리 외에 실적에 대한 미국적인 이상의 독특한 성격 형성에 기여한 요소들 중 주요한 것들로 다음의 것을 지적하였다.

① **청교도적 윤리:** 실적은 보상받을 만한 가치가 있으며, 경쟁시험 등 업적에 따라 보상한다는 감정을 존중한다.

② **개인주의:** 다른 사람들과의 경쟁 속에서 그 자신의 실력에 따라 평가된 개인을 중시한다.

③ **평등주의:** 사회적 배경의 차이에도 불구하고 모든 사람들을 동등하게 취급한다(기회균등).

④ **과학주의:** 모든 인간 문제는 객관적 · 과학적으로 발견할 수 있는 올바른 해결책이 존재한다는 신념이다.

⑤ **분리주의:** 비정치적인 실적과 과학주의에 의거한 독립적인 인사업무의 수행을 중시한다(중앙인사기관의 정치적 중립).

⑥ **일방주의:** 최고통치자로서 정부가 정당한 절차를 거쳐 결정하였을 경우, 최종적인 것으로 판단하여 정부의 정책으로 결정한다.

2. 실적주의를 위협하는 요인

제2차 세계대전 이후 실적주의의 의미와 내용에 대해서 회의와 혼란이 야기되기 시작했다. 모셔(Mosher)는 특히 전문가주의, 직업공무원제, 공무원단체(노조) 등이 실적주의의 수립에 공헌한 요인에 대해서 강력하게 도전하고 있다고 지적한다.

[1] 실적주의와 직업공무원제의 관계
실적주의는 직업공무원제의 필요조건이다.

핵심 OX

01 실적주의는 공무원의 인적 구성의 다양화를 가져온다. (O, X)

02 실적주의는 인사행정의 적극성을 추구한다. (O, X)

01 X 기회균등은 교육을 받지 못하는 사회적 약자의 공직 임용을 실질적으로 제한했다. 인적 구성의 다양화는 대표관료제의 특징이다.

02 X 반엽관주의에 치중하여 인사행정의 소극성을 초래했다.

① **전문가주의**: 관료의 전문가주의는 노동조합과 더불어 정부의 정책결정에 대한 그들의 영향을 증대시킴으로써 인사행정의 일방주의에 도전한다.
② **직업공무원제**: 직업공무원제는 공무원단체와 함께 경쟁을 피하고자 승진의 기준으로 실적이 아닌 연공서열(경력)만을 주장하므로, 실적주의의 근간인 개인주의나 평등주의를 위협한다.
③ **공무원단체(노조)**: 중앙인사기관의 독립성을 침해함으로써 인사행정의 과학적·독립적 수행이라는 분리주의를 위협한다. 또한 노동조합은 전문가주의와 더불어 정부의 정책결정에 대해 그들 조직의 영향력 증대를 요구함으로써, 일방주의의 개념에 직접적으로 도전을 하고 있다.

3 대표관료제

1. 대두배경

(1) 킹슬리(Kingsley)❶가 정부관료제는 사회·경제·정치세력들을 적극적으로 대표해야 한다고 주장하면서 대표관료제가 제기되었다.

(2) 현실적으로는 실적주의의 한계에 대한 비판으로부터 출발하고 있다.

(3) 실적주의는 행정의 능률 향상을 위한 형식적 기회균등을 통하여 엽관주의 병폐 극복에 주력했으나, 실질적인 대표성·형평성 등의 민주적 가치 구현에 미흡하여 관료의 대표성 제고 문제가 대두된 것이다.

❶ 킹슬리(Kingsley)
영국의 킹슬리(Kingsley)가 처음으로 '대표관료제'를 제시하였는데, 그는 관료제의 구성적 측면을 강조하며, 진정한 관료제는 사회 내의 지배적인 여러 세력을 그대로 반영하는 대표관료제라고 정의하고 있다.

2. 의의

(1) 개념❷

① 대표관료제란 지역·성별·인종·종교·사회적 출신배경 등의 기준에 따라 분류되는 다양한 사회집단들이 전체 인구에서 차지하는 수적 비율에 따라 정부 내 모든 직위와 계층에 비례적으로 충원·배치됨으로써 사회의 모든 집단에 대한 대표성을 확보하는 정부관료제를 말한다.

② 전체 사회의 단면대로 관료가 자기의 사회적 출신배경이 되는 집단의 이익을 대변하고 책임지는 것이다.

❷ 크랜츠(Kranz)
대표관료제의 개념을 비례대표로까지 확대하여, 관료제 내의 출신 집단별 구성 비율이 총인구 구성비율과 일치해야 할 뿐만 아니라, 나아가 관료제 내의 모든 직무분야와 계급의 구성 비율까지도 총인구 비율에 상응하게끔 분포되어 있어야 한다고 주장한다.

(2) 대표관료제의 두 가지 측면

① 피동적·소극적·배경적 대표(=구성론적 대표)

㉠ 각 사회집단·계층에 비례해서 관료제의 모든 계층과 직위를 구성하는 것을 말한다.

㉡ 관료는 출신계층이나 사회집단을 위해 실제로 행동하지는 않으나, 정책과정과 관련되는 사회규범이나 이익체계에 관한 정보를 제공하거나 이익대표를 위한 심리적 제약을 받는 등 상징적 대표에 머무르는 것이다.

② 능동적·적극적·실질적 대표(=역할론적 대표)

㉠ 비례적으로 구성된 관료가 실질적으로 출신집단의 요구나 이익을 행동으로 대변하는 것이다.

㉡ 관료의 정책선호, 정책옹호, 협상·타협 기능을 강조한다.

(3) 엽관제 · 실적제 · 대표관료제 비교

구분	내용
엽관제	민주성, 행정의 정치성, 복수정당제 확립, 공직경질제(교체임용주의)
실적제	능률성, 정치와 행정의 분리, '개인'실적 중심, 전문성, 도구성, 소극성
대표관료제	대표성, 대응성, 참여성, '집단주의'에 의한 공정성, 적극적 인사, 민주성

3. 대표관료제의 실천 수단과 사례

(1) 실천 수단

적극적 모집 등 모집방법 확대 · 채용시험의 타당성 제고 · 교육훈련 기회 확대 · 각종 인사조치에서의 차별금지 등의 부드러운 방법에서부터, 임용할당제와 같은 강경한 방법들이 있다.

(2) 미국의 사례

미국의 카터 행정부하에서의 우대정책(affirmative action program)[1]에 의한 소수민족 임용 확대와 차별철폐 조치 등이 있다.

(3) 우리나라의 대표성 확보 제도

① **양성평등채용목표제:** 양성평등채용목표제는 성비 불균형 해소를 위해 남녀 모두의 최소 채용비율을 설정하는 제도이다. 공무원 채용시험에서 남성이든 여성이든 어느 쪽이 합격자의 70%가 넘지 않도록 하는 것으로, 여성이나 남성이 합격자의 30%에 미치지 못할 때 가산점을 주어 합격자의 성비를 조정하는 제도를 말한다.

② **장애인의무고용제:** 국가 및 지방자치단체의 장은 장애인을 소속공무원 정원의 100분의 3 이상 고용하는 것을 의무로 규정하는 제도로, 장애인의 고용 촉진과 경제적 능력향상을 목적으로 한다.

③ **여성관리자 임용확대 계획:** 여성관리자 임용확대를 위하여 중앙행정기관별로 연도별 임용목표비율을 정하여 이를 이행하도록 한 방침이다.

④ **지역인재 추천채용제(2005):** 일종의 공직 인턴제도이다.

㉠ 임용권자는 우수인재를 공직에 유치하기 위하여 학업성적 등이 뛰어난 대학 졸업자 또는 졸업예정자를 추천 · 선발하여 1년의 범위 안에서 견습으로 근무하게 하고, 당해 근무기간 동안 근무성적 및 자질이 우수하다고 인정되는 자는 7급 공무원으로 특별채용한다.

㉡ 견습직원을 공무원으로 임용함에 있어서는 행정분야와 기술분야별로 적정한 구성을 유지하여 지역별 균형을 이루도록 하여야 한다.

⑤ **저소득층의 우대:** 공직진출 기회를 확대하기 위하여 9급 공개채용 시 선발인원의 2% 이상을 2년 이상된 국민기초생활수급자 중에서 의무적으로 선발하는 저소득층 구분모집제를 시행하고 있다.

⑥ **지역할당제:** 5급 공채와 7급 공채 시험에서 서울특별시 소재 이외 지역학교 출신에게 할당하는 제도이다.

[1] 정치적 사회화
미국의 대표관료제인 적극적 조치의 경우, 인종 대표성을 통하여 대도시의 다양한 인종집단에 대한 정치적 사회화에 도움을 준 것으로 평가되었다.

⑦ **기타:** 취업보호대상자 우대제도, 이공계출신 채용목표제 등이 유사한 맥락에서 제시되고 있다.

주의 국가유공자 우대제도의 경우, 국가에 대한 공로를 인정하여 채용 시 우대하는 제도로, 대표관료제와는 거리가 있는 제도이다.

개념PLUS 다양성관리의 의의

1. 다양성관리의 배경 및 접근방법

다양성관리는 이질적인 조직구성원들을 채용하고 유지하며 보상과 함께 역량 개발을 증진하기 위한 조직의 체계적이고 계획된 노력으로 정의된다.

① 채용 프로그램은 조직구성원의 선발 과정에서 인적 구성이 다양성을 대표하고 있는지에 대한 부분이다. 조직구성원의 인적 구성이 조직을 둘러싼 조직환경의 다양성 수준을 충분히 반영하고 있는지 검토하고 적정 수준의 다양성을 확보하기 위한 정책적 노력이 요구된다.

㉠ 대표관료제

② 차이에 대한 인식은 조직구성원 간의 상호 이해를 지원하는 부분이다. 이질적인 구성원 간에 소통과 교류를 통해 왜곡된 이해를 극복하고 이질성에 대한 수용을 통해 다양성관리의 기반을 조성하는 노력이 포함된다.

③ 다양성을 통해 조직의 효과성을 향상시키고 조직구성원의 만족도를 높이기 위한 실용적인 관리 방안을 마련하는 부분이다. 조직 내 다양성이 자연적으로 조직의 효과성으로 이어지는 것은 아니며, 다양성의 장점을 조직효과성 제고로 전환시키기 위한 구체적이고 실용적인 제도적 장치의 마련이 필요하다.

2. 다양성 관리에 대한 접근방법은 크게 두 가지로 나누어진다.

구분	내용
멜팅팟의 접근방법	· 문화적 동화와 문화적응을 포함하는 멜팅팟 접근은 구성원 간의 이질성을 지배적인 주류에 의해 동화시키는 방법 · 조직응집성의 저하를 방지하기 위한 소극적인 접근방법
샐러드볼 접근방법	· 문화적 다원주의에 근거한 샐러드볼 접근 · 각기 다른 특성을 갖는 구성원들이 자신의 특성을 유지할 수 있도록 지원하는 방법 · 샐러드볼 접근은 다양성을 통한 조직의 탄력성을 극대화하기 위한 적극적인 접근방법으로 이해됨

3. 조직의 다양성 모형

구분	변화가능성 낮음	변화가능성 높음
가시성 높음	성별, 장애(육체적), 인종, 민족, 연령(세대)	직업, 직위, 숙련도, 전문성, 언어
가시성 낮음	출신지역, 출신학교, 가족배경, 성적지향, 사회화경험, 성격, 종교, 동기요인, 혼인여부	교육수준(학력), 노동지위(정규직/비정규직), 자녀유무, 장애(정신적), 가치관

4. 평가

(1) 기능

① 관료제가 비례적으로 구성되고 출신집단을 대표함으로써, 정부의 대응성 및 책임성이 높아지고 관료제의 민주화를 촉진한다.

② 소수집단과 소외집단에게 혜택을 부여하여 기회균등을 적극적으로 보장하고, 사회적 형평성의 제고라는 민주적 이념을 실현한다.

③ 관료제 내부에서 출신집단별 관료 상호 간 견제를 통해 내부통제를 강화한다.

④ 형식적 기회균등이나 가치중립성의 문제 등 실적주의가 내포하고 있는 역기능을 시정한다.

(2) 한계❶

① **소극적·배경적 대표와 적극적·실질적 대표의 단절:** 대표관료제의 이론은 소극적 대표가 적극적 대표로 연결되는 것을 가정하고, 정부관료들이 그 출신집단의 가치와 이익을 정책 과정에 반영시킬 것이라고 주장하고 있다. 그러나 실제로는 관료의 가치관·행태의 변화로 피동적 대표성이 능동적 대표성을 보장하지 않는다. 즉, 임용 전의 출신 배경과 임용 후 행태 사이의 상관관계가 없을 수 있다.

② **대표성과 영향력의 불균등:** 현실적으로 관료 구성에 있어 전체적으로 대표성이 유지되더라도 특정집단이 하위직에 집중되어 있으면, 고위관료 중심의 정책결정 영역에서 배제되어 그들의 이익대표가 불가능하다.

③ **실적주의에 대한 갈등과 행정의 전문성 저해 가능성:** 집단대표·인구비례 등이 중요하고 능력·자격은 2차적 요소로 취급하기 때문에 실적 기준의 적용을 제약하고, 결과적으로 행정의 전문성·객관성·합리성을 저해한다.

④ **역차별*에 의한 사회분열 위험:** 역차별로 인해 다원주의의 확산보다는 오히려 집단차원의 우대 또는 차별에 따라 집단이기주의를 강화하고, 사회분열을 초래할 위험이 있다.

⑤ **정치적 중립성의 문제:** 관료가 국민 전체에 대한 봉사자가 아니라 출신 계층에 대한 봉사자이므로 정치적 중립성이 저해될 수 있다.

⑥ **자유주의 원칙 침해:** 집단 중심으로 형평성을 추구하므로, 개인적 차원의 존엄성 및 자유주의 원칙을 침해할 우려가 있다.

⑦ **국민주권의 원리에 위배:** 내부 통제를 강화하기 때문에 상대적으로 외부 통제를 소홀히 하는 문제점이 있다.

❶ 마일(Mile)의 법칙
마일(Mile)의 법칙이란 공무원의 입장 및 태도는 그가 속한 조직이나 직위·신분에 의존한다는 법칙이다. 농림축산식품부 공무원은 농민의 이익을 대변하고, 여성가족부는 여성의 이익을 대변하게 된다는 것이다. 대표관료제의 원칙과는 상반되는 원칙이라 할 수 있다.

용어
역차별*: 부당한 차별을 받는 쪽을 보호하기 위해 마련한 제도나 장치가 너무 강하여, 오히려 반대편이 차별을 받는 현상

4 직업공무원제

1. 개념

(1) 공직이 유능하고 인품 있는 젊은 남녀에게 개방되어 매력적인 것으로 여겨진다.

(2) 업적과 발전에 따라 명예롭고 높은 지위에 올라갈 수 있는 기회가 부여된다.

(3) 공직을 생애를 바칠 만한 보람 있는 일로 생각할 수 있게 하는 조치가 마련되어 있다.

(4) 직업공무원제는 계급제, 폐쇄형 임용원리, 일반능력자주의, 종신고용제에 입각한 제도이다.

2. 특징

(1) 행정의 중립성 확보와 강한 공복의식

공무원의 신분을 보장함으로써 정권교체나 정쟁의 영향을 받지 않고, 행정의 안정성·계속성·중립성을 확보하여 국가의 통일성을 유지할 수 있는 제도적 장치가 된다. 또한 직업공무원제하의 공무원에게는 공복으로서의 사명감·국가의식·공공봉사 정신이 요구되고 있다.

핵심 OX

01 대표관료제는 사회화에 의한 주관적 책임을 전제한다. (O, X)

02 대표관료제는 개인주의·자유주의를 추구한다. (O, X)

03 대표관료제는 행정의 전문성을 확보한다. (O, X)

01 O
02 X 집단 중심의 형평성을 추구하여, 개인주의·자유주의를 침해할 우려가 있다.
03 X 능력이 임용의 기준이 아니므로, 전문성·능률성이 저해된다.

(2) 전문직업의식과 장래의 발전가능성 중시

직업공무원은 전문직업의식을 가지며, 조직과의 일체감 · 충성심이 강해 사기수준도 높다. 또한 채용 당시의 직무수행능력보다 장기적인 발전가능성과 잠재능력을 더 중요하게 평가하므로, 학교를 갓 졸업한 젊고 유능한 인재를 공직에 유치하고자 하며, 교육훈련과 경력발전에 관심을 기울인다. 결과적으로 직위분류제의 전문가적 행정가의 양성보다 계급제의 일반행정가[1] 양성에 유리하며, 폐쇄형 임용체제와 연관성이 높다.

(3) 취업상의 신축성 결여

공무원이 정부 내에서만 필요한 직업인으로 굳어져 퇴직 후 다른 직업으로의 전환이 어렵다. 그에 따라 공무원 연금제도 · 퇴직관리 등이 발전하였다.

3. 직업공무원제와 다른 인사제도의 관계

(1) 직업공무원제와 개방형 · 폐쇄형 인사제도와의 관계

계급제적 기반에 외부인사 등용이 금지되는 폐쇄형 임용을 택하고 있는 유럽 국가들은 일찍이 직업공무원제가 확립되었으나, 직위분류제를 채택하고 개방형 임용주의를 따르고 있는 미국은 직업공무원제 발달의 조건을 갖추지 못하였다.

(2) 직업공무원제와 실적주의의 관계[2]

오늘날 직업공무원제는 대체로 실적주의(공채시험 · 신분보장 · 정실배제 등) 가치에 입각하고 있으나, 양자는 여러 가지 면에서 제도적으로 구별된다.

① 역사적으로 미국은 1883년 펜들턴(Pendleton) 법 제정 이래 실적주의가 확립되었지만, 직업공무원제는 1935년 이후 강조되었다. 반면에 유럽 제국은 직업공무원제가 일찍 확립되었으나, 실적주의는 근래 확립되었다.

② 실적주의에 의해 신분보장이 이루어지는 경우에도, 외부인사의 임명이 가능한 개방형을 광범위하게 인정하면 직업공무원제는 확립되기 어렵다.

③ 실적주의는 젊은 사람을 반드시 생애직으로서 공직에 봉사하게 만드는 것을 의미하는 것은 아니다.

핵심정리 직업공무원제와 실적주의 비교

구분	직업공무원제	실적주의
분류 기준	개인의 자격 · 능력 · 신분 (횡적 분류)	직무의 종류 · 책임도 · 곤란도 (종적 분류 + 횡적 분류)
채택 국가	영국(실적주의 이전에 확립), 서독, 독일	미국(펜들턴 법), 캐나다, 필리핀, 영국(추밀원령)
인간과 직무	인간 중심	직무 중심
발달 배경	농업사회	산업사회
행정 비전	장기적	단기적
공무원 유형	일반행정가	전문행정가

[1] 일반행정가 vs 전문행정가
1. **일반행정가:** 장래의 발전가능성과 잠재력을 갖춘 폭넓은 이해력과 조정 능력을 갖춘 행정가를 의미한다.
2. **전문행정가:** 특정 업무에 대해 전문지식으로 무장된 행정가를 의미한다.

[2] 실적주의와 직업공무원제에서의 신분보장
1. **실적주의:** 정치적 중립을 확보하기 위하여 신분보장을 강조한다.
2. **직업공무원제:** 종신고용을 보장하기 위하여 신분보장을 강조한다.

시험 · 채용	근무를 통한 능력발전 중시, 연령 · 학력제한 ○	직무에 알맞는 전문성 강조, 연령 · 학력제한 ×
보수 책정	생활급 · 계급제	직무급
인사배치 · 이동	신축성(융통성)	비신축성(경직성)
교육 훈련	일반지식 · 교양 강조	전문적 지식 강조
조정 · 협조	용이	곤란
신분 보장	강함	약함
조직 구조	폐쇄형(내부충원형)	개방형(외부충원형)
조직 구조의 관계 (연계성)	부족	높음

4. 직업공무원제의 확립 요건

(1) 공직에 대한 높은 사회적 평가

공직이 국민에 대한 봉사자로서 명예롭고 긍지를 지닐 수 있는 직업이어야 한다.

(2) 적절한 임용제도와 절차 마련

젊은 인재의 채용을 위해 연령 · 학력조건을 제한하고, 공개경쟁시험을 통해 능력이나 실적을 기준으로 유능한 인재를 선발하는 등 적절한 임용제도와 절차가 마련되어야 한다.

(3) 보수의 적정화와 적절한 연금제도의 확립

생활에 대한 불안감 해소를 위해 보수를 적정화하고 장기근무자에 대한 근속가봉액의 차이를 높여야 한다. 퇴직 후 생활 불안에 대비해 장기근무가 가능하도록 합리적 연금제도가 실질적으로 확립되어야 공무원의 근무의욕 고취와 직업화 촉진이 가능하다.

(4) 훈련을 통한 능력발전

훈련을 통해 공무원의 능력과 자질을 발전시키고, 적절하게 동기를 부여해서 자기실현욕구를 충족(Y이론)하여야 한다.

(5) 승진 · 전보 · 전직제도의 합리적 운영

승진이나 배치전환 등의 내부임용이 체계적이면서도 공정하게 이루어져야 한다. 특히 직위분류제는 승진 · 전직의 기회가 제약되므로, 계급제적 요소를 가미할 필요가 있다.

(6) 장기적이고 일관성 있는 인력수급계획의 수립

장기적 비전에 따라 연령구조 · 적성 · 능력 · 이직률 · 평균 근무연한 등을 파악하여 인력수급계획을 수립하여야 한다. 또한 인사불공평이나 인사침체를 막고 효율적으로 정원관리 · 승진계획을 추진하여야 한다.

5. 평가

(1) 장점

① 공직에 대한 자부심과 일체감을 강화함으로써 공무원들의 사기를 제고한다.

② 장기적인 근무에 따라 행정의 안정성과 일관성이 유지된다.

③ 공무원의 폭넓은 능력 발전을 가능하게 함으로써 고급 공무원 양성에 유리하다.

(2) 단점

① 공무원에 대한 강한 신분보장과 공급자 중심적 성향에 따라 국민에 대한 대응성이 약화되고, 특권집단화될 우려가 있다.

② 변화보다는 안정을 추구하므로 동태적 환경에 대한 적응력이 약하고 변동 · 개혁에 저항하는 경향이 있다.

③ 학력 · 연령의 엄격한 제한은 공직임용의 기회균등을 제약하여 평등 원칙에 위배될 수 있고, 승진지망 과열화로 심각한 승진적체 문제가 제기된다.

④ 내부승진 중심의 폐쇄형 임용을 택하여 특정분야의 전문가 채용이 어렵고, 공직의 분위기가 침체되어 공무원의 전반적인 질적 수준이 저하될 수 있다.

⑤ 일반행정가 양성은 전문행정가 양성을 저해하여 행정의 전문화 요구에 역행한다.

6. 직업공무원제의 위기

(1) 개방형 인사제도

공직의 경쟁력을 높이기 위해 내 · 외부에서 공개경쟁을 통해서 공무원을 임명하는 것과 관련되는 제도이다.

(2) 대표관료제의 대두

행정에서의 실질적인 평등성의 확보와 사회적인 약자의 공직취임 기회의 확대를 위하여 대표관료제가 대두되는데, 이는 주로 공개경쟁시험을 통해서 임용되는 직업공무원제도와 상충할 가능성이 크다.

(3) 후기관료제모형

후기관료제모형은 전통적인 관료제 조직의 특성인 폐쇄형 인사관리제도를 극복하고, 새로운 형태의 신축적인 관료제를 도입하려는 노력과 관련되는데, 이는 직업공무원제도와 상충할 수 있다.

(4) 정년단축과 계급정년제

직업공무원제는 일정한 연령이나 근속 등 정년을 확보해 장기근무를 유도하는 측면이 있는데, 정년단축이나 계급정년제 등은 직업공무원제의 위기를 야기할 수 있다.

5 적극적 인사행정

1. 의의

적극적 인사행정이란 실적주의 및 과학적 인사관리만을 고집하지 않고, 경우에 따라서는 엽관주의를 신축성 있게 받아들이며, 인사관리에 있어서 인간관계적 요소를 중요하게 고려하는 것을 말한다. 즉, 실적주의와 엽관주의를 조화시킨 인사관리 방안이다.

핵심 OX

01 직업공무원제는 나이 제한, 학력 제한이 가능하다. (O, X)

02 개방형 임용은 직업공무원제와 친화적 제도이다. (O, X)

01 O
02 X 직위분류제가 개방형·실적주의와 친화적 제도이며, 직업공무원제는 폐쇄형·계급제와 친화적 제도이다.

2. 대두배경

(1) 현실적 배경

인사행정의 소극성 · 집권화 · 비융통성을 내용으로 하는 실적주의의 병폐와 인간을 과소평가하는 과학적 인사행정의 결함을 극복하기 위한 노력에서 출발하였다.

(2) 이론적 배경

인간적 가치를 중시하는 인간관계론, 후기 인간관계론과 개방형 인사를 지향하는 신공공관리론과 관계가 깊다.

3. 주요 내용

(1) 공직의 사회적 평가를 향상시켜 유능한 인재를 적극적으로 모집한다. 기존의 소극적 모집방식에서 벗어나 공직에 유능한 인재를 채용하기 위해서 다양한 방식과 고객지향적인 모집 방식을 고려하는 것과 관련된다.

(2) 고위직에 정치적 임명을 허용한다. 기존의 지나친 객관적 인사행정의 추구로 인한 인사행정의 경직성을 완화하고, 정책 추진력의 확보를 위해 정치적 임용을 일정부분 허용한다.

(3) 공무원의 사기 및 능력 발전을 중시한다.

(4) 인사권의 분권화로 부처인사기관의 자율성을 향상시킨다. 중앙인사기관의 집권적인 인사행정체제에서 행정수요에 부응할 수 있도록 인사권의 하위기관에 권한을 나누어 주어야 한다.

(5) 인간 중심의 인사행정으로, 인간관리의 민주화를 지향한다.

(6) 공무원단체 활동을 허용한다.[1]

(7) 관료제의 대응성, 민주성, 형평성 강화를 위해 대표관료제를 가미한다.

(8) 인간적 요인을 과소평가하는 지나친 과학적 인사행정을 지양한다.

개념PLUS 인본주의적 인사행정

1. 후기 인간관계론
   ① 통제 중심의 실적 위주의 인사의 한계를 보완하기 위한 인간 중심의 현대적 인사관리 활동을 총칭한다.
   ② 조직휴머니즘이라 불릴 수 있는 부류는 후기 인간관계론 · 동기부여 이론 · 현상학적 접근방법의 옹호자들로, 인간을 자아실현적 존재로 보고 Y이론적 관리에 의해 개인목표와 조직목표의 통합과 참여적 민주주의를 구현하려는 인본주의적 인적자원관리이다.
2. 인적자원관리(HRM)
   ① 1970년대 후반 이후 기존의 인사관리나 인사행정을 대체하는 개념으로, 1940년대의 인간관계론적 전통과 1960년대의 조직발전(OD) 등에 그 뿌리를 두고 있다.
   ② 인적자원관리(HRM)는 개인과 조직의 통합을 강조하는 Y이론적 관점에서 출발하였다.
   ③ 인적자원이 가장 관리하기 어려운 자원일 뿐만 아니라 목표달성에 가장 결정적인 요인으로 작용한다고 보고, 인적자원을 조직의 주요한 자산이자 전략적 자원으로 활용하고자 하는 것이 후기 인간관계론의 핵심이다.

[1] 실적주의와 공무원 노동조합(공무원단체): 모셔(Mosher)의 견해
1. 공무원 노동조합은 실적주의의 기여 원리인 분리주의와 일방주의를 위협한다.
   - 분리주의: 공무원 노동조합은 중앙인사기관의 독립성을 침해함으로써 인사행정의 과학적 · 독립적 수행이라는 분리주의를 위협한다.
   - 일방주의: 공무원 노동조합은 전문가주의와 더불어 정부의 정책결정에 대해서 그들 조직의 영향력 증대를 요구함으로써 정당한 최고 통치권자의 결정을 정부의 정책으로 보는 일방주의에 도전한다.
2. 공무원 노동조합은 실적주의의 한계를 극복하기 위한 적극적 인사행정의 주요 내용 중 하나이다.

핵심 OX

01 적극적 인사행정은 인사권의 집권화이다. (O, X)

02 적극적 인사행정은 공무원 노동조합을 금지한다. (O, X)

01 X 적극적 인사행정은 인사권의 분권화로 부처의 인사상 자율성을 향상시킨다.
02 X 적극적 인사행정은 공무원 단체의 활동을 허용한다.

3. 기존의 인적자원관리(HRM)와 전략적 인적자원관리(SHRM)

특징 \ 분류	기존의 인적자원관리(HRM)	전략적 인적자원관리(SHRM)
분석	개인의 심리적 측면	조직의 전략과 인적자원관리
초점	직무만족, 동기부여, 조직시민행동의 증진	활동의 연계 및 조직의 성과
범위	미시적 시각: 개별 인적자원관리방식들의 부분적 최적화를 추구	거시적 시각: 인적자원관리 방식들 간의 연계를 통한 전체 최적화를 추구
시간	인사관리상의 단기적 문제해결	전략 수립에의 관여 및 인적자본의 육성
기능 및 역할	· 조직의 목표와 무관하거나 부수적·기능적·도구적·수단적 역할 수행 · 통제 메커니즘 마련	· 인적자본의 체계적 육성 및 발전 · 권한 부여 및 자율성 확대 유도

4. 직장생활의 질(QWL)

① 1960년대 미시간 대학에서 연구된 것으로, 보다 나은 직장생활의 질을 향상하려는 것인데, 직무충실화를 비롯한 직무설계의 원리를 적용하여 작업상황의 질을 개선하려는 종합적인 노력이다.

② 직장에서 근로자의 삶의 질을 향상시키기 위한 인간적·민주적인 근로운동을 의미한다.

5. 직무재설계

① 직무설계에는 직무설계와 재설계가 있으나, 인본주의 관리는 전통적인 통제 중심의 직무설계의 문제점을 보완하기 위한 인간 중심의 직무재설계와 관련된다.

② 직무재설계(직무확장과 직무충실)

㉠ 직무확대(job enlargement, 직무확장)

- 직무의 책임도에 차이가 없는 수평적 관계의 직무를 추가·확대·다양화하는 것으로, 직무분담의 폭을 넓혀주는 수평적 역량 강화(수평적 재설계)에 해당한다.
- 직무세분화에 초점을 둔 전통적 직무설계를 보완하려는 것이다.

㉡ 직무풍요화(job enrichment, 직무충실)

- 직무의 완결도와 직무담당자의 책임성·자율성을 높이는 수직적 역량 강화(수직적 재설계)의 일종으로, 직무수행에 관한 환류가 원활히 이루어지도록 이미 설계된 직무를 다시 설계하여 개편하는 것이다.
- 수직적 강화로, 직무의 책임도에 차이가 없는 수평적 관계의 직무를 추가·확대하는 직무확대(직무확장)와는 구별된다.

3 중앙인사행정기관[1]

1 의의 및 목적

1. 의의

현대 행정국가로 변모하면서 설치된 중앙인사기관은 각 행정기관의 균형적인 인사운영, 인력의 효율적 활용, 공무원의 능력 발전 등을 위하여 정부의 인사행정을 전문적·집중적으로 통괄하는 기관이다.

2. 목적

실적주의를 확보하고 인사행정의 통일성을 기하며, 공무원의 권익을 옹호하고 적절한 근무조건을 확립하며, 인사행정의 전문화와 능률화를 추진하는 것이다.

2 필요성 및 특성

1. 필요성

(1) 부처 인사행정의 전체적인 조정과 통제를 효율적으로 수행하게 한다.

(2) 인사행정에 정실개입 배제와 공정성·중립성의 확보를 위해 상설기관이 요구된다.

(3) 행정국가화로 공무원이 양적으로 증가함에 따라 집중관리를 위해 인사전담기관이 필요하게 되었다.

(4) 공무원 권익 보호를 위하여 임명권자 외의 제3자적 중립기관이 요청된다.

(5) 인사행정 개혁과 행정의 전문화·기술화를 촉진하기 위해 집권적 인사기관이 요구된다.

2. 특성

(1) 독립성

① 독립성은 인사기관의 신분보장·자주조직권·예산자주성 등이 보장되는 것으로, '정치적·정당적 기초에 입각한 행정부'에 대한 상대적 독립성을 말한다.

② 중앙인사행정기관의 보편적·본질적 성격은 아니며, 주로 정당압력이나 정실인사 배제에 그 목적이 있다.

③ 정당정치가 발달하여 엽관주의 폐해가 심했던 국가는 독립성이 강하고, 엽관주의 폐해를 경험하지 못한 국가일수록 독립성이 약한 편이다.

(2) 합의성

① 합의성은 의사결정 구조가 기관장의 단독적 결정 형태인지 아니면 집단적 의사결정 방식을 택하는지의 문제를 말한다.

② 중앙인사행정기관이 인사행정상 준입법적·준사법적 기능과 감사기능을 수행하고 독립성을 가지는 경우, 신중하고 공정한 판단과 다양한 의견의 반영을 위하여 대체로 합의제로 구성된다.

---

[1] 중앙인사관장기관

「국가공무원법」 제6조 【중앙인사관장기관】 ① 인사행정에 관한 기본 정책의 수립과 이 법의 시행·운영에 관한 사무는 다음 각 호의 구분에 따라 관장(管掌)한다.
1. 국회는 국회사무총장
2. 법원은 법원행정처장
3. 헌법재판소는 헌법재판소사무처장
4. 선거관리위원회는 중앙선거관리위원회 사무총장
5. 행정부는 인사혁신처장

③ 합의제는 책임소재 불명확 · 인사행정의 행정수반 통제 곤란 · 인사행정 지체 등의 단점도 갖고 있기 때문에, 중앙인사행정기관의 이원화 경향은 합의제의 이러한 단점을 극복하려는 의도도 지니고 있다.

(3) 집권성

① 집권성은 엽관주의적 영향을 받기 쉬운 부처 인사기능을 중앙인사행정기관에 집중시켜 인사행정의 공정성 · 통일성을 확보하는 데 목적이 있다.

② 지나친 집권성은 신축적 인사행정의 운영을 어렵게 하므로, 인사권이 각 부처 계선기관에 분권화되어야 한다는 주장이 제기된다.

3 기능[1]

중앙인사행정기관의 기능은 각국의 상황과 관계법령의 내용에 따라 차이가 있다.

1. 준입법적 기능

독립성과 관련된 기능으로, 관계법률에 의하여 위임받은 사항에 관한 인사규칙을 제정할 수 있고 인사제도의 발안권을 가지는 것이다.

2. 준사법적 기능

비위공무원에 대한 징계 · 불이익 처분에 대하여 공무원이 위법 또는 부당하다는 이유로 제기하는 이의신청에 대해 재결하거나 고충처리 · 심사하는 기능이다. 인사혁신처에 소청심사위원회가 있어 소청을 처리하고 있다.

3. 집행 기능

인사관계법령에 따라 임용 · 훈련 · 분류 · 승진 · 보수 · 연금 · 인사기록의 보존 등 인사사무를 수행하는 것이다.

4. 감사 기능[2]

중앙인사기관이 부처인사기관에 대한 인사사무 처리를 감사 · 통제하는 기능이다. 분권화와 관련하여 그 중요성이 높아지고 있다.

4 우리나라의 중앙인사행정기관

1. 연혁

(1) 김대중 정부

행정안전부의 인사국과 중앙인사위원회로 이원화되어 있었다.

(2) 노무현 정부(참여정부)

중앙인사위원회로 인사기능이 통합 · 일원화되었다.

(3) 이명박 정부

인사기능이 행정안전부로 완전 일원화되었다.

❶ 소청심사위원회

「국가공무원법」 제9조 【소청심사위원회의 설치】 ① 행정기관 소속 공무원의 징계처분, 그 밖에 그 의사에 반하는 불리한 처분이나 부작위에 대한 소청을 심사 · 결정하게 하기 위하여 인사혁신처에 소청심사위원회를 둔다.
④ 제1항에 따라 설치된 소청심사위원회는 다른 법률로 정하는 바에 따라 특정직 공무원의 소청을 심사 · 결정할 수 있다.

❷ 인사감사

「국가공무원법」 제17조 【인사에 관한 감사】 ① 인사혁신처장은 대통령령으로 정하는 바에 따라 행정기관의 인사행정 운영의 적정 여부를 정기 또는 수시로 감사할 수 있으며, 필요하면 관계 서류를 제출하도록 요구할 수 있다.
③ 제1항과 제2항에 따른 감사 결과 위법 또는 부당한 사실이 발견되면 지체 없이 관계 기관의 장에게 그 시정(是正)과 관계 공무원의 징계를 요구하여야 하며, 관계 기관의 장은 지체 없이 시정하고 관계 공무원을 징계처분하여야 한다.

(4) 박근혜 정부

인사기능이 인사혁신처 소관으로 바뀌었으며, 이는 행정부 소속 공무원의 중앙인사기관이다.

2. 인사혁신처의 기능

(1) 공무원 인사정책 및 인사행정운영의 기본방침 · 인사관계법령(임용, 교육훈련, 보수 등)의 제정과 개폐 입안기관이다.

(2) 급여 등 공무원 처우개선 및 성과관리 기관이다.

(3) 고위공무원단에 속하는 공무원의 채용과 고위공무원단 직위로의 승진 기준에 관한 사항의 관여기관이다.

(4) 직무분석의 원칙과 기준에 관한 사항을 관장하는 우리나라의 중앙인사기관이다.

(5) 공무원의 인사정책 및 인사행정운영의 기본방침에 관한 사항과 인사집행(고시 · 교육훈련 등) 및 소청심사 업무까지 수행한다. 그러나 공무원의 징계 기능은 담당하지 않는다.

(6) 고위공무원의 임용제청은 고위공무원 임용심사위원회*의 심사를 거쳐야 한다.

3. 펜들턴 법(Pendleton Law)상 중앙인사기관(독립성, 집권성, 합의성) vs 인사혁신처(비독립성, 집권성, 단독형)

(1) 의의 및 장단점

구분	독립성	집권성	합의성
의미	입법 · 사법 · 행정부로부터의 독립	각 부처의 인사기능을 중앙인사기관에 집중	복수의 구성원으로 구성
장점	· 엽관 · 정실인사 배제 · 인사권자(행정수반 – 대통령)의 압력 배제 · 부패 방지 및 정치적 중립성	· 실적주의 확립에 기여 · 인사행정의 통일성과 공정성 확보 · 각 부처 인사행정의 통합적 조정	· 전문지식의 활용과 민주성의 확보 · 독단화를 방지하고 중립성 확보 · 행정의 신중성 · 공정성 확보 · 정책의 지속성과 일관성
단점	· 참모기능인 인사기능을 계선으로부터 분리시키는 것은 비합리적임 · 독립성은 법제나 법규만으로는 곤란	· 인사행정의 경직화 · 각 부처 기관장의 사기 저하 · 부처별 개별성 · 특수성 무시, 비민주성	· 책임소재의 불명확, 책임전가 · 신속한 결정 곤란, 시간 · 경비 소모

(2) 비독립 단독형(인사혁신처)의 장단점

장점	단점
· 의사결정의 신속성 · 책임소재의 명확 · 행정수반의 강력한 리더십 발휘	신중성, 공정성, 안정성 확보 곤란

용어

고위공무원 임용심사위원회*: 고위공무원단에 속하는 공무원의 채용과 고위공무원단 직위로의 승진 임용에 있어서의 기준과 절차 등에 관한 사항과 고위공무원단으로의 진입 심사 및 적격 심사 기능을 담당

핵심 OX

01 우리나라 중앙인사행정기관은 비독립 합의형이다. (O, X)

02 중앙인사행정기관은 조직 · 정원의 기능을 담당한다. (O, X)

03 인사혁신처 소속 기관은 소청심사위원회와 중앙공무원연수원이 있다. (O, X)

01 X 인사혁신처는 비독립 단독형이다.
02 X 조직 · 정원은 행정안전부가 담당한다.
03 O

학습 점검 문제

01 **정실주의와 엽관제에 대한 설명으로 옳지 않은 것은?** 2022년 국가직 7급

① 실적제로 전환을 위한 영국의 추밀원령은 미국의 펜들턴법 보다 시기적으로 앞섰다.

② 엽관제는 전문성을 통한 행정의 효율성 제고와 정부관료의 역량 강화에 기여한 것으로 평가된다.

③ 미국의 잭슨 대통령은 엽관제를 민주주의의 실천적 정치원리로 인식하고 인사행정의 기본 원칙으로 채택하였다.

④ 엽관제는 관료제의 특권화를 방지하고 국민에 대한 대응성을 높인다는 점에서 현재도 일부 정무직에 적용되고 있다.

02 **실적주의(merit system)에 대한 설명으로 옳지 않은 것은?** 2019년 지방직 7급

① 실적주의의 도입은 중앙인사기관의 권한과 기능을 분산시키는 결과를 가져왔다.

② 사회적 약자의 공직 진출을 제약할 수 있다는 점은 실적주의의 한계이다.

③ 미국의 실적주의는 펜들턴법(Pendleton Act)이 통과됨으로써 연방정부에 적용되기 시작하였다.

④ 실적주의에서 공무원은 자의적인 제재로부터 적법절차에 의해 구제받을 권리를 보장 받는다.

03 **실적주의 공무원제도에 대한 설명으로 옳은 것은?** 2024년 국가직 9급

① 미국에서는 잭슨(Jackson) 대통령에 의해 공식화되었다.

② 공직의 일은 건전한 상식과 인품을 가진 일반 대중 누구나 수행할 수 있는 것이라고 전제하였다.

③ 공개경쟁시험, 신분보장, 정치적 중립이 핵심적인 요소이다.

④ 사회적 형평성을 가장 중요한 가치로 삼는 인사제도이다.

04 **다음 중 적극적 인사행정과 가장 관련이 적은 것은?** 2009년 서울시 9급 변형

① 모집방법의 다양화

② 인사의 분권화

③ 정년보장식 신분보장

④ 정치적 임용의 부분적 허용

05 대표관료제에 대한 설명으로 옳지 않은 것은? 2017년 국가직 9급(4월 시행)

① 우리나라도 대표관료제적 임용 정책을 시행하고 있다.

② 형평성을 제고할 수 있으나 역차별의 문제가 발생할 수 있다.

③ 관료의 국민에 대한 대응성과 책임성을 향상시킨다.

④ 엽관주의의 폐단을 시정하기 위해 등장하였다.

정답 및 해설

01 엽관주의는 인사관리의 기준이 정당에 대한 충성도이므로 행정의 전문성을 저하시킨다.

| 오답체크 |

① 영국의 실적제는 1855년1차 추밀원령과 1870년의 2차 추밀원령에 의해 제도적인 기초가 확립되었습니다. 미국은 1883년에 제정된 펜들턴법을 계기로 실적제가 확립되었다

③ 1829년 제7대 잭슨 대통령이 엽관주의를 미국 인사행정의 공식적인 기본 원칙으로 채택하였다.

④ 우리나라의 경우 정무직과 별정직 일부에서 엽관적 임용을 공식적으로 허용하고 있다.

02 실적주의에서 중앙인사기관의 집권성은 엽관주의적 영향을 받기 쉬운 부처 인사기능을 중앙인사행정기관에 집중시켜, 인사행정의 공정성·통일성을 확보하는 데 목적이 있다.

| 오답체크 |

② 실적주의는 능력중심의 인사제도로, 사회적 신분이 낮은 사람들은 장기간 양질의 교육을 받을 처지에 있지 못하기 때문에 사회적 약자의 공직 진출을 제약할 수 있다는 단점이 있다.

③ 미국의 실적주의는 1883년 펜들턴법(Pendleton Act)이 제정됨으로써 연방정부에 적용되기 시작하였다.

④ 실적주의에서 공무원은 신분이 보장되므로 적법절차에 의해 자의적인 제재로부터 보호받을 권리를 보장 받는다.

03 실적주의는 능력과 실적 중심의 인사제도로 공개경쟁채용시험, 신분보장, 정치적 중립 등을 핵심요소로 한다.

| 오답체크 |

① 실적주의는 펜들턴법(1883)에 의하여 확립되었으며 미국 잭슨대통령에 의하여 공식화된 인사제도는 엽관주의이다.

② 전문성이 아니라 건전한 상식과 교양을 가진 일반대중 누구나 공직을 수행할 수 있다는 전제는 공직의 대중화를 강조한 제도는 엽관주의의 특징이다.

④ 실적주의는 형평성보다는 능률성을 중요한 가치로 삼는 인사제도이다. 형평성을 중시하는 인사제도는 실적주의 한계를 극복하기 위해 대두된 대표관료제이다.

04 적극적 인사는 실적주의의 한계를 극복하기 위해 대두된 것으로, 신분보장을 더 강화하는 정년보장식 신분보장은 해당되지 않는다.

| 오답체크 |

① 실적주의의 소극성을 극복하기 위해 다양한 모집을 통한 적극적 모집으로 보완한다.

② 실적주의 집권의 한계를 극복하기 위해 분권적 요소를 도입했다.

④ 엽관주의의 부분적 도입을 허용한다.

05 엽관주의의 폐단을 시정하기 위해 등장한 것은 실적주의이고, 실적주의의 폐단을 극복하기 위해서 대두된 것이 적극적 인사행정이다. 대표관료제는 적극적 인사행정에 속한다.

| 오답체크 |

① 우리나라도 장애인 의무고용제, 양성평등채용목표제 등과 같은 대표관료제의 임용 정책을 시행하고 있다.

② 사회적 약자에게 더 많은 임용 기회를 줌으로써 사회적 형평성을 확보할 수는 있으나, 역차별 문제로 인하여 다원주의를 확산시키기보다는 오히려 집단차원의 우대 또는 차별에 따라 집단이기주의를 강화하고, 사회분열을 초래할 위험이 있다.

③ 관료제가 비례적으로 구성되고 출신 집단을 대표함으로써, 정부의 대응성 및 책임성이 높아지고, 관료제의 민주화를 촉진한다.

정답 01 ② 02 ① 03 ③ 04 ③ 05 ④

06 **대표관료제에 대한 설명으로 가장 옳지 않은 것은?** 2019년 서울시 7급(10월 추가)

① 관료의 전문성과 생산성 제고에 기여한다.

② 역차별을 초래하여 사회 내 갈등과 분열을 조장할 수 있다.

③ 국민에 대한 관료의 대응성을 향상시킬 수 있다.

④ 사회 각계각층의 이해를 공공정책에 반영하여 사회적 정의 실현에 이바지할 수 있다.

07 **다음 제도에 대한 설명으로 옳지 않은 것은?** 2020년 국가직 7급

> 킹슬리(Kingsley)가 처음 사용한 용어로, 그 사회의 주요 인적 구성에 기반하여 정부관료제를 구성함으로써, 정부관료제 내에 민주적 가치를 주입하려는 의도에서 발달되었다.

① 관료들은 누구나 자신의 사회적 배경의 가치나 이익을 정책과정에 반영시키려고 노력한다는 점을 전제로 한다.

② 크랜츠(Kranz)는 이 제도의 개념을 비례대표(proportional)로까지 확대하는 것에 반대한다.

③ 라이퍼(Riper)는 이 제도의 개념을 확대해 사회적 특성 외에 사회적 가치까지도 포함시키고 있다.

④ 현대 인사행정의 기본 원칙인 실적제를 훼손할 뿐만 아니라 역차별을 야기할 수 있다는 비판을 받는다.

08 **대표관료제에 대한 설명으로 옳지 않은 것은?** 2023년 지방직 9급

① 우리나라는 양성채용목표제, 장애인 의무고용제 등 다양한 균형인사제도를 통해 대표관료제의 논리를 반영하고 있다.

② 다양한 집단의 이익을 반영하는 실적주의 이념에 부합하는 인사제도이다.

③ 할당제를 강요하는 결과를 초래하고, 특정 집단에 대한 역차별 문제를 야기할 수 있다.

④ 임용 전 사회화가 임용 후 행태를 자동적으로 보장한다는 가정하에 전개되어 왔다.

09 **직업공무원제의 단점을 보완하는 것으로 옳지 않은 것은?** 2020년 지방직 9급

① 개방형 인사제도

② 계약제 임용제도

③ 계급정년제의 도입

④ 정치적 중립의 강화

10 **직업공무원제의 특징으로 옳지 않은 것은?** 2022년 국가직 9급

① 직무급 중심 보수체계

② 능력발전의 기회 부여

③ 폐쇄형 충원방식

④ 신분의 보장

11 다음 중 전략적 인적자원관리에 대한 설명으로 가장 거리가 먼 것은? 2023년 군무원 9급

① 장기적이며 목표성과 중심적으로 인적자원을 관리한다.

② 조직의 전략 및 성과와 인적자원관리 활동 간의 연계에 중점을 둔다.

③ 인사업무 책임자가 조직 전략 수립에 적극적으로 관여한다.

④ 개인의 욕구는 조직의 전략적 목표달성을 위해 희생해야 한다는 입장이다.

정답 및 해설

06 집단대표 · 인구비례 등을 중요시 여기고, 능력 · 자격은 2차적 요소로 취급하기 때문에 행정의 전문성 · 객관성 · 합리성을 저해한다.

| 오답체크 |

② 역차별로 인해 다원주의를 확산시키기보다는 오히려 집단차원의 우대 또는 차별에 따라 집단이기주의를 강화하고, 사회분열을 초래할 위험이 있다.

③ 관료제가 비례적으로 구성되고 출신집단을 대표함으로써, 정부의 대응성 및 책임성이 높아지고, 관료제의 민주화를 촉진한다.

④ 소수집단과 소외집단에게 혜택을 부여하여 기회균등을 적극적으로 보장하여 사회적 정의 실현에 기여한다.

07 제시문의 내용은 대표관료제에 대한 설명이다. 크랜츠(Kranz)는 이 제도의 개념을 비례대표(proportional representation)로까지 확대하자고 주장하였다.

08 집단대표 · 인구비례 등이 중요하고 능력 · 자격은 2차적 요소로 취급하기 때문에 실적 기준의 적용을 제약하고, 결과적으로 행정의 전문성 · 객관성 · 합리성을 저해한다. 대표관료제는 실적주의와 상충되는 인사제도이다.

| 오답체크 |

① 우리나라가 도입하고 있는 대표관료제의 예에 해당한다.

③ 대표관료제는 역차별로 인해 다원주의의 확산보다는 오히려 집단차원의 우대 또는 차별에 따라 집단이기주의를 강화하고, 사회분열을 초래할 위험이 있다.

④ 대표관료제의 이론은 소극적 대표가 적극적 대표로 연결되는 것을 가정하고, 정부관료들이 그 출신집단의 가치와 이익을 정책 과정에 반영시킬 것이라고 주장하고 있다. 그러나 실제로는 관료의 가치관 · 행태의 변화로 피동적 대표성이 능동적 대표성을 보장하지 않는다. 즉, 임용 전의 출신 배경과 임용 후 행태 사이의 상관관계가 없을 수 있다.

09 정치적 중립은 직업공무원제의 기본적인 특징 중의 하나로 정치적 중립을 강화하는 것은 직업공무원제의 단점을 보완하는 방안과는 관계가 없다.

| 오답체크 |

① 직업공무원제의 폐쇄성을 개방형 인사제도 등을 통하여 보완해야 한다.

② 직업공무원제는 정년 때까지 신분을 보장해주는 정규직 공무원제도이므로 근무기간을 정해 임용하는 계약제나 임기제 공무원제도로 보완하여야 한다.

③ 계급정년제란 일정 기간, 일정 계급에서 승진하지 못하면 강제로 퇴직시키는 제도로, 폐쇄형인 직업공무원제의 폐단을 보완하고 공직의 유동성과 개방성을 높일 수 있는 제도이다.

10 직무 중심의 직무급은 직위분류제가 채택하는 합리적인 보수제도이다. 직업공무원제는 계급제와 친화적인 제도이며, 계급제는 생활급을 원칙으로 한다.

| 오답체크 |

② 채용 당시의 직무수행능력보다 장기적인 발전가능성과 잠재능력을 더 중요하게 평가하므로, 학교를 갓 졸업한 젊고 유능한 인재를 공직에 유치하고자 하며, 교육훈련과 경력발전에 관심을 기울인다. 이는 결과적으로 직위분류제의 전문가적 행정가의 양성보다 계급제의 일반행정가 양성에 유리하며, 폐쇄형 임용체제와 연관성이 높다.

③ 계급제적 기반에 외부인사 등용이 금지되는 폐쇄형 임용을 택하고 있는 유럽 국가들은 일찍이 직업공무원제가 확립되었다.

④ 종신고용을 보장하기 위해 강한 신분보장을 특징으로 한다.

11 전략적 인적자원관리는 개인과 조직의 통합을 강조하는 Y이론적 관점에서 출발하였다.

전략적 인적자원관리

특징 \ 분류	기존의 인적자원관리 (HRM)	전략적 인적자원관리 (SHRM)
분석	개인의 심리적 측면	조직의 전략과 인적자원관리
초점	직무만족, 동기부여, 조직시민행동의 증진	활동의 연계 및 조직의 성과
범위	미시적 시각: 개별 인적자원관리방식들의 부분적 최적화를 추구	거시적 시각: 인적자원관리 방식들 간의 연계를 통한 전체 최적화를 추구
시간	인사관리상의 단기적 문제해결	전략 수립에의 관여 및 인적자본의 육성
기능 및 역할	· 조직의 목표와 무관하거나 부수적 · 기능적 · 도구적 · 수단적 역할 수행 · 통제 메커니즘 마련	· 인적자본의 체계적 육성 및 발전 · 권한 부여 및 자율성 확대 유도

정답 06 ① 07 ② 08 ② 09 ④ 10 ① 11 ④

CHAPTER

2 공직의 분류

1 경력직과 특수경력직

1 공직분류[1]

1. 의의

공직분류란 채용과 대우 등 인사관리의 편의와 효율화를 기하기 위하여 공무원들을 일정한 기준에 따라 분류 · 관리하는 것을 말한다.

2. 대상

인사행정의 목적상 공직분류의 대상이 되는 공무원은 정부 구성원으로, 보수 · 연금 · 신분보장을 받으며 공무원법과 실적주의가 적용되는 사람을 지칭한다.

2 경력직과 특수경력직

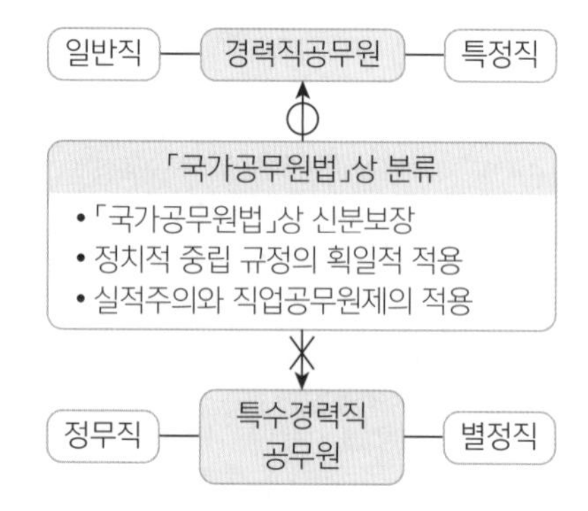

1. 경력직공무원

실적과 자격에 의해 임용되고 신분이 보장되는 공무원으로, 평생토록 공무원으로 근무할 것이 예정되는 공무원이다.

(1) 일반직공무원

① 행정일반 또는 기술 · 연구 업무를 담당하는 공무원으로, 직군과 직렬별로 분류되고 계급은 1급에서 9급으로 구분된다.

② 1급과 직무등급가는 신분보장이 되지 않는다.

(2) 특정직공무원

법관, 검사, 외무공무원, 경찰공무원, 소방공무원, 교육공무원, 군인, 군무원, 헌법재판소 헌법연구관, 국가정보원의 직원과 특수분야의 업무를 담당하는 공무원으로, 다른 법률에서 특정직공무원으로 지정하는 공무원이다.

---

[1] 공직분류

「국가공무원법」 제2조 【공무원의 구분】

① 국가공무원은 경력직공무원과 특수경력직공무원으로 구분한다.

② "경력직공무원"이란 실적과 자격에 따라 임용되고 그 신분이 보장되며 평생 동안(근무기간을 정하여 임용하는 공무원의 경우 그 기간 동안) 공무원으로 근무할 것이 예정되는 공무원을 말 한다.

1. 일반직공무원: 기술 · 연구 또는 행정 일반에 대한 업무를 담당하는 공무원
2. 특정직공무원: 법관, 검사, 외무공무원, 경찰공무원, 소방공무원, 교육공무원, 군인, 군무원, 헌법재판소 헌법연구관, 국가정보원의 직원, 경호공무원과 특수 분야의 업무를 담당하는 공무원으로서 다른 법률에서 특정직공무원으로 지정하는 공무원

③ "특수경력직공무원"이란 경력직공무원 외의 공무원을 말한다.

1. 정무직공무원
   가. 선거로 취임하거나 임명할 때 국회의 동의가 필요한 공무원
   나. 고도의 정책결정 업무를 담당하거나 이러한 업무를 보조하는 공무원으로서 법률이나 대통령령(대통령비서실 및 국가안보실의 조직에 관한 대통령령)에서 정무직으로 지정하는 공무원
2. 별정직공무원: 비서관 · 비서 등 보좌업무 등을 수행하거나 특정한 업무 수행을 위하여 법령에서 별정직으로 지정하는 공무원

핵심 OX

01 검찰총장과 경찰청장은 정무직공무원이다. (O, X)

02 외무공무원은 일반직공무원이다. (O, X)

01 X 검찰총장, 경찰청장 모두 특정직공무원이다.
02 X 외무공무원은 특정직이다.

2. 특수경력직공무원[1]

실적주의와 직업공무원제의 획일적 적용을 받지 않고, 정치적으로 임용되거나 특수한 직무 담당이 필요한 공무원 등을 말한다. 그러나 특수경력직공무원이라도 「국가공무원법」에 규정된 보수와 복무규율의 적용을 받는다.

(1) 정무직공무원

선거에 의해 임용되는 자(대통령, 국회의원, 자치단체장, 지방의회 의원, 교육감), 임명에 국회 동의가 요구되는 공무원(감사원장), 고도의 정책결정 업무나 이를 보조할 공무원(국무총리, 각 부처 장·차관, 국가정보원 원장·차장·기획조정실장, 감사원 사무총장 등)으로 법률로 지정한다.

(2) 별정직공무원

법령에 따라 특정 업무의 담당을 위해 별도의 자격기준에 의해 임용되는 공무원(국회의원 보좌관·비서관·비서, 국회 수석전문위원)이다.

개념PLUS 국회의 인사청문 대상 공직자

1. 의의
   ① 「국회법」의 개정으로 헌법상 국회의 임명 동의가 필요하거나 국회에서 선출하도록 되어있는 공직자, 개별법에서 국회의 인사청문을 거치도록 되어 있는 공직자에 대해서 인사청문을 실시한다.
   ② 지명 후·임명 전에 실시하는 국회 차원의 사전 검증 절차로, 미국의 경우 상원에서 실시한다.
2. 인사청문 대상 공직자
   ① **인사청문특별위원회 대상자:** 헌법에 의하여 그 임명에 국회의 동의를 요하는 직위
   대법원장, 헌법재판소장, 국무총리, 감사원장, 대법관, 국회에서 선출하는 헌법재판관 3인, 중앙선거관리위원회 위원 3인
   ② 소관 상임위원회 대상자
   ㉠ **개별법에 의하여 국회의 인사청문을 거치는 직위:** 국가정보원장, 국세청장, 검찰총장, 경찰청장, 합동참모의장, 방송통신위원회위원장, 공정거래위원장, 금융위원회위원장, 국가인권위원회위원장
   ㉡ 모든 국무위원
   ㉢ 국회에서 선출하지 않은 헌법재판소 재판관, 중앙선거관리위원회 위원
3. 국회 인사청문회의 결정은 대통령을 법적으로 구속하지 못한다. 대통령은 청문회의 결정을 정치적으로 존중하느냐의 문제이지 법적인 문제는 아니다(헌법재판소 판례).
4. 절차
   ① 의장은 임명동의안 등이 제출된 때에는 즉시 본회의에 보고하고 위원회에 회부하며, 그 심사 또는 인사청문이 끝난 후 본회의에 부의하거나 위원장으로 하여금 본회의에 보고하도록 한다.
   ② 국회는 임명동의안 등이 제출된 날로부터 20일 이내에 그 심사 또는 인사청문을 마쳐야 한다.
   ③ 국회에 제출되는 임명동의안 첨부서류에는 직업, 학력, 경력에 관한 사항, 병역신고사항, 재산신고사항, 최근 5년간 재산세·소득세 납부실적 및 체납실적에 관한 사항, 범죄경력에 관한 사항 등이 포함된다.
   ④ 위원장은 위원회에서 인사청문을 마친 인사청문경과를 본회의에 보고한다. 국회의장은 청문경과가 본회의에 보고되면 지체없이 인사청문경과보고서를 대통령 등에게 송부하여야 한다.

[1] 임기제공무원
1. 종류(「공무원임용령」 제3조의2)
   · 일반임기제공무원: 직제 등 법령에 규정된 경력직 공무원의 정원에 해당하는 직위에 임용되는 임기제공무원을 말한다.
   · 전문임기제공무원: 특정 분야에 대한 전문적 지식이나 기술 등이 요구되는 업무를 수행하기 위하여 임용되는 임기제공무원을 말한다.
   · 시간선택제임기제공무원: 법 제26조의2에 따라 통상적인 근무시간보다 짧은 시간(주당 15시간 이상 35시간 이하의 범위에서 임용권자 또는 임용제청권자가 정한 시간)을 근무하는 공무원으로 임용되는 일반임기제공무원 또는 전문임기제공무원을 말한다.
   · 한시임기제공무원: 법 제71조 제1항·제2항에 따라 휴직을 하거나 국가공무원 복무규정 제20조 제2항·제10항에 따라 30일 이상의 휴가를 실시하는 공무원의 업무를 대행하기 위하여 1년 6개월 이내의 기간 동안 임용되는 공무원으로서 법 제26조의2에 따라 통상적인 근무시간보다 짧은 시간을 근무하는 임기제공무원을 말한다.
2. 신분
   경력직공무원으로 전문경력관과 마찬가지로 주로 일반직이다.

핵심 OX

01 인사청문특별위원회 위원장은 대통령에게 인사청문경과보고서를 송부한다. (O, X)

02 미국의 인사청문은 하원에서 실시한다. (O, X)

01 X 국회의장이 송부한다.
02 X 미국은 상원에서 인사 청문을 실시한다.

개념PLUS 「전문경력관 규정」

제2조【적용 범위】 ① 이 영은 「국가공무원법」(이하 "법"이라 한다) 제4조 제2항 제1호에 따라 계급 구분과 직군 및 직렬의 분류를 적용하지 아니하는 특수 업무 분야에 종사하는 공무원[「공무원임용령」(이하 "임용령"이라 한다) 제3조의2에 따른 전문임기제공무원(시간선택제전문임기제공무원을 포함한다) 및 한시임기제공무원은 제외하며, 이하 "전문경력관"이라 한다]에 대하여 적용한다.

제3조【전문경력관직위 지정】 ① 임용령 제2조 제3호에 따른 소속 장관(이하 "소속 장관"이라 한다)은 해당 기관의 일반직공무원 직위 중 순환보직이 곤란하거나 장기 재직 등이 필요한 특수 업무 분야의 직위를 전문경력관직위로 지정할 수 있다.

제4조【직위군 구분】 ① 제3조에 따른 전문경력관직위(이하 "전문경력관직위"라 한다)의 군(이하 "직위군"이라 한다)은 직무의 특성·난이도 및 직무에 요구되는 숙련도 등에 따라 가군, 나군 및 다군으로 구분한다.

제17조【전직】 ① 임용권자는 다음 각 호의 어느 하나에 해당하는 경우에는 전직시험을 거쳐 전문경력관을 다른 일반직공무원으로 전직시키거나 다른 일반직공무원을 전문경력관으로 전직시킬 수 있다.

2 개방형과 폐쇄형

1 의의

(1) 조직구조의 모든 계층에서 신규채용이 허용되느냐의 여부에 따라 개방형과 폐쇄형으로 구분된다.

① **개방형:** 모든 계층의 직위를 불문하고 신규채용이 허용되는 인사제도로, 미국처럼 직위분류제를 채택하는 국가에서는 개방형의 필요성이 크다.

② **폐쇄형:** 신규채용이 최하위 계층에만 인정되며, 내부승진으로 상위계층까지 올라가는 인사제도(외부인사의 동일계급 내 중간직 임용 불가)로, 계급제에 토대를 두고 있다.

(2) 전통적 직업공무원제의 골격이 되어온 폐쇄형과 달리, 개방형은 새로운 지식·기술·아이디어를 수용하기 위하여 외부 전문가나 유능한 인재에게 공직의 문호를 개방한다. 이론적으로 개방형과 폐쇄형은 구별되지만, 실제에 있어서는 어느 나라든 개방형이나 폐쇄형 어느 하나만 고수하지는 않는다.

2 개방형과 폐쇄형의 비교

구분	개방형	폐쇄형
분류 기준	직위 · 직무	계급 · 사람
모집	모든 계층	최하 계층
임용 자격	직무수행능력	일반교육
승진 기준	가장 적격자(내 · 외부)	상위 적격자(내부 임용)

3 개방형과 폐쇄형의 이점

개방형	폐쇄형
· 유능한 외부인사의 공직 등용 · 활발한 신진대사로 관료제 침체 · 경직화 방지, 무사안일적 풍토 쇄신, 재직자의 자기개발노력 촉진 · 공무원의 질적 향상, 행정능률화에 기여 · 국민에 대한 반응성 제고 및 행정에 대한 민주통제 용이 · 정부의 인적자원의 활용범위 확대	· 재직자의 승진 기회가 많아져 사기앙양 · 신분보장 강화로 행정의 안정성 제고 · 낮은 이직률로 직업공무원제 확립에 기여 · 승진 기준으로 경력을 중요시하여 인사행정의 객관성에 기여 · 조직에의 높은 소속감 · 충성심으로 행정능률 향상에 도움

참고 개방형은 객관적인 공개경쟁시험에 의하지 않는 경우가 많으므로, 정실에 의한 자의적인 인사가 이루어질 문제점이 있음

4 우리나라의 개방형 인사제도

1. 개방형 직위❶❷

(1) 개방형 직위의 지정❸

① 임용권자 또는 임용제청권자는 당해기관의 직위 중 '전문성'이 특히 요구되거나 '효율적 정책수립'을 위해 필요하다고 판단되어 공직 내부 또는 외부에서 적격자를 임용할 필요가 있는 직위에 대하여 이를 개방형 직위로 지정하여 운영할 수 있다.

② 소속장관별로 고위공무원단 직위 총수의 20% 범위 안에서 개방형 직위를 지정하되, 중앙행정기관과 소속기관 간에 균형을 유지해야 한다. 소속장관은 실장 · 국장 밑에 두는 보조기관 또는 이에 상당하는 직위(과장급 직위) 총수의 20% 범위 안에서 개방형 직위를 지정해야 하며, 이 경우 그 실시 성과가 크다고 판단되는 기관 · 공무원의 종류 또는 직무분야를 고려하여야 한다.

(2) 개방형 직위 선발시험과 선발시험위원회

① 소속장관은 개방형 직위에 공무원을 임용하려는 때에는 공직 내부와 외부를 대상으로 공개모집에 의한 시험을 거쳐 적격자를 선발하여야 한다.

② 선발시험은 서류전형과 면접시험에 의하되, 필요한 경우에는 필기시험이나 실기시험을 부과할 수 있다.

❶ 개방형 직위

「개방형 직위 및 공모직위의 운영 등에 관한 규정」 제3조 【개방형 직위의 지정】 ① 「국가공무원법」(이하 "법"이라 한다) 제28조의4 제1항에 따라 「공무원임용령」 제2조 제3호에 따른 소속장관(이하 "소속장관")은 소속장관별로 법 제2조의2 제2항 각 호의 고위공무원단 직위 총수의 100분의 20의 범위에서 개방형 직위를 지정하되, 중앙행정기관과 소속기관 간 균형을 유지하도록 하여야 한다.
② 소속장관은 중앙행정기관의 실장 · 국장 밑에 두는 보조기관 또는 이에 상응하는 직위 총수의 100분의 20의 범위에서 개방형 직위를 지정하되, 그 실시 성과가 크다고 판단되는 기관, 공무원의 종류 또는 직무 분야 등을 고려하여야 한다.
③ 소속장관은 제1항 및 제2항에 따른 개방형 직위 중 특히 공직 외부의 경험과 전문성을 적극 활용할 필요가 있는 직위를 공직 외부에서만 적격자를 선발하는 개방형 직위로 지정할 수 있다.

❷ 개방형 직위

「지방공무원법」 제29조의4 【개방형 직위】 ① 임용권자는 해당 기관의 직위 중 전문성이 특히 요구되거나 효율적인 정책 수립을 위하여 필요하다고 판단되어 공직 내부나 외부에서 적격자를 임용할 필요가 있는 직위를 개방형 직위로 지정하여 운영할 수 있다. 이 경우, 「지방자치법」 등 지방자치단체의 조직 관계 법령이나 조례 · 규칙에 따라 시 · 도는 5급 이상, 시 · 군 · 구는 6급 이상 공무원 또는 이에 상당하는 공무원으로 임명할 수 있는 직위 중 임기제 공무원으로도 보할 수 있는 직위는 개방형 직위로 본다.

❸ 개방형 직위의 지정

「지방자치단체의 개방형 직위 및 공모직위의 운영 등에 관한 규정」 제2조 【개방형 직위의 지정】(대통령령) 「지방공무원법」 제29조의4 제1항에 따른 개방형 직위(이하 "개방형 직위")는 특별시 · 광역시 · 도 또는 특별자치도별로 1급부터 5급까지의 공무원 또는 이에 상응하는 공무원과 시 · 군 및 자치구별로 2급부터 5급까지의 공무원 또는 이에 상응하는 공무원으로 임명할 수 있는 직위 총수의 100분의 10 범위에서 지정할 수 있으며, 개방형 직위를 지정하는 경우에는 그 실시 성과가 크다고 판단되는 기관, 공무원의 종류 또는 직무 분야 등을 고려하여야 한다.

(3) 개방형 직위 임용절차 및 방법

① 선발시험위원회는 개방형 직위의 임용예정 직위별로 2인 또는 3인의 임용후보자를 선발하여 소속장관에게 추천하고, 소속장관은 선발시험위원회에서 추천한 임용후보자 중에서 임용하여야 한다(인사혁신처의 심사대상자가 있는 경우에는 인사혁신처의 심사를 거쳐야 함).

② **개방형 직위에 임용되는 공무원은 임기제공무원으로 하여야 한다. 예외적으로 개방형 임용 당시 경력직 공무원인 자는 개방형 직위에 전보·승진·전직 또는 특별채용의 방법에 의하여 경력직공무원으로 임용될 수 있다.**

③ 개방형 직위에 임용되는 공무원의 임용기간은 원칙적으로 5년의 범위 안에서 소속장관이 정하되, 최소한 2년 이상으로 하여야 한다.

(4) 개방형 직위 정리

채용 사유	전문성이 요구되는 직위 및 효율적 정책수립을 위하여 필요하다고 판단되는 직위
개방형 직위의 지정	· **중앙정부:** 고위공무원단 직위 총수의 20% 범위 (과장급 직위 총수의 20% 범위 안에서 개방형 임용) · **지방자치단체:** 1~5급 10% 범위 (시·도는 1~5급 이상, 시·군·구는 2~5급 이상) · 개방형 직위의 지정 범위에 관해 필요한 사항은 소속장관이 인사혁신처장과 협의하여 정함
선발시험	· 있음(서류전형이나 면접시험의 방법으로 실시함. 단, 필요하다면 필기나 실기시험을 실시할 수 있음) · 시험위원의 2분의 1 이상은 민간위원(국·공립대학의 교원을 포함)이어야 함
채용기간	5년 이내(최소 2년 보장)
직종	임기제 또는 경력직(내부와 외부 경쟁)

2. 공모직위제도[1]

(1) 의의

임용권자나 임용제청권자는 해당 기관의 직위 중 효율적인 정책 수립 또는 관리를 위하여 해당 기관 내부 또는 외부의 공무원 중에서 적격자를 임용할 필요가 있는 직위에 대하여는 공모직위(公募職位)로 지정하여 운영할 수 있다.

(2) 공모직위의 지정[2]

① 소속장관은 소속장관별로 경력직공무원으로 보할 수 있는 고위공무원단 직위 총수의 100분의 30의 범위 안에서 공모직위를 지정하되, 중앙행정기관과 소속기관 간 균형을 유지하도록 하여야 한다.

② 소속장관은 결원을 보충하거나 보직관리를 하는 때에 필요하다고 인정하는 경우에는 경력직공무원으로 보할 수 있는 과장급 직위 이하 직위(개방형 직위를 제외)를 공모직위로 지정할 수 있으며, 지정하는 경우에는 그 실시성과가 크다고 판단되는 기관·공무원의 종류 또는 직무분야 등을 고려하여야 한다.

❶ 개방형 직위와 공모직위 지정 요건

개방형 직위	공모직위
지정: 임용권자 또는 임용제청권자	
· 전문성이 특히 요구됨 · 효율적인 정책 수립	효율적인 정책 수립
고위공무원단: 20%	30%
과장급: 20%	20%

❷ 「개방형 직위 및 공모 직위의 운영 등에 관한 규정」

제13조 【공모 직위의 지정】 ① 법 제28조의5 제1항에 따라 소속 장관은 소속 장관별로 경력직공무원으로 임명할 수 있는 고위공무원단직위 총수의 100분의 30의 범위에서 공모 직위를 지정하되, 중앙행정기관과 소속 기관 간 균형을 유지하도록 하여야 한다.

② 소속 장관은 경력직공무원으로 임명할 수 있는 과장급직위 총수의 100분의 20의 범위에서 공모 직위를 지정하되, 그 실시 성과가 크다고 판단되는 기관, 공무원의 종류 또는 직무 분야 등을 고려하여야 한다.

③ 소속 장관은 과장급직위나 소속 기관의 실장·국장 밑에 두는 보조기관 또는 이에 상응하는 직위의 효율적인 업무 수행을 지원하기 위하여 4급 및 5급 경력직공무원 또는 이에 상당하는 공무원으로 임명할 수 있는 직위(이하 "담당급직위"라 한다)를 공모 직위로 지정하되, 그 실시 성과가 크다고 판단되는 기관, 공무원의 종류 또는 직무 분야 등을 고려해야 한다.

④ 소속 장관은 공모 직위의 지정 범위에 관하여 인사혁신처장과 협의하여야 한다.

(3) 공모직위 선발시험

① 소속장관은 고위공무원단 공모직위에 공무원을 임용하려는 때에는 경력직 고위공무원, 고위공무원 승진요건을 갖춘 일반직 공무원, 고위공무원 임용요건을 갖춘 연구관 또는 지도관, 고위공무원단직위에 상응하는 지방자치단체 또는 지방교육행정기관의 직위에서 근무한 경력이 있는 지방공무원, 고위공무원 임용요건을 갖춘 수석전문관을 대상으로 공개모집시험을 거쳐 적격자를 선발하여야 한다.

② 소속장관은 과장급 직위 이하 직위를 공모직위로 지정하여 공무원을 임용하려는 때에는 그 기관 내부 및 외부의 경력직공무원을 대상으로 공개모집에 의한 시험을 거쳐 적격자를 선발하여야 한다.

③ 선발시험은 서류전형과 면접시험으로 한다.

(4) 공모직위 임용자의 임용 및 보직관리

① 공모직위에 임용되는 공무원은 전보 · 승진 · 전직 또는 특별채용의 방법에 의하여 임용하여야 한다.

② 공모직위에 임용된 공무원은 원칙적으로 임용된 날부터 2년 이내에 다른 직위에 임용될 수 없다.

3 직위분류제와 계급제

1 직위분류제

1. 의의

(1) 직위분류제는 다수의 직위를 각 지위에 내포되는 직무의 종류와 곤란성 · 책임도를 기준으로 직급별 · 직렬별 · 직군별 · 등급별로 분류하여, 동일 직렬 내에서만 인사이동할 수 있게 하는 제도이다.

(2) 직위분류제는 동일 직급의 직위에 대해 동일 자격요건 및 동일 보수[1]를 내용으로 하는 등 임용 · 보수 및 기타 인사행정의 합리화를 위한 수단으로 활용되고 있다.

[1] 동일 직무의 동일 보수
엽관제에 의한 보수의 불평등을 해소하고 동일 직무의 동일 보수라는 합리성 사상에 기초하여 직위분류제가 발달하였다.

2. 미국의 직위분류제 발달배경

(1) 농업사회를 배경으로 하는 신분적 계급제도 또는 관료제의 전통이 없었다.

(2) 19세기 실적주의가 확립되면서 직무내용과 자격요건에 대한 정보가 필요하였다.

(3) 과학적 관리론의 영향으로 능률 향상과 보수 균등화를 위해 직무분석과 직무평가가 촉진되었다.

(4) 정치적 정실에 의한 보수 불균등의 반대 투쟁으로 공무원제도 개혁운동의 영향을 받았다.

(5) 동일 직무에 대하여 동일 보수를 지급함으로써 직무급 원칙을 확립하였다.

핵심 OX

01 과학적 관리 운동은 직위분류제의 발달에 많은 자극을 주었다. (O, X)

01 O

3. 구조적 특징

(1) 계층 · 사회적 출신배경 · 학력 등과 관련성이 적고, 특정직무 수행능력을 중요시한다.

(2) 외부 인사의 자유로운 충원이 가능한 개방형을 채택한다.

(3) 기본구조인 등급에서 상위직 · 하위직 간의 대립의식이나 위화감이 크지 않다.

(4) 인사기술 · 절차의 능률화 · 합리화의 수단으로 능률주의 · 과학적 인사행정의 기반을 제공한다.

4. 직위분류제의 구조[1]

❶ 직위분류제의 구조

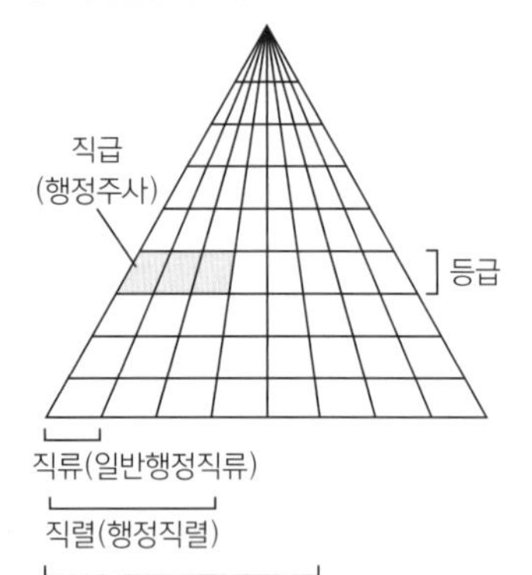

직위분류제는 직위를 직무의 종류와 성질 기준으로 직렬 · 직군별로 종적 분류를 한 다음, 직무의 곤란성과 책임도를 기준으로 직급별 · 등급별로 횡적 분류를 하는 것이다. 그 구성요소는 다음과 같다.

(1) 직위(position)

한 사람의 근무를 필요로 하는 직무와 책임이다.

(2) 직급(class)

직위에 내포되는 직무의 종류와 곤란성 · 책임도가 상당히 유사한 직위의 군이다. 동일한 직급에 속하는 직위에 대해 임용자격 · 시험 · 보수 등에서 동일한 취급을 한다.

(3) 직렬(series)

직무의 종류는 유사하나 곤란성 · 책임도가 상이한 직급의 군이다.

(4) 직류

동일한 직렬 내에서 담당분야가 동일한 직무의 군(직렬의 세분화)이다.

(5) 직군(group)

직무의 종류가 유사한 직렬의 군이다.

(6) 등급(grade)

직무의 종류는 다르지만 직무의 곤란성 · 책임도와 자격요건이 유사하여 동일한 보수를 줄 수 있는 모든 직위이다.

(7) 직무등급

직무의 곤란성과 책임도가 상당히 유사한 직위의 군으로, 고위공무원단 소속 공무원에게 도입된 개념이다.

개념PLUS 우리나라 일반직공무원의 직위분류 예시

직군	직렬	직류	계급, 등급						
			1급	2급	3급	4급	5급	6급	7·8·9급
행정	행정	일반행정							
기술	공업	일반기계							

핵심 OX

01 직무의 종류는 상이하나 곤란성 · 책임도가 유사한 직급의 군이 직렬이다. (O, X)

02 직무의 종류, 곤란성과 책임도가 유사한 직위의 집단을 등급이라 한다. (O, X)

01 X 종류는 유사하나, 책임도 · 곤란도가 상이한 직급의 군이 직렬이다.
02 X 등급은 직무의 곤란성 · 책임도와 자격요건은 유사하나 직무의 종류가 다르다.

5. 직위분류제의 유용성

(1) 보수 결정의 합리적 기준 제시

동일 직무에 대한 동일 보수 지급(equal pay for equal work)으로 직무급 제도를 확립하여 보수 결정의 합리적 기준을 제시한다. 보수수준의 결정을 능력 · 자격보다 실제 하는 일을 기준으로 하는 것이다.

(2) 적임자 임용 · 인사배치의 합리적 기준 제시

직무분석이나 직무평가를 통해 직위가 요구하는 직무 내용과 성질, 자격요건 등을 밝힘으로써 채용시험 · 인사배치 · 승진 · 전직 등의 합리적 기준을 제시한다.

(3) 훈련 수요의 명확화

훈련의 목적 · 수요범위 파악, 효율적 교육훈련 계획수립에 유익하다.

(4) 근무성적평정의 기준 제시

근무의 내용을 구체적으로 명시하여, 근무성적평정의 객관적 기준을 정립한다.

(5) 권한 · 책임한계의 명확화

횡적인 직책의 한계와 종적인 상하 지휘 · 감독 관계에서 권한과 책임의 한계를 명시하여, 행정조직의 합리화와 개선 및 행정책임과 능률 확보에 기여한다.

(6) 행정의 전문화 · 분업화 촉진

동일 직책의 장기간 담당으로 행정의 전문화와 분업화를 촉진한다.

승진이 동일 직종에 따라서 이루어지므로 특정 분야의 전문가 양성에 효과적이다.

(7) 예산의 효율성과 행정의 통제

인건비 산출의 근거를 제시함으로써 예산절차의 능률화가 이루어지고, 공무원의 서비스와 인건비 간의 논리적 관계를 밝혀주어 행정의 통제에 기여한다.

(8) 계급의식이나 위화감 해소

직급이나 등급은 점직자(占職者)의 사회적 신분이나 지위를 나타내는 것이 아니므로, 상 · 하위직 간의 계급의식이나 위화감이 크지 않다.

(9) 정원관리 · 사무관리의 개선

업무처리 과정의 간소화나 업무분담의 합리화를 통해 정원관리와 사무관리가 개선된다. 이를 위해서는 정확한 직무분석이 선행되어야 한다.

6. 직위분류제의 한계

(1) 유능한 일반행정가 양성 곤란

특정 직위의 전문가를 요구하므로, 관리능력을 가진 일반행정가(generalist)의 확보나 양성이 곤란하다.

(2) 인사배치의 신축성 제한

동일 직렬에 한정된 승진 · 전보만 가능하므로, 인사배치의 신축성이 제한된다.

(3) 공무원의 장기적 능력발전에 소홀

특정 직위의 직무수행능력에 관한 인물 적합성을 최우선으로 하므로, 공무원의 장기적 능력발전이나 잠재력 · 창의력 개발에는 소홀하다.

핵심 OX

01 직위분류제는 계급제에 비해 인적자원의 탄력적 활용이 가능하다. (O, X)

02 직위분류제는 보수와 업무 부담의 형평성을 추구한다. (O, X)

01 X 인적자원의 탄력적 활용이 용이한 것은 계급제이다.
02 O

(4) 신분보장의 위협

공무원 신분이 특정 직위·직무에 연결되므로, 기구개혁 등에 따라 직무 자체가 없어진 경우 신분보장이 위협을 받는다.

(5) 업무협조·조정 곤란

전문적 행정관리에 역점을 둠으로써 업무통합이나 상호 간 의사소통이 부진하여 협조·조정이 곤란하다.

(6) 소속감 결여

공무원 개인 문제를 전혀 고려하지 않기 때문에, 조직에 대한 자발적 헌신이나 구성원들의 단결심을 조장하기 어렵다.

(7) 정부 업무의 객관적 분류 곤란

정부의 직무는 객관적으로 엄격히 구분되기 어렵고, 주관적 판단이 많이 개입된다.

7. 직위분류제의 구체적 수립절차

(1) 계획과 절차의 결정

직위분류의 주관 기관은 관계인사 및 단체의 광범위한 민주적 참여 아래 직위분류제의 수립 계획과 절차를 결정한다. 그러므로 기관장, 고위공무원, 공무원단체의 대표, 민간 외부전문가 등이 참여하는 위원회 형태가 효과적이다.

(2) 분류담당자 선정과 분류대상 직위 결정

조직 내부인사와 외부인사를 적절히 안배하여 직위분류에 필요한 면접·직무분석·직무평가를 담당할 요원을 선정하고, 조직기구의 성격·기술적 가능성이나 효과를 고려하여 분류대상 직위를 선정한다.

(3) 직무조사(직무기술서 작성)

분류될 직위의 직무에 관한 정보를 수집·조사하여 분석·평가에 대비하는 것이다. 직무와 책임·직무수행에 필요한 지식과 기술에 관한 정보·자료 등을 얻기 위하여 점직자에게 직무기술서(job description)를 배부하고 기입하게 한다.

(4) 직무분석(job analysis)[1] - 수직적 분류 구조

직무 내용과 책임에 관한 사실·정보를 분류요소에 따라 선택·정리·비판·검토하여 **직렬·직군으로 분류하는 논리적 사고과정**이다.

(5) 직무평가(job evaluation) - 수평적 분류 구조

직무분석으로 직무를 종류별로 구분한 다음, 직무 수행의 곤란성·책임성·복잡성 그리고 직무를 수행하는 데 필요한 자격 요건 등을 기준으로 직급과 등급을 결정하는 것이다(수평적·횡적 분류 구조 형성 절차). 직무평가에 의하여 직무의 종류가 유사하고 직무 수행의 곤란성·책임성·복잡성·자격요건 등이 유사한 직위의 직급이 결정되고, 직무의 종류는 다르나 직무의 곤란성·책임성·복잡성·자격요건 등이 유사한 직위의 집합체인 등급이 결정된다.

[1] 직무분석과 직무평가

<table>
<tr><th rowspan="2">기준</th><th colspan="3">직무분석</th><th colspan="2">직무평가</th></tr>
<tr><th>직류</th><th>직렬</th><th>직군</th><th>직급</th><th>등급</th></tr>
<tr><td>직무의 종류·성질</td><td colspan="3">유사</td><td>유사</td><td>상이</td></tr>
<tr><td>직무의 책임도·난이도</td><td colspan="3">상이</td><td colspan="2">유사</td></tr>
</table>

(6) 직급명세서(class specification)의 작성

직군·직렬과 등급·직급이 결정되면 직급별로 직급명세서가 작성된다. 인사행정의 기초가 되는 직급명세서에는 직급명, 직책의 개요, 최저자격요건, 채용방법, 보수액 등이 명시된다.

(7) 정급

직급명세서가 작성되면 모든 직위는 각각 해당 직군·직렬·직류와 등급·직급에 배정된다.

(8) 사후검토와 동태적 관리

모든 관계자·점직자에게 시행에 앞서 검토와 이의신청 기회를 주고, 행정조직·행정기능의 동태적 성격에 비추어 직무 내용의 변동에 따라 수정될 수 있어야 한다.

개념PLUS 직무평가 방법[1]

1. 계량적 방법
   ① 점수법(point method): 직무 구성요소별(예 정신적·육체적 능력, 근무환경, 의사결정 등)로 계량적으로 평가하는 것이다. 각 요소의 비중이나 등급을 숫자로 표시하는 등급기준표를 만들고, 이에 대비하여 분류할 직위의 직무를 각 요소별로 평점한 다음 이를 합산하고 평균하여 등급을 결정한다.
   ② 요소비교법(factor-comparison method): 대표적이라고 생각하는 기준직위를 선정하고, 기준직위의 평가요소에 부여된 수치에 평가하려는 직위의 각 요소를 대비시켜 평점하여, 직위의 상대적 가치를 결정한다. 기준직무와 비교하므로 평가의 정확성을 높일 수 있고, 평가의 결과가 점수가 아닌 보수액으로 표시되어 보수액 산출의 작업이 필요없다는 이점이 있다. 그러나 작업이 어렵고 많은 시간이 소요된다는 단점이 있다.
2. 비계량적 방법
   ① 서열법(ranking method): 직위의 가치와 비중을 전체적·종합적으로 판단하여 상하서열을 정하는 단순한 방법이다. 단순히 직무와 직무를 비교하는 방법이므로 시간·노력·비용이 적게 든다는 이점이 있으나, 직위가 복잡하고 수가 많으면 적용이 곤란하고, 정확성·객관성이 결여되었다는 단점이 있다.
   ② 분류법(classification method), 등급법(grading method): 서열법과 유사(평가자의 개괄적 판단에 의존)하지만 더 발전된 것으로, 등급기준표를 미리 작성한다. 각 등급별로 직무내용·책임도·자격요건 등을 기술한 등급 정의에 따라, 각 직위에 가장 적절한 등급을 결정해 나가는 방법이다.

[1] 직무평가 방법

직무의 비중 결정 방법	직무와 기준표 비교	직무와 직무 비교
비계량적 방법	분류법	서열법
계량적 방법	점수법	요소비교법

2 계급제

1. 의의

(1) 공무원이 가지는 개인적 특성(학력, 경력, 자격 등)을 기준으로 유사한 개인적 특성을 가진 공무원을 하나의 범주나 집단으로 구분하여 계급을 형성하고, **동일 계급 내에서는 어느 자리로나 이동할 수 있도록 한 제도**이다.

(2) 직위분류제가 직위가 내포하고 있는 객관적 직무 중심적 제도라면, 계급제는 사람의 신분상 지위나 자격에 중점을 두는 사람 중심적 제도이다.

(3) 오랜 군주국가의 전통과 관료제 전통을 가진 유럽 각국 및 한국, 중국, 일본, 파키스탄 등이 계급제의 전통을 가지고 있다.

2. 특징

(1) 4대 계급제

① 계급제를 채택한 나라들은 대부분 신규채용 때 계급별로 학력이나 경력·자격을 제한하고, 사회적 지위나 신분이 같은 사람은 같은 계층에 소속되게 함으로써 동일한 계급을 형성하게 한다.

② 특히 계급제는 교육제도(고등학교, 전문대학, 대학교, 대학원 등)와 맞물려 4대 계급제를 확립하였다.

(2) 폐쇄형의 충원 방식

계급제를 채택하는 나라에서 신규채용되는 공무원은 대개 최하위직에 임용되며, 상위계급은 내부승진에 의하여 충원된다. 또한 상위계급에 외부인사가 임용되는 것과 중간계급이 신규임용되는 것을 허용하지 않는다.

(3) 계급 간의 차별과 고급공무원의 엘리트화

계급에 따라 학력·경력·출신 성분·보수 등의 차원에서 차별이 크고, 고급공무원의 수를 적게 하여 이들에 대해서는 다른 하위 공무원보다 우대하고 엘리트화시킨다.

(4) 일반행정가 지향

직위분류제가 어떤 직위가 요구하는 전문지식과 기술을 가진 사람을 선발하는데 반해, 계급제는 장래의 발전가능성과 잠재력을 가진 사람을 채용하여 폭넓은 이해력과 조정능력을 갖춘 일반행정가로 양성하고자 한다.

3. 계급제의 공헌점

(1) 직업공무원제의 발전 촉진

직렬에 관계없이 수평적·수직적 이동이 가능하여 공무원의 창의력·적응력이 발전되고, 장기간의 복무로 조직 충성도가 제고된다. 그에 따라 장기적 행정계획 추진, 직업공무원제 확립에 기여한다.

(2) 인사배치의 신축성

계급만 동일하다면 보수 변동 없이 전직과 전보가 가능하다. 따라서 인력의 적재적소 배치가 용이하고, 공무원의 능력을 여러 분야에 거쳐 발전시킬 수 있다.

(3) 넓은 시야를 가진 유능한 인재 채용

넓은 일반적 교양·능력을 가진 자를 채용할 수 있고, 채용시험이나 승진시험에서 일반적인 지적 능력을 다루므로 응시자 유치가 쉽다. 따라서 인재를 개성과 능력에 따라 신축성 있게 활용할 수 있다.

(4) 행정조정 원활화

일반행정가가 양성된다면 직위분류제에 비해 직원들 간의 의사소통이 쉬워지고 업무조정의 어려움이 줄어든다. 그러므로 정부 업무의 통합 및 조정에 유리하다.

(5) 신분보장의 강화

공무원이 기구개혁의 영향을 받지 않으므로 강한 신분보장에 의한 안정감이 유지된다.

핵심 OX

01 계급제는 장기적인 인력 계획이 가능하고, 직위분류제는 단기적인 계획이다. (O, X)

02 계급제는 개인의 능력·자격을 기준으로 공직을 분류한다. (O, X)

03 계급제는 대규모의 조직에 적합하다. (O, X)

01 O
02 O
03 X 계급제는 소규모 조직에 적용되고, 직위분류제가 대규모 조직에 적용된다.

4. 계급제의 한계

(1) 직무급 체계 확립 곤란

동일 계급에 대해서 직무의 종류나 성격과 상관없이 동일 보수가 지급되므로, 동일 노무에 대한 동일 보수라는 직무급 체계 확립이 어렵다.

(2) 관료주의화 우려

지나친 신분보장과 폐쇄형 임용체제로 인해 복지부동, 무사안일, 특권집단화의 우려가 있다.

(3) 행정의 전문성 저하

순환보직에 의한 일반행정가 양성을 지향하므로 행정의 전문성이 떨어질 수 있다.

(4) 비합리적 인사관리로 인한 능률 저하

채용, 인사배치, 보직관리 등 인사관리가 직무의 내용에 따라 이루어지지 않기 때문에 직위에 적합한 적임자를 채용 및 배치하지 못하여 행정의 능률이 저하된다.

(5) 계급 간 갈등 소지

직무가 계급별로 명확히 구별되지 않기 때문에 이로 인한 갈등이 생길 소지가 많다.

3 직위분류제와 계급제의 비교

구분	직위분류제	계급제
분류 기준	직무의 종류·곤란도·책임도	개인의 능력·자격
발달배경	산업사회	농업사회
채용 국가	미국·캐나다·필리핀	영국·독일·일본
중심	· 인간적 요인(주관적·비합리적) 배제 · 직무분석과 직무평가 중심	· 직무보다 인간 · 능동적·창의적·쇄신적 행정인 지향
채용과 시험	· 직위에 필요한 자격요건의 시험내용 · 시험과 채용의 연결 ⇨ 합리성	· 시험관리의 용이성 · 넓은 시야를 가진 유능한 인재 등용
보수	· 직무급 제도 · 동일 직무 동일 보수 원칙	· 생활급 위주 · 근무연한, 근무성적 고려
인사배치	· 인사배치의 정실화, 자의성 방지 · 승진·전직·전보제도의 합리적 운영	· 인사배치의 신축성 · 적재적소 배치와 다양한 능력발전
행정비전	단기적 사업계획 수립과 능률적 집행	장기적 계획수립과 추진
교육훈련	훈련과 담당 직책 내용과 연결 ⇨ 훈련(훈련수요 판단)의 효율성	최근 공무원의 자기계발, 행태변혁 강조
공무원의 유형	유능한 전문행정가 양성 ⇨ 거시적 차원의 통합·조정 곤란	일반행정가 육성(통찰력, 지도력) ⇨ 행정 전문화·능률화에 장애 가능
조정 및 협조	엄격한 전문화·분업화 ⇨ 원활한 조정 곤란	넓은 시야를 가진 관리능력, 적응력 ⇨ 조정 및 협조가 수월
신분보장	신분보장이 직위에 연동 ⇨ 조직개편에 따른 신분의 영향으로 직업공무원제 확립 곤란	신분보장이 특정직위에 좌우되지 않음 ⇨ 상대적으로 신분보장이 강하고 직업공무원제의 정착에 기여
조직구조	개방적	폐쇄적

4 우리나라 공직분류의 현황과 발전 방향

1. 현황 - 직위분류제와 계급제의 접근

직위분류제와 계급제는 상호 대립적이거나 배타적인 것이 아니라, 상호 보완적으로 적용할 수 있는 제도들이다. 그리하여 오늘날 많은 국가들이 직위분류제와 계급제의 절충적 선택에 많은 노력을 기울이고 있다.

2. 우리나라의 공직분류 체계

우리나라는 역사적으로 계급제를 근간으로 하고 있으며, 「국가공무원법」에서 직위분류제 원칙을 천명하고 이를 지속적으로 확대 · 적용시키고 있는 절충형(혼합형)의 형태이다.

4 고위공무원단제도[1]

1 의의

(1) 정부 실 · 국장급 공무원을 범정부적 차원에서 성과와 능력에 기반을 두고 인사관리를 함으로써, 정부의 생산성을 향상시킬 수 있도록 중 · 하위직 공무원과 분리하는 제도로, 현재 미국 · 영국 · 호주 · 네덜란드 등 주요 국가에서 도입되어 운영되고 있다.

(2) 직위분류제적 성격이 강한 나라(미국)는 계급제적 요소를 수용하고, 계급제적 성격이 강한 나라(영국)에서는 직위분류제적 요소를 수용하여, 고위공무원단제도는 직위분류제와 계급제의 절충적 성격을 지닌다.

2 우리나라의 고위공무원단제도

1. 의의

(1) 우리나라는 중앙정부의 실 · 국장급 고위공무원에 대하여 개방과 경쟁을 확대하고, 성과관리와 책임을 강화하는 고위공무원단제도를 시행하고 있다.

(2) 고위공무원에 대하여 계급을 폐지하고 부처와 소속 중심의 폐쇄적 인사관리를 개방하여, 전 정부 차원에서 경쟁을 통해 최적임자를 선임하게 함으로써 적재적소 인사를 실현한다.

(3) 고위공무원마다 성과계약을 체결하여 담당 직무와 업무성과에 따라 보수를 지급하고 성과가 부진한 경우 적격심사를 거쳐 직권면직할 수 있도록 하는 등 성과책임을 엄격히 묻고 있다.

❶ 고위공무원단

「국가공무원법」 제2조의2【고위공무원단】 ① 국가의 고위공무원을 범정부적 차원에서 효율적으로 인사관리하여 정부의 경쟁력을 높이기 위하여 고위공무원단을 구성한다.

② 제1항의 "고위공무원단"이란 직무의 곤란성과 책임도가 높은 다음 각 호의 직위(이하 "고위공무원단 직위"라 한다)에 임용되어 재직 중이거나 파견·휴직 등으로 인사관리되고 있는 **일반직공무원, 별정직공무원 및 특정직공무원**(특정직공무원은 다른 법률에서 고위공무원단에 속하는 공무원으로 임용할 수 있도록 규정하고 있는 경우만 해당한다)의 군(群)을 말한다.

1. 「정부조직법」 제2조에 따른 중앙행정기관의 실장 · 국장 및 이에 상당하는 보좌기관
2. **행정부 각급 기관(감사원은 제외한다)**의 직위 중 제1호의 직위에 상당하는 직위
3. 「지방자치법」 및 「지방교육자치에 관한 법률」 따라 국가공무원으로 보하는 지방자치단체 및 지방교육행정기관의 직위 중 제1호의 직위에 상당하는 직위

③ 인사혁신처장은 고위공무원단에 속하는 공무원이 갖추어야 할 능력과 자질을 설정하고 이를 기준으로 고위공무원단 직위에 임용되려는 자를 평가하여 신규채용 · 승진임용 등 인사관리에 활용할 수 있다.

참고 감사원은 별도의 제도(고위감사공무원단)로 운영된다.

2. 주요 내용

(1) 고위공무원단의 구성 및 정원관리

① **개념**: 직무의 곤란성과 책임도가 높은 직위에 임용되어 재직 중이거나 파견·휴직 등으로 인사관리되고 있는 일반직·별정직 및 특정직공무원의 군을 말한다. 특정직은 외무직공무원만 해당된다.

② **대상직위**: 실장·국장급 이상의 국가직공무원과 「지방자치법」 및 「지방교육자치에 관한 법률」에 의하여 국가공무원으로 보하는 광역자치단체 행정부시장, 행정부지사, 부교육감은 고위공무원단 소속 공무원이다(서울특별시 행정부시장은 정무직).

③ **소속과 인사권**: 모든 실·국장급 국가공무원은 일단 고위공무원단 소속 공무원이 되어 범정부적 풀(pool) 관리의 대상이 된다. 각 부처 장관은 소속에 구애되지 않고 고위공무원의 전체 풀(pool)에서 적임자를 임용 제청할 수 있으며, 이러한 절차를 거쳐 각 부처에 배치된 고위공무원에 대해서는 소속 장관이 인사권과 복무 감독권을 행사하게 된다.

④ **정원관리 방식 - 직무등급*과 직위 중심**: 계급이 폐지되고 직무 중심으로 인사관리가 이루어지게 됨에 따라, 정원관리 방식이 직무등급과 직위 중심으로 전환된다.

(2) 능력발전과 역량강화

① **능력발전 프로그램 혁신**

㉠ 고위공무원 후보자 교육은 고위공무원단으로의 진입이 예상되는 각 부처의 핵심과장급이 대상이 되며, 각 부처별 연간 평균 국장급 승진 인원의 일정 배수에 해당되는 인원을 추천받아 교육을 실시하게 된다.

㉡ 각 부처 핵심과장들은 직책상 자리를 비우기 어려우므로 후보자 과정은 현업병행방식으로 진행되며, 교육지도관별로 소그룹으로 나누어 정부가 당면한 실제 정책과제를 부여하고 해결책을 모색하는 문제해결형 교육(action learning) 프로그램이 실시된다.

② **역량평가제 도입**

㉠ 역량평가제는 고위공무원단 후보자가 고위공무원에게 필요한 능력과 자질(역량*)을 충분히 갖추고 있는지 사전에 평가하는 제도이다.❶

㉡ 외부 민간전문가와 공직 내부 고위공무원단 소속 공무원이 포함된 다수의 평가자❷들이 그룹토론·역할연기·서류함기법·면접 등의 평가기법을 활용하여, 실제 업무에서 나타날 수 있는 모의상황을 통해 피평가자의 행동양식을 평가하는 것이다.

③ **역량평가제의 특징**❸

㉠ 역량평가제는 실제 업무에서 나타날 수 있는 모의상황을 통해 피평가자의 행동양식을 다양한 과제를 활용하여 평가하는 것이다.

㉡ 역량평가제는 사전에 미래행동의 잠재력을 측정하는 것이며, 외부변수를 통제함으로써 객관적 평가가 가능하다.

㉢ 역량평가제는 다양한 평가기법을 활용하여 실제와 유사한 모의상황 등에서의 피평가자의 행동 양식을 다수의 평가자가 평가하는 체계이다.

용어

직무등급*: 직무의 곤란성과 책임도가 상당히 유사한 직위의 군

용어

역량*: 일반적으로 조직에서 가장 높은 성과를 나타낸 우수성과자의 행동 특성과 능력

❶ 고위공무원단 관리

퇴출
↑ 적격성 심사
고위공무원단
↑ 진입심사
후보자 과정 이수 + 역량평가

❷ 역량평가의 평가자

외부의 전문가와 고위공무원단 소속 공무원이 평가자가 된다.

❸ 3가지 역량모델

1. **공통역량**: 전체 구성원에게 요구되는 공통적인 역량이다.
2. **관리역량**: 고위공무원단 등 관리자에게 요구되는 역량을 말한다.
3. **직무역량**: 직무담당자에게 요구되는 전문기술·능력을 말한다.

핵심 OX

01 경기도 행정부지사는 고위공무원단 소속 공무원이다. (O, X)

02 서울시 행정부시장은 고위공무원단 소속 공무원이다. (O, X)

03 강원도 정무부지사는 고위공무원단 소속 공무원이다. (O, X)

01 O
02 X 서울시 행정부시장은 정무직이다.
03 X 정무부지사는 지방별정직이다.

④ **평가 및 재평가**: 역량평가를 통과하지 못한 경우에는 부족한 역량을 보완한 후 재평가를 받을 수 있으며, 재평가를 받을 수 있는 횟수에는 제한이 없다.

⑤ **최소 보임기간의 설정**: 고위공무원의 전문성을 제고하고 능력을 충분히 발휘할 수 있도록 해당직위에 최소 2년간은 재직할 수 있도록 하고 있다.

(3) 개방과 경쟁의 촉진 - 자율공모(50%), 공모직위(30%), 개방형 직위(20%)

① 고위공무원단은 개방형 직위를 통한 민간과의 경쟁뿐만 아니라 공모직위제도를 도입하여 부처 간 경쟁을 통해 적격자를 충원하고, 고위공무원단으로 신규진입할 경우 역량평가와 후보자교육과정 이수가 필요하다.

② 자율직위는 실·국장급의 50% 이내에서 당해 부처 소속 공무원으로 제청 가능하고, 공모직위는 30%로 그 직위를 타 부처에 개방해야 하며, 20%는 개방형 직위로서 민간에 개방해야 한다.

(4) 직무와 성과 중심의 인사관리

① **직무성과계약제의 도입**: 직무성과계약제는 성과목표·평가기준 등을 직상급자와 합의하여 1년 단위의 성과계약을 체결한다.

② **성과 중심의 근무성적평정**: 성과계약에 의한 목표달성도를 5등급(매우 우수, 우수, 보통, 미흡, 매우 미흡)으로 구분하여 상대평가하는 제도이다. 이 제도는 성과목표뿐만 아니라 평가기준까지도 평가자와 피평가자 간에 합의하기 때문에, 성과계약과정에서 피평가자의 입장이 충분히 반영될 수 있는 공정한 룰에 의한 평가체계이며, 사전에 합의된 평가기준에 의해 평가가 이루어지므로, 계량성이 약한 정부업무에 대한 성과평가에 있어서도 그 결과에 대한 당사자의 수용성을 높일 수 있다.

③ **직무성과급적 연봉제 도입**: 직무성과급 제도는 '직무급'과 '성과급'을 결합한 형태의 보수체계로, 직무의 난이도·중요도를 반영한 직무등급에 따라 보수를 책정한다.

(5) 우수인력 선발·유지를 위한 검증시스템 강화[1]

① **정기적격심사제 도입**: 고위공무원의 성과와 자질 등을 지속적·정기적으로 점검하여 무사안일을 제거하고, 능력과 실적 위주 풍토를 조성하기 위하여 인사혁신처에 고위공무원단 임용심사위원회를 설치한다.

② **수시적격심사(직위해제 대상)**: 정기적격심사와 별도로 이루어진다.

---

❶ 적격심사

「국가공무원법」 제70조의2 【적격심사】
① 고위공무원단에 속하는 일반직공무원은 다음 각 호의 어느 하나에 해당하면 고위공무원으로서 적격한지 여부에 대한 심사(이하 "적격심사"라 한다)를 받아야 한다.
2. 근무성적평정에서 최하위 등급의 평정을 총 2년 이상 받은 때. 이 경우 고위공무원단에 속하는 일반직공무원으로 임용되기 전에 고위공무원단에 속하는 별정직공무원으로 재직한 경우에는 그 재직기간 중에 받은 최하위 등급의 평정을 포함한다.
3. 대통령령으로 정하는 정당한 사유 없이 직위를 부여받지 못한 기간이 총 1년에 이른 때
4. 다음 각 목의 경우에 모두 해당할 때
가. 근무성적평정에서 최하위 등급을 1년 이상 받은 사실이 있는 경우. 이 경우 고위공무원단에 속하는 일반직공무원으로 임용되기 전에 고위공무원단에 속하는 별정직공무원으로 재직한 경우에는 그 재직기간 중에 받은 최하위 등급을 포함한다.
나. 대통령령으로 정하는 정당한 사유 없이 6개월 이상 직위를 부여받지 못한 사실이 있는 경우
5. 제3항 단서에 따른 조건부 적격자가 교육훈련을 이수하지 아니하거나 연구과제를 수행하지 아니한 때
② 적격심사는 제1항 각 호의 어느 하나에 해당하게 된 때부터 6개월 이내에 실시하여야 한다.
③ 적격심사는 근무성적, 능력 및 자질의 평정에 따르되, 고위공무원의 직무를 계속 수행하게 하는 것이 곤란하다고 판단되는 사람을 부적격자로 결정한다. 다만, 교육훈련 또는 연구과제 등을 통하여 근무성적 및 능력의 향상이 기대되는 사람은 조건부 적격자로 결정할 수 있다.
④ 제3항 단서에 따른 조건부 적격자의 교육훈련 이수 및 연구과제 수행에 관한 확인 방법·절차 등 필요한 사항은 대통령령으로 정한다.
⑤ 제1항부터 제3항까지의 규정에 따른 적격심사는 제28조의6 제1항에 따른 고위공무원임용심사위원회에서 실시한다.
⑥ 소속장관은 소속공무원이 제1항 각 호의 어느 하나에 해당되면 지체없이 인사혁신처장에게 적격심사를 요구하여야 한다.

학습 점검 문제

01 공직 분류 체계에 대한 설명으로 옳은 것은? 2021년 지방직 9급

① 소방공무원은 특수경력직공무원에 해당한다.

② 국회수석전문위원은 일반직공무원에 해당한다.

③ 차관에서 3급 공무원까지는 특정직공무원에 해당한다.

④ 경력직공무원은 실적과 자격에 의해 임용되고 신분이 보장된다.

02 특수경력직공무원에 대한 설명으로 옳지 않은 것은? 2018년 국회직 8급

① 특수경력직공무원은 경력직공무원과는 달리 실적주의와 직업공무원제의 획일적 적용을 받지 않는다.

② 특수경력직공무원도 경력직공무원과 마찬가지로 「국가공무원법」에 규정된 보수와 복무규율을 적용받는다.

③ 교육·소방·경찰 공무원 및 법관, 검사, 군인 등 특수 분야의 업무를 담당하는 공무원은 특수경력직 중 특정직 공무원에 해당한다.

④ 국회 수석전문위원은 특수경력직 중 별정직공무원에 해당한다.

⑤ 선거에 의해 취임하는 공무원은 특수경력직 중 정무직공무원에 해당한다.

정답 및 해설

01 실적과 자격에 의하여 임용되고 신분이 보장되는 공무원은 경력직공무원이다.

| 오답체크 |

① 소방공무원은 경력직공무원 중 특정직공무원에 해당한다.

② 국회수석전문위원은 특수경력직공무원 중 별정직공무원이다.

③ 차관은 특수경력직공무원 중 정무직공무원, 1~3급 공무원은 경력직공무원 중 일반직공무원이다.

02 교육·소방·경찰 공무원 및 법관, 검사, 군인 등 특수 분야의 업무를 담당하는 공무원은 경력직 중 특정직공무원에 해당한다.

| 오답체크 |

① 특수경력직공무원은 경력직 이외의 공무원으로, 직업공무원제(「국가공무원법」)나 실적주의의 획일적 적용을 받지 않는다.

② 「국가공무원법」상 국가공무원은 경력직공무원과 특수경력직공무원으로 구분(「국가공무원법」 제2조)되며, 특수경력직공무원에 대하여는 이 법 또는 다른 법률에 특별한 규정이 없으면 한정적으로 「국가공무원법」의 적용을 받으며, 적용범위에 보수(제5장)와 복무규율(제7장)을 포함한다.

④ 국회수석전문위원은 특수경력직 중 별정직공무원에 해당한다.

⑤ 선거에 의해 취임하거나 임명할 때 국회 동의를 요하는 공무원은 특수경력직 중 정무직공무원에 해당한다.

정답 01 ④ 02 ③

03 **공무원의 구분에 대한 설명으로 옳은 것은?** 2017년 지방직 9급(12월 추가)

① 일반직공무원은 경력직과 특수경력직으로 구분된다.

② 지방소방사는 특정직공무원에 해당된다.

③ 행정부 국가공무원 중에서는 일반직공무원의 수가 가장 많다.

④ 국가정보원 7급 직원은 특수경력직공무원에 해당된다.

04 **개방형 또는 폐쇄형 인사제도에 대한 설명으로 옳은 것은?** 2017년 지방직 7급

① 개방형은 재직자의 승진기회가 많고 경력발전의 기회가 많다.

② 폐쇄형은 조직에 대한 소속감이 높고 공무원의 사기가 높다.

③ 개방형은 공무원의 신분보장이 강화됨으로써 행정의 안정성을 유지할 수 있다.

④ 폐쇄형은 국민의 요구에 민감하게 대응하며 행정에 대한 민주통제가 보다 용이하다.

05 **개방형 인사제도에 대한 설명으로 옳지 않은 것은?** 2015년 지방직 9급

① 폭넓은 지식을 갖춘 일반행정가를 육성하는 데에 효과적이다.

② 기존 관료들에게 승진 기회가 축소될 수 있다는 불안감을 주고 사기를 저하시킬 수 있다.

③ 정실주의로 전락할 가능성이 있다.

④ 기존 내부관료들에게 전문성 축적에 대한 자극제가 된다.

06 계급제의 장점에 대한 설명으로 옳지 않은 것은? 2017년 국가직 9급(4월 시행)

① 단체정신과 조직에 대한 충성심 확보에 유리하다.

② 정치적 중립 확보를 통해 행정의 전문성을 제고할 수 있다.

③ 인력 활용의 신축성과 융통성이 높다.

④ 공무원의 신분안정과 직업공무원제 확립에 기여한다.

정답 및 해설

03 지방소방사는 지방직공무원으로 특정직에 해당한다.

| 오답체크 |

① 공무원은 경력직과 특수경력직으로 구분된다. 이 중 경력직은 다시 일반직과 특정직으로, 특수경력직은 정무직과 별정직으로 구분된다.

③ 행정부 국가공무원 중에서 가장 많은 수를 차지하는 직종은 특정직이다.

④ 국가정보원 직원은 특정직으로 경력직공무원에 해당한다.

04 폐쇄형은 강한 신분보장으로 공무원들의 조직에 대한 소속감과 사기가 높다.

| 오답체크 |

①, ③ 폐쇄형의 장점이다.

④ 개방형의 장점이다.

05 개방형 인사제도는 외부의 전문가를 유입하여 행정의 전문화에는 기여할 수 있으나, 폭넓은 지식과 안목을 갖춘 일반행정가 양성은 불리하다.

| 오답체크 |

② 재직자의 승진 기회가 많아져 사기앙양이 되는 것은 폐쇄형의 장점이다. 개방형은 외부로부터 신규 임용이 가능하기 때문에 승진 기회가 축소되어 사기가 저하될 수 있다.

③ 개방형은 객관적인 공개경쟁시험에 의하지 않는 경우가 많으므로 정실에 의한 자의적 인사가 이루어질 문제점이 있다.

④ 유능한 외부인사의 공직 등용이 가능하므로 기존 관료들에게 자극제가 된다.

06 계급제는 순환보직에 의한 일반행정가 양성을 지향하므로, 행정의 전문성이 떨어질 수 있다.

| 오답체크 |

① 강한 신분보장을 기반으로 한 장기간의 복무로 조직 충성도가 제고된다.

③ 계급만 동일하면 보수 변동 없이 전직·전보가 가능하여 인력의 적재적소 배치가 용이하고, 공무원의 능력을 여러 분야에 거쳐 발전시킬 수 있다.

④ 직렬에 관계없이 수평적·수직적 이동이 가능하여 공무원의 창의력·적응력이 발전되고, 장기간의 복무로 조직 충성도가 제고된다. 그에 따라 장기적 행정계획 추진, 직업공무원제 확립에 기여한다.

정답 03 ② 04 ② 05 ① 06 ②

07 **직위분류제의 주요 개념에 대한 설명으로 옳은 것은?** 2016년 국가직 9급

① 등급은 직위에 포함된 직무의 성질, 난이도, 책임의 정도가 유사해 채용과 보수 등에서 동일하게 다룰 수 있는 직위의 집단이다.

② 직류는 직무 종류가 광범위하게 유사한 직렬의 군이다.

③ 직렬은 직무 종류는 유사하나 난이도와 책임 수준이 다른 직급 계열이다.

④ 직군은 동일 직렬 내에서 담당 직책이 유사한 직무군이다.

08 **직위분류제의 장점에 대한 설명으로 옳지 않은 것은?** 2015년 국가직 7급

① 동일 직렬에서 장기간 근무하기 때문에 전문가 양성에 도움이 된다.

② 동일 직무를 수행하는 직원이 동일한 보수를 받도록 하는 직무급 체계를 확립하는 것이 용이하다.

③ 직무의 성질 · 내용에 따라 공직을 분류하므로 채용 · 승진 등 인사배치를 위한 합리적 기준을 제공해 준다.

④ 특정 직위에 맞는 사람을 배치하는 제도이기 때문에 직위나 직무의 변화상황에 신속히 대처할 수 있는 상황적응적인 인사제도라고 할 수 있다.

09 **직위분류제의 단점은?** 2020년 지방직 9급

① 행정의 전문성 결여

② 조직 내 인력 배치의 신축성 부족

③ 계급 간 차별 심화

④ 직무경계의 불명확성

10 직무분석과 직무평가에 대한 설명으로 옳은 것은? 2020년 국가직 7급

① 직무분석은 직무들의 상대적인 가치를 체계적으로 분류하여 등급화하는 것이다.

② 직무자료 수집방법에는 관찰, 면접, 설문지, 일지기록법 등이 활용된다.

③ 일반적으로 직무평가 이후에 직무 분류를 위한 직무분석이 이루어진다.

④ 직무평가 방법으로 서열법, 요소비교법 등 비계량적 방법과 점수법, 분류법 등 계량적 방법을 사용한다.

정답 및 해설

07 직렬은 직무 종류는 유사하나 난이도와 책임 수준이 다른 직급 계열이다.

| 오답체크 |

① 직위에 포함된 직무의 성질, 난이도, 책임의 정도가 유사해 채용과 보수 등에서 동일하게 다룰 수 있는 직위의 집단은 직급이다.

② 직무 종류가 광범위하게 유사한 직렬의 군은 직군이다.

④ 동일 직렬 내에서 담당 직책이 유사한 직무군은 직류이다.

직위분류제의 주요 개념

직위(position)	한 사람의 근무를 필요로 하는 직무와 책임
직급(class)	· 직위에 내포되는 직무의 종류와 곤란성·책임도가 상당히 유사한 직위의 군 · 동일한 직급에 속하는 직위에 대해 임용자격·시험·보수 등에서 동일한 취급
직렬(series)	직무의 종류는 유사하나 곤란성·책임도가 상이한 직급의 군
직류	동일한 직렬 내에서 담당 분야가 동일한 직무의 군(직렬의 세분화)
직군(group)	직무의 종류가 유사한 직렬의 군
등급(grade)	직무의 종류는 다르지만 직무의 곤란성·책임도와 자격요건이 유사하여 동일한 보수를 줄 수 있는 모든 직위
직무등급	· 직무의 곤란성과 책임도가 상당히 유사한 직위의 군 · 고위공무원단 소속 공무원에게 도입된 개념

08 직위분류제는 합리적이지만 직무변화 상황에 신속히 대처할 수 있는 탄력성이 없는 제도이다.

09 직위분류제는 동일 직렬에 한정된 승진·전보만 가능하므로, 인사배치의 신축성이 제한된다.

| 오답체크 |

① 직위분류제는 동일 직책의 장기간 담당으로 행정의 전문화와 분업화를 촉진한다. 승진이 동일 직종에 따라서 이루어지므로 특정 분야의 전문가 양성에 효과적이다.

③ 직위분류제는 직급이나 등급은 점직자의 사회적 신분이나 지위를 나타내는 것이 아니므로, 상·하위직 간의 계급의식이나 위화감이 크지 않다. 계급 간 차별 심화는 계급제의 단점이다.

④ 직위분류제는 세분화된 분류기준에 의하여 직무가 종적·횡적으로 명확하게 분류되어 있어 직무경계가 명확하다.

10 직위분류제에서 직무분석을 위한 자료수집방법에는 관찰, 면접, 설문지, 일지기록법 등이 있다.

| 오답체크 |

① 직무의 상대적 가치를 등급화 하는 것은 직무분석이 아니라 직무평가에 해당한다.

③ 반대이다. 직무분석을 먼저 실시한 후에 직무평가를 실시하는 것이 일반적이다.

④ 직무평가 방법 중 서열법과 분류법은 비계량적 방법이고 요소비교법과 점수법은 계량적 방법이다.

정답 07 ③ 08 ④ 09 ② 10 ②

11 **직무평가 방법에 대한 설명으로 옳지 않은 것은?** 2024년 지방직 9급

① 분류법은 미리 정해진 등급기준표를 이용하는 비계량적 방법이다.

② 서열법은 비계량적 방법으로, 직무의 수가 적은 소규모 조직에 적절하다.

③ 점수법은 직무와 관련된 평가요소를 선정하고 각 요소별로 중요도를 부여하는 과정에서 계량화를 통해 명확하고 객관적인 이론적 증명이 가능하다.

④ 요소비교법은 조직 내 기준직무(key job)를 선정하여 평가하려는 직무와 기준직무의 평가요소를 상호비교하여 상대적 가치를 판단하는 방법이다.

12 **직무평가 방법에 대한 설명으로 옳지 않은 것은?** 2023년 국가직 9급

① 점수법은 직무를 구성하는 하위요소별 점수를 합산하여 평가하는 방법이다.

② 분류법은 미리 정한 등급기준표와 직무 전체를 비교하여 등급을 결정하는 비계량적 방법이다.

③ 서열법은 직무의 구성요소를 구별하지 않고 직무 전체의 중요도를 종합적으로 평가하는 방법이다.

④ 요소비교법은 기준직무(key job)와 평가할 직무를 상호 비교해 가며 평가하는 비계량적 방법이다.

13 계급제와 직위분류제에 대한 설명으로 가장 옳은 것은? 2019년 서울시 9급

① 과학적 관리론과 실적제의 발달은 직위분류제의 쇠퇴와 계급제의 발전에 기여했다.

② 우리나라 「국가공무원법」에는 직위분류제 주요 구성개념인 '직위, 직군, 직렬, 직류, 직급' 등이 제시되어 있다.

③ 직위분류제는 공무원 개인의 능력이나 자격을 기준으로 공직분류체계를 형성한다.

④ 계급제와 직위분류제는 절대 양립불가능하며 우리나라는 계급제를 기반으로 한다.

정답 및 해설

11 점수법(point method)은 직무 구성요소별(정신적·육체적 능력, 근무환경, 의사결정 등)로 계량적으로 평가하는 것이다. 각 요소의 비중이나 등급을 숫자로 표시하는 등급기준표를 만들고, 이에 대비하여 분류할 직위의 직무를 각 요소별로 평점한 다음 이를 합산하고 평균하여 등급을 결정한다. 점수법은 비계량적 방법에 비하여 과학적이고 객관적인 직무가치를 평가할 수 있지만, 점수화 작업에 있어서 주관적 판단에 의존하는 경우가 있기 때문에 각 요소에 대한 평가점수의 결정이 객관적이고 합리적인지를 입증하기 곤란하다.

| 오답체크 |

① 분류법은 사전에 정해진 등급기준표를 이용하여 직무를 평가하는 비계량적인 평가방법이다.

② 서열법은 직위와 직위를 상호 비교하는 비계량적 방법으로 소규모 조직에 적합하다

④ 요소비교법은 대표직위(key job)를 선정하여 직무의 상대적 비중과 가치를 결정하는 계량적 평가방법이다.

12 요소비교법은 기준직무와 평가할 직무를 비교하여 평가하는 계량적 평가 방법이다.

| 오답체크 |

① 점수법(point method)은 직무 구성요소별(예: 정신적·육체적 능력, 근무환경, 의사결정 등)로 계량적으로 평가하는 것이다. 각 요소의 비중이나 등급을 숫자로 표시하는 등급기준표를 만들고, 이에 대비하여 분류할 직위의 직무를 각 요소별로 평점한 다음 이를 합산하고 평균하여 등급을 결정한다.

② 분류법은 서열법과 유사(평가자의 개괄적 판단에 의존)하지만 더 발전된 것으로 등급기준표를 미리 작성한다. 각 등급별로 직무내용·책임도·자격요건 등을 기술한 등급 정의에 따라, 각 직위에 가장 적절한 등급을 결정해 나가는 방법이다. 비계량적 방법이다.

③ 서열법(ranking method)은 직위의 가치와 비중을 전체적·종합적으로 판단하여 상하서열을 정하는 단순한 방법이다,

13 우리나라 「국가공무원법」에는 직위분류제의 구성요소, 즉 직위, 직군, 직렬, 직류, 직급 등이 정의되어 있다.

| 오답체크 |

① 직위분류제는 과학적 관리론의 영향을 받았으며, 직무급 요청 등에 의하여 미국에서 확립되었다.

③ 공무원 개인의 능력이나 자격을 기준으로 하는 공직분류는 직위분류제가 아니라 계급제에 해당한다.

④ 계급제와 직위분류제는 양립가능하며, 우리나라 정부의 공직구조는 계급제의 역사적 전통 위에 직위분류제적 요소가 가미된 절충형의 형태를 띠고 있다.

정답 11 ③ 12 ④ 13 ②

14 **계급제와 직위분류제에 대한 설명으로 가장 옳지 않은 것은?** 2021년 군무원 9급

① 계급제는 사람의 자격과 능력을 기준으로 분류하는 것이다.

② 직위분류제는 사람이 맡아 수행하는 직무와 그 직무수행에 수반되는 책임을 기준으로 하는 것이다.

③ 직위분류제는 전체 조직업무를 체계적으로 분업화하고 한 사람의 적정 업무량을 조직상 위계에서 고려하는 구조 중심의 접근이다.

④ '동일 업무에 대한 동일 보수'라는 보수의 형평성 요구가 직위분류제의 출발을 촉진시켰다고 할 수 있다.

15 **고위공무원단제도에 대한 설명으로 옳지 않은 것은?** 2021년 지방직 9급

① 역량 중심의 인사관리

② 계급 중심의 인사관리

③ 성과와 책임 중심의 인사관리

④ 개방과 경쟁 중심의 인사관리

16 고위공무원단에 대한 설명으로 가장 적절하지 않은 것은? 2023년 군무원 9급

① 고위공무원단은 실 · 국장급 공무원을 적재적소에 활용하고 개방과 경쟁을 확대하여 성과책임을 강화하고자 하는 전략적 인사시스템이다.

② 기존의 1~3급이라는 신분중심의 계급을 폐지하고 직무의 난이도와 책임도에 따라 가급과 나급으로 직무를 구분한다.

③ 민간과 경쟁하는 개방형직위제도와 타 부처공무원과 경쟁하는 공모직위제도를 두고 있다.

④ 특히 경력에서 자격이 있는 민간인과 공무원이 지원하여 경쟁할 수 있는 경력개방형직위제도도 도입되었다.

정답 및 해설

14 직위분류제는 직위를 직무의 종류와 성질을 기준으로 직렬 · 직군별로 종적 분류를 한 다음, 직무의 곤란성과 책임도를 기준으로 직급별 · 등급별로 횡적 분류를 하는 것이다. 즉, 직무 중심의 접근법이며, 구조 중심의 접근법이 아니다.

| 오답체크 |

① 직위분류제는 직위가 내포하고 있는 객관적 직무 중심적 제도이며, 계급제는 사람의 신분상 지위나 자격에 중점을 두는 사람 중심적 제도이다.

② 직위분류제는 다수의 직위를 각 지위에 내포되는 직무의 종류와 곤란성 · 책임도를 기준으로, 직급별 · 직렬별 · 직군별 · 등급별로 분류하는 제도이다.

④ 엽관제에 의한 보수의 불평등 해소를 목적으로, 동일 직무의 동일 보수라는 합리성 사상에 기초하여 직위분류제가 발달하였다.

15 고위공무원단제도는 고위공무원에 대하여 계급을 폐지하고 부처와 소속 중심의 폐쇄적 인사관리를 개방하여 전 정부 차원에서 경쟁을 통해 최적임자를 선임하게 함으로써 적재적소 인사를 실현한다.

| 오답체크 |

① 고위공무원단으로의 승진은 역량평가를 통하여 이루어지므로, 역량 중심의 인사관리이다.

③ 직무성과계약에 의한 성과관리이다.

④ 인사관리를 개방하여 경쟁을 통한 적임자를 선임한다.

16 소속장관은 개방형직위 중, 특히 공직 외부의 경험과 전문성을 적극 활용할 필요가 있는 직위를 공직 외부에서만 적격자를 선발하는 개방형직위로 지정할 수 있는데, 이를 경력개방형직위라 한다. 경력개방형직위에 공무원은 지원할 수 없다.

| 오답체크 |

① 우리나라는 중앙정부의 실 · 국장급 고위공무원에 대하여 개방과 경쟁을 확대하고, 성과관리와 책임을 강화하는 고위공무원단제도를 시행하고 있다.

② 고위공무원에 대하여 계급을 폐지하고 직무등급을 도입하였다. 직무등급은 책임도와 곤란도에 따라 가급과 나급으로 구별하고 있다.

③ 고위공무원단은 개방형 직위를 통한 민간과의 경쟁뿐만 아니라 공모직위제도를 도입하여 부처 간 경쟁을 통해 적격자를 충원한다.

정답 14 ③ 15 ② 16 ④

17 다음 중 역량평가제도에 대한 설명으로 가장 옳은 것은? 2016년 서울시 9급

① 역량평가제도는 근무실적 수준만으로 해당 업무 수행을 위한 역량을 보유하고 있는지에 대해 평가하는 것을 목적으로 한다.

② 역량평가제도는 대상자의 과거 성과를 평가하는 것이고, 성과에 대한 외부 변수를 통제하지 않는다.

③ 역량평가제도는 구조화된 모의 상황을 설정한 뒤 현실적 직무 상황에 근거한 행동을 관찰해 평가하는 방식이다.

④ 역량평가는 한 개의 실행 과제만을 활용하여 평가한다.

18 「국가공무원법」상 우리나라 인사제도에 대한 설명으로 옳지 않은 것은? 2016년 지방직 9급

① 인사혁신처장은 고위공무원단에 속하는 공무원이 갖추어야 할 능력과 자질을 설정하고 이를 기준으로 고위공무원단 직위에 임용되려는 자를 평가하여 신규채용 · 승진임용 등 인사관리에 활용할 수 있다.

② 국가공무원은 경력직공무원과 특수경력직공무원으로 구분하고, 경력직공무원은 다시 일반직공무원과 특정직공무원으로 나뉜다.

③ 개방형 직위로 지정된 직위에는 외부적격자뿐만 아니라 내부적격자도 임용할 수 있다.

④ 고위공무원단에 속하는 일반직공무원의 경우 소속장관은 해당기관에 소속되지 아니한 공무원에 대하여 임용제청을 할 수 없다.

19 **전문경력관제도에 대한 설명으로 옳지 않은 것은?** 2022년 국가직 7급 변형

① 계급 구분과 직군 및 직렬의 분류를 적용하지 않는다.

② 직무의 특성, 난이도 및 직무에 요구되는 숙련도 등에 따라 가군, 나군, 다군으로 구분한다.

③ 전직시험을 거쳐 다른 일반직공무원을 전문경력관으로 전직시킬 수 있으나, 전문경력관을 다른 일반직공무원으로 전직시킬 수는 없다.

④ 소속 장관은 해당 기관의 일반직공무원 직위 중 순환보직이 곤란하거나 장기 재직 등이 필요한 특수 업무 분야의 직위를 전문경력관직위로 지정할 수 있다.

정답 및 해설

17 역량평가제는 고위공무원단 후보자가 고위공무원에게 필요한 능력과 자질(역량)을 충분히 갖추고 있는지 사전에 평가하는 제도로, 실제 업무에서 나타날 수 있는 모의상황을 통해 피평가자의 행동양식을 평가하는 것이다.

| 오답체크 |

① 역량평가제는 근무실적 수준만으로 평가하는 것이 아니다. 다양한 평가기법을 활용하여, 실제와 유사한 모의상황 등에서의 피평가자 행동양식을 다수의 평가자가 평가하는 체계이다.

② 역량평가제도는 사전에 미래행동에 잠재력을 측정하는 것이며, 외부변수를 통제함으로써 객관적 평가가 가능하다.

④ 고위공무원에게 필요한 능력과 자질(역량)을 충분히 갖추고 있는지 사전에 평가하는 제도로, 다양한 과제를 활용하여 평가한다.

18 고위공무원단에 속하는 일반직공무원의 경우, 소속장관은 해당기관에 소속되지 아니한 공무원에 대해서도 임용제청을 할 수 있다(「국가공무원법」 제32조).

| 오답체크 |

① 인사혁신처에 고위공무원단 임용심사위원회를 설치하여 고위공무원단에 속하는 공무원이 갖추어야 할 능력과 자질을 설정하고, 이를 기준으로 고위공무원단 직위에 임용되려는 자를 평가한다.

② 경력직과 특수경력직으로 구분하고 경력직은 다시 일반직과 특정직으로, 특수경력직은 정무직과 별정직으로 구분한다.

③ 개방형 직위의 지정은 공직 내부 또는 외부에서 적격자를 임용할 필요가 있을 때 운영할 수 있다.

19 전직시험을 거쳐 전문경력관을 다른 일반직공무원으로 전직시키거나 다른 일반직공무원을 전문경력관으로 전직시킬 수 있다(「전문경력관 규정」 제17조 제1항).

| 오답체크 |

① 전문경력관의 경우 계급 구분과 직군 및 직렬의 분류를 적용하지 않는다(「전문경력관 규정」 제2조 제1항).

② 「전문경력관 규정」 제4조 제1항

④ 「전문경력관 규정」 제3조 제1항

「전문경력관 규정」 제2조【적용 범위】 ① 이 영은 「국가공무원법」(이하 "법"이라 한다) 제4조 제2항 제1호에 따라 계급 구분과 직군 및 직렬의 분류를 적용하지 아니하는 특수 업무 분야에 종사하는 공무원[「공무원임용령」(이하 "임용령"이라 한다) 제3조의2에 따른 전문임기제공무원(시간선택제전문임기제공무원을 포함한다) 및 한시임기제공무원은 제외하며, 이하 "전문경력관"이라 한다]에 대하여 적용한다.
제3조【전문경력관직위 지정】 ① 임용령 제2조 제3호에 따른 소속 장관(이하 "소속 장관"이라 한다)은 해당 기관의 일반직공무원 직위 중 순환보직이 곤란하거나 장기 재직 등이 필요한 특수 업무 분야의 직위를 전문경력관직위로 지정할 수 있다.
제4조【직위군 구분】 ① 제3조에 따른 전문경력관직위(이하 "전문경력관직위"라 한다)의 군(이하 "직위군"이라 한다)은 직무의 특성·난이도 및 직무에 요구되는 숙련도 등에 따라 가군, 나군 및 다군으로 구분한다.
제17조【전직】 ① 임용권자는 다음 각 호의 어느 하나에 해당하는 경우에는 전직시험을 거쳐 전문경력관을 다른 일반직공무원으로 전직시키거나 다른 일반직공무원을 전문경력관으로 전직시킬 수 있다.

정답 17 ③ 18 ④ 19 ③

CHAPTER 3 임용

1 인력수급계획

1 의의

인력수급계획 또는 인적자원계획은 공공목적 달성과 공무원 개개인의 능력발전을 목적으로 행정환경의 변화에 따른 인력수요를 직급별 · 직종별로 예측하고, 이에 맞는 공급 · 활용 및 관리방안을 제시하는 계획을 의미한다(합리적 인사관리).

2 중요성 및 효용

1. 인력수급계획의 중요성

(1) 일관성 있고 장기적인 인력계획은 합리적 인사관리의 기초가 되고, 국가 전체의 각 부문별 인력수급 정책과의 연관성이 무엇보다 중요하다. 현대 사회는 예측곤란한 환경 변화에 직면하고 있으므로, 그에 따른 노폐인력의 발생 · 새로운 전문인력의 지속적인 수요와 공급인력의 부족 · 조직규모 팽창과 복잡화 등의 조직구조 변화 요인들이 산재하고 있다.

(2) (1)과 상황 변화에 효과적으로 대처하기 위해 장래의 인력수요를 미리 예측하고 적절한 인력 공급이 이루어지도록 하는 수단이 인력계획이다. 따라서, 충원계획에 의존하여 단기적(보통 1년 단위) · 일상적 업무로 다루어지는 정원관리 개념은 인력계획과는 구별된다.

2. 인력수급계획의 효용

(1) 정부 역할과 행정기능 수요 변화에 기민한 대응을 할 수 있다.

(2) 전문인력의 원활한 수급과 행정인의 질적 저하를 방지할 수 있다.

(3) 승진관리의 효율화와 인건비 절약에 기여한다.

(4) 인력계획을 통해 조직이 필요로 하는 인적자원 동원 · 활용의 적정화를 이룬다.

3 인력수급계획 수립 과정

1. 인력수요 예측단계

조직 목표에 따른 필요 인력의 수요를 예측하고, 기존 인력정책에 따라 공급 가능한 기존 인력공급을 예측한 뒤, 양자의 비교를 통하여 신규 인력수요 예측인 순수요 예측을 하는 단계이다.

2. 인력공급방안 결정단계

장래에 발생할 인력수요에 대응하기 위해 인력공급 방안을 마련하는 단계로, 채용 · 교육훈련 등의 인사행정활동과 밀접하게 연계되도록 결정되어야 한다.

3. 시행단계

인력공급 방안을 실행하는 단계로, 채용 · 교육훈련 · 배치전환 · 보수 등 인사행정활동이 인력의 원활하고 효율적인 공급을 뒷받침할 수 있도록 상호연계되고 조정되어야 한다.

4. 평가단계

인력수요 예측 및 인력공급 방안 결정 단계에서 작용하는 변수들과 인력계획 집행의 성과를 분석 · 평가하여, 그 결과를 새로운 인력계획 수립 및 집행과 같은 인력계획 과정에 환류한다.

개념PLUS 민간고용 휴직제도

민간부문의 경영기법을 습득하고 공무원의 능력개발 등을 도모하기 위하여 공무원이 국제기구 · 외국기관, 국내외의 대학 · 연구기관, 다른 국가기관 또는 대통령령이 정하는 주식회사나 법인 등(정부투자기관은 대상 아님)에 임시로 채용되는 경우에는 3년 범위 내에서 휴직 가능하다.

2 모집

1 의의 및 방법

1. 의의

모집이란 적절한 지망자가 공직에 임명되도록 공직에 대한 정보를 제공하고 공직에 유치하는 과정으로, 고용수준 · 승진정책 · 보수 · 시험방법 등과 관련된다. 모집정책은 상황에 따라 소극적일 수도 있고 적극적일 수도 있다.

(1) 소극적 모집

공직에 관심을 갖지 않도록 내버려두는 것이다.

(2) 적극적 모집

현대 행정에서 강조되고 있으며, 유능한 젊은 인재들이 공직에 지원하도록 유도하기 위한 여러 가지 요인을 제공하는 것이다.

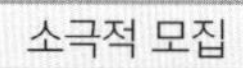

공직에서 단지 부적격자를 가려내는 것
㉥ 실적주의의 공개경쟁채용시험

소극적 모집기준: 학력, 연령, 성별, 국적, 지역

적극적 모집

유능한 인재들이 공직에
지원하도록 적극적 유인
㉥ 적극적 인사행정의 개방형 · 임기제 임용

적극적 모집기준: 지식, 기술, 경험, 가치관, 태도

행정환경의 변화(국제화 · 세계화, 경영화, 정보화, 지방화, 민주화)
⇨ 유능한 인재의 필요성 증대 ⇨ 유능한 인재를 둘러싼 민간과의 유치경쟁 심화

2. 적극적 모집의 방법

(1) 공직에 대한 사회적 평가의 제고 - 민주적 공직관 확립

공무원에게 국민 전체의 봉사자로서 충분한 보상이 주어지고, 직업적 성공의 기회가 보장되어야 한다.

(2) 인력계획의 수립 및 정기적 시험의 실시

일관성 있는 장 · 단기 인력계획을 수립하여 인사정책에 대한 예측가능성을 높이고, 정기적으로 시험을 실시하여 응시자들이 체계적으로 준비할 수 있도록 하여야 한다.

(3) 모집자격 기준의 완화 및 기회균등의 보장

유능한 인재가 응시할 수 있도록 자격기준을 합리적으로 완화하고 기회균등을 보장하며, 시험에 대해 적극적으로 홍보를 실시한다.

(4) 응시절차 및 시험방법의 개선

제출서류의 간소화, 과목 축소 등 수험부담 경감과 시험기관의 분권화가 고려되어야 한다.

(5) 탄력적 모집활동 시행

특별채용, 임기제, 수습, 인턴제, 대표관료제 등의 방법을 활용한다.

(6) 사후평가와 인력양성기관의 연계

모집결과에 대한 사후평가와 분석결과를 장래 모집계획에 반영하고, 인력양성기관과의 연계도 강화하여야 한다.

2 모집대상의 자격 요건

공직 지망자의 자격요건으로는 국적, 학력, 경력, 연령, 거주지, 성별 등이 있는데, 기회균등의 원칙에 배치되지 않도록 합리적이어야 하며 유능한 인재들을 모을 수 있도록 현실적이어야 한다.

1. 연령 요건

(1) 내용

근무능률, 직업공무원제 확립, 공직에의 기회균등, 인적 자원의 광범위한 활용, 관료제의 특권화 방지 등의 요소를 고려하여 연령제한 여부를 결정할 수 있다.

핵심 OX

01 학력, 국적, 지식, 기술은 소극적 모집 요건이다. (O, X)

01 X 지식과 기술은 적극적 모집 요건이다.

(2) 평가

직업공무원제 육성을 위하여 연령의 상하한 제한을 둘 필요성이 있으나, 공직에의 기회균등 원칙을 침해하는 것이라는 비판도 있다.

(3) 각 나라의 현황

① 일반적으로 유럽 국가들은 젊은 인재 채용, 직업공무원제 확립 등을 위하여 연령을 엄격히 제한하고 있다.

② 미국은 공직에의 기회균등, 관료주의화 방지 등을 위하여 연령제한을 엄격하게 하지 않고 있다.

③ 우리나라는 나이 제한을 두고 있지 않다.

2. 주민 요건

지방자치단체에서 공무원을 채용할 경우 지방세를 납부하는 그 지역 주민을 임용해야 한다는 요건을 말한다. 편의성 제고 · 애향심 강화 등의 장점이 있지만, 지역 간 불균형 · 인력의 질적 저하를 초래할 우려가 있다.

3. 학력 – 정규교육의 이수 여부

(1) 일반적으로 계급제 전통이 강한 영국 · 독일 · 프랑스 · 일본 등은 학력을 고려하고 있으나, 학력에 의한 사회적 차별에 대한 비판 제기와 교육제도 개편에 따라 점차 학력 요구가 완화되는 추세에 있다.

(2) 민주주의적 평등주의가 발달한 미국 · 호주 등은 학력을 고려하지 않고 있으나, 유능한 관리층 공무원의 육성이 요청되면서 고등교육자에 대한 수요가 증가 추세에 있다.

(3) 우리나라는 각종 공무원 시험에서 학력제한을 철폐하였다.

4. 요구되는 지식 · 기술 또는 시험과목

법학(독일), 일반교양(영국), 사회과학(프랑스), 전문지식과 기술(미국), 일반교양과 직급별 전문지식 요구(한국 · 일본) 등 나라마다 요구하는 지식이나 시험과목이 다르며, 일반교양과 전문지식의 균형있는 조화가 필요하다.

3 임용의 결격사유

「국가공무원법」

제33조 【결격사유】 다음 각 호의 어느 하나에 해당하는 자는 공무원으로 임용될 수 없다.

1. 피성년후견인
2. 파산선고를 받고 복권되지 아니한 자
3. 금고 이상의 실형을 선고받고 그 집행이 종료되거나 집행을 받지 아니하기로 확정된 후 5년이 지나지 아니한 자
4. 금고 이상의 형을 선고받고 그 집행유예 기간이 끝난 날부터 2년이 지나지 아니한 자
5. 금고 이상의 형의 선고유예를 받은 경우에 그 선고유예 기간 중에 있는 자

6. 법원의 판결 또는 다른 법률에 따라 자격이 상실되거나 정지된 자
6의2. 공무원으로 재직기간 중 직무와 관련하여 「형법」 제355조 및 제356조에 규정된 죄를 범한 자로서 300만 원 이상의 벌금형을 선고받고 그 형이 확정된 후 2년이 지나지 아니한 자
6의3. 다음 각 목의 어느 하나에 해당하는 죄를 범한 사람으로서 100만 원 이상의 벌금형을 선고받고 그 형이 확정된 후 3년이 지나지 아니한 사람
가. 「성폭력범죄의 처벌 등에 관한 특례법」 제2조에 따른 성폭력범죄
나. 「정보통신망 이용촉진 및 정보보호 등에 관한 법률」 제74조 제1항 제2호 및 제3호에 규정된 죄(음란물 유포죄)
다. 「스토킹범죄의 처벌 등에 관한 법률」 제2조 제2호에 따른 스토킹범죄
6의4. 미성년자에 대한 다음 각 목의 어느 하나에 해당하는 죄를 저질러 파면 · 해임되거나 형 또는 치료감호를 선고받아 그 형 또는 치료감호가 확정된 사람(집행유예를 선고받은 후 그 집행유예기간이 경과한 사람을 포함한다)
가. 「성폭력범죄의 처벌 등에 관한 특례법」 제2조에 따른 성폭력범죄
나. 「아동 · 청소년의 성보호에 관한 법률」 제2조 제2호에 따른 아동 · 청소년대상 성범죄
7. 징계로 파면처분을 받은 때부터 5년이 지나지 아니한 자
8. 징계로 해임처분을 받은 때부터 3년이 지나지 아니한 자

3 시험

시험의 목적은 공직이 요구하는 직무수행능력이 그 지망자에게 있는지 여부를 판정하는 것이다. 실적주의에 따라 공개경쟁시험이 치루어져야 하며, 이는 공직에의 기회 균등[1]과 행정의 민주성 · 능률성을 보장하고 평등 원칙을 확립하는 것이어야 한다.

[1] 공직에의 기회 균등
1. **헌법 제25조** 모든 국민은 법률이 정하는 바에 의하여 공무담임권을 가진다.
2. **「국가공무원법」 제28조 【신규채용】** ① 공무원은 공개경쟁채용시험으로 채용한다.
3. **「국가공무원법」 제35조 【평등의 원칙】** 공개경쟁에 따른 채용시험은 같은 자격을 가진 모든 국민에게 평등하게 공개하여야 하며, 시험의 시기와 장소는 응시자의 편의를 고려하여 결정한다.

1 시험 효용성 측정기준

1. 타당도

시험이 측정하려는 내용을 얼마나 정확하게 측정하는지를 나타내는 것으로, 직무수행능력이 우수한 사람을 잘 식별하느냐의 정도를 가리키는 것이다. 이는 채용시험성적과 근무성적 간의 비교를 통해 측정된다.

(1) 기준 타당도

직무수행능력을 얼마나 정확하게 측정하느냐에 관한 타당도이다. 시험성적과 업무실적이라는 기준을 비교하여 양자의 상관관계를 확인할 수 있다.

① **동시적 타당도 검증:** 재직 중에 있는 사람에게 시험을 실시한 후 그들의 업무실적과 시험성적을 비교하는 방법이 있다.
② **예측적 타당도 검증:** 합격한 사람의 미래의 업무실적을 비교하는 방법이다.

(2) 내용 타당도[1]

① 직무수행에 필요한 지식 · 기술 · 태도 등 능력요소를 얼마나 정확하게 측정하느냐에 관한 타당도이다. 직위의 책임과 의무에 연결되는 요소를 제대로 측정할 수 있으면 내용 타당도가 높은 것이다.

② 직무에 정통한 전문가 집단이 시험의 구체적 내용, 항목이 직무의 성공적 업무수행에 얼마나 적합한 것인지를 판단하여 검증하게 된다.

(3) 구성 타당도

직무수행 성공과 관련 있다고 이론적으로 구성 · 추정한 능력요소(traits)를 얼마나 정확하게 측정하느냐에 관한 기준이다. 경험적으로 포착하기 어려운 자질을 잘 평가하는 것이다.

핵심정리 타당도 개념 비교

구분	개념	판단 기준	검증 방법
기준 타당도	직무수행에 필요한 능력이나 실적의 예측 여부	시험성적 = 근무성적의 부합 여부	· 예측적 검증(합격자) · 동시적 검증(재직자)
내용 타당도	특정 직무수행에 필요한 능력요소의 측정 여부	능력요소 = 시험내용의 부합 여부	내용 분석(by 전문가)
구성 타당도	직무수행에 필요한 능력요소와 관련된다고 믿는 이론적 구성요소의 측정 여부	이론적 구성요소 = 시험내용의 부합 여부	논리적 추론 · 수렴적 타당도* · 차별적 타당도*

2. 신뢰도(일관성)

(1) 의의

① 측정 결과의 일관성을 말하며, 우연적 요소의 영향을 덜 받도록 구성되어야 한다는 것이다. 신뢰도가 높은 시험은 동일한 사람이 동일한 시험을 시간을 달리하여 치른다 해도 그 성적 차이가 근소할 것이다.

② **타당도와의 관계:** 타당도를 유지하기 위해서는 신뢰도를 가져야 하지만, 타당도가 낮다고 해서 신뢰도가 반드시 낮아지는 것은 아니다. 단순히 일관성을 가진다고 해서 시험방법이 특정업무 수행능력을 정확히 측정한다는 보장이 없고, 전혀 무관한 것을 측정할지도 모르기 때문이다.

(2) 검증 방법

① **재시험법(test-retest method):** 동일한 측정도구를 이용하여 동일한 상황에서 동일한 대상에게 일정기간을 두고 반복 측정하여 최초의 측정치와 재측정치가 동일한지의 여부를 평가하는 방법으로, 측정도구 자체를 직접 비교할 수 있고 적용이 간단하다는 것이 장점이다.

② **복수양식법(multiple forms techniques) = 대안(alternative)양식법:** 동일한 개념에 대해 2개 이상의 상이한 측정도구를 개발하고, 각각의 측정치 간의 일치 여부를 검증하는 방법이다.

[1] 내용 분석의 예시
1. 소방공무원을 선발하고자 할 때 그 직무에 정통한 전문가의 의견을 들어 선발시험의 내용을 구성한다.
2. 행정직 공무원 선발시험의 내용을 행정학 교수가 구성한다.

용어

수렴적 타당도*: 동일한 두 개념을 상이한 측정방법으로 측정했을 때 그 측정값 사이의 상관도
→ 상관성이 높으면 수렴적 타당도가 높음

차별적 타당도*: 상이한 두 개념을 동일한 측정방법으로 측정했을 때 그 측정값 사이의 상관도
→ 상관성이 낮을수록 차별적 타당도가 높음

핵심 OX

01 직무에 정통한 전문가가 시험의 내용을 구성하는 것은 기준 타당도의 검증 방법이다. (O, X)

02 내용 타당도는 논리적 추론에 의해 검증한다. (O, X)

03 신뢰도는 측정 결과의 일관성을 의미한다. (O, X)

01 X 내용 타당도의 검증 방법이다.
02 X 내용 타당도의 검증 방법은 내용 분석이며, 구성 타당도의 검증 방법이 논리적 추론이다.
03 O

③ **반분법(split-half method)**: 측정도구를 임의로 반으로 나누어 각각을 독립된 척도로 보고, 이들의 측정 결과를 비교하는 방법이다.

④ **내적 일관성 분석법(internal consistency snalysis)**: 반분법을 사용하여 구한 신뢰도 계수의 평균으로, 신뢰계수 측정법 중 일반적인 방법이다.

3. 객관도

채점 기준을 객관화하여 시험성적이 채점자에 따라 심한 차이가 나지 않도록 하는 것이다. 일반적으로 주관식에 비해 객관식 시험이 객관도가 높으며, 객관도가 낮으면 신뢰도는 낮아진다.

4. 난이도

시험의 목적은 응시자 능력 차이를 구별하는 것이므로, 너무 어렵거나 쉬우면 성적분포가 한쪽에 몰리므로 우열 구별이 곤란하다. 따라서 득점차가 적당히 분포되도록 내용의 난이도 조절이 필요하다.

5. 실용도

복합적 특성을 말하며, (1) 시험관리 비용의 저렴함, (2) 시험 실시의 용이함, (3) 채점의 용이함, (4) 이용가치의 고도성 등이 포괄적으로 요구되는 것이다.

2 종류

1. 형식(방법)에 의한 분류

(1) 필기시험 - 객관식 시험과 주관식 시험

① **필기시험의 장점**

㉠ 시험관리가 용이하다.

㉡ 시간과 경비가 절약된다.

㉢ 비교적 높은 타당도와 신뢰도를 보인다.

② **객관식 시험과 주관식 시험의 장단점 비교**

구분	객관식 시험	주관식 시험
장점	· 채점의 높은 객관성 · 용이한 채점기술 · 많은 출제를 통하여 직무수행 능력파악 가능	· 추리력, 종합적 판단력, 독창력 파악 · 출제가 용이
단점	· 높은 수준의 출제능력 요구 · 고도의 지적능력 판단에는 부적합	· 많은 채점 시간과 경비 · 객관성 · 공정성 상실 우려 · 적은 출제수로 예상적중도에 따른 성적 편차 가능성

(2) 실기시험

① **장점**: 타당도는 높다.

② **단점**: 다수의 응시자에게 한번에 적용하기 곤란하다.

핵심 OX

01 시험 점수가 채점자에 따라 차이가 없는 것은 객관도이다. (O, X)

01 O

(3) 면접시험

① **장점**: 필기나 기타 시험으로 측정하기 어려운 자질, 적성, 논리력 등을 파악하는 데 유리하다.

② **면접시험 평정요소**

㉠ 공무원으로서의 정신자세를 평가한다.
㉡ 전문지식과 그 응용능력을 평가한다.
㉢ 의사표현의 정확성과 논리성을 평가한다.
㉣ 예의 · 품행 및 성실성을 파악한다.
㉤ 창의력 · 의지력 및 발전 가능성을 판단한다.

2. 목적에 의한 분류

(1) 일반지능검사

심리검사의 일종으로, 상황에 대처하는 능력과 추리력을 측정한다.

(2) 성격검사

기질적 · 정서적 특성을 측정하는 것이다.

(3) 업적검사

현재의 능력과 실적에 대한 평가이다.

(4) 적성검사

특정 분야의 직무를 감당할 수 있는 소질이나 잠재능력 여부에 대한 평가이다.

4 임명

현재 우리나라에서 공무원 신규채용 시 기본적 임용의 절차는 '채용후보자명부의 작성 → 추천 → 시보임용 → 임명'의 순서로 이루어진다.

1 채용후보자명부의 작성

시험합격자는 임명되기 전에 채용후보자명부에 등록된다. 시험실시기관이 시험성적 순에 따라 직급별로 채용후보자명부를 작성하고, 훈련성적과 전공분야 기타 필요사항을 기재한다. 채용후보자명부 등록 유효기간은 5급 및 6급 이하 공무원은 2년이다.

2 임용추천

1. 임용후보자의 추천

(1) 시험실시기관의 장은 각 기관의 결원 및 결원예정인원을 감안하여, 임용후보자명부에 등재된 임용후보자를 임용권 또는 임용제청권을 갖는 기관에 추천한다.

(2) 특별한 경우 추천요구를 받아 특별추천도 가능하다.

2. 추천 방식

단수추천제, 배수추천제, 선택추천제, pool추천제, 집단추천제 등이 있다.

3. 우리나라의 추천 방식

(1) 우리나라에서는 현재 단수추천제와 특별추천제(선택추천제)를 채택하고 있다.

(2) 현재 시험실시기관의 추천은 일방적 배정을 의미하게 되었으며, 임용권 또는 임용제청권을 갖는 기관의 추천요구 없이 임용후보자를 추천하고 있다.

3 시보임용

1. 의의

시험만으로는 직무수행능력을 판단하기 곤란하므로 시보기간동안 선발된 임용후보자에게 실무를 습득할 기회를 제공하고, 공직 적격성 여부와 직무수행능력을 평가하여 정규 공무원으로 임명하게 된다.

2. 특징

이 기간 동안은 일반공무원에게 인정되는 신분보장이 없으며, 기간 경과 시에 근무성적이 양호하면 정규 공무원이 된다. 신규채용에서 5급은 1년, 6급 이하 공무원은 6월의 기간동안 시보임용된다.

4 임명 - 「국가공무원법」 제32조(임용권자)[1]

1. 행정기관 소속 5급 이상 공무원 및 고위공무원단에 속하는 일반직공무원은 소속 장관의 제청으로 인사혁신처장과 협의를 거친 후에 국무총리를 거쳐 대통령이 임용한다.

2. 소속 장관은 6급 이하 소속 공무원에 대하여 일체의 임용권을 가진다.

[1] 지방직공무원 임용권자
1. 지방자치단체장
2. 교육감
3. 지방의회 의장

핵심 OX

01 시보제도는 5급 이하의 공무원에게만 적용된다. (O, X)

02 시보기간에도 정규 공무원으로서 신분보장이 적용된다. (O, X)

01 O
02 X 시보기간은 시험의 연장 성격을 가지므로, 신분보장이 제한된다.

학습 점검 문제

01 다음 공무원 응시자격요건 중 적극적 요건은? 2006년 군무원 9급

ㄱ. 연령	ㄴ. 기술
ㄷ. 주민	ㄹ. 학력
ㅁ. 가치관	ㅂ. 지식

① ㄱ, ㅁ, ㅂ

② ㄴ, ㅁ, ㅂ

③ ㄱ, ㄴ, ㄹ

④ ㄹ, ㅁ, ㅂ

정답 및 해설

01 ㄴ. 기술, ㅁ. 가치관, ㅂ. 지식은 적극적·실질적 요건이다.

| 오답체크 |

ㄱ. 연령, ㄷ. 주민, ㄹ. 학력은 소극적·형식적 요건이다.

정답 01 ②

02 공무원 임용시험의 효용성을 측정하는 기준에 대한 설명으로 옳지 않은 것은? 2018년 국가직 7급

① 시험의 타당성은 시험이 측정하고자 하는 것을 실제로 얼마나 정확하게 측정했는가를 의미하며, 그 종류에는 기준타당성, 내용타당성, 구성타당성 등이 있다.

② 내용타당성은 시험 성적이 직무수행실적과 얼마나 부합하는가를 판단하는 타당성으로 두 요소 간 상관계수로 측정된다.

③ 측정 대상을 일관성 있게 측정하는 정도를 신뢰성이라고 하며, 같은 사람이 여러 번 시험을 반복하여 치르더라도 결과가 크게 변하지 않을 때 신뢰성을 갖게 된다.

④ 신뢰도를 측정하는 방법으로는 재시험법(test-retest)과 동질이형법(equivalent forms) 등이 사용된다.

03 선발시험의 타당성과 신뢰성에 대한 설명으로 옳은 것은? 2017년 지방직 7급

① 현재 근무하고 있는 재직자에게 시험을 실시한 결과 근무실적이 좋은 재직자가 시험성적도 좋았다면, 그 시험은 구성적 타당성을 갖추었다고 인정할 수 있다.

② 내용타당성은 직무에 정통한 전문가 집단이 시험의 구체적 내용이나 항목이 직무의 성공적 임무 수행에 얼마나 적합한지를 판단하여 검증하게 된다.

③ 동시적 타당성 검증에서는 시험합격자를 대상으로 시험 성적과 일정기간을 기다려야 나타나는 근무 실적을 시차를 두고 수집하여 비교하는 것이다.

④ 시험의 신뢰성은 시험과 기준의 관계이며, 재시험법은 시험의 횡적 일관성을 조사하는 것이다.

04 **소방공무원의 선발시험에 대한 신뢰성과 타당성의 검증방법에 대한 연결로 옳지 않은 것은?** 2014년 지방직 7급

① 동질이형법(equivalent forms) - 내용과 난이도에 있어 동질적인 Ⓐ, Ⓑ책형을 중앙소방학교 교육후보생들을 대상으로 시험을 보게 한 후, 두 책형의 성적 간 상관관계를 분석한다.

② 내용타당성 - 소방공무원을 선발하고자 할 때 그 직무에 정통한 전문가의 의견을 들어 선발시험의 내용을 구성한다.

③ 기준타당성 - 소방직 시험에 합격한 사람들에게 3개월 뒤 같은 문제로 시험을 보게 하여 두 점수 간의 상관관계를 분석한다.

④ 구성타당성 - 지원자의 근력 · 지구력 등을 측정하기 위해 새로 만든 시험방법을 통해 측정한 점수와 기존의 시험방법으로 측정한 결과 간의 상관관계를 분석한다.

정답 및 해설

02 시험이 직무수행능력을 어느 정도 측정했는지는 기준타당도에 해당한다. 내용타당도는 직무수행에 필요한 지식 · 기술 · 태도 등 능력요소를 얼마나 정확하게 측정하느냐에 관한 타당도이다.

| 오답체크 |

① 시험의 타당도에 대한 개념과 종류에 대한 설명으로 옳은 지문이다.

③ 신뢰도란 측정도구가 갖는 일관성을 의미하는 것으로, 측정의 형식 · 시기 · 공간 등에 있어서 얼마나 규칙성과 일관성이 있는지를 의미하는 것이다.

④ 신뢰도를 검증하는 방법에는 반분법, 동질이형법, 재시험법 등이 있다.

03 전문가 집단에 의한 문항 검증 등 내용분석에 의한 타당도는 내용타당성에 해당한다.

| 오답체크 |

① 구성타당도가 아니라 기준타당도 중 동시적 타당도에 해당한다.

③ 동시적 타당성 검증이 아니라 예측적 타당성 검증에 해당한다.

④ 재시험법은 신뢰도 검증방법 중 횡적 일관성이 아닌 종적 일관성 검증방법이다. 그리고 시험과 기준의 관계는 타당도에 해당한다.

04 ③은 기준타당도가 아니라 신뢰도를 검증하는 방법 중 재시험법에 해당한다. 기준타당도는 시험성적과 근무성적을 비교하여 검증한다.

| 오답체크 |

① 신뢰도를 검증하는 동질이형법의 설명으로 옳은 지문이다.

② 내용타당도는 직무에 정통한 전문가 집단이 시험의 구체적 내용 · 항목이 직무의 성공적 업무 수행에 얼마나 적합한 것인지를 판단하므로 옳은 예시의 지문이다.

④ 구성타당성은 직무수행에 필요한 능력요소와 관련된다고 믿는 이론적 구성요소의 측정 여부이므로 옳은 예시의 지문이다.

정답 02 ② 03 ② 04 ③

CHAPTER

4 능력발전

1 승진(수직적 이동)

1 의의 및 중요성

1. 의의[1]

(1) 승진이란 하위직급에서 직무의 곤란도와 책임도가 높은 상위직급으로 또는 하위계급에서 상위계급으로의 종적 · 수직적 이동을 의미한다.

(2) 횡적 · 수평적 이동인 전직이나 전보와 구별되고, 동일한 직급 또는 등급에서 호봉만 올라가는 승급과도 구별된다.

[1] 승진, 승급, 승격
1. **승진**: 9급 → 8급 → 7급
2. **승급**: 9급 1호봉 → 9급 2호봉
3. **승격**: 직무등급의 상승

2. 중요성

(1) 개개 공무원의 성공에 대한 기대감을 충족시켜 사기를 높이고, 능력 발전을 도모하는 유인을 제공한다.

(2) 유능한 인재의 이직을 방지하고, 경험 많은 행정관리자를 양성하여 전체 공무원의 질을 유지한다.

(3) 공무원의 능력을 적절하게 평가하여 적재적소에 배치함으로써, 효율적인 인력활용에 기여한다.

2 승진의 범위 및 기준

1. 승진 범위와 신규채용의 관계

(1) 일정 직위에 결원이 생기는 경우, 충원 수단으로는 외부로부터의 채용(개방형)과 내부의 승진임용(폐쇄형)이 있다.

(2) 구체적으로는 ① 현직 공무원의 사기, ② 공무원의 질, ③ 관료에 대한 민주통제, ④ 능률화 요구 수준, ⑤ 공무원 이직률 등을 고려해서 채용방식이 결정된다.

2. 내부 재직자 간의 승진 경쟁 문제

(1) 의의

상위직에 공석이 생겨서 내부 승진을 통해 충원하는 경우, 승진 대상자의 범위를 동일한 부처 내에 한정할 것인가 또는 부처의 제한없이 다른 부처 직원도 포함할 것인가의 문제가 제기된다. 일반적으로 공무원단체가 강력한 나라일수록 경쟁대상자 범위를 동일 부처 내에 한정시키는 인사정책을 취한다.

(2) 폐쇄주의와 개방주의의 논거

폐쇄주의	개방주의
· 당해 부처 직원의 사기 제고 · 행정의 전문성·능률성 확보 · 기득권 존중으로 인한 안정	· 유능한 공무원 선발 · 부처 간 승진의 균형 유지 · 부처 간 할거 방지

3. 승진의 한계

(1) 직업공무원이 어디까지 승진할 수 있는가는 ① 공무원 채용 정책, ② 민주통제의 수준, ③ 각 나라의 직업공무원제도의 성숙도, ④ 고급관리자의 능력, ⑤ 공직의 분류방식 등에 의해 좌우된다.

(2) 경력직 공무원의 승진 한도가 높은 나라는 한국, 영국, 프랑스, 독일, 일본 등 계급제 국가이다. 승진 한도가 높으면 ① 공무원 사기앙양, ② 행정능률 향상, ③ 직업공무원제 확립 등의 장점이 있다. 그러나 ① 관료주의화 강화, ② 민주통제 곤란 등의 문제점도 지적된다.

4. 승진의 기준❶

승진 기준의 가장 바람직한 판단 근거는 승진 예정 직위가 요구하는 자격요건에의 적합성 여부이지만, 우리나라는 직위분류제와 계급제를 혼용하고 있어 이러한 자격요건을 명확히 규정하는 것이 어렵다. 따라서 경력(seniority)과 실적(merit) 등의 기준을 사용하고 있다.

구분	경력(연공서열)	실적
대상 기준	근무연한, 학력, 경험 등	· **주관적**: 근무성적평정, 교육훈련성적 · **객관적**: 시험성적, 상벌기록
적용 원칙	· **친근성**: 해당 분야 관련업무 종사 경력 · **근시성**: 최근 경력과 예전 경력 비교, 최근 경력에 비중을 둠 · **습숙성**: 보다 더 많은 업무를 습득했을 가능성 · **발전성**: 잠재능력과 장래 발전가능성	· 신뢰성의 원칙 · 타당성의 원칙 · 객관성의 원칙 · 발전성의 원칙
장점	· 객관성 확보로 정실과 불공평에 대한 불만 방지 · 행정의 안정성 유지 · 직업공무원제 확립	· 정실개입 차단 · 승진의 공정성 확보 · 평가의 타당성 제고 · 유능한 인재 등용 · 조직쇄신과 기관장의 부하 통솔 용이
단점	· 유능한 인재 등용 곤란 · 기관장의 부하 통솔 곤란 · 공직의 관료주의화·침체 · 행정의 비능률	· 장기근속자의 불리로 행정의 안정성 저해 · 기준설정 곤란 및 주관성 개입 가능성 · 수험에 대한 부담

❶ 「공무원 성과평가 등에 관한 규정」
제30조【승진후보자 명부의 평정점 등】 ① 승진후보자 명부를 작성하기 위한 평정점은 제18조에 따른 근무성적평가 점수와 제26조에 따른 경력평정점을 합산한 100점을 만점으로 한다. 다만, 제27조에 따른 가점 해당자에 대해서는 5점의 범위에서 그 가점을 추가로 합산한 점수를 승진후보자 명부의 총평정점으로 한다.
② 임용권자는 근무성적평가 점수의 반영비율은 90퍼센트, 경력평정점의 반영비율은 10퍼센트로 하여 승진후보자 명부를 작성하되, 근무성적평가 점수의 반영비율은 95퍼센트까지 가산하여 반영할 수 있고, 경력평정점의 반영비율은 5퍼센트까지 감산하여 반영할 수 있다. 이 경우 변경한 반영비율은 그 변경일부터 1년이 지난 날부터 적용한다.

핵심 OX

01 승진에서 개방주의는 행정의 전문성을 확보한다. (O, X)

02 실적 중심의 승진이 객관성을 확보하여 정실 인사를 방지한다. (O, X)

01 X 폐쇄주의가 전문성을 확보한다.
02 X 객관성 확보로 정실을 방지하는 승진의 기준은 경력이다.

3 승진임용의 유형

1. 일반 승진

일반 승진은 임용권자가 인사평정서 또는 승진후보자 명부의 순위에 따라 적격자를 승진임용하는 가장 일반적인 승진임용 방법이다.

2. 특별 승진

우수공무원으로서 청백리상 수상자, 탁월한 직무수행능력으로 행정발전에 지대한 공헌을 한 자, 우수한 제안으로 행정운영개선에 기여한 자는 특별 승진임용이 가능하다.

4 승진적체 해소방안❶

1. 근속승진제❷

일정기간 복무한 공무원을 자동으로 승진시키는 것이다. 우리나라는 6급까지 적용하고 있다.

2. 복수직급제

동일수준 직위에 계급이 다른 사람을 배치하는 것이다. 과장직위에 3급 또는 4급 공무원이 배치되고 있다.

3. 대우공무원제도

당해 계급에 승진소요 최저연수 이상 근무하고 승진임용의 제한사유가 없으며, 근무실적이 우수한 자를 대상으로 대우공무원제를 시행 중에 있다.

4. 필수실무요원

6급 공무원인 대우공무원 중에서 당해 직급에서 계속하여 근무하기를 희망하고, 실무수행능력이 우수한 직원에 대하여 소속장관 추천과 중앙인사기관장의 지정으로 필수실무요원으로 운용하고 있다.

5. 통합정원제

6급 이하 정원은 별도로 구분하지 않고 전체로 묶어 관리하여 하위직의 승진을 보다 쉽게 하고 있다.

❶ 승진소요최저연수

일반직공무원(우정직공무원 제외) 기준

9급	1년 6개월
8급	2년
7급	2년
6급	3년 6개월
5급	4년
4급	3년
3급 이상	제한 없음

❷ 근속승진제

1. 근속승진제는 일정 기간 복무한 공무원을 자동 승진시키는 것이다. 원칙적으로 7급은 11년 이상, 8급은 7년 이상, 9급은 5년 6개월 이상 재직한 공무원에 대해 적용한다.
2. 근속승진은 승진후보자 명부 작성 단위기간 직제상의 정원표에 일반직 6급, 7급 또는 8급의 정원이 없는 경우에도 근속승진 인원만큼 상위직급에 결원이 있는 것으로 보고 승진임용할 수 있다.

2 배치전환(수평적 이동)

1 의의

1. 배치전환

배치전환은 동일 계급이나 동일 등급 내의 인사이동으로, 전직 · 전보 · 전출입 · 파견근무 등을 포함한다.

(1) 전직

직렬을 달리 하는 직위로 수평적으로 이동하는 것이고, 직렬이 달라지기 때문에 원칙적으로 전직 시험을 거쳐야 한다.

(2) 전보

직무의 내용이나 책임이 유사한 동일한 직급 · 직렬 내에서 직위만 변동되는 보직변경으로, 전보에 따르는 시험이 필요없다.

(3) 전출입

다른 인사관할의 기관 간 인사이동으로, 시험이 필요하다는 것이 원칙이다. 국회, 행정부, 법원 간의 인사이동을 말한다.

(4) 파견

소속을 바꾸지 않고 임시적으로 타 기관에 일정 기간 근무하는 것이다.

2. 보직관리의 원칙

(1) 원칙

직급과 직류를 고려하여 그에 상응하는 일정 직위를 부여하고, 전공 · 훈련 · 근무경력 · 전문성 · 적성 등을 고려하여 적절한 직위에 보직하도록 하여야 한다.

(2) 경력개발제도(CDP: Career Development Program)

잦은 순환보직제도와 짧은 보직기간, 이로 인한 전문성 훼손이라는 문제점을 해소하고자 보직 경로를 통한 전문성 축적을 지향하면서, 적정 보직기간을 확보하고 경력경로를 설계하려는 목적에서 도입되었다.

2 전직과 전보

1. 목적 및 효용

(1) 공무원의 훈련과 능력발전

동일 기관이나 부서에 장기 근무하기보다 타 기관이나 부서에 배치(중앙과 지방, 일선기관, 계선기관과 참모기관, 사기업과의 인사교류 등)시킴으로써 공무원의 시야 확대와 경험 증진이 능력발전에 효과적일 수 있다. 고급공무원의 경우 폭넓은 관리능력이 요구되어 순환보직이 실시된다.

핵심 OX

01 전직은 직렬을 달리 하는 수평적 이동으로, 시험은 보지 않는다. (O, X)

02 전출입은 인사관할을 변경하는 것이다. (O, X)

01 X 직렬이 달라지기 때문에 시험을 거쳐야 한다.
02 O

(2) 직무수행에 대한 사기저하 방지

장기간의 동일직책 근무로 인해 권태감·좌절감이 생겨 사기 및 능률 저하가 야기될 수 있으므로, 하급·중급 공무원의 전보나 전직이 실시된다.

(3) 개인 의사 존중과 조직에의 충성심 제고

공무원 개인 사정을 고려하고 의사를 존중하여 전보나 전직에 반영하고, 나아가 장기간 근무로 상관에 대한 충성심 고착이나 소속 비공식 집단의 응집력이 지나치게 강화되는 역기능 등을 방지하기 위한 수단으로 사용되기도 한다.

(4) 보직 부적응과 대인 문제의 완화

능력과 적성이 보직과 부적합한 경우나 동료나 상급자·하급자 간에 감정·성격이 조화되지 않는 경우, 전보가 하나의 해결 수단이 될 수도 있다.

(5) 행정조직의 개편이나 관리상 변동에 대처하는 방법

2. 문제점 - 소극적 목적에의 오용

(1) 대민관계 업무가 많은 부서나 이권 개입이 잦은 부서에 근무하는 공무원의 직위를 자주 교체하여 부정부패를 방지하는 수단으로 사용된다.

(2) 개인적 특혜의 제공 및 개인세력 확대의 도구로 활용된다.

(3) 비위에 대한 공식적 징계절차 없이 한직 좌천·지방 전출 등의 실질적 징계 수단으로 활용된다.

(4) 비중이 낮은 직책을 담당하게 하여 사임을 강요하는 목적으로 이용된다.

3. 개선방향

(1) 인사권자가 편협한 자세를 버리고 장기적 안목에서 공무원의 능력발전을 위한 제도운영을 위해 노력해야 한다.

(2) 보직 변경이 인사권자의 주관이나 감정에 지나치게 좌우되면, 부하는 이를 예측하기 곤란하여 심한 심리적 불안을 경험한다. 따라서 보직 인사의 공정성에 대한 신뢰 회복이 시급하며, 부당한 인사에 대한 견제가 필요하다.

(3) 빈번한 이동이나 특혜 제공의 수단으로서의 전보를 지양하기 위해서는 그 기준이 객관화되거나 정기적으로 전보가 실시되어야 한다.

핵심 OX

01 직위분류제는 배치전환의 합리적 기준을 제시한다. (O, X)

02 계급제는 배치전환의 융통성을 가진다. (O, X)

01 O
02 O

3 교육훈련

1 의의

1. 교육훈련의 의의

교육훈련은 공무원의 직무수행상 필요한 지식 · 기술을 향상시키고, 가치관과 태도를 발전적으로 변화시키는 활동을 의미한다.

2. 교육과 훈련의 의의

교육은 일반적 지식 · 교양을 습득하고 개인의 전반적인 잠재력을 개발하는 것이며, 훈련은 특정 직무수행에 필요한 지식과 기술을 향상시키는 것이다.

3. 최근 경향

최근에는 급변하는 환경에의 적응을 위하여 직무수행에 필요한 지식과 기술은 물론 가치관과 태도의 발전을 유도하는 인사관리기법으로 중요시되고 있다.

2 효용

1. 목적

(1) 직무수행에 필요한 지식, 기술, 태도를 습득할 수 있다.

(2) 행정능률의 향상을 꾀할 수 있다.

(3) 관료제 병폐(형식주의, 선례답습, 무사안일주의 등)를 시정할 수 있다.

(4) 자기계발의 계기를 마련할 수 있다.

(5) 조직의 인력 수요를 충족할 수 있다.

(6) 훈련을 통한 자신감 향상과 사기의 제고를 꾀할 수 있다.

2. 중요성

(1) 누구나 완전한 능력을 보유하는 것이 불가능하므로 교육훈련이 필요하다.

(2) 환경의 변화로 인한 새로운 능력이 요구된다.

(3) 의식적인 노력에 의해서 능력 개발이 가능하다.

(4) 개인의 능력 발전은 개인과 조직의 발전에 기여할 수 있다.

3 유형

1. 신규채용자의 기초훈련 · 적응훈련

신규채용된 공무원에게 자기가 맡을 일을 파악 · 적응할 수 있도록 직장성격 · 업무생활 · 직무수행 등에 대한 기초지식에 대해 교육하거나, 승진 · 복직 · 배치전환의 경우에 해당되는 사람에 대해 재적응훈련을 시키는 것이다.

2. 정부 고유 업무 담당자에 대한 훈련

국방, 경찰, 소방, 세무 등과 같이 정부에서만 하는 일에 대해 실시하는 훈련이다. 장기간 전문적으로 교육을 시키기 위하여 별도의 교육기관을 설립 · 운영하기도 한다.

3. 새로운 지식 · 기술 및 가치관의 습득

환경의 변화를 수용하고 그에 적절히 대처하기 위한 것으로, 필요할 때마다 일정 기간을 정하여 집중적으로 실시하기도 하고 연구기관을 이용하기도 한다.

4. 감독자 훈련과 관리자 훈련

(1) 감독자 훈련

최초의 지휘자가 되는 사람에게 부여하는 훈련으로, 인사행정 · 의사전달 · 인간관계 · 리더십 · 사무관리 등 기술적인 내용 위주로 훈련한다.

(2) 관리자 훈련

고급관리자가 되는 사람에게 부여하는 훈련으로, 정책결정에 필요한 지식 및 가치관과 조직의 통솔 등에 관한 내용 위주로 훈련한다.

4 교육훈련수요 조사

1. 훈련수요의 개념

(1) 훈련의 목적은 무엇을 훈련시킬 것인가를 결정하는 기준이 되며, 훈련수요를 판단하는 기준이 된다.

(2) 훈련이 실효성을 거두기 위해서는 먼저 훈련수요 파악이 이루어져야 하는데, 훈련수요는 직책이 요구하는 자격과 공무원의 현재 자격 간의 차이를 통해서 파악한다.

2. 훈련수요의 발생 원인

신규채용, 배치전환, 승진, 새로운 업무의 발생, 절차의 변경, 능률향상 추구 등의 경우에 훈련수요가 발생한다.

3. 훈련수요의 조사 내용

교육훈련의 미래목표, 담당 직무의 조사, 훈련에 대한 최고관리자의 요망사항, 외부인사로부터 아이디어 흡수, 수강생의 불만 등을 조사한다.

4. 훈련수요의 한계[1]

교육훈련을 통해서 훈련수요를 완전하게 충족시킨다는 것은 불가능하다. 그 이유는 직무수행 기준과 직무수행 간의 차이가 기술 이외의 요인에 의해서도 일어날 수 있으며, 조직의 설계 · 직무설계 · 관리방식상의 문제점에 의해서도 차이가 발생할 수 있기 때문이다.

❶ 교육훈련에 대한 저항

구분	내용
소속기관	· 업무 공백 우려 · 훈련비용의 발생
공무원	· 장기간 교육 훈련 후 복귀 시 보직에 대한 불안감 · 교육 훈련 발령을 불리한 인사 조치로 이해하는 경향 · 교육훈련 결과의 인사관리 반영 미흡

5 교육훈련의 다양한 기법

1. 강의식(lecture)

(1) 의의

가장 보편적인 교육훈련 방법으로, 피훈련자를 일정한 장소에 모아 놓고 강사가 일방적으로 강의를 진행하는 것이다.

(2) 장점

① 일시에 다수인에게 지식을 전달하는 방법으로, 시간과 비용이 적게 든다.

② 피교육생의 사전준비가 필요없다.

(3) 단점

일방적인 지식의 전달로 피훈련자의 흥미 상실, 피훈련자 개개인에 대한 관심의 소홀, 실무 활용에 도움 곤란 등의 문제가 있다.

2. 회의식(conference), 토론 방법(forum)

(1) 의의

피훈련자들을 회의나 토론에 참여시켜 다양한 견해와 의견을 교환하도록 하는 방법이다.

(2) 장점

① 여러 사람들의 의견을 모을 수 있다.

② 회의 진행에 따라 새로운 생각을 유도하거나 결론을 내리기 힘든 문제를 민주적으로 해결하는 등 실무 활동에 유용하다.

(3) 단점

① 소수 인원만 참여 가능하고 시간이 오래 걸리고 비경제적이며, 유능한 회의진행요원이 필요한 문제가 있다.

② 결론을 내리지 못하고 논쟁으로 비화되는 경우가 많다.

3. 사례연구(case study)

(1) 의의

하버드 법과대학의 랑델(Langdell) 교수에서 시작된 것으로, 과거에 일어났던 구체적이고 실제적인 사례를 비교 · 분석하여 미래에 대한 예측능력을 기르고 문제를 해결하는 방법이다.

(2) 장점

피훈련자의 참여를 유도하고, 응용력과 문제해결능력을 배양한다.

(3) 단점

① 사례준비에 시간과 비용이 많이 소요된다.

② 상황이 바뀌면 그 사례를 그대로 적용하기 곤란한 문제가 있다.

핵심 OX

01 강의식 교육은 시간과 비용이 많이 든다. (O, X)

01 X 일시에 다수를 교육시킬 수 있기 때문에 시간과 비용이 적게 든다.

4. 역할연기(role playing)

(1) 의의

여러 사람 앞에서 실제 행동으로 연기를 하고, 연기가 끝나면 청중이 이에 대한 논평을 하는 방법이다.

(2) 장점

① 피훈련자의 참여와 감정이입이 촉진된다.

② 피훈련자의 행태를 변경하는 데 효과적이다.

③ 민원인에 대한 태도 개선에 효과적이다.

(3) 단점

우수한 사회자 및 철저한 사전준비가 필요하다.

5. 현장훈련(OJT: On the Job Training)

(1) 의의

① 대상자가 실제 직위에서 정상적으로 일을 하면서 상관이나 선임자로부터 지도훈련을 받는 것이다.

② 직무현장을 이탈하지 않는 교육방법이다.

(2) 장점

① 훈련이 구체적이고 실제적이다.

② 훈련으로 학습 및 기술 향상을 알 수 있어 구성원의 동기를 유발할 수 있다.

③ 구성원의 습득도와 능력에 맞게 훈련할 수 있다.

④ 업무공백이 발생하지 않는다.

(3) 단점

① 다수인의 동시 훈련이 곤란하고 좁은 분야의 일에 대해 집중적으로 훈련하는 것이므로, 고급공무원 훈련방법으로서는 적합하지 않다.

② 직무현장을 이탈하지 않으므로, 사전에 계획된 교육훈련은 실시가 어렵다.

6. 전직 · 순환보직(rotation)

(1) 의의

피훈련자의 근무처를 다른 직위에 전직 · 순환보직시키며 훈련하는 방법이다.

(2) 장점

① 공무원 시야와 경험 증대에 효과적이다.

② 유능한 일반행정가 양성이나 조정능력 확보에 유리하다.

(3) 단점

① 훈련이라는 명목하에 비합리적인 인사배치에 악용될 소지가 높다.

② 행정의 전문성을 저해한다.

7. 신디케이트(syndicate)

(1) 의의

몇 사람이 반을 편성하여 문제를 연구하고, 전원에게 보고하여 평가를 받는 방법이다.

(2) 장점

참가자의 관심을 유도하고 상대방의 의견을 존중하는 방법으로, 최고관리자 과정에 적합하다.

(3) 단점

경제적이지 못하고 훈련에 충분한 시간이 요구된다.

8. 감수성 훈련

(1) 의의

피훈련자를 외부 환경과 차단시킨 상황 속에서 자신의 경험을 교환하고 비판하게 하여, 대인관계에 대한 이해와 감수성을 높이려는 현대적 훈련방법이다.

(2) 특징

① OD기법의 일종으로, 이성보다 감정을 중시하고 결과보다 과정을 중시하며, 집단 내의 자신의 위치 · 대인관계 이해 증진 등을 통해서 인간관계의 개선을 도모한다.

② 12명 내외를 대상으로 하며(대상자는 이질적으로 구성), 2주 정도 **환경과 단절**[1] 시킨 상태에서 이루어진다.

(3) 장점

① 타인에 대한 개방적인 태도의 형성 · 타인에 대한 편견의 제거 · 타인에 대한 관심의 제고 등을 통해 조직발전을 위한 가치관 · 태도 변화를 유도한다.

② 협조적인 분위기의 형성으로 조직의 목적달성에 기여한다.

(4) 단점

① 다수의 참여가 곤란하다.

② 권위주의적인 풍토에서는 훈련효과가 지속되기 어려운 경우가 많다.

개념PLUS 역량기반 교육훈련제도

1. 대두배경 및 개념

① 역량기반 교육훈련제도는 전통적 교육훈련의 한계를 극복하고 역량진단을 통한 문제 해결 및 현실 적용성을 제고하기 위한 방안으로 도입되고 있다.

② 역량기반 교육훈련제도는 특정 업무 수행을 통해 달성하고자 하는 성과로부터 출발하며 역량은 이러한 성과를 달성하기 위해 필요한 지식, 기술, 태도 등의 행동특성을 의미한다.

2. 역량기반 교육훈련의 대표적인 방식

멘토링	· 멘토링은 개인 간의 신뢰와 존중을 바탕으로 조직 내 발전과 학습이라는 공통 목표의 달성을 도모하고자 하는 상호 관계 · 조직 내에서 직무에 대한 많은 경험과 전문지식을 갖고 있는 멘토가 일대일 방식으로 멘티를 지도함으로써 조직 내 업무 역량을 조기에 배양시킬 수 있는 학습활동

[1] 감수성 훈련 시 환경과 단절
출퇴근을 하면서 교육 · 훈련하는 것이 아니라 일정 기간 연수원에 소집하여 시행하는 교육을 의미한다.

핵심 OX

01 직무현장훈련은 피훈련자의 습득도와 능력에 맞게 훈련할 수 있다. (O, X)

02 감수성 훈련은 직무에 관련된 지식 · 기술을 습득한다. (O, X)

03 직장 내 훈련은 사전에 계획된 교육 · 훈련이 가능하다. (O, X)

01 O
02 X 감수성 훈련은 행태를 변화시키는 교육 · 훈련이다.
03 X 직무 현장을 이탈하지 않기 때문에 사전에 계획된 교육은 불가능하다.

학습조직	학습조직은 조직 내 모든 구성원의 학습과 개발을 촉진시키는 조직 형태로, 지식의 창출 및 공유와 상시적 관리 역량을 갖춘 조직
액션러닝	· 액션러닝은 이론과 지식 전달 위주의 전통적인 강의식 집합식 교육의 한계를 극복하고 참여와 성과 중심의 교육훈련을 지향하는 대표적인 역량기반 교육훈련 방법 중 하나 · 정책 현안에 대한 현장 방문, 사례조사와 성찰 미팅을 통해 문제 해결 능력을 함양하는 것으로 교육생들이 실제 현장에서 부딪치는 현안 문제를 가지고 자율적 학습 또는 전문가의 지원을 받으며 구체적인 문제 해결 방안을 모색함
워크아웃 프로그램	· 조직의 수직적 수평적 장벽을 제거하고 전 구성원의 자발적 참여에 의한 행정혁신, 관리자의 신속한 의사결정과 문제 해결을 도모하는 교육훈련 방식 · 워크아웃 프로그램은 1980년대 후반부터 미국 GE사의 전략적 인적자원 개발 프로그램으로 활용되었으며 정부조직에서도 정책 현안에 대한 각종 워크숍의 운영을 통해 집단적 토론과 함께 문제 해결 방안을 모색하고 개별 공무원의 업무 역량을 제고하기 위한 목적에서 적극 활용되고 있음

4 근무성적평정

1 의의 및 필요성

1. 의의

근무성적평정이란 실적제가 적용되는 공무원에 대해 재직 · 승진 · 훈련수요의 파악 · 보수결정 및 상벌 등에 활용하기 위하여, 일정 기간 동안의 근무실적 · 근무수행능력 · 근무태도 등을 정기적 · 체계적으로 평가하는 것이다.

2. 필요성 및 용도

근무성적평정은 종래에는 징계적 수단으로 사용되었으나, 점차 능력발전의 수단으로 전환되고 있다.

(1) 시험의 타당도 측정의 기준 제공

공무원 채용시험성적과 임용 후 근무성적을 비교하여 시험의 타당성 여부를 측정한다. 타당성 있는 채용시험의 경우, 선발시험에서 좋은 성적을 거둔 사람이 근무성적평정 점수도 높을 것이다.

(2) 공무원의 능력발전

개개 공무원의 능력과 그가 담당하는 직책이 요구하는 능력을 비교하여 훈련수요를 파악한다. 개인의 능력발전 또는 인간관계 개선이나 업무능률 향상을 위해 근무성적평정을 활용할 수 있는데, 이 경우 근무성적이 개인에게 공개되고 이에 대한 비판이 자연스럽게 이루어져야 한다.

(3) 인사행정의 기준 제공

승진 · 전보 · 보수 지급(성과상여금 등) · 훈련 · 퇴직 등의 기초자료로 활용하고 있으나, 근무성적평정은 과거 · 현재상태의 평가이지 장래 근무능력의 예측이 아니며, 공정한 평정이 이루어지지 않으면 오히려 악용될 소지가 있다.

(4) 기타

① 조직 문제점 진단, ② 직무평가 및 직무설계의 자료 제공, ③ 감독자와 부하직원 간 의사소통의 활성화 및 인간관계 개선, ④ 상벌의 목적 등으로 사용될 수 있다.

2 유형❶

1. 도표식 평정척도법

(1) 의의

가장 많이 활용되는 근무성적평정 방법으로, 한편에 실적 · 능력 · 태도 등의 평정요소를 나열하고, 다른 한편에는 각 평정요소마다 그 우열을 나타내는 척도인 등급을 표시하는 것이다.

(2) 장점

① 평정표 작성과 평정이 용이하다.

② 평정의 결과가 점수로 환산되기 때문에 평정 대상자에 대한 상대적 비교를 확실히 할 수 있어, 상벌 결정의 목적으로 사용하는 데 효과적이다.

(3) 단점

① 평정요소의 합리적 선정이 어렵고 평정요소에 대한 등급을 정한 기준이 모호하며, 자의적 해석에 의한 평가가 이루어지기 쉽다.

② 연쇄효과(halo effect), 집중화 · 관대화 경향 등의 오류가 일어날 수 있다.

2. 프로브스트(Probst)식 평정법(체크리스트법)

(1) 의의

공무원을 평가하는 데 적절하다고 판단되는 표준행동 목록을 미리 작성해두고, 이 목록에 단순히 가부를 표시하게 하는 방법이다.

(2) 장점

평정요소가 명확하게 제시되고, 평정자가 피평정자에 대한 질문 항목마다 유무 또는 가부만을 판단하므로 평정이 비교적 용이하다.

(3) 단점

평정요소에 관한 평정항목을 작성하기 곤란하고, 질문 항목이 많을 경우 평정자가 평정하기 어렵다.

❶ 역량평가와 근무성적평정 비교

구분	역량평가	근무성적평정
목적	미래잠재력을 사전에 검증	과거 실적을 사후에 평가
금전적 보상	없음	있음 (성과급)
주체	역량평가단 (다수)	상급자 (소수)
성격	비교적 객관적	주관적

핵심 OX

01 도표식 평정척도법은 주관성에서 나타나는 오류를 방지할 수 있다. (O, X)

02 도표식 평정척도법은 상벌의 목적으로 활용하기 용이하다. (O, X)

01 X 도표식 평정척도법의 최대 한계가 주관성에 의한 오류이다.
02 O

❶ 우리나라의 강제배분법
우리나라는 원칙적으로 3등급 이상으로 평가하되, 최상위 등급은 20%, 최하위 등급은 10%를 강제 배분하도록 되어 있다.

3. 강제배분법❶

(1) 의의

근무성적을 평정한 결과, 피평정자들의 성적 분포가 과도하게 집중되거나 관대화 되는 것을 막기 위해, 즉 평정상의 오류를 방지하기 위해 평정점수의 분포 비율을 획일적으로 미리 정해 놓는 방법이다.

(2) 장점

피평정자가 많을 때에는 관대화 경향에 따르는 평정 오차를 방지할 수 있다.

(3) 단점

평정대상 전원이 무능하거나 유능한 경우에도 일정 비율만이 우수하거나 열등하다는 평정을 받게 되어, 현실을 왜곡할 가능성이 높다.

4. 사실기록법

(1) 의의

공무원의 근무성적을 객관적인 사실에 기초를 두고 평가하는 것으로 ① 산출기록법, ② 주기검사법, ③ 근태기록법, ④ 가감점수법 등이 있다.

(2) 장점

평가 결과의 객관성이 높다.

(3) 단점

작업량 측정이 곤란한 업무에는 적용하기 어렵다.

5. 서열법

(1) 의의

피평정자 간의 근무성적을 서로 비교해서 서열을 정하는 방법으로 ① 쌍쌍비교법, ② 대인비교법 등이 있다.

(2) 장점

비교적 작은 집단에 대해서 사용하기 편리하다.

(3) 단점

특정 집단 내의 전체적인 서열을 알려줄 수 있으나, 다른 집단과 비교할 수 있는 객관적 자료는 제시하지 못한다.

6. 강제선택법

(1) 의의

4~5개의 항목으로 구성된 각 기술항목 중에서 피평정자의 특성에 가까운 것을 강제적으로 골라 표시하도록 하는 비계량적 방법이다.

(2) 장점

평정자의 편견이나 정실을 배제할 수 있어 신뢰성과 타당성이 높다.

(3) 단점

평정기술 항목들의 작성이 곤란하고 작성 비용이 많이 든다. 또한 피평정자와 전혀 관계없다고 생각하거나 모든 항목이 다 관계있다고 생각할 때도 그 중 하나를 반드시 선택해야 하는 문제가 있다.

7. 중요사건기록법

(1) 의의

평정자로 하여금 피평정자의 근무실적에 큰 영향을 주는 중요 사건들을 기술하게 하거나, 중요 사건들에 대한 설명문을 미리 만들어 해당되는 사건에 표시하게 하는 방법이다.

(2) 장점

피평정자와의 상담을 촉진하는 데 유용하다.

(3) 단점

이례적인 행동을 지나치게 강조할 위험이 있다.

8. 행태기준척도법(도표식 평정척도법 + 중요사건기록법)

(1) 도표식 평정의 임의성과 주관성을 배제하기 위하여 도표식 평정에 중요사건기록법을 가미한 방식으로, 실제로 관찰될 수 있는 행태를 서술적 문장으로 평정척도를 표시한 평정도표를 사용한다.

(2) 주관적인 판단을 배제하기 위하여 ① 직무분석에 기초하여 직무와 관련된 중요한 과업분야를 선정하고, ② 각 과업분야에 대해서는 가장 이상적인 과업행태에서부터 가장 바람직하지 못한 행태까지를 몇 개의 등급으로 구분하고, ③ 각 등급마다 중요행태를 명확하게 기술하여 점수를 할당한다.

9. 행태관찰척도법(행태기준척도법 + 도표식 평정척도법)

행태기준척도법과 마찬가지로 구체적인 행태의 사례를 기준으로 평정하나, 행태기준척도법의 단점인 바람직한 행동과 바람직하지 않은 행동과의 상호배타성을 극복하기 위해 도표식 평정척도법과 같이 행태별 척도를 제시한 점이 다르다.

3 오류와 한계

1. 연쇄효과(halo[1] effect)

(1) 어떤 평정요소에 대한 평정자의 인상이 다른 평정요소에 영향을 미치거나 피평정자의 전반적인 인상이 평정에 영향을 미치는 현상으로, 도표식 평정방법에서 많이 발생한다.

(2) 연쇄효과가 나타나는 이유는 관찰이 곤란하거나, 피평정자를 잘 모르기 때문이다. 연쇄효과 방지를 위해 체크리스트 방법 또는 강제선택법을 사용하거나, 피평정자를 평정요소별로 순차적으로 평정한다.

[1] halo
달 주위에 나타나는 달무리와 같은 둥근 띠를 의미하는 말로, 하나의 근원에서 그 영향력이 주위에 퍼져 나가는 것을 말한다.

2. 관대화 경향(tendency of leniency) 및 엄격화 경향(tendency of severity)

(1) 관대화 경향은 하급자와의 인간관계를 의식하여 평정등급이 전반적으로 높아지는 현상으로, 평정자의 통솔력 부족이나 부하와의 인간관계 고려 · 평정결과 공개 등으로 인해 발생한다.

(2) 관대화 경향과 반대로, 전반적으로 낮은 점수를 주는 것을 엄격화 경향이라고 한다.

(3) 관대화 경향과 엄격화 경향을 방지하기 위하여 강제배분법을 사용한다.

3. 집중화 효과(central tendency)

무난하게 주로 중간 등급을 주는 현상으로, 평정결과를 공개할 때 많이 발생하며, 이를 방지하기 위하여 강제배분법을 사용한다.

4. 규칙적 오차(systematic or constant error)

(1) 다른 평정자들보다 언제나 후하거나 나쁜 점수를 주는 것으로, 평정자의 가치관 및 평정 기준의 차이에서 비롯된다.

(2) 관대화 경향과 엄격화 경향이 규칙적으로 나타나는 경우이다.

5. 총계적 오차

평정자의 평정 기준이 일정하지 않아 관대화 경향과 엄격화 경향이 불규칙하게 나타나는 것을 말한다.

6. 논리적 오차

평정요소 간 논리적 상관관계가 있다는 관념에 의한 오차로, 상관관계가 있는 한 요소의 평정점수에 의해 다른 요소의 평정점수가 결정되는 것이다.

7. 선입견 · 고정관념

(1) 유형화(상동화 · 유형화)의 착오에 해당하는 것으로, 사람에 대한 경직된 편견이나 선입견 또는 고정관념에 의한 오차를 뜻한다.

(2) 출신학교 · 지역 등 평정의 요소와 관계가 없는 다른 요소 등에 대해 평정자가 갖고 있는 편견이 평정에 영향을 미치는 것이다.

8. 시간적 오류(recency error)

근접 오류라 하며, 쉽게 기억할 수 있는 최근의 실적과 능력 중심으로 평가하는 것이다. 이를 시정하기 위해 목표관리평정, 중요사건기록법 등을 사용한다.

9. 유사성의 착오

평정자가 자기와 유사한 피평정자에게 후한 점수를 주는 경향을 말한다.

핵심 OX

01 총계적 오류(오차)는 관대화 경향과 엄격화 경향이 규칙적으로 나타나는 오류의 유형이다. (O, X)

02 전반적으로 점수를 높게주는 것이 집중화의 오류(차)이다. (O, X)

01 X 관대화 경향과 엄격화 경향이 규칙적이면 규칙적 오차이고, 불규칙적이면 총계적 오차이다.
02 X 관대화의 오류이다.

10. 기타 착오

(1) 대비오차

평정대상자를 바로 직전의 다른 피평정자와 비교하여 평정함으로써 발생하는 오차를 의미한다.

(2) 피그말리온 효과(pygmalion effect)

① 자기 충족적 예언효과를 의미하는 것으로 예언한 대로 행동하고 판단하게 되는 현상으로 로젠탈 효과(rosenthal effect)라고도 한다.

② 타인의 기대나 관심으로 결과가 좋아지는 현상을 의미하며 그 반대는 스티그마 효과(stigma effect)이다.

(3) 투사에 의한 착오

자신의 감정이나 특성을 다른 사람에게 전가하려는 것을 뜻한다.

(4) 선택적 지각의 착오

모호할 경우 부분적인 정보만을 받아들여 판단을 내리는 것을 의미한다.

(5) 기대성 착오

사전에 가지고 있는 기대에 따라 무비판적으로 사실을 지각하는 것을 의미한다.

(6) 방어적 지각의 착오

자신의 습성이나 고정관념에 어긋나는 정보를 회피하거나 왜곡시키는 것으로 방어적 회피라고도 한다.

(7) 이기적 착오

① 자존적 편견이라고도 하며, 자신의 실패에 대한 책임은 지지 않고, 성공에 대한 개인적 공로는 강조하려는 것을 의미한다.

② 자신의 성공을 평가할 때에는 개인적 요인을 높게 평가하고 실패를 평가할 때에는 상황적 요인을 높게 평가하려는 성향에서 나오는 착오를 의미한다.

4 우리나라의 근무성적평정제도

1. 근무성적평정 - 일반직공무원(연구직 · 지도직공무원과 전문직공무원 포함)에 적용

구분	성과계약평가(연 1회)	근무성적평가(연 2회)
대상	4급 이상 공무원, 연구관 · 지도관 및 전문직공무원(5급 이하도 소속장관이 필요성 인정 시 가능)	5급 이하 공무원, 연구사 · 지도사, 기능직 공무원
평정주체	[복수평정 · 상관평정] · 평가자: 평가 대상 공무원의 상위 또는 상급 감독자 중 소속장관이 정함 · 확인자: 평가자의 상급 또는 상위 감독자 중 소속장관이 정함	

📖 **용어**

성과계약*: 평가 대상자와 평가자 간에 이루어지는 성과목표·평가지표 및 평가결과의 활용 등에 대한 합의

성과목표*: 평정 대상기간의 종료시점까지 공무원 개인의 업무가 도달되어야 하는 바람직한 상태

📖 **용어**

성과면담*: 평가 대상자와 평가자 간에 성과목표의 설정, 성과목표의 수행 과정 및 결과의 평가와 평가 결과의 환류 등에 관하여 상호 의견을 나누는 행위

평가방법	· 성과계약*의 성과목표* 달성도를 감안하여 평가대상 공무원별로 평가 · 성과목표의 중요도, 난이도 및 평가대상 공무원의 자질태도 등에 관한 사항 등을 고려하여 평가 가능	· **평가항목**: 근무실적, 직무수행능력(직무수행태도는 소속장관이 필요시 추가 가능) · 평가항목별 평가요소는 소속장관이 직급별·부서별·업무분야별 직무특성을 반영하여 정함 · 직급별로 구성한 평가단위별로 실시하되, 소속장관은 직무의 유사성 및 직급별 인원수 등을 고려하여 평가단위를 달리 정할 수 있음
절차 등	· **성과면담***: 평가자는 근무성적평정의 공정하고 타당성 있는 실시를 위해 근무성적평정 대상 공무원과 성과면담을 실시해야 함 · **평정결과의 공개**: 평가자는 공무원에 대한 근무성적평정 결과를 알려주어야 함 · **평정결과에 대한 이의신청**: 근무성적평정 대상 공무원은 평가자의 근무성적평정 결과에 이의가 있는 경우에는 확인자에게 이의를 신청할 수 있으며, 이의신청 결과에 불복하는 공무원은 「공무원 성과평가 등에 관한 규정」 제18조의 규정에 의한 근무성적평가위원회에 근무성적평가 결과의 조정을 신청할 수 있음 · **소청심사의 제기 가능성**: 소청은 가능하지 않음	
평정결과 활용	소속장관은 성과계약평가 및 근무성적평가의 결과를 평가 대상 공무원에 대한 승진임용·교육훈련·보직관리·특별승급 및 성과상여금 지급 등 각종 인사관리에 반영하여야 함	

2. 다면평정

(1) 개념

① 감독자뿐 아니라 부하·동료·민원인까지를 평정주체로 참여시키는 방법으로, 360도 평정이라고도 한다.

② 수직적 구조가 점차 약화되고 조직이 동태화·탈관료제화됨에 따라 오늘날 선호되고 있는 평정방법이다.

(2) 대두배경

① **관리 범위의 확대**: 현대 유기적 구조에서 통솔 범위가 넓어지면서 관리자 단독으로 평가를 전담하는 전통적인 평가 시스템은 더 이상 실용적이지 못하게 되었다.

② **지식노동자의 출현**: 전문적인 지식을 필요로 하는 부하들에 대해서 기술적·전문적 지식을 갖추지 못한 상사의 경우, 믿을 만한 성과평가를 하지 못할 수도 있다.

③ **팀 위주의 조직 지향**: 전통적인 계층제 구조에서 팀제로 바뀜에 따라 팀원들에 의한 신뢰할 만한 성과 피드백이 필요하게 되었다.

④ **조직원들의 참여의식 확대**: 상사의 일방적 지시가 아니라 구성원들이 의사결정 과정에 적극 참여하는 조직문화로의 이행은 상급자에 의한 성과평가를 어렵게 만들었다.

⑤ **피드백의 중요성 대두**: 내·외부 고객의 피드백의 중요성이 대두·강조되었다.

(3) 효용

① **공정성·객관성**: 보다 공정하고 객관적인 평가가 가능하며, 평가결과에 대한 신뢰성이 높아 피평정자들의 승복을 받아내기가 쉽다. 또한 여러 사람이 평정에 참여하여 소수인의 주관과 편견, 개인 편차를 줄임으로써 평정의 공정성을 높인다.

핵심 OX

01 이의신청은 확인자에게 신청한다. (O, X)

02 조정신청은 근무성적평가위원회로 한다. (O, X)

03 근무성적평정의 결과는 비공개하기 때문에 소청의 대상이 되지 않는다. (O, X)

01 O
02 O
03 X 근무성적평정의 결과는 공개하지만, 소청의 대상은 되지 않는다.

② **충성심의 다원화:** 특정 상관에 대한 책임과 맹종으로부터 빚어지는 권위적 · 관료적 행태의 병폐를 시정하고 충성심의 방향을 다원화하며, 국민 · 고객 중심적인 것으로 전환시킬 수 있다.

③ **민주적 리더십 발전:** 관리자가 부하의 의견을 토대로 잘못된 행태를 개선할 수 있는 민주적인 리더십 향상에 기여한다.

④ **동기유발과 자기개발 촉진:** 공정한 평가 및 환류는 구성원에게도 자기개발을 위한 동기유발 효과가 있다.

⑤ 의사소통을 증진시키고 팀워크 발전에 기여한다.

(4) 단점

① **갈등과 스트레스:** 통제망의 확대로 평정상의 불쾌감이나 스트레스가 커질 수가 있다.

② **담합 등에 의한 형평성 · 신뢰성 · 정확성 저하 우려:** 평정단 선정이 객관적이지 않을 수 있다. 평정의 참여 범위를 지나치게 확대하여 평정 대상자를 정확히 모르는 상태에서 평가가 이루어진다면, 오히려 정확성을 떨어뜨릴 수 있다.

③ **인기영합주의로 인한 목표의 왜곡:** 능력이나 목표의 성취보다는 인기관리 및 원만한 대인관계의 유지에만 급급하거나, 상사가 소신을 잃고 부하의 눈치를 볼 수도 있다.

(5) 다면평정에 대한 규정

① 「공무원 성과평가 등에 관한 규정」

> **제28조【다면평가】** ① 소속 장관은 소속 공무원에 대한 능력개발 및 인사관리 등을 위하여 해당 공무원의 상급 또는 상위 공무원, 동료, 하급 또는 하위 공무원 및 민원인 등에 의한 다면평가를 실시할 수 있다.
> ② 소속 장관은 제1항에 따른 다면평가의 방법 및 절차 등에 관한 구체적인 사항을 직무의 특성 등을 고려하여 설계 · 운영하여야 한다.
> ③ 제1항에 따른 다면평가의 평가자 집단은 다면평가 대상 공무원의 실적 · 능력 등을 잘 아는 업무 관련자로 구성하되, 소속 공무원의 인적 구성을 고려하여 공정하게 대표되도록 구성하여야 한다.
> ④ 제1항에 따른 다면평가의 결과는 해당 공무원에게 공개할 수 있다.

② 공무원 성과평가 등에 관한 지침

㉠ 다면평가를 실시하는 경우, 평가자 집단은 다면평가 대상 공무원의 실적, 능력 등을 잘 아는 업무유관자로 구성하며, 소속 공무원의 인적 구성을 대표하도록 구성하여야 한다.

㉡ 다면평가 결과는 역량개발, 교육훈련, 승진, 전보, 성과급 지급 등에 활용 가능하다.

㉢ 소속장관은 부득이한 사유가 있는 경우를 제외하고는 평가대상 공무원 본인에게 다면평가 결과를 공개하도록 노력하여야 한다.

3. 직무성과계약제도

(1) 개념

① 직무성과계약제(job performance agreement) 또는 직무성과관리제도는 장·차관 등 기관의 책임자와 실·국장급 이상 간에 성과목표와 지표 등에 대해 합의하여 top-down 방식으로 성과계약을 체결하고, 평가지표 측정결과를 토대로 그 이행도를 계약당사자 상호 간 면담을 통해 평가한 후, 결과를 성과급·승진 등에 반영하는 인사관리시스템이다.

② 고위공무원단 소속 공무원에게 적용한다.

(2) 직무성과계약제의 구조적 틀(framework)

① **임무(mission)**: 기관의 존재 이유이자 사회 속에서의 조직의 기능

② **비전(vision)**: 기관의 임무를 달성하기 위한 전략적 방향

③ **전략목표(strategic goal)**: 기관의 목표·가치·기능 등을 포함하는 기관임무 수행을 위해 중장기적으로 추진하는 중점적인 정책 방향

④ **성과목표(objectives)**: 전략목표를 달성하기 위한 구체적인 목표로, 성과의 실제 달성 여부를 비교할 수 있는 측정 가능한 구체적인 활동 수준

⑤ **성과계약(performance agreement)**: 평가대상자와 평가자 간에 이루어지는 성과목표·평가지표 및 평가결과의 활용 등에 관한 합의

⑥ **성과면담**: 평가대상자와 평가자 간에 이루어지는 성과목표·성과지표 및 평가결과의 활용 등에 관하여 상호의견을 나누는 행위

⑦ **성과지표(performance indicator)**: 성과목표의 달성 여부를 판별하기 위한 구체적인 기준·척도

학습 점검 문제

01 **정부 내의 인적자원을 효율적으로 활용하기 위한 배치전환의 본질적인 용도와 가장 거리가 먼 것은?** 2014년 사회복지직 9급

① 선발에서의 불완전성을 보완하여 개인의 능력을 촉진한다.

② 조직구조 변화에 따른 저항을 줄이고 비용을 절감한다.

③ 부서 간 업무 협조를 유도하고 구성원 간 갈등을 해소한다.

④ 징계의 대용이나 사임을 유도하는 수단으로 사용한다.

02 **다음 설명에 해당하는 교육훈련 방법은?** 2019년 국가직 9급

> 서로 모르는 사람 10명 내외로 소집단을 만들어 허심탄회하게 자신의 느낌을 말하고 다른 사람이 자신을 어떻게 생각하는지를 귀담아듣는 방법으로 훈련을 진행하기 위한 전문가의 역할이 요구된다.

① 역할연기

② 직무순환

③ 감수성 훈련

④ 프로그램화 학습

정답 및 해설

01 배치전환이란 전직, 전보, 파견 등 수평적인 인사 이동이다. 조직에 활력을 불어넣고 부처 간 교류와 협력을 증진하고자 하는 것이 배치전환의 본질적·적극적 용도이며, 징계나 사임의 수단으로 악용되는 것은 소극적·부정적 용도이다.

| 오답체크 |

① 시험이나 선발의 불완전성을 보완하려는 것은 배치전환의 적극적인 용도이다.

② 구조를 변경하지 않고도 직무 변화를 유도하여 능률 제고가 가능하다.

③ 교류·협력의 증진과 안목 확대 등은 배치전환의 적극적인 용도이다.

02 제시문은 조직발전(OD)의 핵심기법인 감수성 훈련의 개념에 해당한다. 감수성 훈련은(2주 정도, 12명 내외, 환경과 단절) 자신과 타인에 대한 이해를 높이기 위하여 자신과 타인을 이해시켜 나가는 훈련방법이다.

| 오답체크 |

① 역할연기는 여러 사람 앞에서 실제 행동으로 연기를 하고, 연기가 끝나면 청중이 이에 대한 논평을 하는 방법이다.

② 직무순환은 여러 분야의 직무를 직접 경험하도록 하기 위하여 계획된 순서에 따라 직무를 순환시키는 실무훈련이다.

④ 프로그램화 학습은 행동주의적 학습원리(강화이론)를 교육의 실천분야에 응용한 것이다.

정답 01 ④ 02 ③

03 공무원 교육방법에 대한 설명으로 옳지 않은 것은? 2016년 지방직 7급

① 현장훈련(on the job training)은 피훈련자가 실제 직무를 수행하면서 직무 수행에 관한 지식과 기술을 배우는 방법이다.

② 강의, 토론회, 시찰, 시청각 교육 등은 태도나 행동의 변화를 주된 목적으로 한다.

③ 액션러닝(action learning)은 소규모로 구성된 그룹이 실질적인 업무 현장의 문제를 해결해 내고 그 과정에서 성찰을 통해 학습하도록 하는 행동학습(learning by doing) 교육훈련 방법이다.

④ 감수성 훈련(sensitivity training)은 대인관계의 이해와 이를 통한 인간관계의 개선을 목적으로 한다.

04 다음 설명에 해당하는 공무원 교육훈련 방법은? 2024년 국가직 9급

교육 참가자들을 소그룹 규모의 팀으로 구성해 개인, 그룹 또는 조직에 중요한 의미가 있는 실제 현안문제를 해결하면서 동시에 문제해결과정에 대한 성찰을 통해 학습하도록 지원하는 교육방식이다. 우리나라 정부 부문에는 2005년부터 고위공직자에 대한 교육훈련 방법으로 도입되었다.

① 액션러닝
② 역할연기
③ 감수성훈련
④ 서류함기법

05 근무성적평정에서 나타나기 쉬운 집중화 경향과 관대화 경향을 시정하기 위한 방법으로 적절한 것은? 2019년 국가직 9급

① 자기평정법 ② 목표관리제 평정법

③ 중요사건기록법 ④ 강제배분법

정답 및 해설

03 태도나 행동의 변화를 주된 목적으로 하는 교육훈련 방법은 감수성 훈련에 해당한다.

| 오답체크 |

① 현장훈련은 대상자가 실제 직위에서 정상적으로 일을 하면서 상관이나 선임자로부터 지도훈련을 받는 것이다.

현장훈련의 장단점

장점	단점
· 훈련이 구체적이고 실제적임 · 훈련으로 학습 및 기술 향상을 알 수 있으므로 구성원의 동기를 유발할 수 있음 · 구성원의 습득도와 능력에 맞게 훈련할 수 있음	· 다수인의 동시 훈련이 곤란하고 좁은 분야의 일에 대해 집중적으로 훈련하는 것이므로, 고급공무원 훈련방법으로는 적합하지 않음 · 직무현장을 이탈하지 않으므로 사전에 계획된 교육훈련 실시는 어려움

③ 액션러닝은 이론과 지식 전달 위주의 강의식·집합식 교육의 한계를 극복하고 참여와 성과 중심의 교육훈련을 지향하는 방식으로, 실제 현장에서 접하는 정책현안 문제에 대한 현장방문·사례조사와 성찰·미팅을 통하여 구체적인 문제해결 능력을 제고하는 방식이다.

④ 감수성 훈련은 조직발전(OD)의 핵심기법으로, 피훈련자를 외부 환경과 차단시킨 상황 속에서 자신의 경험을 교환하고 비판하게 함으로써 대인관계에 대한 이해와 감수성을 높이려는 현대적 훈련방법이다.

04 제시문은 역량중심 교육훈련기법의 하나인 액션러닝(성찰학습, 실천학습)에 해당한다.

| 오답체크 |

④ 서류함기법은 주어진 제약조건하에서 관리자의 의사결정능력을 측정하기 위한 역량중심의 평가기법이다.

역량기반 교육훈련의 대표적인 방식

멘토링	· 개인 간의 신뢰와 존중을 바탕으로 조직 내 발전과 학습이라는 공통 목표의 달성을 도모하고자 하는 상호 관계 · 조직 내에서 직무에 대한 많은 경험과 전문지식을 갖고 있는 멘토가 일대일 방식으로 멘티를 지도함으로써 조직 내 업무 역량을 조기에 배양시킬 수 있는 학습활동
학습조직	조직 내 모든 구성원의 학습과 개발을 촉진시키는 조직 형태로, 지식의 창출 및 공유와 상시적 관리 역량을 갖춘 조직
액션러닝	· 이론과 지식 전달 위주의 전통적인 강의식 집합식 교육의 한계를 극복하고 참여와 성과 중심의 교육훈련을 지향하는 대표적인 역량기반 교육훈련 방법 · 정책 현안에 대한 현장 방문, 사례조사와 성찰 미팅을 통해 문제 해결 능력을 함양하는 것으로, 교육생들이 실제 현장에서 부딪치는 현안 문제를 가지고 자율적 학습 또는 전문가의 지원을 받으며 구체적인 문제 해결 방안을 모색
워크아웃 프로그램	· 조직의 수직적 수평적 장벽을 제거하고 전 구성원의 자발적 참여에 의한 행정혁신, 관리자의 신속한 의사결정과 문제 해결을 도모하는 교육훈련 방식 · 1980년대 후반부터 미국 GE사의 전략적 인적자원 개발 프로그램으로 활용되었으며 정부조직에서도 정책 현안에 대한 각종 워크숍의 운영을 통해 집단적 토론과 함께 문제 해결 방안을 모색하고 개별 공무원의 업무 역량을 제고하기 위한 목적에서 적극 활용

05 근무성적을 평정한 결과 피평정자들의 성적 분포가 과도하게 집중되거나 관대화되는 것을 막기 위해, 즉 평정상의 오류를 방지하기 위해 평정점수의 분포 비율을 획일적으로 미리 정해 놓는 방법인 강제배분법을 사용한다.

| 오답체크 |

① 자기평정법은 피평정자가 자신의 근무성적을 스스로 평가하는 방법이다.

② 목표관리제 평정법은 부하직원이 상사와의 면담을 통해 자신이 수행할 도전목표를 설정하고, 목표의 달성도를 중심으로 근무성적을 평정하는 방법이다.

③ 중요사건기록법(critical incident method)은 피평정자의 근무실적에 큰 영향을 주는 중요 사건들을 기술하는 평정방법이다.

정답 03 ② 04 ① 05 ④

06 근무성적평정상의 오류 중 평가자가 일관성 있는 평정기준을 갖지 못하여 관대화 및 엄격화 경향이 불규칙하게 나타나는 것은?

2018년 국가직 9급

① 연쇄효과(halo effect)

② 규칙적 오류(systematic error)

③ 집중화 경향(central tendency)

④ 총계적 오류(total error)

07 국내 최고 대학을 졸업했기 때문에 일을 잘했을 것이라고 생각하여 피평정자에게 높은 근무성적평정 등급을 부여할 경우 평정자가 범하는 오류는?

2020년 지방직 9급

① 선입견에 의한 오류

② 집중화 경향으로 인한 오류

③ 엄격화 경향으로 인한 오류

④ 첫머리 효과에 의한 오류

08 근무성적평정 과정상의 오류와 완화방법에 대한 설명으로 옳지 않은 것은? 2021년 국가직 9급

① 일관적 오류는 평정자의 기준이 다른 사람보다 높거나 낮은 데서 비롯되며 강제배분법을 완화방법으로 고려할 수 있다.

② 근접효과는 전체 기간의 실적을 같은 비중으로 평가하지 못할 때 발생하며 중요사건기록법을 완화방법으로 고려할 수 있다.

③ 관대화 경향은 비공식집단적 유대 때문에 발생하며 평정결과의 공개를 완화방법으로 고려할 수 있다.

④ 연쇄효과는 도표식 평정척도법에서 자주 발생하며 피평가자별이 아닌 평정요소별 평정을 완화방법으로 고려할 수 있다.

정답 및 해설

06 평가자의 평정기준이 일관적이지 못하여 발생하는 불규칙적인 오류는 총계적 오류(total error)에 해당한다.

| 오답체크 |

① 어떤 평정요소에 대한 평정자의 인상이 다른 평정요소에 영향을 미치거나 피평정자의 전반적인 인상이 평정에 영향을 미치는 현상이 연쇄효과이다.

② 일관된 평정기준에 따라 규칙적으로 발생하는 오류는 체계적·규칙적 오류(systematic error)이다.

③ 집중화 오류는 무난하게 주로 중간 등급을 주는 현상이다.

07 설문은 고정관념(편견이나 선입견)에 의한 평정상 오류로, 상동적 오류 또는 선입견에 의한 오류에 해당한다. 이는 특정 대학, 집단, 출신, 연령 등에 따라 평정결과가 영향을 받는 현상을 말한다.

| 오답체크 |

② 집중화의 오류란 무난하게 주로 가운데 점수를 주는 현상을 말한다.

③ 엄격화의 오류란 대부분의 구성원에게 열등한 점수를 주는 현상으로, 관대화의 오류와 반대이다.

④ 첫머리 효과의 오류란 첫인상을 중시하는데서 오는 최초 오류를 말한다. 최근의 쉽게 기억될 수 있는 가까운 사건이나 실적 등이 영향을 미치는 근접오류와는 반대이다.

08 관대화 경향은 하급자와의 인간관계를 의식하여 평정등급이 전반적으로 높아지는 현상으로, 평정자의 통솔력 부족이나 부하와의 인간관계 고려·평정결과 공개 등으로 인해 발생한다. 평정결과의 공개로 인해 발생하는 오류이기 때문에 공개가 완화방법이 될 수 없다.

| 오답체크 |

① 일관적 오류는 규칙적 오류로, 평정자의 기준이 다른 사람보다 높거나 낮은데서 비롯되므로 강제배분법을 완화방법으로 고려할 수 있다.

② 근접 오류라 하며, 쉽게 기억할 수 있는 최근의 실적과 능력 중심으로 평가하는 것이다. 이를 시정하기 위해 목표관리평정, 중요사건기록법 등을 사용한다.

④ 연쇄효과가 나타나는 이유는 관찰이 곤란하거나, 피평정자를 잘 모르기 때문이다. 연쇄효과 방지를 위해 체크리스트 방법 또는 강제선택법을 사용하거나, 피평정자를 평정요소별로 순차적으로 평정한다.

정답 06 ④ 07 ① 08 ③

09 근무성적평정상의 오류에 대한 설명으로 옳지 않은 것은? 2023년 지방직 9급

① 평정자가 피평정자를 잘 모르는 경우 집중화 경향이 발생할 수 있다.

② 평정자의 평정기준이 일정하지 않은 경우 총계적 오류(total error)가 발생할 수 있다.

③ 연쇄효과(halo effect)는 초기 실적이나 최근의 실적을 중심으로 평가함으로써 발생하는 시간적 오류를 의미한다.

④ 관대화 경향의 폐단을 막기 위해 강제배분법을 활용할 수 있다.

10 성과평가제도에 대한 설명으로 옳은 것은? 2017년 국가직 7급(8월 시행)

① 일반직공무원의 근무성적평정은 크게 5급 이상을 대상으로 한 '성과계약 등 평가'와 6급 이하를 대상으로 한 '근무성적평가'로 구분된다.

② '성과계약 등 평가'는 정기평가와 수시평가로 나눌 수 있으며, 정기평가는 6월 30일과 12월 31일 기준으로 연 2회 실시한다.

③ 다면평가는 평가의 객관성과 공정성을 제고할 수 있으나 각 부처가 반드시 이를 실시해야 하는 것은 아니다.

④ 역량평가제도는 5급 신규 임용자를 대상으로 업무수행에 필요한 충분한 역량을 보유하고 있는지를 평가한다.

11 공무원을 대상으로 하는 성과평가제도에 대한 설명으로 가장 옳지 않은 것은? 2016년 서울시 9급

① 성과평가제도의 목적은 공무원의 능력과 성과를 향상시켜 성과 중심의 인사제도를 구성하는 것이 핵심 요소이다.

② 근무성적평가제도는 4급 이상 고위공무원단을 대상으로 시행한다.

③ 현행 평가제도는 직급에 따라 차별적 평가체제를 적용하고 있다.

④ 다면평가제도는 능력보다는 인간관계에 따른 친밀도로 평가가 이루어질 수 있다는 단점이 있다.

12 **공무원에 대한 다면평가 방식의 장점과 유용성에 관한 설명으로 옳지 않은 것은?** 2014년 행정사

① 조직구성원 간 원활한 커뮤니케이션을 통해 상호 이해의 폭을 넓힐 수 있다.

② 다면평가를 통해 능력과 성과 중심의 인사관리가 이루어질 경우, 개인의 행태변화에 긍정적인 영향을 미친다.

③ 개인평가에 있어서 다면평가를 통해 인사고과에 대한 객관성과 공정성을 높일 수 있다.

④ 평가결과는 구성원에 대한 보상과 개인별 역량개발 및 교육훈련 등에 활용될 수 있다.

⑤ 다면평가는 조직 내 구성원 간의 갈등 해소 및 신뢰성을 제고하고, 그 평가결과는 승진이나 전보 · 성과급 지급 등에 활용해야 한다.

정답 및 해설

09 초기실적이나 최근의 실적을 중심으로 평가하는 오류는 시간적 오류이다. 시간적 오류에는 첫인상 등이 근무성적평정에 영향을 미치는 첫머리효과(=초두효과)와 최근의 사건이나 실적이 영향을 미치는 근접오류가 있다. 연쇄효과는 어떤 평정요소에 대한 평정자의 인상이 다른 평정요소에 영향을 미치거나 피평정자의 전반적인 인상이 평정에 영향을 미치는 현상으로, 도표식 평정방법에서 많이 발생한다.

| 오답체크 |

① 피평정자를 잘 모를 경우에는 무난하게 중간점수를 주고자 하는 집중화 오류가 나타난다.

② 평정자의 평정 기준이 일정하지 않아 관대화 경향과 엄격화 경향이 불규칙하게 나타나는 것을 총계적 오류라고 한다.

④ 근무성적을 평정한 결과 피평정자들의 성적 분포가 과도하게 집중되거나 관대화되는 것을 막기 위해, 평정점수의 분포 비율을 획일적으로 미리 정해 놓은 강제배분법을 활용할 필요가 있다.

10 다면평가는 임의사항이며, 실시한 경우에도 승진이나 근평 결과에 반영되지는 않고 참고사항일 뿐이다.

| 오답체크 |

① 일반직공무원의 근무성적평정은 크게 4급 이상을 대상으로 한 '성과계약 등 평가'와 5급 이하를 대상으로 한 '근무성적평가'로 구분된다.

② 5급 이하를 대상으로 하는 '근무성적평가'는 정기평가와 수시평가로 나눌 수 있으며, 정기평가는 6월 30일과 12월 31일 기준으로 연 2회 실시한다.

④ 역량평가제도는 고위공무원단 후보자를 대상으로 사전에 고위공직자로서 역량을 보유하고 있는지를 평가한다.

11 우리나라는 4급 이상 및 고위공무원단을 평가의 대상으로 하는 성과계약평가 및 직무성과계약평가와 5급 이하의 근무성적평가 제도로 나누어 근무성적을 평가하고 있다. 근무성적평가제도는 5급 이하의 공무원을 대상으로 시행한다.

| 오답체크 |

① 성과평가제도의 의의로 옳은 지문이다.

③ 고위공무원단, 4급 이상, 5급 이하로 나누어 평가를 실시하고 있다.

④ 다면평정은 능력이나 목표의 성취보다는 인기 관리 및 원만한 대인관계의 유지에만 급급하거나 상사가 소신을 잃고 부하의 눈치를 볼 수도 있다.

12 다면평가는 조직 내 구성원 간의 스트레스 및 갈등을 초래하여 2010년 이후 그 평가결과가 승진 등에 활용되지 않고, 구성원의 역량개발 및 교육훈련 등에 참고자료로만 활용되고 있다.

| 오답체크 |

① 커뮤니케이션 증진으로 의사소통과 팀워크 향상에 기여한다.

② 공정하고 객관적인 평가는 구성원의 자기개발에 긍정적 효과를 미친다.

③ 소수인의 주관과 편견을 배제하고 평정의 공정성과 객관성을 보장한다.

④ 평정 결과는 성과급 등 보상과 개인별 역량개발 및 교육훈련 등에 참고자료로 활용된다.

정답 09 ③ 10 ③ 11 ② 12 ⑤

CHAPTER 5

동기부여

1 사기의 본질

1 의의

1. 사기(morale)의 개념

(1) 사기는 조직의 공동목표 달성에 자발적으로 기여하고자 하는 근무의욕 및 태도이다. 주로 군대에서 비롯되었으나, 근래 행정에 대한 동태적·심리적 연구가 활발해지면서 일반화되었고, 1930년대 이후 인간관계론에서 강조하였다.

(2) 공무원의 사기 저하는 복지부동, 무사안일, 책임전가 등 소극적 행정을 야기하는 문제로 이어질 가능성이 있다. 따라서 관리자는 공무원이 창의적·적극적으로 근무할 수 있도록 적절한 사기앙양 방안을 강구하여야 한다.

2. 특징

(1) 개인의 자율적인 근무의욕이라는 점에서 개인적 성격을 띤다.

(2) 조직체의 공동목표달성을 추구한다는 점에서 집단성을 가진다.

(3) 사회적 가치에 공헌해야 한다는 점에서 사회성을 내포하고 있다.

(4) 인간의 욕구가 다양하듯이 사기를 결정하는 요인은 다양하다.

(5) 사기는 생산성 향상의 한 요인이 된다.

3. 사기조사 - 사기앙양 방법과 전략 수립에 필요한 전제조건

높은 수준의 사기를 유지하기 위해서는 현재 사기의 수준을 측정하는 사기조사가 필요하다. 태도·의견조사 방법(면접법, 질문지법, 관찰법, 투사법, 사회측정법)과 근무관계 기록법(생산성, 제안관련기록, 사고나 재난 상태, 이직률, 근무태도) 등으로 조사한다.

(1) 업적(생산성)

직무의 성취 결과를 토대로 한 간접적인 사기측정의 한 방법으로, 사기가 높으면 성과가 높을 것이라는 가정하에 이용된다.

(2) 출퇴근 상황, 이직률, 사고율

① 출퇴근 상황은 직원의 결근, 지각, 조퇴 등이 사기와 관계가 있다는 가정하에 그 평균치를 기준치와 비교한다.

② 이직률은 평균 이직자의 수를 기준치와 비교하여 사기평가지표로 삼는다. 우리나라의 경우 대체로 이직률이 낮은 편이나, 기준은 각국의 상황에 따라 다르게 설정하고 그 변동폭이 측정의 기준이 된다.

(3) 면접법, 설문지 작성, 소원수리서 작성

직원들에게 사기와 관련된 질문을 하여 사기를 측정하는 것으로, 면접이나 조사표를 통한 조사·감독자의 주관적 판단을 통한 조사 등이 있으며 태도조사의 한 방법으로 활용된다. 그 판단의 근거가 주관에 있기 때문에 정교한 조사항목의 설계와 질문방법의 채택이 요구된다.

(4) 모레노(Moreno)의 sociometry(사회측정법, 태도조사)

구성원 간 심리적 관계를 파악하여 구성원 간 견인관계가 높을 때는 사기가 높고, 구성원 간 견인관계가 낮을 때는 사기가 낮다고 평가하는 방법이다.

2 사기와 생산성과의 관계[1]

1. 사기실재론 - 허즈버그(Herzberg)의 동기요인

사기는 조직의 목표를 능률적·효과적으로 달성하게 하여 조직 생산성에 기여할 수 있다.

2. 사기명목론 - 브룸(Vroom)의 기대이론

사기와 생산성과의 관계가 직접적이거나 반드시 비례의 관계에 있는 것은 아니므로, 사기가 높다고 해서 반드시 생산성이 높아지는 것은 아니다.

[1] 사기실재론과 사기명목론

사기실재론	사기명목론
· 사기와 생산성 간에는 직접적인 관계가 있음 · 사기는 생산성 향상의 충분조건	· 사기는 생산성과 직접 관계가 없음 (간접적 관계) · 사기는 생산성 향상의 필요조건일 뿐임

3 사기관리의 수단

사기는 조직구성원들의 조직목표달성에 기여하는 중요한 변수이다. 종래에는 단순히 물질적이거나 가시적인 보상책이 사기앙양의 방안으로 인식되어 왔다. 그러나 현대 사회의 물질적 윤택으로 인하여 매슬로우(Maslow)의 낮은 차원의 욕구만족은 조직의 동기유발에 큰 의미가 없으므로, 인간관계 개선·적정한 자율성의 부여·도전과 성취의 기회 제공 등이 포함된 더 폭넓은 방안이 마련되어야 할 것이다.

1. 인사상담

(1) 의의

직장 및 생활에 부적응 문제를 가진 자를 대상으로 직장 및 생활 등의 포괄적인 문제에 대하여 전문 카운슬러가 언어적인 수단에 의해 심리적인 치료 활동을 하는 것으로, 주로 개인적인 문제해결에 이용된다.

(2) 방법

① **지시적 상담**: 상담자 중심의 상담으로, 내담자의 과거 경력에 대해 많은 자료를 수집하여 적극적으로 조언·권고한다. 감정적 측면을 무시하고 인지적 요소만을 중시한다는 비판을 받으나, 이 방법도 궁극의 해결은 내담자에게 맡겨진다.

② **비지시적 상담**: 내담자 중심의 상담으로, 상담자는 내담자가 자유롭게 자신의 심정을 토로하는 가운데 문제를 파악하고 문제의 해결 방법까지 스스로 알아내도록 분위기를 이끌어가는 방법이다.

③ **절충적 상담**: 지시적 상담과 비지시적 상담을 절충한 것으로, 상담자와 내담자가 상호 대화·협조를 통해 해결책을 모색하는 방법이다.

2. 고충처리

(1) 의의

① 직장생활 내 · 외에서 근무조건이나 신상문제 등에 대하여 불평불만이 생겼을 경우, 그 고충을 상관에게 제기하고 그에 대하여 처리하는 것을 의미한다.

② 고충처리는 공무원의 정당한 권리 보호와 공무원의 사기앙양을 위한 것이다. 또한, 하의상달 의사전달체계를 개선하고 직업공무원제의 발전을 도모한다.

③ 공직의 부적응자에게 심리적인 지원을 해주므로, 전문적인 상담자를 필요로 한다.

(2) 고충의 구체적 내용과 고충처리의 방법

① **고충:** 고충이란 인사관리 · 근무조건 · 기타 직장생활과 관련된 불만을 의미하며, 반드시 정당한 근거가 있어야 하는 것은 아니다.

② **처리 방법:** 공식적 방법(고충처리위원회에 의한 처리)과 비공식적 방법(감독자에 의한 처리)이 있는데, 부작용을 완화하고 신속한 처리가 가능한 비공식적 방법이 많이 사용된다.

(3) 우리나라의 고충처리기관

① **중앙고충심사위원회:** 중앙인사기관으로, 보통고충심사위원회를 거친 재심청구, 5급 이상의 공무원의 인사상담과 고충을 심사한다. 인사혁신처의 소청심사위원회가 겸한다.

② **보통고충심사위원회:** 6급 이하 공무원의 인사상담과 고충을 심사한다.

③ **고충의 처리:** 고충심사위원회는 시정명령 · 정책에 반영 · 공무원에 대한 자문 및 설득 등의 조치를 취하고, 처리사항은 비밀로 유지하고 있다. 고충심사위원회 결정의 기속력은 없으나, 임용권자에게 결정 결과에 따라 고충 해소를 위한 노력을 할 의무를 부과한다.

3. 제안제도

(1) 의의

제안제도(suggestion system)는 스코틀랜드의 데니(Denny)에 의해 개발된 것으로, 공무원에게 창의적 의견과 고안을 장려하여 그것을 행정과 정책에 반영함으로써 행정의 능률화를 기하고, 공무원의 참여의식과 문제해결능력 증진 · 사기앙양 등을 목적으로 시행하는 제도이다.

(2) 효용

① 하의상달 · 참여의 수단으로, 커뮤니케이션을 촉진시킨다.

② 직원의 사기앙양을 도모한다.

③ 직무에 대한 일체감과 신뢰감을 증진시킨다.

④ 경제적 · 합리적 · 능률적인 업무관리가 가능하다.

⑤ 직무에 대한 관심과 흥미를 조성한다.

⑥ 창의력 개발과 문제해결능력을 제고할 수 있다.

(3) 문제점

① 지나친 경쟁심리로 인한 동료 간의 인간관계 악화(상하 간의 인간관계 촉진)를 유발할 수 있다.

핵심 OX

01 중앙고충심사위원회는 인사혁신처 소속의 소청심사위원회가 겸한다. (O, X)

02 고충심사위원회의 결정은 기속력이 없다. (O, X)

03 제안제도는 인간관계의 개선을 가져온다. (O, X)

01 O
02 O
03 X 지나친 경쟁으로 인간관계가 악화된다.

② 지나치게 기술적 제안에 치중한다.
③ 합리적이고 공정한 심사가 곤란하다.
④ 실질적인 제안자의 식별이 곤란하다.

4. 사기관리를 위한 기타 수단들

(1) 공직에 대한 사회적 평가의 제고

민주국가의 공복으로서 공공봉사를 담당하는 공무원에 대한 사회적 평가도 새롭게 향상될 수 있도록 해야 한다.

(2) 참여관리

사회적 욕구를 충족하고 직무수행의 보람을 느끼도록 공무원단체 결성을 허용하고, 구성원의 참여에 의해서 조직의 목표를 설정하는 목표관리제를 시행한다.

(3) 직무개선

① **직무충실(job enrichment)**: 직무의 완결도와 직무담당자의 책임성 · 자율성을 높이는 직무의 수직적 확대이다.
② **직무확장(job enlargement)**: 기존 직무에 수평적인 관계에 있는 난이도가 비슷한 직무를 추가하는 방법으로, 직무확장을 통해서 책임성 · 자율성이 늘어나는 것은 아니다.
③ **자율근무제**: 기본근무 시간 외에 자율적으로 시간을 정해서 근무할 수 있도록 한다.
④ **압축근무**: 근무일에 많이 근무하고, 쉬는 날을 많게 하는 것이다.
⑤ **순환보직**: 전직 · 전보 등을 통하여 여러 직무를 두루 경험하게 함으로써 직무의 단조로움을 극복하게 한다.

개념PLUS 유연근무제의 유형(인사혁신처)

<table>
<tr><th>유형</th><th>세부형태</th><th colspan="2">활용방법</th></tr>
<tr><td rowspan="4">시간선택근무제</td><td colspan="3">주 40시간보다 짧은 시간 근무</td></tr>
<tr><td>시간선택제 채용공무원</td><td rowspan="3">15~35 시간</td><td>이들을 통상 근무시간(주당 40시간) 근무 공무원으로 임용하는 경우, 어떠한 우선권도 인정하지 않음</td></tr>
<tr><td>시간선택제 전환공무원</td><td>시간선택제채용공무원, 시간선택제임기제공무원 및 한시임기제공무원은 대상에서 제외</td></tr>
<tr><td>시간선택제 임기제공무원</td><td>일반임기제공무원과 전문임기제공무원 중 통상 근무시간보다 짧은 시간 근무</td></tr>
<tr><td rowspan="4">탄력근무제</td><td>시차출퇴근형</td><td colspan="2">1일 8시간 근무체제 유지하되, 출근시간 선택 가능</td></tr>
<tr><td>근무시간선택형</td><td colspan="2">1일 4~12시간 근무, 주 5일 근무</td></tr>
<tr><td>집약근무형</td><td colspan="2">1일 10~12시간 근무, 주 3.5~4일 근무</td></tr>
<tr><td>재량근무형</td><td colspan="2">출퇴근 의무 없이 전문 프로젝트 수행, 주 40시간 인정</td></tr>
<tr><td rowspan="2">원격근무제</td><td>재택근무형</td><td colspan="2">사무실이 아닌 자택에서 근무(시간 외 근무수당은 정액분만 지급, 실적분은 지급 금지)</td></tr>
<tr><td>스마트워크근무형</td><td colspan="2">자택 인근 스마트워크센터 등 별도 사무실에서 근무</td></tr>
</table>

2 보수관리

1 보수[1]의 의의

[1] 보수
1. **상한선:** 재정력을 고려하여 결정된다.
2. **하한선**
   - 생계비를 고려하여 결정된다.
   - 사회·윤리적 요인이다.
   - 건강 및 품위를 유지할 수 있는 수준을 말한다.

1. 개념

(1) 보수란 공무원이 노동의 대가로 받는 금전적 보상을 말한다. 보수는 직접적으로 근로의 대가이지만, 그로 인해 직업 만족을 얻거나 근무의 성과가 향상되기도 하며, 우수 인력 유치 및 공직부패와도 관련되기 때문에 인사행정에서 갖는 의미는 매우 크다.

(2) 보수는 기본급과 부가급의 합이다.

2. 기본급과 부가급

(1) 기본급

직급·근무연한 등에 따라 받는 본봉으로, 연금과 연계되며 봉급이라 한다.

(2) 부가급

특수한 근무조건이나 생활조건을 고려한 수당으로, 연금과 연계되지 않는다.

3. 특징

(1) 직무급적 성격과 생활급적 성격의 양면성

직무수행에 대한 반대급부이자 생활보장적 급부라는 양면성이 있다.

(2) 노동가치의 시장평가 곤란

공공부문에서 종사하는 공무원들의 노동 대가나 경제적 가치를 정확하게 평가할 수 없어서 합리적 보수수준 결정이나 시장가격의 적용 및 동일 직무·동일 보수의 적용이 곤란하다.

(3) 복합적 요인의 고려

보수수준 결정은 민간부문의 임금·물가 등 경제적 요인의 영향을 받으며, 국민에 대한 봉사적 입장과 공무원의 생계·품위 유지 등 사회적 요인도 고려되어야 한다.

(4) 경직성

보수 결정에는 법적 근거·관련예산·예산기관협의·당정협의 등의 복잡한 절차가 필요하므로, 경직적이고 국민적 감시와 통제 대상이 된다.

4. 보수관리의 원칙

(1) 대외적 균형의 원칙

대외적으로 민간부문의 보수수준과 비교하여 균형이 있어야 한다. 대외적 균형이 1차적 기준이다.

(2) 대내적 균형의 원칙

대내적으로 계급, 직종, 경력 등의 명확한 기준에 따라 개인 간 적정하게 격차가 있어야 한다.

(3) 보수법정주의 원칙[1]

공무원의 보수는 법령에 명확한 근거를 두어야 한다.

(4) 중복지급 금지의 원칙

겸직 시 이중으로 보수를 지급하여서는 안된다.

(5) 직무급의 원칙

전반적인 보수 수준은 직무의 곤란도 · 책임도에 상응하여야 한다.

(6) 보수조정주의 원칙

전체적 관점에서 최소 생계를 보장(근무전념 가능)할 수 있는 정도이어야 한다.

2 보수 제도의 종류[2]

1. 생활급(계급제의 보수제도)

생계비를 기준으로 지급하는 보수로, 공무원과 부양가족의 생활을 보장하기 위하여 사람의 연령과 가족상황 등을 고려한다.

2. 직무급(직위분류제의 보수제도)

개개인이 맡고 있는 직무의 곤란도와 책임도를 평가하여 임금을 결정하는 방식이다. 이는 동일 직무에 대한 동일 보수(equal to pay, equal to work)라는 논리에 근거한 것이다.

3. 근속급(연공급)

공무원 개인의 생활을 보호하고, 일정한 노동력을 확보하기 위하여 근속연수에 따라 임금수준을 결정하는 임금체계이다.

4. 성과급

(1) 의의

① 실적 · 성과 · 능률 중심의 보수로, 구성원의 동기유발에 유용한 제도이다.

② 성과급과 같은 맥락에서 우리나라는 과장급 이상에 연봉제를 도입하였으며, 여기에는 정무직을 대상으로 하는 고정급적 연봉제와 고위공무원단 소속 공무원을 대상으로 하는 직무성과급적 연봉제, 일반직 1~5급 공무원에는 성과급적 연봉제가 있다.

③ 연봉제의 보수지급은 연봉을 12로 나눈 연봉월액으로 지급한다.

(2) 장단점

장점	단점
· 무사안일주의 극복 · 인건비의 경직성 완화 · 경쟁유발 · 우수인재 영입 · 임금체계 간소화	· 정부 업무의 비시장성 · 가시적인 하위업무에 집착 · 연대단절 · 긴장조성 · 불안감 · 퇴직금 산정의 어려움 등

[1] 「공무원보수규정」 제4조 【정의】 – 대통령령
1. 보수: 봉급과 그 밖의 각종 수당을 합산한 금액을 말한다. 다만, 연봉제 적용대상 공무원은 연봉과 그 밖의 각종 수당을 합산한 금액을 말한다.
2. 봉급: 직무의 곤란성과 책임의 정도에 따라 직책별로 지급되는 기본급여 또는 직무의 곤란성과 책임의 정도 및 재직기간 등에 따라 계급(직무등급이나 직위를 포함)별, 호봉별로 지급되는 기본급여를 말한다.
3. 수당: 직무여건 및 생활여건 등에 따라 지급되는 부가급여를 말한다.
4. 승급: 일정한 재직기간의 경과나 그 밖에 법령의 규정에 따라 현재의 호봉보다 높은 호봉을 부여하는 것을 말한다.
5. 승격: 외무공무원이 현재 임용된 직위의 직무등급보다 높은 직무등급의 직위(고위공무원단 직위는 제외한다)에 임용되는 것을 말한다.
6. 보수의 일할계산: 그 달의 보수를 그 달의 일수로 나누어 계산하는 것을 말한다.
7. 연봉: 매년 1월 1일부터 12월 31일까지 1년간 지급되는 다음 각 목의 기본연봉과 성과연봉을 합산한 금액을 말한다. 다만, 고정급적 연봉제 적용대상 공무원의 경우에는 해당 직책과 계급을 반영하여 일정액으로 지급되는 금액을 말한다.
   · 기본연봉: 개인의 경력, 누적성과와 계급 또는 직무의 곤란성 및 책임의 정도를 반영하여 지급되는 기본급여의 연간 금액을 말한다.
   · 성과연봉: 전년도 업무실적의 평가 결과를 반영하여 지급되는 급여의 연간 금액을 말한다.
8. 연봉월액: 연봉에서 매월 지급되는 금액으로서 연봉을 12로 나눈 금액을 말한다.
9. 연봉의 일할계산: 연봉월액을 그 달의 일수로 나누어 계산하는 것을 말한다.

[2] 우리나라 연봉제

정무직	고정급적 연봉제	기본연봉	
고위 공무원단	직무 성과급적 연봉	기본 연봉	기준급
			직무급
		성과연봉(전년도 성과 기준)	
5급 이상	성과급적 연봉제	기본연봉	
		성과연봉	

참고 6급 이하는 호봉제이다.

5. 직능급

공무원의 직무수행능력을 측정하여 그 능력이 우수할수록 보수를 우대하는 보수체계이다.

3 보수 수준의 결정[1]

1. 보수결정의 고려요인

(1) 경제적 요인

민간기업의 임금수준, 국민의 담세능력, 정부의 지불능력, 경제정책, 물가수준 등을 고려하여 공무원 보수의 상한선이 결정된다. 경제적 요인을 고려하여 직무에 따라 보수를 결정하는 것이 직무급이다.

(2) 사회윤리적 요인

보수결정 시 공무원에게 인간다운 생활을 보장하면서도, 다른 한편으로는 공직의 공공 봉사성을 고려하여 너무 많은 보수를 지급해서는 안 된다. 이러한 사회윤리적 요인을 고려하여 생활보장에 바탕을 두는 것이 생계비의 개념이다.

(3) 부가적 요인

연금, 신분보장, 휴가, 복지제도 등 부가적 편익을 고려하여야 한다.

(4) 기타 요인

① 우수 인력의 유치, ② 재직자의 동기부여, ③ 행정능률 향상, ④ 노동시장의 조건, ⑤ 공무원단체 등의 요인을 고려하여 보수 정책에 반영하도록 하여야 한다.

2. 보수의 하한선과 상한선

(1) 하한선

생활유지에 필요한 적정한 생계비 수준에서 결정되며, 공무원 보수에서의 생계비는 사회윤리적 요인으로, 건강 및 품위르 유지할 수 있는 수준을 말한다.

(2) 상한선

정부의 재정능력을 고려하여 보수의 상한선이 결정된다.

4 보수표의 작성

1. 등급의 수

(1) 등급의 의의

① 등급은 보수액 격차의 단계를 구분하는 것이다. 직위분류제의 경우 직무의 성질은 고려하지 않고 곤란성 · 책임성 등에 따라 나눈다. 따라서 성질의 종류는 다르더라도 책임성 · 곤란도가 유사하면 동일 보수를 지급한다.

② 한편 계급제에서는 계급에 따라서 등급을 나눈다.

---

[1] 인센티브 제도 유형

1. **성과보너스(performance bonus)**: 경우에 따라서는 매년 지급될 수도 있고 특정 과업이 완수될 때 지급될 수도 있으나, 공공부문에서는 이 같은 보너스 제도를 적용하기 어려운 점이 있다.
2. **작업량 보너스(piecework bonus)**: 작업량에 따라 금전적 보상을 제공하는 제도이다.
3. **수익분배 제도(gainsharing plans)**: 특정 집단이 가져온 수익 또는 절약분을 그 구성원들에게 나누어 주는 제도이다.
4. **제안상 제도(suggestion awards)**: 조직의 자원을 절약할 수 있는 특수한 제안을 한 구성원에게 인센티브를 제공하는 제도이다.
5. **행태상 제도(behavioral awards)**: 사고 및 결근의 감소와 같이 관리층이 권장하고자 하는 특수한 행동에 대해 인센티브를 제공하는 제도이다.
6. **종업원 인정제도(employee recognition)**: 비록 금전적 보상을 제공하는 것은 아니나, 이달의 인물(employee of the month) 등과 같이 특정 구성원 또는 집단의 특수한 기여를 인정해 줌으로써 동기를 유발하고자 하는 제도이다.

(2) 등급의 수

① 등급의 수가 많을수록 직무에 맞는 합리적인 보수액을 결정하는데 도움이 되지만, 보수행정이 복잡해진다. 반대로 등급의 수가 적으면 동일 노무에 대한 동일 보수의 원칙을 고수하기 어려워진다.

② 일반적으로 직위분류제에서는 등급의 수가 많고, 계급제에서는 적다. 우리나라는 현재 9등급이다.

2. 등급의 폭(호봉)

(1) 의의

등급의 폭이란 등급 내 보수의 차를 말하고, 일반적으로 호봉이란 용어를 사용한다.

(2) 목적

승진이 등급 또는 계급이 올라가는 것을 말한다면 승급이란 동일한 직급 내에서 호봉만 올리는 것으로, 장기근속 장려 · 근무성적 향상 · 사기앙양 등을 목적으로 한다.

3. 등급 간의 중첩

(1) 한 등급의 봉급 폭이 상위 등급의 봉급 폭과 부분적으로 겹치는 것을 말하며, 근속자에 혜택을 주고 승진이 갖는 예산상의 부담을 완화하기 위한 것으로 생활급의 요소이다.

(2) 등급 간의 중첩을 두게 되면 경험 있는 공무원의 가치를 인정하여, 등급은 낮지만 봉급이 많아 그만큼 승진 욕구를 해소할 수 있다.

(3) 반면 부하의 보수가 상급자의 보수를 초과하거나 승진의 기회가 축소되고, 등급 구분의 의의가 감소할 우려가 있다.

4. 보수곡선[1]

(1) 봉급표 작성에서 호봉 간 금액차를 표시한 것을 보수곡선이라고 하며, 일반적으로 고급공무원을 우대하는 J곡선의 형태를 취한다.

(2) 보수의 J곡선은 실제로 중요한 기능을 담당하는 고위 등급일수록 보수의 누진율이 증가(보수가 급격히 증가)해야 함을 의미한다. 이러한 경우, 상위직은 상대적으로 후하고 하위직은 상대적으로 박하다는 의미의 '상후하박' 곡선의 형태를 띤다.

(3) 우리나라의 보수곡선은 상하 간의 임금격차가 상대적으로 적은 '하후상박' 곡선의 형태를 취한다.

❶ 공무원 보수곡선

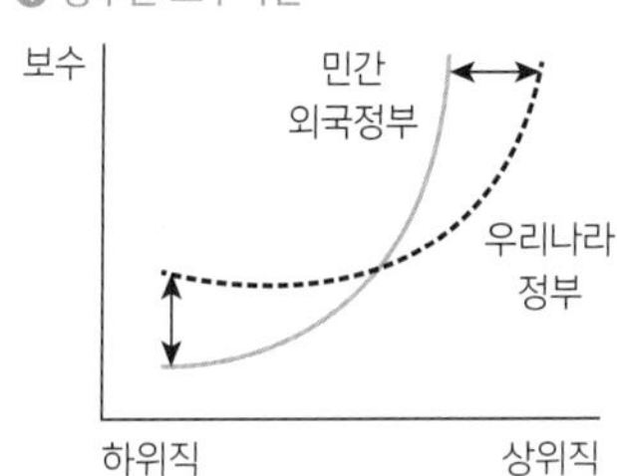

핵심정리 임금피크제

1. 개념

임금피크제(pay peak)란 워크 셰어링(work sharing)의 한 형태로, 일정한 나이가 지나면 생산성에 따라 임금을 지급하는 제도이다. 현실적으로 나이가 들면 업무추진능력이나 생산성이 저하되므로, 일정 연령이 되면 임금을 낮추는 대신 정년까지 고용을 보장하는 제도이다.

2. 도입배경

임금피크제는 고령화 사회에 대비하기 위한 고령인력 활용방안으로, 임금피크제를 정년과 연계시킨다면 정부의 재정부담을 최소화하면서 신규인력을 채용할 수 있는 방안을 마련할 수 있을 것이다.

3. 기대효과

① **정부 재정부담 경감:** 임금피크제는 일정 재직기간 이후에는 임금을 낮추므로 인건비 부담 해소에 기여한다.

② **조직의 신진대사 촉진과 신규채용 확대 효과:** 퇴직하기 전에 임금이 낮아지므로 조기퇴직을 유도하고, 그만큼 조직의 신진대사가 촉진되어 신규임용이 확대된다.

③ **정년연장 및 고용안정 효과:** 연공급이 현실의 임금제도라는 점을 인정할 경우, 임금조정과 고용안정을 연계하는 임금피크제는 정년을 연장할 수 있는 대안이 될 수 있어 중고령자의 고용안정을 도모할 수 있다.

④ 생계비와 임금의 유기적 연계가 가능하다.

4. 임금피크제의 종류

① **정년연장형:** 일정시점까지 정년을 연장하는 대신 정년의 몇 년 전부터 임금을 삭감하는 방식이다.

② **재고용형:** 정년이 지난 퇴직자를 퇴직 후 3개월 내에 재고용하되, 임금을 퇴직 전과 비교하여 동결하거나 삭감하는 방식이다.

③ **근로시간 단축형:** 정년을 연장하거나 재고용하는 대신 근로시간을 연령별로 주당 15~30시간으로 단축시켜 임금액을 조정하는 방식이다.

5. 한계

① 임금피크제는 임금을 생계비와 연동시킨 제도이므로, **성과 중심의 보수체계와는 부합되지 않는다.**

② 피크임금 이후 책임도가 낮은 직위로의 직무 조정이 쉽지 않다.

③ 임금피크제의 도입은 급여체계나 연금제도 전반의 합리적 개편과 병행하여 추진되어야 한다.

핵심정리 총액인건비제와 기준인건비제

1. 총액인건비(중앙행정기관)

① 의의

㉠ 중앙예산기관(기획재정부)과 조직관리기관(행정안전부)이 **총정원과 인건비 예산의 총액만을 정해주면**, 각 부처는 그 범위 안에서 재량권을 발휘하여 인력 운영 및 기구설치에 대한 자율성[1]과 책임성을 보장받는 제도이다.

㉡ 총액인건비제는 2007년 1월 1일부터 전 부처로 전면 확대·실시하였으며, 지방자치단체는 기준인건비제를 실시하고 있다.

② 도입 목적 및 기대효과

㉠ **인사의 자율화·분권화:** 총액인건비 내에서 조직·정원 관리 및 인건비 배분을 기관 특성에 맞게 운영할 수 있도록 각 기관에 **기구 설치와 직급에 자율권을 부여함**으로써 인적자원관리의 분권화 실현이 가능하다.

㉡ **성과와 책임의 조화:** 각 기관은 업무 특성을 고려하여 **성과 중심의 정부조직**을 운영한다.

③ **한계:** 무분별한 증원과 상위직 증설로 **직급 인플레이션이 유발되는** 등 재직자 이기주의가 나타날 수 있다.

2. 기준인건비(지방자치단체)

① **의의:** 지방자치단체는 기구와 정원을 기준인건비를 기준으로 하여 자율성과 책임성이 조화되도록 운영하여야 한다.

② **내용:** 기준인건비제도에서 지방자치단체는 **행정안전부에서 제시하는 기준인건비 안의 범위에서 인력 운영에 대해서 자율성을 갖는다.**

[1] 기구설치 자율
국 아래 두는 보조기관(과 단위 기구)은 각 부처가 정한 범위 안에서 총리령 또는 부령으로 자율적으로 설치·운용한다.

핵심 OX

01 임금피크제는 성과급적 보수제도의 일 유형이다. (O, X)

02 임금피크제는 정부의 재정부담을 경감한다. (O, X)

03 총액인건비제는 기구설치와 직급의 자율성을 부여한다. (O, X)

01 X 생계비와 연동시킨 제도이며, 성과급적 보수체계와는 부합되지 않는다.
02 O
03 O

3 연금제도

1 연금의 의의 및 적용대상

1. 의의

연금이란 공무원에 대한 사회보장제도의 하나로, 장기간에 걸쳐 충실히 근무한 대가를 퇴직 후에 금전적으로 보상받게 되는 인사행정의 보상체계 중 하나이다. 공무원의 노령 · 질병 · 부상 및 사망 등으로 상실된 소득을 보충하여, 공무원과 가족의 생활안정과 복지향상을 기하려는 제도이다.

2. 「공무원연금법」 적용대상

「국가공무원법」, 「지방공무원법」, 그 밖의 법률에 따른 공무원으로 하되, 군인과 선거에 의하여 취임하는 공무원은 제외한다.

2 연금의 본질

1. 공로보장설(영국)

연금을 장기간 근무에 대하여 사용자가 감사하기 위하여 지급하는 것이라고 보며, 비기여금에 의해 운영되는 것을 특징으로 한다.

2. 거치보수설(미국)

일정 기간 동안 보수의 일부가 지급되지 않고 적립되었다가 퇴직 이후에 지급되는 것으로, 개인과 정부가 공동 부담하는 기여제를 특징으로 한다.

3. 생활보장설

퇴직 후의 생활보장으로 공무원의 사기를 고양한다는 입장이다.

3 연금의 운영

1. 기금제와 비기금제

(1) 기금제

연금의 재원을 기금을 마련하여 그 수익금으로 충당하는 제도이다(한국).

(2) 비기금제

연금의 재원을 일반세입에서 충당하는 제도이다.

2. 기여제와 비기여제

(1) 기여제

연금의 재원을 정부와 공무원이 공동으로 부담한다(미국 · 한국).

(2) 비기여제

연금의 재원을 정부만이 부담하는 제도이다(영국).

4 연금의 종류 및 제한

공무원 연금은 일반적으로 '퇴직연금'을 말하지만, 연금의 종류는 단기급여와 장기급여로 나뉘어진다.

1. 단기급여

(1) 종류에는 공무상 요양비, 공무상 요양일시금, 재해부조금, 사망조위금이 있다.

(2) 단기급여청구권의 소멸시효는 3년이다.

2. 장기급여

(1) 퇴직급여

정부와 공무원이 공동으로 조성한다.

① **퇴직연금:** 퇴직할 때 연금기금에서 받는 공식퇴직금이다. 10년 이상 재직하고 퇴직한 경우, 65세가 되었을 때 지급받는다.

② **퇴직급여 감액 사유:** 재직 중의 사유로 금고 이상의 형이 확정된 경우(직무와 관련이 없는 과실로 인한 경우 및 소속상관의 정당한 직무상의 명령에 따르다가 과실로 인한 경우는 제외), 탄핵 또는 징계에 의하여 파면된 때, 금품 및 향응 수수, 공금의 횡령·유용으로 징계 해임된 때에는 퇴직급여의 일부를 줄여 지급한다.

(2) 퇴직수당

공무원이 1년 이상 재직하고 퇴직 또는 사망한 때 국가예산으로부터 지급받는 단순한 수당으로, 정부가 조성한다.

① **지급시점:** 1년 이상 재직하고 퇴직 또는 사망한 때 지급한다.

② **퇴직수당 감액 사유:** 퇴직급여 감액 사유와 동일하다.

3. 연금지급의 제한

다음의 경우 일부 급여의 전부 또는 일부를 지급하지 아니한다.

(1) 고의 또는 중과실 등에 의하여 급여가 제한될 경우, 연금지급이 제한된다.

(2) 진단 불응으로 인한 급여의 제한 발생 시, 연금지급이 제한된다.

(3) 재직 중의 사유로 금고 이상의 형을 받거나 탄핵 또는 징계에 의하여 파면된 때

① **퇴직급여:** 재직기간이 5년 미만인 자는 4분의 1 감액 지급, 재직기간이 5년 이상인 자는 2분의 1 감액 지급한다.

② **퇴직수당:** 2분의 1 감액 지급한다.

(4) 금품 및 향응 수수, 공금 횡령, 유용 등으로 징계 해임된 때

① **퇴직급여:** 재직기간이 5년 미만인 자는 8분의 1 감액 지급, 재직기간이 5년 이상인 자는 4분의 1 감액 지급한다.

② **퇴직수당:** 4분의 1 감액 지급한다.

5 「공무원연금법」의 주요 내용

<table>
<tr><td>기여율(공무원)·부담률(정부) 인상</td><td>· 기준소득월액의 9%
· 2020년까지 단계적 인상
8% 8.25% 8.5% 8.75% 9%
2016년 2017년 2018년 2019년 2020년</td></tr>
<tr><td>연금지급률 인하</td><td>· 재직기간 1년당 1.7%
· 2035년까지 단계적 인하
1.878% 1.79% 1.74% 1.7%
2016년 2020년 2025년 2035년</td></tr>
<tr><td>소득재분배 요소 도입</td><td>연금지급률 1.7% 중 1%에 소득 재분배 요소 도입</td></tr>
<tr><td>연금지급개시 연령 연장</td><td>· 임용시기 구분 없이 65세로 단계적 연장
· 퇴직연도별 지급개시 연령
<table>
<tr><th>연금지급개시 연령 연장</th><th>지급개시 연령</th></tr>
<tr><td>2016~2021년</td><td>60세</td></tr>
<tr><td>2022~2023년</td><td>61세</td></tr>
<tr><td>2024~2026년</td><td>62세</td></tr>
<tr><td>2027~2029년</td><td>63세</td></tr>
<tr><td>2030~2032년</td><td>64세</td></tr>
<tr><td>2033년 이후</td><td>65세</td></tr>
</table>
※1995년 12월 31일 이전 임용자는 종전 규정 적용</td></tr>
<tr><td>유족연금지급률 하향 조정</td><td>전·현직 공무원 모두 60% 적용
· 개정법 시행 이후 유족연금 사유 발생자부터
· 기존 유족연금 수급자는 종전 지급률 유지</td></tr>
<tr><td>연금액 한시 동결</td><td>향후 5년간 연금액 동결
· 2016년부터 2020년까지
· 기존 연금수급자 및 2016~2019년 퇴직자 동일 적용</td></tr>
<tr><td>기준소득월액 상한 하향 조정</td><td>전체 공무원 기준소득월액 평균액의 1.6배로 하향 조정</td></tr>
<tr><td>연금지급정지 제도 강화</td><td>· 공무원으로 재임용 시
· 선거직 및 정부 전액출자·출연기관에 재취업한 고소득자도 연금 전액 정지
· 소득심사 기준 '평균연금월액'으로 하향 조정
· 부동산 임대소득 포함</td></tr>
<tr><td>분할연금제도 도입</td><td>이혼 시 혼인기간에 해당하는 연금액의 2분의 1을 배우자에게 지급
· 공무원 재직 중 혼인기간이 5년 이상인 경우
· 당사자 간 협의 또는 법원의 결정을 우선 적용</td></tr>
<tr><td>비공무상 장해연금 신설</td><td>비(非)공무상 장애로 퇴직 시 지급
→ 공무상 장해연금의 2분의 1 수준</td></tr>
</table>

<table>
<tr><td>연금수급요건 조정</td><td>10년 이상 재직</td></tr>
<tr><td>재직기간 상한 연장</td><td>· 최대 36년까지 단계적 연장
· 재직기간 21년 미만부터 단계적 연장
<table><tr><th>개정법 시행 당시 재직기간</th><th>재직기간 상한</th></tr><tr><td>21년 이상</td><td>33년</td></tr><tr><td>17년 이상 21년 미만</td><td>34년</td></tr><tr><td>15년 이상 17년 미만</td><td>35년</td></tr><tr><td>15년 미만</td><td>36년</td></tr></table></td></tr>
<tr><td>최저생계비 이하
연금 압류 금지 신설</td><td>연금액 중 월 150만 원 압류 금지
→ 「민사집행법」상 압류가 금지되는 최소한의 생계비 기준</td></tr>
<tr><td>공무상 유족연금 및
유족보상금 지급요건 개선</td><td>공무상 질병 또는 부상으로 퇴직 후 사망</td></tr>
</table>

개념PLUS 선택적 복지제도(cafeteria style benefits program)

1. 개념
   선택적 복리후생제도는 수요자 중심의 복지제도로, 정부가 선택가능한 여러 가지 복지혜택을 미리 준비해 놓고 그 가운데서 공무원들이 고를 수 있게 하는 맞춤형 복지제도이다.
2. 효용
   개인의 취향과 라이프 스타일을 고려하지 않은 연공서열에 따른 획일적인 복리후생제도에서 개인별 맞춤형 복리후생제도로의 전환을 의미하며, 수혜자인 직원들은 자신의 필요와 욕구에 가장 잘 맞는 복리후생제도를 취사선택할 수 있다.
3. 우리나라의 제도
   공무원들에게 금액으로 환산할 수 있는 점수(point)를 배정하고 점수는 근속연수 및 부양가족 수 등을 기준으로 차등지급하며, 이 점수 내에서 복지서비스를 선택·이용할 수 있는 복지카드가 공무원 개인들에게 지급된다.

핵심 OX

01 국무총리는 「공무원연금법」의 적용대상이 아니다. (O, X)

02 공무원이 퇴직연금을 받을 요건은 20년 이상 근무자이다. (O, X)

01 X 국무총리, 장관도 「공무원연금법」의 적용대상이다.
02 X 10년 이상 근무자이다.

학습 점검 문제

01 공무원의 근무방식과 형태에 대한 설명으로 옳지 않은 것은? 2019년 국가직 9급

① 유연근무제는 공무원의 근무방식과 형태를 개인 · 업무 · 기관특성에 따라 선택할 수 있는 제도이다.

② 시간선택제 근무는 통상적인 전일제 근무시간(주 40시간)보다 길거나 짧은 시간을 근무하는 제도이다.

③ 탄력근무제는 전일제 근무시간을 지키되 근무시간, 근무일수를 자율 조정할 수 있는 제도이다.

④ 원격근무제는 직장 이외의 장소에서 정보통신망을 이용하여 근무하는 제도이다.

02 공무원의 사기관리에 대한 설명으로 옳은 것은? 2017년 지방직 9급(6월 시행)

① 「공무원 제안 규정」상 우수한 제안을 제출한 공무원에게 인사상 특전을 부여할 수 있지만, 상여금은 지급할 수 없다.

② 소청심사제도는 징계 처분과 같이 의사에 반하는 불이익 처분을 받은 공무원이 그에 불복하여 이의를 제기했을 때 이를 심사하여 결정하는 절차이다.

③ 우리나라는 공무원의 고충을 심사하기 위하여 행정안전부에 중앙고충심사위원회를 둔다.

④ 성과상여금제도는 공직의 경쟁력을 높이기 위하여 공무원인사와 급여체계를 사람과 연공 중심으로 개편한 것이다.

정답 및 해설

01 시간선택제 근무란 통상적인 근무시간(주 40시간)보다 짧은 시간을 근무하는 일반직공무원으로, 주당 근무시간은 20시간으로 하며 필요 시 5시간 범위 내에서 조정할 수 있는 근무제도이다.

| 오답체크 |

③ 탄력근무제는 전일제 근무시간을 지키되, 근무시간 · 근무일수를 자율 조정할 수 있는 제도이다.

유연근무제의 유형(인사혁신처)

시간선택근무제		주 40시간 보다 짧은 시간 근무
탄력 근무제	시차출퇴근형	1일 8시간 근무하면서, 출 · 퇴근시간 자율 조정
	근무시간선택형	1일 근무시간(4~12시간)을 조정하되, 주 5일 근무 유지(주 40시간 근무)
	집약근무형	1일 근무시간(10~12시간)을 조정하여, 주 3.5일~ 4일 근무(주 40시간 근무)
	재량근무형	출 · 퇴근의무 없이 프로젝트 수행으로 주 40시간 인정
원격 근무제	재택근무형	사무실이 아닌 집에서 근무
	스마트워크근무형	자택 인근 스마트워크센터 등 별도 사무실 근무

02 | 오답체크 |

① 제안이 채택된 공무원에게는 특별승진 또는 특별승급 등 인사상 특전과 상여금이 지급될 수 있다.

③ 중앙고충심사위원회는 인사혁신처에 설치된 소청심사위원회가 겸한다.

④ 성과상여금제도는 공직의 경쟁력을 높이기 위하여 연공 중심이 아닌 능력과 성과 중심으로 개편한 것이다.

제안제도의 장단점

장점	단점
· 하의상달 · 참여의 수단으로, 커뮤니케이션의 촉진 · 직원의 사기앙양 · 직무에 대한 일체감과 신뢰감의 증진 · 경제적 · 합리적 · 능률적인 업무관리 · 직무에 대한 관심과 흥미 조성 · 창의력 개발과 문제해결능력 제고	· 지나친 경쟁 심리로 인한 동료 간의 인간관계 악화(상하 간에는 인간관계 촉진) · 지나치게 기술적 제안에 치중 · 합리적이고 공정한 심사 곤란 · 실질적인 제안자의 식별 곤란

정답 01 ② 02 ②

03 공무원 보수제도 중 연봉제에 대한 설명으로 옳지 않은 것은? 2016년 지방직 7급

① 직무성과급적 연봉제는 고위공무원단 소속 공무원에게 적용된다.

② 고정급적 연봉제에서 연봉은 기본연봉과 성과연봉으로 구성된다.

③ 직무성과급적 연봉제에서 기본연봉은 기준급과 직무급으로 구성된다.

④ 성과급적 연봉제와 직무성과급적 연봉제의 성과연봉은 전년도의 업무 실적에 따른 평가 결과에 따라 차등지급된다는 점에서 유사한 면이 있다.

04 총액인건비제도에 대한 설명으로 옳지 않은 것은? 2020년 국가직 7급

① 정원관리에 대한 각 부처의 자율성 확대를 목표로 한다.

② 김대중 정부에서 중앙행정기관 및 지방자치단체에 처음 도입되었으며, 공공기관으로 확대되었다.

③ 보수관리에 대한 각 부처의 자율성이 확대되었다.

④ 시행기관은 성과중심의 조직운영을 위하여 총액인건비제도를 활용할 수 있다.

05 공공부문에 임금피크제를 도입하고자 하는 이유(배경)는 무엇인가? 2008년 경기 9급

① 공무원 보수 중에서 기본급보다 수당의 비중이 더 큰 기형적인 상태를 개선하기 위해서이다.

② J자 모양의 보수곡선이 초래하는 공무원 인건비 부담(재정상 부담) 때문이다.

③ 적극적인 성과급 제도를 보급하기 위해서이다.

④ 부족한 공무원 보수를 민간부문 수준으로 향상시키기 위한 방안이다.

06 우리나라 공무원연금제도에 대한 설명으로 옳은 것만을 모두 고른 것은? 2016년 국가직 7급

> ㄱ. 최초의 공적연금제도로서 직업공무원을 대상으로 하는 특수직역연금제도이다.
> ㄴ. 「공무원연금법」상 공무원연금대상에는 군인, 공무원 임용 전의 견습직원 등이 포함된다.
> ㄷ. 사회보험 원리와 부양 원리가 혼합된 제도이다.

① ㄱ
② ㄱ, ㄷ
③ ㄴ, ㄷ
④ ㄱ, ㄴ, ㄷ

정답 및 해설

03 고정급적 연봉제는 정무직에게 적용되는 연봉제로, 성과연봉 없이 기본연봉만 지급되는 제도이다.

| 오답체크 |

①, ③ 고위공무원단 소속 공무원의 보수가 직무성과급적 연봉제이다. 이에는 기준급과 직무급으로 구성된다.

④ 성과급이란 보수제도에 업무 실적에 따른 차등지급이 포함된 개념이다. 따라서 과장급 이상에 적용되는 성과급적 연봉제나 직무성과급적 연봉제에는 모두 이 개념이 포함되어 있다.

04 총액인건비제는 노무현 정부인 2007년 1월 1일부터 전 부처로 전면 확대·실시하였다.

| 오답체크 |

① 중앙예산기관(기획재정부)과 조직관리기관(행정안전부)이 총정원과 인건비 예산의 총액만을 정해주면, 각 부처는 그 범위 안에서 재량권을 발휘하여 인력 운영 및 기구설치에 대한 자율성과 책임성을 보장받는 제도이다.

③ 총액인건비 내에서 조직·정원 관리 및 인건비 배분을 기관 특성에 맞게 운영할 수 있도록 각 기관에 기구 설치와 직급에 자율권을 부여함으로써 인적자원관리의 분권화 실현이 가능하다.

④ 총액인건비제도의 도입으로 각 기관은 업무 특성을 고려하여 성과중심의 정부조직을 운영한다.

05 임금피크제란 정년까지 고용을 유지하는 대신 일정 연령이 되면 생산성을 감안해 임금을 줄이는 제도로, 연공서열형 임금구조의 문제점(인건비 부담, 생계비와 임금의 괴리)을 해소하기 위하여 도입을 검토하고 있는 제도이다. 임금피크제는 임금을 생계비와 연동시킨 제도이므로, 직무와 성과 중심의 보수 체계의 개편 방향과 부합하지 못한다.

06 ㄱ. 우리나라는 1960년 「공무원연금법」의 제정으로 직업공무원을 대상으로 하는 특수직역연금제도를 처음으로 실시하였다.

ㄷ. 우리나라 공무원연금제도는 사회보험 원리와 부양 원리가 혼합된 제도로 운영된다. 정부와 공무원이 균등 부담하는 사회보험의 성격과 재정수지 부족액을 재정으로 보전하는 부양 원리를 채택하고 있다.

| 오답체크 |

ㄴ. 「공무원연금법」상 군인과 선거에 취임하는 공무원, 공무원 임용 전의 견습직원은 공무원연금대상에서 제외된다.

공무원연금재원 조성·운용방식

방식	개념	장점	단점
비기금제 (부과방식)	연금의 재원을 일반세입에서 충당하는 제도	· 시행 초 적은 부담 · 인플레이션이나 투자위험과 무관	· 후세대 부담 과중 · 재정 운영 불안 · 인구구조 변화에 취약
기금제 (적립방식)	공무원기여금과 정부부담금으로 기금을 적립하는 방식	· 보험료의 평준화 · 연금재정의 안정화 · 인구구조 변화에 무관	· 시행 초 부담 과중 · 장기적 예측 곤란 · 인플레이션에 취약

정답 03 ② 04 ② 05 ② 06 ②

CHAPTER 6 인사행정의 규범

1 공직윤리

1 의의

1. 개념

공무원이 자신의 공적인 업무를 수행하는 데 있어 국민 전체에 대한 봉사자로서 행정이 추구하는 공공목적 달성을 위해 준수해야 하는 행동규범(code of conduct)을 의미한다.

2. 특징

(1) 공무원이 그의 공적인 업무와 관련하여 지켜야 할 가치 기준이다.

(2) 공무원이 특정 집단이나 개인이 아닌 국민 전체에 대한 봉사자로서 공익을 추구하여야 한다는 것을 의미한다.

(3) 공무원이 직무수행과정에서 마땅히 지켜야 할 직업윤리이자 공무원이 수립·집행하는 정책의 내용이 윤리적이어야 한다는 의미도 포함된다.

(4) 행정의 모든 역할들을 보다 바람직하고 공평한 방향으로 인도하는 기준이다.

① **규범적:** 가치함축적 판단과 타당성을 가진다.

② **상황적:** 절대적 윤리는 아니다.

③ **내재적:** 의식세계에 잠재해 있는 가치체계이다.

④ **비공식적:** 법령처럼 공식화되어 있지는 않다.

3. 중요성

(1) 행정기능의 양적 확대와 질적 전문화에 따른 외부통제기능의 실효성 저하

공무원들의 재량 범위가 크게 확대되고 방대한 자원 배분권을 행사하여 그들의 결정이 국민 생활에 지대한 영향을 미치고 있으나, 전통적인 외부통제 장치만으로는 행정을 효과적으로 통제할 수 없어 이에 상응하여 공직윤리가 점차 중요해지고 있다.

(2) 행정의 지대추구행위(포획이론)와 부패 가능성

공무원들이 재량권을 남용하여 개인적 이익을 추구하고, 공직사회에 부패가 만연하게 되면, 정부에 대한 불신은 물론 사회 전반에 걸쳐 신뢰성의 위기와 질서의 붕괴를 초래할 우려가 있다. 따라서 이를 예방하기 위한 차원에서 공직윤리가 확립되어야 한다.

(3) 건전한 시민사회 형성의 출발

우리나라에서 만연하고 있는 정경유착의 폐해와 구조적인 부패고리를 청산하고, 건전한 시민사회를 형성하기 위해서는 근대적인 공직윤리가 정착되어야 한다.

4. 신뢰성과 윤리 문제가 국정운영의 핵심 이유로 제기되는 이유(OECD, 2000)

(1) 공공부문에서의 개혁

특히 전통적인 관리방식과 새로운 관리방식 간의 충돌과 갈등이 윤리적 문제를 야기한다. 우리나라의 경우, 최근 신공공관리 방식이 타율적 · 수동적으로 활용되고 있다는 점에서 윤리의 핵심가치 자율성을 크게 침해하고 있다.

(2) 재정적 압박

재정적 압박으로 인해 효율성 가치에 치중하고, 결국 직접적 산출이 적고 단기적 효과가 나타나지 않는 규범적 문제나 윤리적 문제에 대한 대응은 부족하게 된다.

(3) 민간부문 관리기법의 유입

경제 논리 중심의 민간부문 관리기법의 유입과 더불어 생산성과 효율성이 주된 가치가 됨으로써, 공공성이나 공익성이 우선적으로 고려되지 못하고 있다.

(4) 결정론 지향적 환경 변화

사회적 · 정치적 · 경제적 환경과 분위기가 행정활동에 영향을 미치게 되는데, 직접적 산출과 성과를 기대하는 결정론 지향적 환경 변화는 결국 자율성의 지속적 상실을 초래한다.

(5) 공직에 대한 위신의 저하

공직에 대한 가치와 열망이 줄어들고 있으며, 다른 직업에 비해 바람직한 직업으로 인정받지 못하고 있다.

(6) 정치적 후원 증대

정치와 행정의 인터페이스가 증대됨에 따라 중하위직은 사기업의 논리로, 고위직은 정치의 논리로 분절되는 현상이 발생하고 있다. 특히 정치적 후원의 증대는 공직자의 정치화를 초래하고, 그 결과 부정적 측면에서 부패의 가능성이 증대한다.

2 내용

1. 일반적 내용

(1) 소극적 측면

부정부패 방지 및 권력남용 · 무사안일 예방과 같은 소극적 목적을 위한 최소한의 행동규범이다.

(2) 적극적 측면

공익성 · 봉사성 등 행정 목적의 효과적 달성을 위한 적극적인 행동규범이다. 즉, **바람직한 행정인상을 구현하는 것이다.**

2. 우리나라 공무원에게 요구되는 공직윤리[1]

우리나라 공무원에게 요구되는 공직윤리 내용은 「국가공무원법」상의 공무원 복무규정, 「공직자윤리법」, 공무원 행동강령, 취임선서나 복무선서 및 공무원의 윤리헌장과 신조 등에서 살펴볼 수 있다.

[1] 윤리 규정

「공직자윤리법」	「부패방지 및 국민권익위원회 설치운영에 관한 법률」
· 고위공직자의 재산 등록 및 공개 · 외국인의 선물 신고, 등록의무 · 퇴직공무원의 취업 제한 · 주식백지신탁의무 · 이해충돌방지 의무	· 비위면직자의 취업 제한 · 내부고발자 보호 의무

핵심 OX

01 부정부패 방지는 소극적 측면의 공직윤리이다. (O, X)

02 공직윤리는 공공의 신탁과 관련된 직업윤리이다. (O, X)

01 O
02 O

(1) 헌법상 의무

헌법에서 공무원은 국민 전체의 봉사자라고 규정하고 있다. 또한 헌법에서 직접적으로 규정하고 있지는 않지만, 헌법의 기본질서 및 국가이념에 대한 헌신을 의미하는 충성의무가 요구된다.

(2) 「국가공무원법」상 의무

「국가공무원법」의 공무원 복무규정은 ① 선서, ② 성실 의무, ③ 복종의 의무, ④ 직장 이탈 금지, ⑤ 친절·공정의 의무, ⑥ 종교중립의 의무, ⑦ 비밀 엄수의 의무, ⑧ 청렴의 의무, ⑨ 영예 등의 수령 규제(외국정부의 영예 등을 받을 경우), ⑩ 품위 유지의 의무, ⑪ 영리 업무 및 겸직 금지, ⑫ 정치운동의 금지, ⑬ 집단 행위의 금지를 규정하고 있다.

(3) 「공직자윤리법」상 의무❶

① **고위공직자의 재산등록 및 공개❷❸**

㉠ **재산등록:** 4급 이상(특정분야는 7급 이상: 세무, 감사, 경찰, 인허가와 관련되어 비리소지가 높은 분야)의 모든 공직자와 이에 상응하는 공직유관단체 임원들은 본인 및 배우자, 직계존비속(출가한 딸은 제외)의 보유재산을 등록해야 한다.

㉡ **재산공개:** 1급 이상의 공무원과 공직유관단체 임원들의 재산은 공개하도록 규정하고 있다. 본인 및 배우자, 직계존비속의 보유재산을 등록 및 공개하도록 하였다.

② **외국인의 선물 신고·등록의무:** 공무원 등이 직무와 관련하여 외국으로부터 선물을 받은 경우에는 소속기관장에게 신고하고 국고에 인도해야 한다.

③ **퇴직공직자 의무**

㉠ **취업 제한 의무:** 재산등록의 대상자는 퇴직일부터 3년간 퇴직 전 5년간 소속하였던 부서의 직무와 관련이 있는 사기업체 등에 취업할 수 없다(단, 퇴직 전 5년 동안 소속하였던 부서의 업무와 밀접한 관련성이 없다는 확인을 받거나 승인을 받으면 취업 가능).

㉡ **행위 제한 의무:** 모든 퇴직공무원과 공직유관단체 임직원은 재직 중에 직접 처리한 업무를 퇴직 후에 취급할 수 없고, 부정한 청탁·알선을 해서는 안 된다.

㉢ **업무취급제한:** 기관업무기준 취업심사대상자는 퇴직 전 2년부터 퇴직할 때까지 취업제한기관에 대해 처리한 업무를 퇴직 후 2년 동안 취급할 수 없다.

④ **주식백지신탁❹의무:** 재산공개대상자와 기획재정부 및 금융위원회 소속공무원 중 대통령령으로 정하는 사람 본인 및 그 이해관계자 모두가 보유한 주식의 총 가액이 대통령령으로 정하는 금액을 초과할 때에는 당해 주식을 매각하거나 주식백지신탁에 관한 계약을 체결해야 한다.

⑤ **이해충돌방지 의무**

㉠ 국가 또는 지방자치단체는 공직자가 수행하는 직무가 공직자의 재산상 이해와 관련되어 공정한 직무수행이 어려운 상황이 일어나지 아니하도록 노력하여야 한다.

㉡ 공직자는 자신이 수행하는 직무가 자신의 재산상 이해와 관련되어 공정한 직무수행이 어려운 상황이 일어나지 아니하도록 직무수행의 적정성을 확보하여 공익을 우선으로 성실하게 직무를 수행하여야 한다.

---

❶ 공직자윤리위원회

「공직자윤리법」 제9조 【공직자윤리위원회】 ① 다음 각 호의 사항을 심사·결정하기 위하여 국회·대법원·헌법재판소·중앙선거관리위원회·정부·지방자치단체 및 특별시·광역시·특별자치시·도·특별자치도 교육청에 각각 공직자윤리위원회를 둔다.

1. 재산등록사항의 심사와 그 결과의 처리
3. 취업제한 여부의 확인 및 취업승인

❷ 재산등록의무자 추가

「공직자윤리법」 제3조 【등록의무자】 ① 다음 각 호의 어느 하나에 해당하는 공직자(등록의무자)는 이 법에서 정하는 바에 따라 재산을 등록하여야 한다.

12의2. 「한국토지주택공사법」에 따른 한국토지주택공사 등 부동산 관련 업무나 정보를 취급하는 대통령령으로 정하는 공직유관단체의 직원

❸ 등록대상자 및 공개대상자

구분	등록대상자	공개대상자
정무직	전원	전원
일반직·별정직	4급 이상 (상당 별정직)	1급 이상 (상당 별정직)
법관·검사	모든 법관 및 검사	고등법원 부장판사 이상·대검찰청 검사급 이상
군인 등	대령 이상의 장교	중장 이상의 장교
경찰·소방	총경·소방정 이상	치안감·소방정감 이상

❹ 주식의 매각 또는 신탁

1. **「공직자윤리법」 제14조의4 【주식의 매각 또는 신탁】** 주식의 총 가액이 1천만 원 이상 5천만 원 이하의 범위에서 대통령령으로 정하는 금액을 초과할 때에는 주식의 매각 또는 신탁 후 등록기관에 신고하여야 한다.
2. **「공직자윤리법 시행령」 제27조의4 【주식백지신탁대상 주식의 하한가액】** "대통령령이 정하는 금액"이란 각각 3천만 원을 말한다.
3. **「공직자윤리법 시행령」 제28조 【선물의 가액】** ① 법 제15조 제1항에 따라 신고하여야 할 선물은 그 선물 수령 당시 증정한 국가 또는 외국인이 속한 국가의 시가로 미국화폐 100달러 이상이거나 국내 시가로 10만 원 이상인 선물로 한다.

(4) 공무원 행동강령상 의무

공무원 행동강령에서는 공무원이 법령을 준수하고, 친절하고 공정하게 집무하며, 일체의 부패행위와 품위를 손상하는 행위를 하지 않는 등 공무원의 청렴유지 등을 위한 행동기준을 정하고 있다.

(5) 「부패방지 및 국민권익위원회 설치와 운영에 관한 법률」상 의무

① **비위면직자의 취업 제한:** 공직자가 재직 중 직무와 관련된 부패행위로 당연퇴직·파면 또는 해임된 경우에는 공공기관·퇴직 전 5년간 소속하였던 부서의 업무와 밀접한 관련이 있는 일정규모 이상의 영리를 목적으로 하는 사기업체 또는 영리사기업체의 공동이익과 상호협력 등을 위하여 설립된 법인·단체에 퇴직일부터 5년간 취업할 수 없다.

② **내부고발자 보호의무**

㉠ **공직자의 부패행위 신고의무**

ⓐ 공직자는 그 직무를 행함에 있어 다른 공직자가 부패행위를 한 사실을 알게 되었거나 부패행위를 강요 또는 제의받은 경우에는 지체 없이 이를 수사기관·감사원 또는 위원회에 신고하여야 한다.

ⓑ 재직 중 뿐만 아니라 퇴직 후 신고도 내부고발에 포함한다.

㉡ **신고의 방법**

ⓐ 신고를 하려는 자는 본인의 인적사항과 신고취지 및 이유를 기재한 기명의 문서로써 하여야 하며, 신고대상과 부패행위의 증거 등을 함께 제시하여야 한다(제58조).

ⓑ ⓐ에도 불구하고 신고자는 자신의 인적사항을 밝히지 아니하고 변호사를 선임하여 신고를 대리하게 할 수 있다. 이 경우 ⓐ에 따른 신고자의 인적사항 및 기명의 문서는 변호사의 인적사항 및 변호사 이름의 문서로 갈음한다(제59조 제1항).

ⓒ ⓑ에 따른 신고는 위원회에 하여야 하며, 신고자 또는 신고자를 대리하는 변호사는 그 취지를 밝히고 신고자의 인적사항, 신고자임을 입증할 수 있는 자료 및 위임장을 위원회에 함께 제출하여야 한다(제59조 제2항).

ⓓ 위원회는 ⓒ에 따라 제출된 자료를 봉인하여 보관하여야 하며, 신고자 본인의 동의 없이 이를 열람하여서는 아니 된다(제59조 제3항).

㉢ **불이익조치 등의 금지**

ⓐ 누구든지 신고자에게 신고나 이와 관련한 진술, 자료 제출 등(이하 "신고 등")을 한 이유로 불이익조치를 하여서는 아니 된다.

ⓑ 누구든지 신고 등을 하지 못하도록 방해하거나 신고자에게 신고 등을 취소하도록 강요해서는 아니 된다.

㉣ **신변보호**

ⓐ 누구든지 이 법에 따른 신고자라는 사정을 알면서 그의 인적사항이나 그가 신고자임을 미루어 알 수 있는 사실을 다른 사람에게 알려주거나 공개 또는 보도하여서는 아니 된다. 다만, 이 법에 따른 신고자가 동의한 때에는 그러하지 아니하다.

핵심 OX

01 공무원만 재산등록·공개 대상자이다. (O, X)

02 내부고발을 활성화하기 위해 내부고발은 익명으로도 가능하다. (O, X)

03 퇴직 후의 고발은 내부고발에 포함시키지 않는다. (O, X)

01 X 4급 이상에 준하는 공직유관단체 임원들도 재산등록의 대상이다.
02 X 내부고발은 실명(기명)으로 하여야 한다.
03 X 퇴직 후 고발도 내부 고발에 포함시킨다.

ⓑ 신고자는 신고를 한 이유로 자신과 친족 또는 동거인의 신변에 불안이 있는 경우에는 위원회에 신변보호조치를 요구할 수 있다. 이 경우 위원회는 필요하다고 인정한 때에는 경찰청장, 관할 시 · 도경찰청장, 관할 경찰서장에게 신변보호조치를 요구할 수 있다.

ⓒ ⓑ에 따른 신변보호조치를 요구받은 경찰청장, 관할 시 · 도경찰청장, 관할 경찰서장은 대통령령으로 정하는 바에 따라 즉시 신변보호조치를 취하여야 한다.

㉤ 책임의 감면

ⓐ 신고 등과 관련하여 신고자의 범죄가 발견된 경우, 그 신고자에 대하여 형을 감경 또는 면제할 수 있다.

ⓑ 신고 등의 내용에 직무상 비밀이 포함된 경우에도 다른 법령, 단체협약 또는 취업규칙 등의 관련 규정에 불구하고 직무상 비밀준수의무를 위반하지 아니한 것으로 본다.

(6) 「부정청탁 및 금품 등 수수의 금지에 관한 법률」상 의무

① **적용기관**

㉠ 국회, 법원, 헌법재판소, 선거관리위원회, 감사원, 국가인권위원회, 고위공직자범죄수사처, 중앙행정기관(대통령 소속 기관과 국무총리 소속 기관을 포함한다)과 그 소속 기관 및 지방자치단체

㉡ 공직유관단체

㉢ 「공공기관의 운영에 관한 법률」 제4조에 따른 기관

㉣ 「초 · 중등교육법」, 「고등교육법」, 「유아교육법」 및 그 밖의 다른 법령에 따라 설치된 각급 학교 및 「사립학교법」에 따른 학교법인

㉤ 「언론중재 및 피해구제 등에 관한 법률」 제2조 제12호에 따른 언론사

② **금품 등**: '금품 등'이란 다음의 어느 하나에 해당하는 것을 말한다.

㉠ 금전, 유가증권, 부동산, 물품, 숙박권, 회원권, 입장권, 할인권, 초대권, 관람권, 부동산 등의 사용권 등 일체의 재산적 이익

㉡ 음식물 · 주류 · 골프 등의 접대 · 향응 또는 교통 · 숙박 등의 편의 제공

㉢ 채무 면제, 취업 제공, 이권 부여 등 그 밖의 유형 · 무형의 경제적 이익

③ **국가 등의 책무**: 공공기관은 공직자 등이 위반행위 신고 등 이 법에 따른 조치를 함으로써 불이익을 당하지 아니하도록 적절한 보호조치를 하여야 한다.

④ **부정청탁**: 다음 어느 하나에 해당하는 경우 이 법을 적용하지 아니한다.

㉠ 「청원법」, 「민원사무 처리에 관한 법률」, 「행정절차법」, 「국회법」 및 그 밖의 다른 법령에서 정하는 절차 · 방법에 따라 권리침해의 구제 · 해결을 요구하거나 그와 관련된 법령 · 기준의 제정 · 개정 · 폐지를 제안 · 건의하는 등 특정한 행위를 요구하는 행위

㉡ 공개적으로 공직자 등에게 특정한 행위를 요구하는 행위

㉢ 선출직 공직자, 정당, 시민단체 등이 공익적인 목적으로 제3자의 고충민원을 전달하거나 법령 · 기준의 제정 · 개정 · 폐지 또는 정책 · 사업 · 제도 및 그 운영 등의 개선에 관하여 제안 · 건의하는 행위

㉣ 공공기관에 직무를 법정기한 안에 처리하여 줄 것을 신청·요구하거나 그 진행 상황·조치 결과 등에 대하여 확인·문의 등을 하는 행위
㉤ 직무 또는 법률관계에 관한 확인·증명 등을 신청·요구하는 행위
㉥ 질의 또는 상담 형식을 통하여 직무에 관한 법령·제도·절차 등에 대하여 설명이나 해석을 요구하는 행위
㉦ 그 밖에 사회상규에 위배되지 아니하는 것으로 인정되는 행위

⑤ **부정청탁에 따른 직무수행 금지:** 부정청탁을 받은 공직자 등은 그에 따라 직무를 수행해서는 아니 된다.

⑥ **부정청탁의 신고 및 처리**
㉠ 공직자 등은 부정청탁을 받았을 때에는 부정청탁을 한 자에게 부정청탁임을 알리고 이를 거절하는 의사를 명확히 표시하여야 한다.
㉡ 공직자 등은 ㉠에 따른 조치를 하였음에도 불구하고 동일한 부정청탁을 다시 받은 경우에는 이를 소속기관장에게 서면(전자문서를 포함한다)으로 신고하여야 한다.
㉢ ㉡에 따른 신고를 받은 소속기관장은 신고의 경위·취지·내용·증거자료 등을 조사하여 신고 내용이 부정청탁에 해당하는지를 신속하게 확인하여야 한다.
㉣ 소속기관장은 부정청탁이 있었던 사실을 알게 된 경우 또는 ㉡ 및 ㉢의 부정청탁에 관한 신고·확인 과정에서 해당 직무의 수행에 지장이 있다고 인정하는 경우에는 부정청탁을 받은 공직자 등에 대하여 다음의 조치를 할 수 있다.
ⓐ 직무 참여 일시중지
ⓑ 직무 대리자의 지정
ⓒ 전보
ⓓ 그 밖에 국회규칙, 대법원규칙, 헌법재판소규칙, 중앙선거관리위원회규칙 또는 대통령령으로 정하는 조치
㉤ 소속기관장은 공직자 등이 다음의 어느 하나에 해당하는 경우에는 ㉣에도 불구하고 그 공직자 등에게 직무를 수행하게 할 수 있다. 이 경우 소속기관의 담당관 또는 다른 공직자 등으로 하여금 그 공직자 등의 공정한 직무수행 여부를 주기적으로 확인·점검하도록 하여야 한다.
ⓐ 직무를 수행하는 공직자 등을 대체하기 지극히 어려운 경우
ⓑ 공직자 등의 직무수행에 미치는 영향이 크지 아니한 경우
ⓒ 국가의 안전보장 및 경제발전 등 공익 증진을 이유로 직무수행의 필요성이 더 큰 경우
㉥ 공직자 등은 ㉡에 따른 신고를 감독기관·감사원·수사기관 또는 국민권익위원회에도 할 수 있다.
㉦ 소속기관장은 다른 법령에 위반되지 아니하는 범위에서 부정청탁의 내용 및 조치사항을 해당 공공기관의 인터넷 홈페이지 등에 공개할 수 있다.

⑦ **금품 등의 수수 금지**
㉠ **공직자 등은 직무 관련 여부 및 기부·후원·증여 등 그 명목에 관계없이 동일인으로부터 1회에 100만 원 또는 매 회계연도에 300만 원을 초과하는 금품 등을 받거나 요구 또는 약속해서는 아니 된다.**

㉡ 공직자 등은 직무와 관련하여 대가성 여부를 불문하고 ㉠에서 정한 금액 이하의 금품 등을 받거나 요구 또는 약속해서는 아니 된다.

㉢ 외부강의 등에 관한 사례금 또는 다음의 어느 하나에 해당하는 금품 등의 경우에는 수수를 금지하는 금품 등에 해당하지 아니한다.

ⓐ 공공기관이 소속 공직자 등이나 파견 공직자 등에게 지급하거나 상급 공직자 등이 위로 · 격려 · 포상 등의 목적으로 하급 공직자 등에게 제공하는 금품 등

ⓑ 원활한 직무수행 또는 사교 · 의례 또는 부조의 목적으로 제공되는 음식물 · 경조사비 · 선물 등으로서 대통령령으로 정하는 가액 범위 안의 금품 등

구분	가액 범위
① **음식물**: 제공자와 공직자 등이 함께 하는 식사, 다과, 주류, 음료, 그 밖에 이에 준하는 것	3만 원
② **경조사비**: 축의금, 조의금 등 각종 부조금과 부조금을 대신하는 화환, 조화, 그 밖에 이에 준하는 것	· **원칙**: 5만 원 · **예외**: 화환, 조화는 10만 원 가능
③ **선물**: 금전 및 ①에 따른 음식물을 제외한 일체의 물품, 그 밖에 이에 준하는 것	· **원칙**: 5만 원 · **예외** - 농 · 축 · 수산물과 화훼는 15만 원 - 농 · 축 · 수산물이 50% 이상 포함된 가공물은 15만 원 - 설 · 추석 기간에는 예외가액의 2배까지 인정

ⓒ 사적 거래(증여는 제외한다)로 인한 채무의 이행 등 정당한 권원(權原)에 의하여 제공되는 금품 등

ⓓ 공직자 등의 친족(「민법」 제777조에 따른 친족)이 제공하는 금품 등

ⓔ 공직자 등과 관련된 직원상조회 · 동호인회 · 동창회 · 향우회 · 친목회 · 종교단체 · 사회단체 등이 정하는 기준에 따라 구성원에게 제공하는 금품 등 및 그 소속 구성원 등 공직자 등과 특별히 장기적 · 지속적인 친분관계를 맺고 있는 자가 질병 · 재난 등으로 어려운 처지에 있는 공직자 등에게 제공하는 금품 등

ⓕ 공직자 등의 직무와 관련된 공식적 행사에서 주최자가 참석자에게 통상적 범위에서 일률적으로 제공하는 교통, 숙박, 음식물 등의 금품 등

ⓖ 불특정 다수인에게 배포하기 위한 기념품 또는 홍보용품 등이나 경연 · 추첨을 통하여 받는 보상 또는 상품 등

ⓗ 그 밖에 다른 법령 · 기준 또는 사회상규에 따라 허용되는 금품 등

㉣ 공직자 등의 배우자는 공직자 등의 직무와 관련하여 ㉠ 또는 ㉡에 따라 공직자 등이 받는 것이 금지되는 금품 등("수수 금지 금품 등")을 받거나 요구하거나 제공받기로 약속해서는 아니 된다.

㉤ 누구든지 공직자 등에게 또는 그 공직자 등의 배우자에게 수수 금지 금품 등을 제공하거나 그 제공의 약속 또는 의사표시를 해서는 아니 된다.

⑧ **수수 금지 금품 등의 신고 및 처리:** 공직자 등은 다음의 어느 하나에 해당하는 경우에는 소속기관장에게 지체 없이 서면으로 신고하여야 한다.

㉠ 공직자 등 자신이 수수 금지 금품 등을 받거나 그 제공의 약속 또는 의사표시를 받은 경우

㉡ 공직자 등이 자신의 배우자가 수수 금지 금품 등을 받거나 그 제공의 약속 또는 의사표시를 받은 사실을 안 경우

⑨ **외부강의 등의 사례금 수수 제한:** 공직자 등은 자신의 직무와 관련되거나 그 지위·직책 등에서 유래되는 사실상의 영향력을 통하여 요청받은 교육·홍보·토론회·세미나·공청회 또는 그 밖의 회의 등에서 한 강의·강연·기고 등("외부강의 등")의 대가로서 대통령령으로 정하는 금액을 초과하는 사례금을 받아서는 아니 된다.

⑩ **업무의 총괄:** 국민권익위원회는 이 법에 따른 사항에 관한 업무를 관장한다.

⑪ **위반행위의 신고 등**

㉠ 누구든지 이 법의 위반행위가 발생하였거나 발생하고 있다는 사실을 알게 된 경우에는 다음의 어느 하나에 해당하는 기관에 신고할 수 있다.

ⓐ 이 법의 위반행위가 발생한 공공기관 또는 그 감독기관

ⓑ 감사원 또는 수사기관

ⓒ 국민권익위원회

㉡ ㉠에 따른 신고를 한 자가 다음의 어느 하나에 해당하는 경우에는 이 법에 따른 보호 및 보상을 받지 못한다.

ⓐ 신고의 내용이 거짓이라는 사실을 알았거나 알 수 있었음에도 신고한 경우

ⓑ 신고와 관련하여 금품 등이나 근무관계상의 특혜를 요구한 경우

ⓒ 그 밖에 부정한 목적으로 신고한 경우

㉢ ㉠에 따라 신고를 하려는 자는 자신의 인적사항과 신고의 취지·이유·내용을 적고 서명한 문서와 함께 신고 대상 및 증거 등을 제출해야 한다.

⑫ **신고의 처리:** 조사기관은 조사·감사 또는 수사를 마친 날부터 10일 이내에 그 결과를 신고자와 국민권익위원회에 통보(국민권익위원회로부터 이첩받은 경우만 해당한다)하고, 조사·감사 또는 수사 결과에 따라 공소 제기, 과태료 부과 대상 위반행위의 통보, 징계 처분 등 필요한 조치를 하여야 한다.

⑬ **비밀누설 금지:** 해당하는 업무를 수행하거나 수행하였던 공직자 등은 그 업무처리 과정에서 알게 된 비밀을 누설해서는 아니 된다.

⑭ **징계 및 벌칙:** 법인 또는 단체의 대표자나 법인·단체 또는 개인의 대리인, 사용인, 그 밖의 종업원이 그 법인·단체 또는 개인의 업무에 관하여 위반행위를 하면 그 행위자를 벌하는 외에 그 법인·단체 또는 개인에게도 해당 조문의 벌금 또는 과태료를 과한다. 다만, 법인·단체 또는 개인이 그 위반행위를 방지하기 위하여 해당 업무에 관하여 상당한 주의와 감독을 게을리하지 아니한 경우에는 그러하지 아니하다.

(7) 「적극행정 운영규정」상 의무

① 의의

㉠ **적극행정:** 공무원이 불합리한 규제를 개선하는 등 공공의 이익을 위해 창의성과 전문성을 바탕으로 적극적으로 업무를 처리하는 행위를 말한다.

㉡ **소극행정:** 공무원이 부작위 또는 직무태만 등 소극적 업무행태로 국민의 권익을 침해하거나 국가 재정상 손실을 발생하게 하는 행위를 말한다.

② **적극행정 실행계획의 수립:** 중앙행정기관의 장은 적극행정 실행계획을 매년 수립 · 시행해야 한다.

③ 적극행정위원회

㉠ 적극행정 추진에 관한 사항을 심의하기 위하여 각 중앙행정기관에 적극행정위원회를 둔다.

㉡ 위원회의 위원장은 해당 중앙행정기관의 차관급 공무원(해당 중앙행정기관의 장이 차관급 공무원인 경우에는 부기관장인 고위공무원단에 속하는 일반직공무원 또는 이에 상당하는 공무원을 말한다) 또는 민간위원 중에서 중앙행정기관의 장이 정한다.

④ **징계요구 등 면책:** 공무원이 적극행정을 추진한 결과에 대해 그의 행위에 고의 또는 중대한 과실이 없는 경우에는 「감사원법」 제34조의3 및 「공공감사에 관한 법률」 제23조의2에 따라 징계 요구 또는 문책 요구 등 책임을 묻지 않는다.

⑤ **징계 등 면제:** 공무원이 적극행정을 추진한 결과에 대해 그의 행위에 고의 또는 중대한 과실이 없는 경우에는 징계 관련 법령에 따라 징계의결 또는 징계부가금 부과의결을 하지 않는다.

3 공직윤리의 저해 요인과 확보 방안

1. 공직윤리의 저해 요인

(1) 인적 요소

공직윤리를 저해하는 가장 근본적인 요인은 관료들의 관존민비, 관직사유관, 무사안일주의와 같은 권위주의적 가치관과 전근대적인 행정문화이다.

(2) 제도적 장치의 미비

내부 통제장치의 미비, 불합리한 인사관리, 비현실적인 보수수준, 과도한 정부규제와 비현실적인 엄격한 규제기준 등은 공직윤리를 저해하는 요인이다.

(3) 환경적 요인

낮은 정치발전수준으로 인한 외부통제의 미흡, 정치적 · 사회적 불안으로 인한 공무원의 신분 불안, 사회적 환경을 이루는 시민들의 전근대적 가치관 등이 공직윤리를 저해하는 요인이다.

2. 공직윤리의 확보 방안[1]

(1) 행정행태의 쇄신과 공무원의 가치관 전환

공직윤리를 제고하기 위해서는 우선 행정의 주체가 되는 공무원들의 행태가 개선되고 가치관이 전환되어야 한다. 이를 위하여 가치관 개선을 위한 교화 활동과 능력 발전을 위한 각종 교육훈련이 필요하다.

(2) 제도적 장치의 구비

① **부패통제체제 구축:** 비리는 반드시 적발되고, 적발되면 엄격히 처벌받는다는 신상필벌의 원칙이 확립되어야 하므로, ㉠「공무원범죄에 관한 몰수 특례법」에서는 특정한 범죄행위를 통하여 취득한 불법 수익 등을 철저히 추적·환수하도록 규정하고 있다. 또한 ㉡「부패방지 및 국민권익위원회 설치와 운영에 관한 법률」에서는 내부 공익신고자를 보호하고 보상하는 등의 규정을 두고 있다.

② **근무여건 개선:** 공무원이 경제적 유혹에 심리적 갈등을 느끼지 않도록 보수를 현실화해야 한다. 또한 신분이 안정되고 합리적인 인사가 이루어질 경우 공무원들은 본래의 직무수행에 충실하게 된다.

③ **복잡하고 불합리한 규정 정비:** 부패를 유발하는 복잡하고 불합리하거나 불명확한 규정 또는 공백 규정 등을 현실에 맞게 재조정하여, 부패의 소지를 차단한다. 또한 규제 중심의 행정관행이 지원 중심의 봉사행정으로 바뀔 수 있도록 경제적 규제는 완화하고 사회적 규제는 합리적으로 강화한다.

④ **공무원단체의 인정:** 공무원단체를 인정하여 자율적·전문적 직업윤리규범을 통한 자율적 통제를 유도한다.

⑤ **행정(정보)의 공개:** 의사결정 및 집행이 이루어지는 행정과정을 투명하게 공개하고, 국민에게 이견이 있는 경우에는 이를 쉽게 제기할 수 있도록 하며, 행정과정에 국민의 참여를 확대하여 정부에 대한 신뢰를 높여 나가야 한다.

(3) 환경적 요인의 개선

공직윤리는 일반 국민의 윤리수준으로부터 영향을 받으므로, 일반 국민의 가치관 및 의식수준도 변화되어야 한다. 즉, 선거·시민단체와 이익단체의 활동·여론의 형성 및 매스미디어의 활용 등을 통한 국민통제가 활성화될 때, 행정에 대한 입법통제 및 사법통제의 한계를 보완하고 행정권을 효과적으로 견제할 수 있게 된다.

[1]「공무원 헌장」
2016년 1월 대통령 훈령으로 제정·공포된「공무원 헌장」에는 공무원이 지향하여야 할 가치들을 선언적으로 명시하고 있다.

> 우리는 자랑스러운 대한민국 공무원이다. 우리는 헌법이 지향하는 가치를 실현하며 국가에 헌신하고 국민에게 봉사한다. 우리는 국민의 안녕과 행복을 추구하고 조국의 평화 통일과 지속 가능한 발전에 기여한다. 이에 굳은 각오와 다짐으로 다음을 실천한다.
> 1. 공익을 우선시 하며 투명하고 공정하게 맡은바 책임을 다한다.
> 2. 창의성과 전문성을 바탕으로 업무를 적극적으로 수행한다.
> 3. 우리 사회의 다양성을 존중하고 국민과 함께하는 민주행정을 구현한다.
> 4. 청렴을 생활화하고 규범과 건전한 상식에 따라 행동한다.

2 공무원 부패

1 행정부패의 개념

(1) 일반적 의미로서의 행정부패는 행정부패뿐만 아니라 '공익을 해치는 모든 행위'를 의미한다.

(2) 부패 척결은 공직윤리의 소극적 측면이다.

2 니그로(Nigro)가 제시한 행정권 오용의 유형

1. 부정행위

공무원들이 고속도로 통행료를 착복하고 영수증을 허위작성하는 행위, 공공기금을 횡령하고 계약의 대가로 지불금의 일부를 가로채는 행위 등이다.

2. 비윤리적 행위

특혜의 대가로 금전을 수수하지는 않지만 친구 또는 특정 정파에 호의를 베풀거나 자신의 경제적 이익을 위해 어떤 결정을 내리는 행위 등이다.

3. 법규의 경시

공무원들이 법규를 무시하거나 자신의 행위를 정당화하는 방향으로 법규를 해석하는 경우(현실적 어려움을 내세우며 법 규정대로 시행 거부 및 집행 미루기, 약속불이행)이다.

4. 입법의도의 편향된 해석

법규를 위반하지 않은 합법적인 테두리 안에서 특정 이익을 옹호하는 경우이다.

㉠ 환경보호 의견을 무시한 채 관련 법규에서 개발업자나 목재회사측의 편을 들어 벌목을 허용한다면 입법의도를 개발 위주로 해석하는 것 등

5. 불공정한 인사

업무수행능력과 무관한 다른 이유로 해임되거나 징계받는 공무원들이 많다. 또한 자신의 의견을 용기있게 말하는 정직성으로 인해 징계받는 경우 등이 이에 해당한다.

6. 무능

의도가 아무리 좋더라도 업무를 적절히 수행하지 못하면 책임을 다하지 못한 것이 된다. 다소의 실책은 불가피하지만 부주의로 인해 막대한 예산의 낭비, 지나친 비능률의 경우 등은 이에 해당한다.

7. 실책의 은폐

공무원이 자신의 실책을 은폐하려 하거나 입법부 또는 시민과의 협력을 거부하는 경우 등이다. 하지만 화난 의원들이 이를 무책임한 행동으로 매도해 언론이나 많은 시민들은 공무원의 편에서 이를 용기로 간주할 수 있다.

8. 무사안일

상황이 명백히 어떤 조치를 요구함에도 불구하고, 사후 책임을 두려워 하는 공무원들은 아무런 조치도 취하지 않는 행위 등을 의미한다.

3 행정부패의 유형[1]

1. 부패의 내용에 의한 분류

(1) 직무유기형 부패

시민이 개입하지 않는 공무원 단독의 부패(복지부동 등)로, 공익을 해치는 행위이다.

(2) 후원형 부패

공무원이 정실이나 학연 등을 토대로 불법적인 후원을 하는 행위이다.

(3) 사기형 부패(= 내부 부패)

공무원이 공금이나 예산을 횡령하거나 유용하는 행위이다.

(4) 거래형 부패(= 외부 부패)

공무원과 시민이 뇌물을 매개로 이권이나 특혜 등을 주고받는 행위이다.

2. 부패의 정도에 따른 분류[하이덴하이머(Heidenheimer)]

(1) 백색 부패

부패가 용인되는 경미한 부패로, 사회구성원들이 일반적으로 처벌을 원하지 않는 선의의 거짓말 등이 해당한다.

(2) 회색 부패

부패에 대한 태도가 애매한 일상화된 부패로, 일부 구성원들은 처벌을 요구하고 일부의 구성원들은 처벌을 원하지 않는 부패이다.

(3) 흑색 부패

부패가 죄악시되는 악성화된 부패로, 사회구성원들이 강한 처벌을 원하는 부패이다.

3. 부패의 수준에 따른 분류

(1) 개별적 부패

행정관료 개개인이 독립적으로 저지르는 부패를 의미한다.

(2) 제도적 부패

① 의의: 전체 조직이나 체제가 부패행위를 자행하는 경우로, 조직이나 체제 내부에서는 이를 부패로 인식하지 않고 준공식 문화로 인식하고 있다. 내부고발(whistle blowing)은 대부분 체제적 부패에 저항하는 과정에서 등장한다.

② 제도화된 부패의 특징[카이든(Caiden)]

㉠ 부패가 실질적 규범이 되고 바람직한 행동규범은 예외적인 것으로 전락한다.

㉡ 부패 행위자에 대한 보호와 관대한 처분이 이뤄진다.

㉢ 부패에 젖은 조직 내 전반적 관행을 정당화함으로써 집단의 죄책감을 해소한다.

---

❶ 부패를 보는 시각

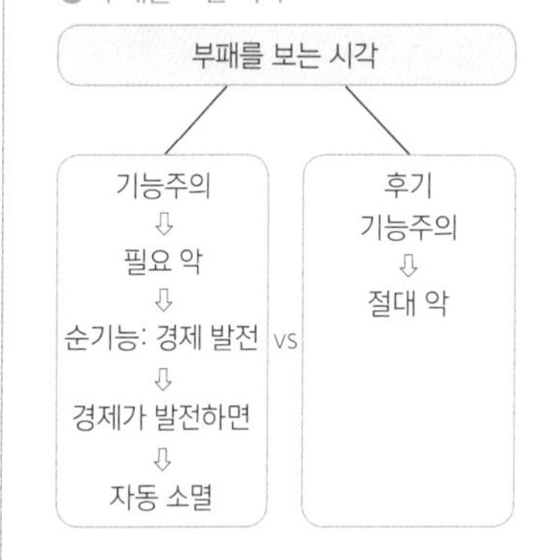

핵심 OX

01 실책은 오용이다. (O, X)

02 친구에게 호의를 베푸는 행위는 오용이다. (O, X)

01 X 실책은 오용이 아니고 실책의 은폐가 오용이다.
02 O

㉣ 실제로 지켜지지 않는 반부패 행동규범을 대외적으로 표방한다.
㉤ 부패 저항자에 대한 제재와 보복이 이뤄진다.
㉥ 부패 적발의 공식적 책임을 진 사람들은 책무수행을 회피한다.

4 공무원 부패에 대한 접근방법[1][2]

1. 도덕적 접근방법

공무원 부패의 원인을 부패행위에 참여한 개인의 윤리나 자질 탓으로 보는 접근방법이다.

2. 사회문화적 접근방법

특정한 지배적 관습이나 문화가 공무원의 부패를 조장한다고 보는 입장이다(㉇ 선물관행이나 인사문화 등).

3. 제도적 접근방법

사회의 법과 제도상의 결함으로 인해 부패가 발생한다고 보는 입장이다(행정통제 장치의 미비).

4. 체제론적 접근방법

공무원 부패는 어느 한 변수에 의해 설명되는 것이 아니라, 그 나라의 문화적 특성·제도상의 결함·구조상의 모순·공무원의 부정적 행태 등 다양한 요인에 의해 복합적으로 나타난다고 보는 입장이다.

5. 행정부패에 대한 기능주의적 분석

(1) 행정부패가 반드시 피해만을 가져오는 것은 아니고, 어느 정도의 순기능도 있다는 주장이 있다. 후진국 행정을 연구한 나이(Nye), 헌팅턴(Huntington) 등의 학자들은 관료부패는 후진국에서 자본축적 기능과 관료제의 경직성을 완화하여 경제성장에 순기능을 하고, 정부 기능의 신속성 및 유연성을 제고한다고 본다.

(2) 부패란 국가가 성장하여 어느 정도 발전 단계에 들어섰을 경우, 자동적으로 사라지는 일시적이고 자기파괴적인 것으로 본다.

6. 행정부패에 대한 후기 기능주의적 분석

기능주의에 대한 반발로 1970년대 이후에 등장한 입장으로, 부패란 자기영속적인 것이며 국가가 성장·발전한다고 해서 파괴되는 것이 아니라, 다양한 원인을 먹고 사는 하나의 괴물이라고 본다.

---

❶ 부패에 대한 접근방법

관점	원인	대책
㉠ 개인적, 도덕적	윤리성 부재	행정윤리 강화
㉡ 제도적	· 행정통제 장치 미비 · 법과 제도의 미비	· 행정통제 강화 · 법과 제도의 정비
㉢ 사회·문화적	지배적 인습 (인사문화)	문화의 선진화
㉣ 체제적	㉠+㉡+㉢	㉠+㉡+㉢

❷ 공무원 부패의 원인(김영종)

1. **맥락적 분석:** 부패를 발전의 과정에서 불가피하게 발생하는 부산물로서 본다. 즉, 부패를 발전의 종속변수로서 필요악으로 본다.
2. **구조적 분석:** 공직자들의 권위주의적 복종관계나 공직사유관 등에서 도출된 공직자들의 의식구조 등이 부패의 원인이다.
3. **거시적 분석:** 행정통제의 미비와 결함, 비민주적인 행정체제와 제도, 공직자의 욕구기대와 현실적인 보수구조의 심각한 괴리 현상 등이 부패의 원인이다.
4. **정경유착적 분석:** 우리나라와 같은 개발도상국 중 고도경제성장의 모형과 불균형발전모형을 선택한 국가에서 엘리트가 정치권력을 장악한 후, 정치권력과 경제권력이 야합하여 부패가 일어난다.

핵심 OX

01 사회 구성원들이 강한 처벌을 원하는 부패를 백색 부패라 한다. (O, X)

02 제도화된 부패를 극복하기 위하여 내부고발제도가 도입되었다. (O, X)

03 제도적 관점은 지배적 관습이 부패를 유발한다고 본다. (O, X)

01 X 강한 처벌을 원하는 부패는 흑색 부패이다.
02 O
03 X 지배적 관습이 부패를 유발한다고 보는 관점은 사회문화적 접근이다.

3 공무원의 정치적 중립

1 정치적 중립의 의미

1. 의의

(1) 정치와 행정의 이원론적 관점

공무원의 정치적 중립이란 국민 전체에 대한 봉사자로서 직무를 집행함에 있어, 어느 정당이 집권하든 공평하게 자기의 힘을 다하여 여야 간에 차별없이 봉사하는 불편부당성(不偏不黨性)을 의미한다.

(2) 정치와 행정의 일원론적 관점

공무원의 정책으로부터 단절이나 행정에서 정치적 성격이나 고려를 일체 배제하자는 의미는 아니며, 공무원이 정치적인 고려를 하거나 정치성을 띠어도 특정 정당에 치우치지 않고 공정하기만 하면 된다는 적극적 개념으로 인식되고 있다.

(3) 최근에는 실적주의에 엽관주의 인사를 가미하는 적극적 인사의 필요성이 제기되고 있으며, 관료가 출신집단의 이해를 대변해야 한다는 대표관료제의 요구도 강력하다. 이에 따라 공무원의 정치 활동의 범위를 확대하는 경향에 있으나, 선거 과정의 중립성은 여전히 유효하다고 하겠다.

2. 대두배경

(1) 실적주의의 등장과 함께 인사에 대한 정치적 간섭을 배제하여, 엽관주의의 폐해 및 정치적 남횡으로부터 공무원을 보호하고 행정의 안정성과 전문성을 확보하는 방법으로 대두되었다.

(2) 정치적 중립은 소극적으로 정권 교체에 따른 신분의 동요 없이 공무를 수행하는 정치로부터의 중립을, 적극적으로 공무원의 선거운동 등 정치 활동의 금지를 포함한다.

2 필요성과 한계

1. 필요성

(1) 민주국가에서 국민 전체의 봉사자로서 공익을 옹호하고 증진시키기 위해 불편부당하게 어느 정당이 집권하더라도 공평무사하게 중립적 도구로서 근무하여야 한다.

(2) 정치적 개입에 의한 행정의 낭비와 부정부패를 방지하고, 행정의 안정성과 전문성을 유지하여 실적주의를 확립하여야 한다.

(3) 공무원 집단이 안정된 중립적 세력으로 기능하여 정치체제 내의 세력 균형을 도모하고, 정쟁에 개입하지 않고 행정에 대한 국민의 신뢰를 확보하여야 한다.

핵심 OX

01 후기 기능주의는 경제 발전 후 부패는 자동 소멸한다고 본다. (O, X)

01 X 기능주의가 부패는 경제 발전 후 자동 소멸한다고 본다.

2. 한계

(1) 민주정치의 원리와 충돌

공무원의 참정권(기본권)의 제한은 공무원에 대한 부당한 차별대우이자, 정치적 기본권을 보장하고 있는 민주정치의 원리와 모순된다.

(2) 참여적 관료제 저해

공무원 정치 참여 제한은 공무원 집단의 이익이 경시되는 결과를 초래할 수 있고, 중·하급 공무원들의 정책형성 참여 기회 및 대내·외적 의사표현 기회를 넓혀주는 참여적 관료제(participatory bureaucracy)의 발전이 저해된다.

(3) 책임회피·무사안일 초래

현대 행정국가에서 행정에 대한 공무원들의 자율적 책임 등 행정책임을 강조하면서 정치적 활동을 제한하는 것은 논리적 모순이며, 공무원들의 정치적 무관심을 초래하여 국민 요구에 민감하게 대응하지 못하는 폐쇄집단화 가능성이 있다.

(4) 대표관료제와의 상충

공개경쟁에 의한 공무원 충원은 특정 집단(중산층 이상의 사회경제적 배경) 중심으로 이루어지므로, 실질적인 정치적 중립이 가능한가의 문제가 제기된다.

3 각국의 정치적 중립제도

공무원의 정치적 중립에 대하여 각국의 역사적인 상황이 다르기 때문에 엄격하게 제한하는 나라도 있고, 그렇지 않은 나라도 있다. 일반적으로 (1) 엽관주의의 폐단을 심하게 겪었던 나라는 비교적 엄격하게 정치활동을 제한하고, (2) 직업공무원제의 전통이 강한 나라는 정치활동의 허용 범위가 상대적으로 광범위한 편이다.

1. 미국

(1) 정치적 중립 관련 규정 제정

① 펜들턴(Pendleton) 법 제정(1883)으로 엽관주의의 폐단을 극복하기 위해 처음으로 공무원의 정치적 중립이 규정되었다.

② 뉴딜(New Deal) 정책의 실시와 더불어 정당의 행정 침해를 막기 위하여 공무원의 정치활동을 광범위하게 제한하는 해치(Hatch) 법이 제정(1939)되었다.

(2) 정치적 중립 완화

① 그 후 개인의 참정권을 지나치게 제한한다는 비판이 제기됨에 따라 연방선거운동법을 개정하여(1974) 공무원의 정치적 중립을 상당히 완화하였다.

② 카터(Carter) 대통령은 직위분류제의 적용으로부터 예외적인 고급관리자단을 구성하면서 정치적 중립을 상당히 완화하였다.

2. 영국

마스터만(Masterman) 위원회의 권고와 휘슬리(Whistly) 협의회 활동을 중심으로 정치적 중립을 규정하며, 하위직은 허용 범위가 광범위하지만 고위직은 강한 규제를 받는다.

핵심 OX

01 현대적인 의미의 정치적 중립은 공무원의 정책으로부터 단절을 의미한다. (O, X)

02 정치적 중립과 부정부패와는 관련이 없다. (O, X)

01 X 정치행정일원론적 관점의 현대적 정치적 중립은 정책으로부터 단절이 아니라, 정치성을 띠어도 공정해야 한다는 것을 의미한다.
02 X 정치적 중립은 부패를 방지하기 위해 대두되었다.

3. 유럽제국

독일과 프랑스는 허용 범위가 광범위하다. 공무원의 정당 가입이 허용되고 공무원의 신분을 유지한 채 선거 출마가 가능하며, 공무원 신분으로 선거출마 후 낙선해도 공무원직이 유지된다.

4 확립 요건

1. 정치환경의 개선

정치발전과 평화적 정권교체의 여건이 마련되어야 한다. 즉, 정당정치가 확립되고 선거의 공정성이 보장되며, 언론의 공정성이 확립되어야 한다.

2. 공무원 · 정치인 · 국민의 가치관 확립

정치인의 민주적 정치윤리의 확립, 정치적 중립에 대한 공무원의 행동규범 정립, 국민의 정치의식 제고를 통한 행정에 대한 시민의 감시 강화 등 공무원 · 정치인 · 국민의 가치관 확립이 필요하다.

3. 법적 · 제도적 보완

공무원을 외부의 정치적 간섭으로부터 보호하기 위해 신분보장 강화, 공무원단체 활동 보장, 내부 공익신고자 보호제도 강화, 직업공무원제 확립, 독립적 중앙인사기관 설치 등이 고려되어야 한다.

5 우리나라의 정치적 중립제도

미국과 일본의 법제를 모방하여 정치적 중립을 규정하고 있으며, 내용적으로는 상당히 엄격하나 실질적으로 충분히 정착되지 못하고 있다.

1. 현황

(1) 헌법 제7조

공무원은 국민 전체에 대한 봉사자로서 국민에 대하여 책임을 진다.

(2) 「국가공무원법」 제65조

① 정당 기타 정치단체의 결성에 관여하거나 가입을 금지한다.
② 선거에서 특정한 정당이나 정당인의 지지 또는 반대를 금지한다.
③ 다른 공무원에게 이러한 금지 조항을 요구하거나, 정치적 행위 결과에 따른 이익과 불이익의 약속을 금지하고 있다.

개념PLUS 「국가공무원법」상 공무원의 정치 운동 금지

> 제65조【정치 운동의 금지】 ① 공무원은 정당이나 그 밖의 정치단체의 결성에 관여하거나 이에 가입할 수 없다.
> ② 공무원은 선거에서 특정 정당 또는 특정인을 지지 또는 반대하기 위한 다음의 행위를 하여서는 아니 된다.
> 1. 투표를 하거나 하지 아니하도록 권유 운동을 하는 것
> 2. 서명 운동을 기도(企圖)·주재(主宰)하거나 권유하는 것
> 3. 문서나 도서를 공공시설 등에 게시하거나 게시하게 하는 것
> 4. 기부금을 모집 또는 모집하게 하거나, 공공자금을 이용 또는 이용하게 하는 것
> 5. 타인에게 정당이나 그 밖의 정치단체에 가입하게 하거나 가입하지 아니하도록 권유 운동을 하는 것
>
> ③ 공무원은 다른 공무원에게 제1항과 제2항에 위배되는 행위를 하도록 요구하거나, 정치적 행위에 대한 보상 또는 보복으로서 이익 또는 불이익을 약속하여서는 아니 된다.

2. 확립 요건

(1) 정치 풍토의 정상화와 행정에 대한 정치적 개입 근절 등 정치발전이 전제되어야 한다.

(2) 행정윤리의 정착 및 내부통제가 강화되어야 한다.

(3) 실적주의 및 직업공무원제가 확립되어야 한다.

4 공무원단체

1 의의 및 특성

1. 의의

(1) 공무원단체란 공무원들이 자주적으로 단결하여 근로조건의 유지·개선과 복지 증진, 기타 경제적·사회적 지위 향상 등을 목적으로 조직하는 단체이다.

(2) 광의의 공무원단체에는 여러 목적을 지닌 다양한 공식단체 뿐만 아니라 비공식집단과 자생집단까지 포함된다.

(3) 협의의 공무원단체는 공무원 노동조합을 의미한다.

2. 특성

(1) 사기업체와 달리 공공서비스 영역에서 노사문제 해결을 위한 궁극적 권한은 전체 국민이 가지며, 정부는 전체 국민을 대표하는 지위에 있다. 이러한 사실 때문에 공무원단체의 이익은 궁극적으로 정치적 영역에서 해결되어야 하는 성질을 갖는다.

(2) 보수를 포함한 공무원의 근무조건은 법령에 의해 정해지므로, 공무원단체는 행정기관의 관리층보다는 의회 쪽에 더 많은 관심을 갖게 된다. 또한 정부 측이 일방적으로 규칙을 정하므로, 이러한 여건하에서 공무원단체가 관리층과 협상을 통해 해결할 수 있는 영역은 아주 제한적이다.

(3) 공무원은 국민 전체에 대한 봉사자이고 정부는 국민의 대표기관에 불과하며, 행정에서의 노사 협의를 위한 의사결정 권한은 사기업보다 훨씬 광범위하게 국민 · 의회 · 정부 등에 분산되어 있으므로 공무원단체는 마땅한 교섭 상대를 확인하기 곤란하다.

2 공무원단체 활동에 대한 다양한 견해

1. 공무원단체 활동의 긍정적 측면

(1) 공무원의 집단적인 의사표시의 수단

그들의 이익을 실현하기 위하여 공무원들의 집합적인 의사를 관리층 및 국민들에게 표시할 수 있다.

(2) 공무원 사기앙양 및 경제적 · 사회적 지위 향상

공무원의 참여의식, 귀속감, 성취감 등의 충족을 통하여 동기부여와 사기의 앙양을 기할 수 있다. 더불어 관리층과 교섭을 통해 공무원들의 근로조건과 지위 및 복지를 유지 · 향상시킴으로써 공무원들의 경제적 · 사회적 지위를 향상시킨다.

(3) 쌍방적 의사 전달의 통로

관리층과 공무원 간에 쌍방적 의사 전달의 통로 역할을 하여, 상호이해를 증진시키고 행정의 민주화에 기여할 수 있다.

(4) 공직윤리 확립 및 부패 방지에 기여

공무원단체는 공무원들의 일탈행위를 막는 사회적 견제 작용을 하고 건전한 공직윤리를 확립한다. 또한 전문직업화를 통한 자율통제로 부패 방지에 기여한다.

(5) 실적주의의 강화

과거에는 공무원단체 활동과 실적제가 대립되는 측면이 강조되었으나, 최근에는 두 제도가 양립할 수 있으며 오히려 긍정적 상승효과를 가져올 것으로 기대하고 있다. 공무원단체는 경제적 편익의 증진 · 고충처리 등 공무원의 후생복지 개선에 초점을 두고, 실적제는 채용 · 시험 · 승진 등 인사관리의 기준으로 활동될 수 있도록 두 제도의 역할을 분명히 구분함으로써 조화를 이룰 수 있다.

2. 공무원단체 활동의 부정적 측면

(1) 정치세력화

공무원단체가 특정 정당 · 정파를 지지하거나 반대하는 등 정치세력화해서 정쟁에 휘말리고, 공무원의 정치적 중립을 저해할 가능성이 있다.

(2) 노사관계 구분 곤란

노동조합과 사용자 간의 관계에서는 이해관계가 상반되지만, 공무원과 정부 간의 관계에서는 이익(이해관계)의 상관성이 없어, 공무원의 이익 증진을 위한 창구로 공무원단체가 꼭 필요한 것은 아니다.

(3) 행정의 지속성 및 안정성 저해

국가의 존립과 질서를 유지하거나 국민생활과 직결되고 파급효과가 큰 분야의 단체 활동이나 쟁의는 국민생활에 결정적 타격을 주므로 제한이 불가피하다.

(4) 국민 봉사자 이념과 배치

공무원단체가 협상을 통해 얻게 되는 부가적 이득은 전체 국민의 추가적 부담이 되거나 국민에 대한 봉사자 이념과 배치된다.

(5) 실적주의 저해

공무원의 신분보장을 지나치게 강조하고 선임 위주의 인사원칙을 내세워, 실적주의 인사 원칙을 저해할 가능성이 있다.

3 활동 내용[1]

1. 단결권

공무원단체를 구성할 수 있는 권리를 말하며, 국제노동기구헌장(ILO헌장)*에서는 군대와 경찰을 제외한 공무원의 단결권을 인정한다. 미국은 로이드 라 포렛법[Lloyd - La Follette Act(1912)]으로 공무원의 단결권을 인정하였다.

2. 단체교섭권

관리층과 근로조건 등에 대해 협의할 수 있는 권리로, 대부분의 국가에서는 단결권을 인정하는 경우 단체교섭권도 인정하고 있다.

3. 단체행동권

공무원의 단체행동권은 단체교섭이 결렬되었을 때 파업이나 태업 등의 실력행사를 하는 것이다. 공공업무를 수행하는 특수성을 지닌 공무원들의 파업은 공익에 대한 중대한 침해가 될 수 있다는 우려 때문에 극소수의 국가를 제외하고는 대부분 부인하고 있다.

4 우리나라의 공무원단체[2]

1. 노동조합의 설립

(1) 공무원이 노동조합을 설립하려는 경우에는 국회 · 법원 · 헌법재판소 · 선거관리위원회 · 행정부 · 특별시 · 광역시 · 특별자치시 · 도 · 특별자치도 · 시 · 군 · 구(자치구를 말한다) 및 특별시 · 광역시 · 특별자치시 · 도 · 특별자치도의 교육청을 최소 단위로 한다.

(2) 노동조합을 설립하려는 사람은 고용노동부장관에게 설립신고서를 제출하여야 한다.

2. 가입 범위

(1) 노동조합에 가입할 수 있는 공무원

① 일반직공무원

② 특정직공무원 중 외무영사직렬 · 외교정보기술직렬 외무공무원, 소방공무원 및 교육공무원(단, 교원은 제외)

---

❶ 제헌헌법 제18조
공무원과 민간 노동자의 구분 없이 노동자의 단결 · 단체교섭권과 단체행동권의 자유를 법률의 범위 내에서 보장하도록 규정했었다.

용어
국제노동기구헌장[ILO(International Labor organization)헌장]*: 베르사유 조약 제427조에 들어 있는 노동기구의 지도원칙, 1948년 4월에 발효됨

❷ 공무원노동조합 관련업무 소관
1. **공무원노동조합 설립 · 신고 수리:** 고용노동부장관 소관 업무이다.
2. **행정부 정부 측 대표:** 인사혁신처장 소관 업무이다.
3. **노동조합 전임자 동의 및 휴직권:** 임용권자 소관 업무이다.

핵심 OX

01 노동조합을 설립하고자 하는 자는 고용노동부 장관에게 설립허가서를 제출해야 한다. (O, X)

01 X 고용노동부장관에게 설립신고서를 제출해야 한다.

③ 별정직공무원

④ ①에서 ③까지의 어느 하나에 해당하는 공무원이었던 사람으로서 노동조합 규약으로 정하는 사람

(2) 노동조합에 가입할 수 없는 공무원

① 업무의 주된 내용이 다른 공무원에 대하여 지휘·감독권을 행사하거나 다른 공무원의 업무를 총괄하는 업무에 종사하는 공무원

② 업무의 주된 내용이 인사·보수 또는 노동관계의 조정·감독 등 노동조합의 조합원 지위를 가지고 수행하기에 적절하지 아니한 업무에 종사하는 공무원

③ 교정·수사 등 공공의 안녕과 국가안전보장에 관한 업무에 종사하는 공무원

(3) (2)에 따른 공무원의 범위는 대통령령으로 정한다.

3. 노동조합 전임자의 지위❶

(1) 공무원은 임용권자의 동의를 받아 노동조합의 업무에만 종사할 수 있다.

(2) 전임자(專任者)에 대하여는 그 기간 중 휴직명령을 하여야 한다.

(3) 국가와 지방자치단체는 전임자에게 그 전임기간 중 보수를 지급하면 안된다.

(4) 국가와 지방자치단체는 공무원이 전임자임을 이유로 승급이나 그 밖에 신분과 관련하여 불리한 처우를 하여서는 아니 된다.

4. 교섭 및 체결 권한 등

(1) 노동조합의 대표자는 그 노동조합에 관한 사항 또는 조합원의 보수·복지, 그 밖의 근무조건에 관하여 국회사무총장·법원행정처장·헌법재판소사무처장·중앙선거관리위원회사무총장·인사혁신처장(행정부를 대표)·특별시장·광역시장·특별자치시장·도지사·특별자치도지사·시장·군수·구청장(자치구의 구청장을 의미) 또는 특별시·광역시·특별자치시·도·특별자치도의 교육감 중 어느 하나에 해당하는 사람(이하 "정부교섭대표")과 각각 교섭하고 단체협약을 체결할 권한을 가진다.

(2) 다만, 법령 등에 따라 국가나 지방자치단체가 그 권한으로 행하는 정책결정에 관한 사항, 임용권의 행사 등 그 기관의 관리·운영에 관한 사항으로서 근무조건과 직접 관련되지 아니하는 사항은 교섭의 대상이 될 수 없다.❷

5. 단체협약의 효력

(1) 체결된 단체협약의 내용 중 법령·조례 또는 예산에 의하여 규정되는 내용과 법령 또는 조례에 의하여 위임을 받아 규정되는 내용은 단체협약으로서의 효력을 가지지 아니한다.

(2) 정부교섭대표는 단체협약으로서의 효력을 가지지 아니하는 내용에 대하여는 그 내용이 이행될 수 있도록 성실하게 노력하여야 한다.

6. 쟁의행위의 금지

노동조합과 그 조합원은 파업, 태업 또는 그 밖에 업무의 정상적인 운영을 방해하는 일체의 행위를 하여서는 아니 된다.

❶ 노동조합 전임자의 지위

「공무원의 노동조합 설립 및 운영 등에 관한 법률」 제7조【노동조합 전임자의 지위】 ① 공무원은 임용권자의 동의를 받아 노동조합으로부터 급여를 지급받으면서 노동조합의 업무에만 종사할 수 있다.
② 제1항에 따른 동의를 받아 노동조합의 업무에만 종사하는 사람[이하 "전임자"(專任者)라 한다]에 대하여는 그 기간 중 「국가공무원법」 제71조 또는 「지방공무원법」 제63조에 따라 휴직명령을 하여야 한다.
④ 국가와 지방자치단체는 공무원이 전임자임을 이유로 승급이나 그 밖에 신분과 관련하여 불리한 처우를 하여서는 아니 된다.

❷ 비교섭 사항

「공무원의 노동조합 설립 및 운영 등에 관한 법률 시행령」 제4조【비교섭 사항】 법 제8조 제1항 단서에 따른 법령 등에 따라 국가나 지방자치단체가 그 권한으로 행하는 정책 결정에 관한 사항, 임용권의 행사 등 그 기관의 관리·운영에 관한 사항은 다음 각 호와 같다.

1. 정책의 기획 또는 계획의 입안 등 정책결정에 관한 사항
2. 공무원의 채용·승진 및 전보 등 임용권의 행사에 관한 사항
3. 기관의 조직 및 정원에 관한 사항
4. 예산·기금의 편성 및 집행에 관한 사항
5. 행정기관이 당사자인 쟁송(불복신청을 포함한다)에 관한 사항
6. 기관의 관리·운영에 관한 그 밖의 사항

핵심 OX

01 공무원 노동조합은 적극적 인사행정의 예이다. (O, X)

02 노동조합 전임자에게도 기본급에 해당하는 보수를 지급한다. (O, X)

01 O
02 X 노동조합 전임자는 무급·휴직하여야 한다.

7. 조정신청

단체교섭이 결렬(決裂)된 경우에는 당사자 어느 한쪽 또는 양쪽은 중앙노동위원회에 조정(調停)을 신청할 수 있다. 조정은 조정신청을 받은 날로부터 30일 이내에 마쳐야 한다. 다만, 당사자들이 합의한 경우에는 30일 이내의 범위에서 조정기간을 연장할 수 있다.

5 공무원직장협의회

1. 개념 및 구성

(1) 공무원의 근무환경 개선, 업무능률 향상 및 고충처리 등을 위한 노사협의체이다.

(2) 공무원 직장협의회와 공무원 노동조합은 병존할 수 있다.

2. 가입 범위

> 「공무원직장협의회의 설립·운영에 관한 법률」
> **제3조【가입 범위】** ① 협의회에 가입할 수 있는 공무원의 범위는 다음 각 호와 같다.
> 1. 일반직공무원
> 2. 특정직공무원 중 다음 각 목의 어느 하나에 해당하는 공무원
>   가. 외무영사직렬·외교정보기술직렬 외무공무원
>   나. 경찰공무원
>   다. 소방공무원
> 5. 별정직공무원
>
> ② 제1항에도 불구하고 다음 각 호의 어느 하나에 해당하는 공무원은 협의회에 가입할 수 없다.
> 2. 업무의 주된 내용이 지휘·감독권을 행사하거나 다른 공무원의 업무를 총괄하는 업무에 종사하는 공무원
> 3. 업무의 주된 내용이 인사, 예산, 경리, 물품출납, 비서, 기밀, 보안, 경비 및 그 밖에 이와 유사한 업무에 종사하는 공무원
>
> ③ 기관장은 해당 기관의 직책 또는 업무 중 제2항 제2호 및 제3호에 따라 협의회에의 가입이 금지되는 직책 또는 업무를 협의회와 협의하여 지정하고 이를 공고하여야 한다.

3. 기능

(1) 해당 기관 고유의 근무환경 개선에 관한 사항을 담당한다.

(2) 업무능률 향상에 관한 사항을 담당한다.

(3) 소속공무원의 공무와 관련된 일반적 고충에 관한 사항을 처리한다.

(4) 그 밖의 기관의 발전에 관한 사항을 담당한다.

5 공무원의 신분보장과 징계

1 신분보장[1]

1. 의의

(1) 「국가공무원법」에서는 "공무원은 형의 선고, 징계처분 또는 이 법에 정하는 사유에 의하지 아니하고는 그 의사에 반하여 휴직 · 강임 또는 면직을 당하지 아니한다. 다만 1급 공무원은 그러하지 아니한다"고 규정하고 있다.

(2) 즉, 공무원은 법령에 의하지 않고는 신분상의 불이익을 당하지 않도록 제도적 뒷받침을 받고 있다.

2. 필요성

(1) 공무원을 정치적 압력으로부터 보호함으로써 주어진 책무를 자율적 · 효과적으로 수행할 수 있도록 한다.

(2) 장기근속을 유도하여 행정의 안정성, 일관성과 능률성을 확보하도록 한다.

(3) 신분 불안을 방지하여 공무원의 사기를 높이게 되고, 그에 따라 국민에 대한 봉사의 질이 향상된다.

3. 한계

(1) 신분보장의 정도가 지나치면 행정에 대한 민주적 통제가 곤란하다.

(2) 변화의 부재로 인한 공직 사회의 침체와 무사안일을 조장한다.

(3) 공직사유관, 권위주의와 같은 낡은 사고를 초래한다.

2 징계[2][3]

1. 의의

(1) 의의

징계는 법령 · 규칙 · 명령 위반자에 대한 처벌이자, 공무원이 맡은 바 직무를 좀 더 성실하게 수행하고 행동규범을 준수하게 하기 위한 통제 활동이다.

(2) 목적

의무위반자에 대한 제재를 통해 공무원들의 잘못된 행태를 교정하려는 목적과 사전에 그러한 행위를 막으려는 예방적 목적을 동시에 추구하고 있다.

2. 「국가공무원법」에 의한 징계의 사유

(1) 법 및 법에 따른 명령을 위반한 경우

(2) 직무상의 의무(다른 법령에서 공무원의 신분으로 인하여 부과된 의무를 포함한다)를 위반하거나 직무에 태만히 한 때

(3) 직무의 내외를 불문하고, 그 체면 또는 위신을 손상하는 행위를 한 때

---

❶ 신분보장

1. **헌법 제7조** ② 공무원의 신분과 정치적 중립성은 법률이 정하는 바에 의하여 보장된다.
2. **「국가공무원법」 제68조 【의사에 반한 신분 조치】** 공무원은 형의 선고, 징계 처분 또는 이 법에서 정하는 사유에 따르지 아니하고는 본인의 의사에 반하여 휴직 · 강임 또는 면직을 당하지 아니한다. 다만, 1급 공무원과 제23조에 따라 배정된 직무등급이 가장 높은 등급의 직위에 임용된 고위공무원단에 속하는 공무원은 그러하지 아니하다.

❷ 징계부가금 제도

공금의 횡령, 유용이나 금품 및 향응 수수 등 금품과 관련된 비위를 저지른 공무원들에게 징계위원회의 의결에 따라 해당 징계 외에 유용 · 횡령 등의 금액의 5배 내에서 추가로 징계적 금전을 부과하는 제도이다.

❸ 강임 - 징계 아님

「국가공무원법」 제5조 【정의】 4. '강임(降任)'이란 같은 직렬 내에서 하위 직급에 임명하거나 하위 직급이 없어 다른 직렬의 하위 직급으로 임명하거나 고위공무원단에 속하는 일반직 공무원(제4조 제2항에 따라 같은 조 제1항의 계급 구분을 적용하지 아니하는 공무원은 제외한다)을 고위공무원단 직위가 아닌 하위 직위에 임명하는 것을 말한다.

제73조의4 【강임】 ① 임용권자는 직제 또는 정원의 변경이나 예산의 감소 등으로 직위가 폐직되거나 하위의 직위로 변경되어 과원이 된 경우 또는 본인이 동의한 경우에는 소속 공무원을 강임할 수 있다.
② 제1항에 따라 강임된 공무원은 상위 직급 또는 고위공무원단 직위에 결원이 생기면 제40조 · 제40조의2 · 제40조의4 및 제41조에도 불구하고 우선 임용된다. 다만, 본인이 동의하여 강임된 공무원은 본인의 경력과 해당 기관의 인력 사정 등을 고려하여 우선 임용될 수 있다.

3. 징계처분의 종류[1]

경징계	견책	전과에 대하여 훈계하고 회계하는 등 주의를 주는 것으로, 인사기록에 남음(6개월간 승급 정지)
	감봉	직무수행은 가능하나 1개월 이상 3개월 이하의 기간 동안 보수의 3분의 1을 감함(12개월간 승급 정지)
중징계	정직	공무원의 신분은 보유하나 1개월 이상 3개월 이하의 기간 동안 직무를 정지시키고 보수 전액을 감함(18개월간 승급 정지)
	강등	공무원의 신분은 보유하나 1계급 아래로 직급을 내리고 3개월간 직무에 종사하지 못하게 하며 보수는 전액을 감함(18개월간 승급 정지)
	해임	· 강제퇴직의 한 종류로, 공무원직이 박탈 · 퇴직급여에는 원칙적으로 영향을 주지 않으며 3년간 공무원 재임용이 불가 · 단, 공금횡령 및 유용 등으로 해임된 경우에는 퇴직급여의 8분의 1 내지는 4분의 1을 지급제한
	파면	· 강제퇴직의 한 종류로서 공무원직이 박탈 · 5년간 재임용자격이 제한되며, 5년 미만 근무자는 퇴직급여의 4분의 1이 삭감되고, 5년 이상 근무자는 퇴직급여의 2분의 1을 삭감하여 지급

4. 징계기관

(1) 중앙징계위원회

국무총리 소속하에 1급 공무원의 징계 사건을 심의 · 의결하는 제1중앙징계위원회와 2급~5급 공무원 및 국무총리가 징계 의결을 요구한 6급 이하 공무원의 징계 사건을 심의 · 의결하는 제2중앙징계위원회가 있다.

(2) 보통징계위원회

5급 이상의 공무원을 장으로 하는 행정기관에 설치하며, 6급 이하 공무원의 징계사건을 심의 · 의결한다.

3 소청심사제도[2]

1. 의의

징계처분이나 강임 · 휴직 · 직위해제 또는 면직처분 등 그의 의사에 반하는 불이익 처분을 받은 공무원이 그에 불복하여 이의를 제기하는 경우 이를 심사하여 구제하는 절차이다.

2. 유형

소청심사제도의 유형은 (1) 해당 행정기관 내부에서 재심 · 구제 방법이 강구되는 경우, (2) 해당 행정기관 외의 중앙인사기관에서 재심하는 경우, (3) 행정기관과는 별개의 강한 독립성 · 합의성을 가진 행정재판의 방법에 의한 경우가 있다. 이 중 우리나라는 (2)의 방법에 따라 중앙인사기관인 인사혁신처에 소청심사위원회를 설치 · 운영하고 있다.

---

[1] 징계의 소멸시효

「국가공무원법」 제83조의2 **【징계 및 징계부가금 부과 사유의 시효】** ① 징계의결 등의 요구는 징계 등 사유가 발생한 날부터 다음 각 호의 구분에 따른 기간이 지나면 하지 못한다.

1. 징계 등 사유가 다음 각 목의 어느 하나에 해당하는 경우: 10년
   가. 「성매매알선 등 행위의 처벌에 관한 법률」 제4조에 따른 금지행위
   나. 「성폭력범죄의 처벌 등에 관한 특례법」 제2조에 따른 성폭력범죄
   다. 「아동 · 청소년의 성보호에 관한 법률」 제2조제2호에 따른 아동 · 청소년대상 성범죄
   라. 「양성평등기본법」 제3조제2호에 따른 성희롱
2. 징계 등 사유가 제78조의2 제1항 각 호의 어느 하나에 해당하는 경우: 5년
3. 그 밖의 징계 등 사유에 해당하는 경우: 3년

참고 금품 및 향응 수수, 공금의 횡령, 유용의 경우 5년

[2] 소청의 대상이 되지 않는 것

1. 근무성적평정
2. 승진 탈락

핵심 OX

01 정직은 1개월 이상 5개월 이하의 기간 동안 보수의 3분의 1을 삭감한다. (O, X)

02 휴일 음주운전 사고는 징계 사유가 아니다. (O, X)

01 X 1개월 이상 3개월 이하의 기간 동안 보수의 전액을 삭감한다.
02 X 징계 사유이다.

4 공무원의 면직(퇴직)

1. 강제퇴직제도

(1) 직권면직

공무원이 일정 사유에 해당하였을 경우에 본인의 의사와는 관계없이 임용권자가 공무원 신분을 박탈하여 공직으로부터 배제하는 것이다.

① 직제와 정원의 개폐 또는 예산의 감소 등에 따라 폐직 또는 과원이 되었을 때
② 휴직 기간이 끝나거나 휴직 사유가 소멸된 후에도 직무에 복귀하지 아니하거나 직무를 감당할 수 없을 때
③ 직위해제에 따라 대기명령을 받은 자가 그 기간에 능력 또는 근무성적의 향상을 기대하기 어렵다고 인정된 때
④ 전직 시험에서 3번 이상 불합격한 자로서 직무수행 능력이 부족하다고 인정된 때
⑤ 병역판정검사·입영 또는 소집의 명령을 받고 정당한 사유 없이 이를 기피하거나 군복무를 위하여 휴직 중에 있는 자가 군복무 중 군무를 이탈하였을 때
⑥ 해당 직급·직위에서 직무를 수행하는데 필요한 자격증의 효력이 없어지거나 면허가 취소되어 담당 직무를 수행할 수 없게 된 때
⑦ 고위공무원단에 속하는 공무원이 적격심사에 따른 적격심사 결과 부적격 결정을 받은 때

(2) 징계면직

파면과 해임 등 징계에 의해 공무원으로서의 신분을 상실하는 것이다.

(3) 당연퇴직

① 임용권자의 처분에 의해서가 아니고 법률에 규정된 일정한 사유의 발생(형사처벌, 사망, 국적상실, 임기제공무원의 근무기간이 만료된 경우 등)으로 인하여 공무원 관계가 소멸되는 경우이다.
② 임용의 결격 사유(금고 이상의 형의 선고유예를 받은 경우에 그 선고유예 기간 중에 있는 자는 제외)가 재직 중 발생한 경우이다.
③ 공금횡령은 선고유예도 당연퇴직사유이다.

2. 임의퇴직제도

(1) 의원면직

공무원 스스로의 희망에 의하여 면직하는 경우이다.

(2) 명예퇴직 및 조기퇴직

① **명예퇴직:** 20년 이상 장기근속한 공무원에 대하여 일정한 자격을 가진 경우 명예로운 퇴직 기회를 부여하고, 자진퇴직 시 명예퇴직수당을 지급한다.
② **조기퇴직:** 20년 미만 근무자가 정년 전에 퇴직하는 경우를 일컫는다.

핵심 OX

01 직위해제는 징계이다. (O, X)
02 직권면직은 징계이다. (O, X)
03 감사원은 위법한 행위를 한 공무원에 대해 징계를 할 수 있다. (O, X)
04 국민권익위원은 징계권이 있다. (O, X)

01 X 징계가 아니다.
02 X 징계가 아니다.
03 X 감사원은 징계요구권이 있지, 징계권은 없다.
04 X 국민권익위원에게징계요구권은 있으나, 징계권은 없다.

5 정년 제도

1. 의의

(1) 생산성 향상과 신진대사 촉진을 위해 정해진 법정시기에 자동 퇴직시키는 제도이다.

(2) 인건비 절감, 새로운 기술도입, 행정의 생산성 제고, 고용증대 등의 효과가 있다.

2. 정년의 종류

(1) 연령정년제

법정연령에 도달하면 자동퇴직(60세)하는 것이다.

(2) 근속정년제

일정한 근속년한에 달하면 자동퇴직하는 것이다.

㉔ 군인, 경찰 등

(3) 계급정년제

① **개념:** 일정기간 동안 상위계급으로 승진하지 못하면 자동적으로 강제 퇴직하는 제도이다.

㉔ 경찰, 군인 등

② **장점:** 신진대사의 촉진, 능력발전의 기회, 정실 개입 방지, 적정 유동률 확보 등

③ **단점:** 신분불안으로 사기 저하, 이직률 조절 곤란, 직업공무원제 저해, 행정의 안정성 저해 등

6 직위해제와 대기명령

1. 직위해제

다음에 해당되는 자에게 신분은 보장하나 직위를 부여하지 않을 수 있는 제도이다.

(1) 직무수행 능력이 부족하거나 근무성적이 극히 나쁜 자

(2) 파면 · 해임 · 강등 또는 정직에 해당하는 징계(중징계) 의결이 요구 중인 자

(3) 형사사건으로 기소된 자(약식명령이 청구된 자는 제외)

(4) 고위공무원단에 속하는 일반직공무원으로서 적격심사를 요구 받은 자

(5) 금품비위, 성범죄 등 대통령령으로 정하는 비위행위로 인하여 감사원 및 검찰 · 경찰 등 수사기관에서 조사나 수사 중인 자로서 비위의 정도가 중대하고 이로 인하여 정상적인 업무수행을 기대하기 현저히 어려운 자

2. 대기명령

직무수행능력이 부족하거나 근무성적이 극히 불량하여 직위해제된 자에게 3개월 이내의 기간 동안 대기명령을 발하는 것이다. 대기명령 기간 중 능력의 향상 또는 개전의 정이 없다고 인정되면 징계위원회의 동의를 얻어 직권면직이 가능하다.

학습 점검 문제

01 공익에 대한 설명으로 옳은 것은? 2019년 국가직 9급

① 「국가공무원법」은 제1조에서 공무원은 국민 전체의 봉사자로서 공익을 추구해야 함을 명시하고 있다.

② 「공무원 헌장」은 공무원이 실천해야 하는 가치로 공익을 명시하고 있다.

③ 신공공서비스론에서는 공익을 행정의 목적이 아닌 부산물로 보아야 한다는 점을 강조한다.

④ 공익에 대한 실체설에서는 공익을 사익 간 타협 또는 집단 간 상호작용의 산물로 본다.

02 「국가공무원법」상 공직윤리에 위배되는 행위는? 2020년 지방직 7급

① 공무원 甲은 소속 상관에게 직무상 관계가 없는 증여를 하였다.

② 공무원 乙은 소속 기관장의 허가를 받아 다른 직무를 겸하였다.

③ 수사기관이 현행범인 공무원 丙을 소속 기관의 장에게 미리 통보하지 않고 구속하였다.

④ 공무원 丁은 대통령의 허가를 받고 외국 정부로부터 증여를 받았다.

정답 및 해설

01 2016년 1월 대통령 훈령으로 제정·공포된 「공무원 헌장」에는 공무원이 지향하여야 할 가치들을 선언적으로 명시하고 있다.

> **「공무원 헌장」**
> 우리는 자랑스러운 대한민국의 공무원이다. 우리는 헌법이 지향하는 가치를 실현하며 국가에 헌신하고 국민에게 봉사한다. 우리는 국민의 안녕과 행복을 추구하고 조국의 평화 통일과 지속 가능한 발전에 기여한다. 이에 굳은 각오와 다짐으로 다음을 실천한다.
> 1. 공익을 우선시하며 투명하고 공정하게 맡은 바 책임을 다한다.
> 2. 창의성과 전문성을 바탕으로 업무를 적극적으로 수행한다.
> 3. 우리 사회의 다양성을 존중하고 국민과 함께 하는 민주행정을 구현한다.
> 4. 청렴을 생활화하고 규범과 건전한 상식에 따라 행동한다.

| 오답체크 |

① 「국가공무원법」 제1조는 국민 전체의 봉사자로서의 자세를 천명하고 있지만, 공익 추구라는 가치는 명시되어 있지 않다.

> **「국가공무원법」 제1조 【목적】** 이 법은 각급 기관에서 근무하는 모든 국가공무원에게 적용할 인사행정의 근본 기준을 확립하여 그 공정을 기함과 아울러 국가공무원에게 국민 전체의 봉사자로서 행정의 민주적이며 능률적인 운영을 기하게 하는 것을 목적으로 한다.

③ 신공공서비스론에서는 공익을 행정의 부산물이 아닌 궁극적인 목표로 보아야 한다는 점을 강조한다.

④ 실체설이 아니라 과정설에 해당한다.

02 공무원은 직무상의 관계가 있든 없든 그 소속 상관에게 증여하거나 소속 공무원으로부터 증여를 받아서는 아니 된다(「국가공무원법」 제61조 제2항).

| 오답체크 |

②, ③, ④ 「국가공무원법」에 규정된 공직윤리에 어긋나지 않는 행위이다.

정답 01 ② 02 ①

03 「공직자윤리법」상 재산등록의무자로 옳지 않은 것은? 2022년 지방직 9급

① 법관 및 검사

② 소령 이상의 장교 및 이에 상당하는 군무원

③ 총경 이상의 경찰공무원과 소방정 이상의 소방공무원

④ 4급 이상의 일반직 공무원에 상당하는 보수를 받는 별정직공무원

04 「공직자의 이해충돌 방지법」상 '사적이해관계자'로 규정하고 있는 대상이 아닌 것은? 2024년 국가직 9급

① 공직자 자신 또는 그 가족

② 공직자의 직무수행과 관련하여 이익 또는 불이익을 직접적으로 받는 다른 공직자

③ 공직자로 채용·임용되기 전 2년 이내에 공직자 자신이 재직하였던 법인 또는 단체

④ 공직자 자신 또는 그 가족이 임원·대표자·관리자 또는 사외이사로 재직하고 있는 법인 또는 단체

05 행정윤리에 대한 설명으로 옳은 것을 모두 고르면?

2009년 국가직 7급

ㄱ. 정치와 행정의 상호작용이 활발해지면 행정윤리의 확보가 어려워질 가능성이 높아진다.
ㄴ. 「국가공무원법」, 「공직자윤리법」은 부정부패 방지 등을 위한 구체적이고 적극적인 행정윤리를 강조한다.
ㄷ. 정무직공무원, 4급 이상 일반직 고위공무원은 재산등록 대상이지만 정부출연기관의 임원은 제외된다.
ㄹ. 공무원의 개인적 윤리기준은 공공의 신탁(public trust)과 관련된다.
ㅁ. 행정윤리는 공무원이 수행하는 행정업무와 관련된 윤리를 의미한다.

① ㄱ, ㄴ, ㄷ
② ㄱ, ㄹ, ㅁ
③ ㄴ, ㄹ, ㅁ
④ ㄷ, ㄹ, ㅁ

정답 및 해설

03 군인의 경우, 소령 이상이 아니라 대령 이상의 장교가 재산등록의무자에 해당한다.

| 오답체크 |

①, ③, ④ 모두 재산등록의무자에 해당하므로 옳은 지문이다.

재산등록대상자와 재산공개대상자

구분	재산등록대상자	재산공개대상자
정무직	전원	전원
일반직·별정직	4급 이상(상당 별정직)	1급 이상(상당 별정직)
법관·검사	모든 법관 및 검사	고등법원 부장판사 이상, 대검찰청 검사급 이상
군인 등	대령 이상의 장교	중장 이상의 장교
경찰·소방	총경, 소방정 이상	치안감, 소방정감 이상

04 공직자의 직무수행으로 이익 또는 불이익을 직접적으로 받는 다른 공직자는 사적이해관계자가 아니라 직무관련자에 해당한다.

| 오답체크 |

①, ③, ④ 모두 공직자의 「이해충돌방지법」상 사적이해관계자에 해당한다.

직무관련자와 사적이해관계자

구분	내용
직무 관련자	· 공직자의 직무수행과 관련하여 일정한 행위나 조치를 요구하는 개인이나 법인 또는 단체 · 공직자의 직무수행과 관련하여 이익 또는 불이익을 직접적으로 받는 개인이나 법인 또는 단체 · 공직자가 소속된 공공기관과 계약을 체결하거나 체결하려는 것이 명백한 개인이나 법인 또는 단체 · 공직자의 직무수행과 관련하여 이익 또는 불이익을 직접적으로 받는 다른 공직자. 다만, 공공기관이 이익 또는 불이익을 직접적으로 받는 경우에는 그 공공기관에 소속되어 해당 이익 또는 불이익과 관련된 업무를 담당하는 공직자
사적이해 관계자	· 공직자 자신 또는 그 가족 · 공직자 자신 또는 그 가족이 임원·대표자·관리자 또는 사외이사로 재직하고 있는 법인 또는 단체 · 공직자 자신이나 그 가족이 대리하거나 고문·자문 등을 제공하는 개인이나 법인 또는 단체 · 공직자로 채용·임용되기 전 2년 이내에 공직자 자신이 재직하였던 법인 또는 단체 · 공직자로 채용·임용되기 전 2년 이내에 공직자 자신이 대리하거나 고문·자문 등을 제공하였던 개인이나 법인 또는 단체 · 공직자 자신 또는 그 가족이 대통령령으로 정하는 일정 비율 이상의 주식·지분 또는 자본금 등을 소유하고 있는 법인 또는 단체 · 최근 2년 이내에 퇴직한 공직자로서 퇴직일 전 2년 이내에 제5조 제1항 각 호의 어느 하나에 해당하는 직무를 수행하는 공직자와 국회규칙, 대법원규칙, 헌법재판소규칙, 중앙선거관리위원회규칙 또는 대통령령으로 정하는 범위의 부서에서 같이 근무하였던 사람 · 그 밖에 공직자의 사적 이해관계와 관련되는 자로서 국회규칙, 대법원규칙, 헌법재판소규칙, 중앙선거관리위원회규칙 또는 대통령령으로 정하는 자

05 | 오답체크 |

ㄴ. 「국가공무원법」과 「공직자윤리법」은 부정부패 방지에 초점을 둔 소극적인 윤리를 담고 있다.

ㄷ. 정부출연기관 임원도 재산등록 대상에 포함된다.

윤리 규정

「공직자윤리법」	「부패방지 및 국민권익위원회 설치와 운영에 관한 법률」
· 고위공직자의 재산등록 및 공개 · 외국인의 선물 신고, 등록의무 · 퇴직공무원의 취업제한 · 주식백지신탁의무 · 이해충돌 방지 의무	· 비위면직자의 취업 제한 · 내부고발자 보호의무

정답 03 ② 04 ② 05 ②

06 「국가공무원법」에 명시된 공무원의 의무에 해당하지 않는 것은? 2021년 국가직 9급

① 부패행위 신고의무
② 품위 유지의 의무
③ 복종의 의무
④ 성실 의무

07 공무원 부패의 사례와 그 유형을 바르게 연결한 것은? 2018년 국가직 9급

ㄱ. 무허가 업소를 단속하던 공무원이 정상적인 단속활동을 수행하다가 금품을 제공하는 특정 업소에 대해서는 단속을 하지 않는다.
ㄴ. 금융위기가 심각함에도 불구하고 국민들의 동요나 기업활동의 위축을 방지하기 위해 금융위기가 전혀 없다고 관련 공무원이 거짓말을 한다.
ㄷ. 인·허가와 관련된 업무를 담당하는 공무원의 대부분은 업무를 처리하면서 민원인으로부터 의례적으로 '급행료'를 받는다.
ㄹ. 거래당사자 없이 공금 횡령, 개인적 이익 편취, 회계 부정 등이 공무원에 의해 일방적으로 발생한다.

	ㄱ	ㄴ	ㄷ	ㄹ
①	제도화된 부패	회색 부패	일탈형 부패	생계형 부패
②	일탈형 부패	생계형 부패	조직 부패	회색 부패
③	일탈형 부패	백색 부패	제도화된 부패	비거래형 부패
④	조직 부패	백색 부패	생계형 부패	비거래형 부패

08 다음 공무원 부패의 원인에 대한 접근방법을 설명한 것 중 가장 옳지 않은 것은? 2016년 서울시 7급

① 도덕적 접근은 부패의 원인을 부패를 저지르는 관료 개인의 윤리 의식과 자질의 탓으로 돌린다.
② 제도적 접근은 법과 제도상의 결함이나 운영의 미숙 등이 부정부패의 원인으로 작용한다고 본다.
③ 사회문화적 접근은 관료 부패를 사회문화적 환경의 독립변수로 본다.
④ 체제론적 접근은 관료 부패 현상을 관료 개인의 속성과 제도, 사회문화 환경 등 여러 요인이 복합적으로 상호 작용한 결과로 이해한다.

09 부패의 원인에 관한 도덕적 접근방법의 입장과 가장 가까운 것은?
2020년 지방직 7급

① 부패는 관료 개인의 윤리의식과 자질로 인하여 발생한다.

② 부패는 관료 개인의 속성, 제도, 사회문화적 환경 등의 여러 요인이 복합적으로 상호작용한 결과이다.

③ 부패는 현실과 괴리된 법령의 이중적인 규제 기준과 모호한 법규정, 적절한 통제장치의 미비 등에 의해 발생한다.

④ 부패는 공식적 법규나 규범보다는 관습과 같은 사회문화적 환경에 의해 유발된다.

10 내부고발에 대한 설명으로 가장 타당한 것은?
2009년 서울시 9급

① 퇴직 후의 고발은 내부고발이 아니다.

② 조직 내의 비정치적 행위를 대상으로 한다.

③ 내부고발은 익명으로 이루어져야 한다.

④ 내부고발은 공직 사회의 응집력을 강화시킨다.

⑤ 내부적인 이의제기 형식과는 다르다.

정답 및 해설

06 부패행위 신고의무는 「부패방지 및 국민권익위원회의 설치와 운영에 관한 법률」에 규정되어 있다.

07 각각 ㄱ. 일탈형 부패, ㄴ. 선의의 부패로서 백색 부패, ㄷ. 관행화·제도화된 부패, ㄹ. 상대가 없는 비거래형 부패에 해당한다.

제도화된 부패의 특징[카이든(Caiden)]

- 부패가 실질적 규범이 되고 바람직한 행동규범은 예외적인 것으로 전락
- 부패행위자에 대한 보호와 관대한 처분
- 부패에 젖은 조직 내의 전반적 관행을 정당화함으로써 집단의 죄책감을 해소
- 실제로 지켜지지 않는 반부패 행동규범의 대외적 표방
- 부패저항자에 대한 제재와 보복
- 부패 적발의 공식적 책임을 진 사람들은 책무수행 회피

08 사회문화적 접근은 관료의 부패를 사회문화적 환경의 종속변수로 본다.

| 오답체크 |

① 도덕적 접근은 부패의 원인을 부패행위에 참여한 개인의 윤리나 자질 탓으로 보는 접근이다.

② 제도적 접근은 사회의 법과 제도상의 결함으로 인해 부패가 발생한다고 보는 입장이다(행정통제 장치의 미비).

④ 체제론적 접근은 부패란 하나의 변수에 의해 발생하는 것이 아니라, 복합적 요인에 의하여 발생한다고 보는 접근법이다.

09 관료 개인의 윤리의식, 자질부족으로 인하여 부패가 발생한다고 보는 입장은 도덕적 접근방법에 해당한다.

| 오답체크 |

② 체제론적 접근방법에 대한 설명이다.

③ 제도적 접근방법에 대한 설명이다.

④ 사회·문화의 환경적 접근방법에 대한 설명이다.

10 내부고발이란 조직 내의 불법·부당·부도덕한 행위를 조직 밖으로 폭로하는 것이므로, 내부적인 이의제기와는 다른 것이다.

| 오답체크 |

① 재직 중은 물론 퇴직 후의 고발도 포함한다.

② 비정치적인 행위에 한정되지 않는다.

③ 인적사항을 기재한 기명의 문서로 하도록 되어 있다.

④ 공직 사회의 응집력을 약화시킨다는 지적이 있다.

정답 06 ① 07 ③ 08 ③ 09 ① 10 ⑤

11 **공무원의 정치적 중립의 정당화 근거로 옳지 않은 것은?** 2022년 국가직 9급

① 엽관주의의 폐해를 극복하여 행정의 안정성과 전문성을 제고할 수 있다.

② 공무원은 국민 전체의 이익을 위해 공평무사하게 봉사해야 하는 신분이다.

③ 공무원의 정치적 기본권을 강화하여 공직의 계속성을 제고할 수 있다.

④ 공명선거를 통해 민주적 기본질서를 제고할 수 있다.

12 **「공무원의 노동조합 설립 및 운영 등에 관한 법률」상 단체교섭 대상은?** 2017년 국가직 7급(8월 시행)

① 기관의 조직 및 정원에 관한 사항

② 조합의 보수에 관한 사항

③ 예산·기금의 편성 및 집행에 관한 사항

④ 정책의 기획 등 정책결정에 관한 사항

13 **「국가공무원법」상 징계에 대한 설명으로 옳은 것은?** 2018년 국가직 9급

① 징계는 파면·해임·정직·감봉·견책으로 구분한다.

② 정직은 1개월 이상 3개월 이하의 기간으로 하고, 정직 처분을 받은 자는 그 기간 중 공무원의 신분은 보유하나 직무에 종사하지 못하며 보수의 3분의 2를 감한다.

③ 감봉은 1개월 이상 3개월 이하의 기간 동안 보수의 3분의 1을 감한다.

④ 감사원에서 조사 중인 사건에 대하여는 조사개시 통보를 받은 후부터 징계 의결의 요구나 그 밖의 징계 절차를 진행할 수 있다.

14 **소청심사제도에 대한 설명으로 옳은 것은?** 2017년 국가직 7급(8월 시행)

① 소청심사위원회의 결정은 처분 행정청에 대해 권고와 같은 효력이 있다.

② 강임과 면직은 심사대상이나 휴직과 전보는 심사대상에 해당되지 않는다.

③ 지방소청심사위원회는 기초자치단체별로 설치되어 있다.

④ 지방소청심사위원회 위원은 자치단체의 장이 임명 또는 위촉하나 위원장은 위촉위원 중에서 호선한다.

15 공무원의 직위해제에 대한 설명으로 옳은 것은? 2023년 국가직 9급

① 직위해제는 공무원 징계의 한 종류이다.

② 직위해제 처분을 받은 공무원은 잠정적으로 공무원 신분이 상실된다.

③ 직무수행 능력이 부족하거나 근무성적이 극히 나쁜 자에 대해서도 직위해제가 가능하다.

④ 직위해제의 사유가 소멸된 경우 임용권자는 인사위원회의 심의를 거쳐 3개월 이내에 직위를 부여하여야 한다.

16 공무원과 관할 소청심사기관의 연결로 옳지 않은 것은? 2024년 국가직 9급

① 경기도청 소속의 지방공무원 甲 - 경기도 소청심사위원회

② 지방검찰청 소속의 검사 乙 - 법무부 소청심사위원회

③ 소방청 소속의 소방위 丙 - 인사혁신처 소청심사위원회

④ 국립대학교 소속의 교수 丁 - 교육부 교원소청심사위원회

정답 및 해설

11 공무원의 정치적 중립을 지나치게 강조할 경우, 공무원의 참정권(기본권)이 지나치게 제한되기 때문에 정치적 기본권을 보장하고 있는 민주정치의 원리와 모순된다.

| 오답체크 |

① 실적주의의 등장과 함께 인사에 대한 정치적 간섭을 배제하여 엽관주의의 폐해 및 정치적 남횡으로부터 공무원을 보호하고, 행정의 안정성과 전문성을 확보하는 방법으로 대두되었다.

② 민주국가에서 공무원은 국민 전체의 봉사자로서 공익을 옹호하고 증진시키기 위해, 불편부당하게 어느 정당이 집권하더라도 공평무사하게 중립적 도구로서 근무하여야 한다.

④ 정치적 중립은 소극적으로 정권 교체에 따른 신분의 동요 없이 공무를 수행하는 정치로부터의 중립을, 적극적으로 공무원의 선거운동 등 정치 활동의 금지를 포함한다.

12 공무원 노동조합의 교섭대상은 보수 등 근무조건이다.

| 오답체크 |

① 기관의 조직 및 정원에 관한 사항, ③ 예산·기금의 편성 및 집행에 관한 사항, ④ 정책의 기획 등 정책결정에 관한 사항은 모두 재직자의 근무조건과는 관계 없는 사항으로, 단체교섭 대상이 될 수 없다.

13 감봉은 1개월 이상 3개월 이하의 기간 동안 보수의 3분의 1을 감한다.

| 오답체크 |

① 징계는 파면·해임·강등·정직·감봉·견책으로 구분한다.

② 정직은 보수의 전액을 삭감한다.

④ 감사원에서 조사 중인 사건에 대하여는 조사개시 통보를 받은 후부터는 징계 의결의 요구나 그 밖의 징계 절차를 진행할 수 없다(「국가공무원법」 제83조 제1항).

14 지방소청심사위원회 위원은 자치단체의 장이 임명 또는 위촉하며(「지방공무원법」 제14조), 위원장은 위촉위원 중에서 호선(互選)한다(「지방공무원법」 제15조).

| 오답체크 |

① 소청심사위원회의 결정은 재결로 처분 행정청에 대해 기속력을 갖는다.

② 강임과 면직은 물론 휴직과 전보 등 불리한 처분이나 부작위(不作爲)는 모두 소청심사대상에 포함된다. 단, 승진탈락과 근평은 소청의 대상이 되지 아니한다.

③ 지방소청심사위원회는 광역자치단체인 시·도별로 설치되어 있다.

15 직무수행능력이 부족하거나 근무성적이 극히 나쁜 자에 대해서는 직위해제가 가능하다.

| 오답체크 |

① 직위해제는 징계는 아니다.

② 직위해제는 공무원 신분은 유지되며 직위가 부여되지 않는다.

④ 직위해제사유가 소멸된 경우 임용권자는 지체없이 직위를 부여하여야 한다.

16 소청심사기관은 중앙인사관장기관 및 시·도별로 설치·운영된다. 따라서 행정부 소속 국가공무원은 인사혁신처 소청심사위원회, 헌법상 독립기관소속 공무원은 각 헌법상 독립기관 소청심사위원회, 지방공무원은 각 시·도소청심사위원회에서 담당하며 검사는 소청심사제도가 없다.

| 오답체크 |

① 경기도 소속 지방공무원에 대한 소청은 경기도 소청심사위원회에서 담당한다.

③ 소방공무원은 2020년 모두 국가직으로 전환되었므로 현재는 인사혁신처 소청심사위원회에서 담당한다.

④ 국공립대 교수는 국가직 교육공무원이므로 교육부 교원소청심사위원회에서 담당한다.

정답 11 ③ 12 ② 13 ③ 14 ④ 15 ③ 16 ②

10초만에 파악하는 5개년 기출 경향

최근 5개년(2024~2020) 출제율

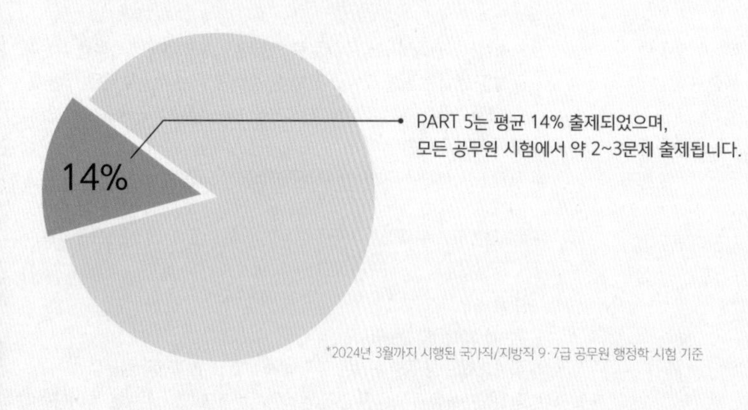

*2024년 3월까지 시행된 국가직/지방직 9·7급 공무원 행정학 시험 기준

CHAPTER별 출제율

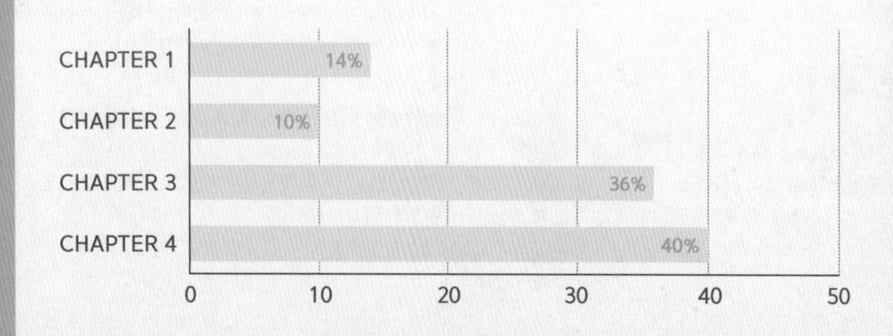

PART 5

재무행정론

CHAPTER 1

재무행정의 기초

1 예산의 본질

1 예산[1]의 의미

1. 재무행정과 예산

(1) 재무행정

재무행정이란 정부가 사용하는 재정자원(물적 자원)을 관리하는 활동을 의미하며, 재무행정의 중심 영역은 국가의 세입 및 세출에 관한 예산의 관리에 있다.

(2) 예산

재무행정의 중심 개념인 예산은 '장차 도래할 회계연도에 정부가 동원하고 사용할 세입과 세출에 대해 예측한 계산'으로, 정부사업을 위한 세입과 세출을 제안하는 예정서라고도 한다.

2. 예산의 속성

(1) 미래지향적 계획이다.

(2) 정부사업에 대한 제안이며 일종의 약속이다.

(3) 정책과 사업목표 성취를 위한 수단이다.

(4) 정부의 재정상태와 재원획득 및 지출에 관한 정보를 제공하는 도구이다.

(5) 복잡한 과정을 통해 결정되고 집행된다.

(6) 입법부가 승인한 세입 · 세출계획으로서 강제력을 지닌다.

(7) 정부의 예산은 사기업체의 예산과 구별된다.

2 예산의 기능

1. 정치적 기능

(1) 예산은 희소한 경제자원의 배분에 관한 권위적 결정이므로, '예산을 둘러싼 이해관계자들의 대립 · 갈등 · 투쟁 · 타협이라는 정치적 속성'을 지닌다[윌다브스키(Wildavsky)].

(2) 정치과정을 통해 다음과 같은 기능을 수행한다.

① 여러 가지 이익 간의 갈등을 조정하는 기능을 한다.

② 정부활동에 대한 정치적 통제 기능을 한다.

[1] 예산 개념의 유래
예산(budget)은 영국 재무상이 매년 의회에 가지고 다니던 가죽 주머니(bougette)에서 유래된 것으로, 그 가죽 주머니에서 재정 서류를 꺼냈다는 데에서 기원한다.

2. 법적 기능[1]

(1) 예산은 의회의 의결을 거치게 되고 집행 시 법적 강제력이 부과되며, 행정기준으로서의 기능을 한다.

(2) 예산은 입법기관인 국회에서 심의·확정된 범위 내에서만 지출되어야 한다.

3. 경제적 기능[머스그레이브(Musgrave)]

머스그레이브(Musgrave)가 강조한 재정의 3대 기능은 (1) 경제안정 기능, (2) 자원배분 기능, (3) 소득재분배 기능이다.

(1) 경제안정 기능

예산은 재정정책의 도구로, 경제안정화(stabilizer)에 기여하는 전략적 기능을 수행한다.

(2) 자원배분 기능

예산은 희소한 자원을 효율적으로 배분하는 기능을 하며, 비효율적인 자원배분에 의하여 발생한 시장실패를 치유하는 역할을 수행한다.

(3) 소득재분배 기능

예산은 세입에 있어서는 누진소득세, 세출에 있어서는 사회보장적 지출 등을 통하여 소득재분배 기능을 수행한다.

(4) 경제성장 촉진 기능

경제발전의 추진과정에서 예산에 의한 경제성장 촉진 기능이 매우 중시된다[경제성장 기능은 케인즈(Keynes)가 강조한 이론이다].

4. 행정적 기능[쉬크(Schick)][2]

쉬크(Schick)는 『예산개혁단계론(1966)』에서 예산에는 3가지 행정적 기능(통제·관리·계획 기능)이 공존하고 있다고 보았다. 1970년대 석유파동을 계기로 국가가 재정위기에 처하자 감축 기능이 중시되었다.

(1) 통제 기능(1920~1930년대)

① 예산집행에 있어서 부정행위를 막는 것이 주목적인 기능으로, 품목별예산(LIBS)에서 강조된 합법성 중심의 기능이다.

② 재정민주주의를 실현하려는 것으로, 의회가 정부의 재정활동에 대하여 행사하는 민주적 통제수단으로서의 전통적 기능을 말한다.

③ 광의로는 중앙예산기관에 의한 내부통제도 포함된다.

(2) 관리 기능(1950년대)

① 일정액의 예산을 지출하여 최대의 성과를 얻는 것이 주목적인 기능으로, 성과주의예산(PBS)에서 강조된 능률성 중심의 기능이다.

② 행정부가 가능 자원을 효과적으로 동원하여 최대의 경제성·효율성을 고려하면서 이를 관리하는 기능을 말한다.

❶ 법률과 예산의 구속력 차이

1. **법률**: 모든 국민과 국가 기관을 구속하는 것이 원칙이다.
2. **예산**
   - **세입예산**: 구속력이 없다.
   - **세출예산**: 국민에 대한 구속력은 없고, 국가기관에 대해서만 구속력이 있다.

❷ 예산의 행정적 기능과 예산제도

1. **통제기능**: 품목별예산(LIBS)
2. **관리기능**: 성과주의예산(PBS)
3. **계획기능**: 계획예산(PPBS)
4. **참여기능**: 목표관리예산(MBO)
5. **감축기능**: 영기준예산(ZBB)
6. **최근의 경향**
   - **신성과주의예산**: 성과 지향
   - **주민참여예산**: 참여 지향

핵심 OX

01 머스그레이브(Musgrave)의 재정의 3대 기능은 안정, 성장, 재분배 기능이다. (O, X)

02 자원배분 기능은 시장실패를 치유하는 기능이다. (O, X)

01 X 성장이 아니라 자원배분기능이다. 성장은 케인즈(Keynes)의 기능이다.
02 O

(3) 계획 기능(1960년대 이후)

일정액의 예산을 지출하여 최대의 효과를 얻는 것이 주목적인 기능으로, 장기적 목표를 설정하고 이를 단기적 예산과 연계시키는 계획예산(PPBS)에서 강조된 효과성 중심의 기능이다.

(4) 참여적 관리 기능(1970년대 초 이후)

구성원의 참여에 의한 예산 운영을 강조하는 기능으로, 목표관리(MBO)를 예산에 도입한 것이다.

(5) 감축 기능(1970년대 말 이후)

자원난 시대에 들어와 사업의 우선순위에 따라 원점에서 예산을 배분하려는 감축 기능이 강조되었는데, 영기준예산(ZBB)에서 강조된 것이다.

3 예산원칙

1. 예산원칙의 의의

(1) 의의

① 예산원칙은 '예산이 지켜야 할 규범적 기준'들로, 정부 역할에 대한 태도에 따라 전통적 예산원칙과 현대적 예산원칙으로 구분된다.

② 종래 입법국가에 적용된 전통적 예산원칙은 행정부에 대한 입법부의 통제수단으로서 발전되어 왔다. 그러나 현대 행정국가에서는 정부 기능이 확대되고 강화되면서, 통제 중심의 원칙에서 벗어나 관리 중심적 예산원칙이 제창되었다.

(2) 관계

전통적 예산원칙과 현대적 예산원칙은 대립적인 관계에 있는 것이 아니라 상호보완 관계에 있다. 따라서 정부 전체수준에서는 입법부 우위의 예산원칙이, 부처단위에서는 현대적인 행정부 우위의 예산원칙이 강조된다.

2. 전통적 예산원칙

(1) 전통적(고전적) 예산원칙은 '입법부 우위의 예산원칙으로서 통제 중심적 예산원칙'이다.

(2) 전통적 예산원칙은 정부의 기능이 단순하고 예산의 규모가 적었던 입법국가 시대에 적용되는 것으로, 노이마르크(Neumark)와 선델슨(Sundelson)가 주장하였다.

(3) 내용

공개성 원칙	· 예산의 편성 · 심의 · 집행 등에 관한 정보를 공개해야 함 · 의회가 예산의 총액만 승인해주는 신임예산, 우리나라의 경우 국정원의 예산은 공개하지 않음
명료성 원칙	· 예산은 모든 국민이 이해할 수 있도록 편성되어야 함 · **예외**: 총괄예산, 총액계상예산
엄밀성(정확성) 원칙	예산은 계획한 대로 정확히 지출하여 가급적 결산과 일치해야 함

완전성 원칙 (예산총계주의[1])	· 예산에는 모든 세입 · 세출이 완전히 계상되어야 한다는 것으로, 예컨대 징수 비용을 제외한 순수입(순계예산)만을 세입예산에 반영시켜서는 안 됨 · 예외: 순계예산, 현물출자, 외국차관의 전대
통일성 원칙	· 특정수입과 특정지출이 연계되어서는 안 되며, 국가의 모든 수입은 일단 국고에 편입되고 여기서부터 모든 지출이 이루어져야 함 · 예외: 특별회계예산, 목적세, 수입대체경비
사전의결 원칙	· 예산은 집행이 이루어지기 전에 입법부에 제출되고 심의 · 의결되어야 함 · 예외: 준예산, 예비비 지출, 사고이월, 전용
한정성 원칙	예산은 주어진 목적, 금액, 시간에 따라 한정된 범위 내에서 집행되어야 한다는 원칙으로 세 가지 한정성으로 구분됨 · 질적 한정성: 비목 외 사용금지(예외: 이용, 전용) · 양적 한정성: 금액초과 사용금지(예외: 예비비, 추경예산) · 시간적 한정성: 회계연도 독립원칙 준수(예외: 이월, 계속비)
단일성 원칙	· 예산은 가능한 한 단일의 회계 내에서 정리되어야 한다는 원칙 · 예외: 특별회계, 기금, 추경예산

개념PLUS 완전성 원칙의 예외

1. 순계예산
   징세비를 공제하고 순세입만 계상한 예산이다.
2. 기금
   예산 외로 운영된다. 기금은 세입세출예산 외로 운영되기 때문에 예산 완전성 원칙의 예외로 보는 것이 일반적이지만, 엄밀한 의미에서 예산이 아니므로 예산에 포함될 필요가 없다는 관점에서 완전성 원칙의 예외에 포함시키지 않는 견해(이종수 외)도 있다.
3. 현물출자(現物出資)
   동산 · 부동산 · 채권 · 유가증권 · 특허권 등 금전 이외의 재산에 의한 출자형태를 말한다.
4. 전대차관(轉貸借款)
   전대차관은 '국내 거주자에게 전대(轉貸)할 것을 조건으로 기획재정부장관을 차주(借主)로 하여 외국의 금융기관으로부터 외화자금을 차입(借入)하는 것'으로, 차관물자대(借款物資貸)와는 구별되는 것이다. 차관물자대는 '외국의 실물자본을 일정기간 사용하거나 대금결제를 유예하면서 도입하는 차관'을 말한다. 원칙적으로 전대차관은 예산에서 제외되나, 차관물자대는 예산에 계상된다. 차관물자대는 부득이한 사유로 세입예산을 초과하게 되는 때에는 그 세출예산을 초과하여 지출할 수 있다.
5. 수입대체경비
   각 중앙관서의 장은 용역 또는 시설을 제공하여 발생하는 수입과 관련되는 경비로, 대통령령이 정하는 경비(수입대체경비)에 있어 수입이 예산을 초과하거나 초과할 것이 예상되는 때에는 그 초과수입을 대통령령이 정하는 바에 따라 그 초과수입에 직접 관련되는 경비 및 이에 수반되는 경비에 초과지출할 수 있다(초과수입 · 초과지출 가능).

3. 현대적 예산원칙 – 행정국가적 예산원칙

(1) 의의

현대적 예산원칙은 '자원관리의 효율성과 계획성을 강조하는 예산제도에 적합한 예산원칙으로, 행정부 예산원칙, 관리 중심적 예산원칙'이라고도 한다. 이는 스미스(Smith)가 제창한 것으로, 예산운영상 신축성을 부여하기 위한 관리지향의 원칙이다.

[1] 예산총계주의
「국가재정법」 제17조 【예산총계주의】 ① 한 회계연도의 모든 수입을 세입으로 하고, 모든 지출을 세출로 한다.
② 제53조에 규정된 사항을 제외하고는 세입과 세출은 모두 예산에 계상하여야 한다.
제53조 【예산총계주의 원칙의 예외】 ① 각 중앙관서의 장은 용역 또는 시설을 제공하여 발생하는 수입과 관련되는 경비로서 대통령령으로 정하는 경비(이하 "수입대체경비"라 한다)의 경우 수입이 예산을 초과하거나 초과할 것이 예상되는 때에는 그 초과수입을 대통령령으로 정하는 바에 따라 그 초과수입에 직접 관련되는 경비 및 이에 수반되는 경비에 초과지출할 수 있다.
② 국가가 현물로 출자하는 경우와 외국차관을 도입하여 전대(轉貸)하는 경우에는 이를 세입세출예산 외로 처리할 수 있다.
③ 차관물자대(借款物資貸)의 경우 전년도 인출예정분의 부득이한 이월 또는 환율 및 금리의 변동으로 인하여 세입이 그 세입예산을 초과하게 되는 때에는 그 세출예산을 초과하여 지출할 수 있다.
④ 전대차관을 상환하는 경우 환율 및 금리의 변동, 기한 전 상환으로 인하여 원리금 상환액이 그 세출예산을 초과하게 되는 때에는 초과한 범위 안에서 그 세출예산을 초과하여 지출할 수 있다.
⑥ 수입대체경비 등 예산총계주의 원칙의 예외에 관하여 필요한 사항은 대통령령으로 정한다.

핵심 OX

01 순계예산은 완전성의 원칙의 예외이다. (O, X)

01 O

(2) 대두배경

① 행정 기능이 확대 · 강화되고 전문성이 증대되었다.

② 정부기업과 같은 공기업의 존재로 예산 통일성의 원칙의 타당 범위가 감소하였다.

③ 경제상황의 변동에 따라 수입과 지출의 조절 필요성이 제기되었다.

(3) 내용

행정부 계획의 원칙	예산의 편성 · 기획은 행정수반의 직접적 감독 아래서 전체 사업계획과 밀접한 관련성을 가지며 이루어져야 한다는 원칙(사업계획과 예산편성 연계)
행정부 책임의 원칙	행정수반의 지휘 · 감독하에 계획된 예산을 능률적으로 집행해야 할 책임을 진다는 원칙
보고의 원칙	· 예산의 편성 · 심의 · 집행 등은 정부의 각 행정기관으로부터 올라오는 보고에 기초하여 이루어져야 함 · 업무의 집행상황에 관한 최신정보가 제공되어야 한다는 원칙
다원적 절차의 원칙	모든 정부기관은 다양한 예산절차와 형식을 활용함으로써 효율적으로 예산을 운용해야 한다는 원칙(특별회계 · 기금 등 운영)
적절한 수단구비의 원칙	행정수반의 직접 감독하에 유능한 공무원이 배치되어 있는 예산기관이나 월별 · 분기별로 예산을 배정할 권한, 준비금 제도 등 적절한 행정수단이 필요하다는 원칙
시기 신축성의 원칙	다루어야 할 사회 · 경제 상태의 변화에 신속히 대응할 수 있도록 사업계획을 실시하는 시기를 행정부가 필요에 따라 융통성 있게 조정할 수 있게 해야 한다는 원칙
행정부 재량의 원칙	입법부가 예산안을 심의 · 의결할 때 심의를 엄격히 하되 총괄적으로 하여, 입법부의 정치적 방침에 위배되지 않는 한 행정부가 필요한 운용수단을 결정할 수 있도록 재량권을 부여해야 한다는 원칙(재량범위 확대)
예산기구 상호교류의 원칙	예산기능은 중앙예산기관만의 기능이 아니라 행정기구 전체에 얽혀 있는 과정이므로, 중앙예산기관과 각 부처 예산기관 간에는 상호교류로 능률적 · 적극적인 협력관계가 확립되어야 한다는 원칙

4. 「국가재정법」 제16조에 규정된 예산의 원칙

정부는 예산을 편성하거나 집행할 때 다음의 원칙을 준수하여야 한다.

(1) 재정 건전성의 원칙

정부는 재정 건전성의 확보를 위하여 최선을 다하여야 한다.

(2) 국민부담 최소화의 원칙

정부는 국민부담의 최소화를 위하여 최선을 다하여야 한다.

(3) 재정성과 제고의 원칙

정부는 재정을 운용할 때 재정지출 및 조세지출예산서의 작성에 따른 조세지출의 성과를 제고하여야 한다.

(4) 투명성과 국민참여의 원칙

정부는 예산과정의 투명성과 예산과정에의 국민참여를 제고하기 위하여 노력하여야 한다.

핵심 OX

01 일반회계 뿐만 아니라 특별회계기금 등을 운영하는 것은 다원적 절차의 원칙이다. (O, X)

02 한정성의 원칙은 「국가재정법」상의 원칙이다. (O, X)

01 O
02 X 한정성의 원칙은 「국가재정법」상의 원칙이 아니다.

(5) 성인지(性認知) 예산의 원칙

정부는 예산이 여성과 남성에게 미치는 효과를 평가하고, 그 결과를 정부의 예산편성에 반영하기 위하여 노력하여야 한다.

(6) 온실가스 감축 효과의 평가 및 결과 반영의 원칙

정부는 예산이 온실가스 감축에 미치는 효과를 평가하고, 그 결과를 정부의 예산편성에 반영하기 위하여 노력하여야 한다.

4 예산과 법률

1. 예산의 형식[1]

(1) 법률주의 – 법률과 동일한 형식(세입법 · 세출법)

① 법률주의는 '세출예산과 세입예산을 매년 입법부가 법률로 확정하여 예산에 법적 구속력을 인정하는 것'을 말하며, 미국[2], 영국, 프랑스, 독일이 채택하고 있다.

② 이때 징세의 근거가 되는 조세법은 세입예산과 함께 매년 법률로 제정되는 1년세주의로 운영된다.

(2) 예산주의(의결주의) – 법률과 다른 독특한 형식

① 예산주의는 예산이 법률과는 별도의 '의결 또는 예산이라는 형식으로 성립되는 것'을 말하는 것으로, 법률과는 별개의 법적 효력을 지니게 된다. 우리나라와 일본이 예산주의를 채택하고 있다.

② 예산주의에서 세출예산은 구체적 지출에 대한 법적 구속력을 지니나, 세입예산은 세입의 예산 견적에 대한 단순기재에 불과하다. 왜냐하면 징세의 근거가 되는 조세법은 영구세주의로 운영되기 때문에 세입예산에 계상되어 있지 않아도 조세법률주의에 의해 법률의 근거만으로 징수가 가능하기 때문이다.

2. 예산과 법률의 차이

구분	예산	법률
법적 근거	예산의결권: 헌법 제54조	법률의결권: 헌법 제53조
제출권	· 예산안 편성 및 집행권은 정부만 보유 · 예산심의 시 국회는 정부동의 없이 지출예산 각 항의 금액 증가나 신비목 설치 불가능	법률안은 국회 · 정부 모두 제출 가능
제출기한	회계연도 개시 120일 전	제한 없음
대통령의 거부권 행사	불가	가능
의사표시의 대상	정부에 대한 국회의 재정권 부여 의사표시	국민에 대한 국가의 의사표시
효력	일회계연도 ⇨ 한시적 효력 발생	법률은 대체로 영속적 효력 발생
효력 발생 시기	국회의 의결로 효력 발생 (정부는 공고만 할 뿐)	국회의 의결 후 정부의 공포로 효력 발생

[1] 우리나라의 예산 형식 – 예산주의
우리나라는 예산을 법률로 성립시키는 영국 · 미국과 달리, 예산이라는 형식으로 의결하는 예산주의(의결주의)이다.

[2] 미국의 세출 법안에 대한 거부권 문제
1. 미국에서 예산은 세출법안 형태로 의결되기 때문에 대통령은 잠정예산*을 포함한 세출법안에 대해서 거부권을 행사할 수 있다.
2. 단, 세출예산법안 전체가 아니라 일부에 대한 항목별 거부권은 인정되지 않는다. 미국은 1996년 예산 항목별 거부권법(Line Item Veto Act)을 제정해 대통령이 예산 항목별 거부권을 행사할 수 있도록 했지만 이 법은 1998년 미국 대법원의 위헌 판결에 의해 무효화되었다.

용어
잠정예산*: 미국에서 예산불성립 시 사용하는 예산제도

핵심 OX

01 예산은 거부권 행사가 가능하다. (O, X)

02 미국은 예산을 법률로 성립시키기 때문에 거부권 행사가 가능하다. (O, X)

01 X 예산에 대해서는 거부권 행사가 불가능하다.
02 O 원칙적으로는 거부권을 행사할 수 있으나, 세출예산법안 전체가 아닌 일부에 대한 항목별 거부권은 인정되지 않는다.

구속력	· 정부와 국회 간 효력 발생 · 정부에 대한 구속	· 국민과 국민 간 효력 · 쌍방의 권리의무 구속
법규 변경 · 수정	예산으로 법률 개폐 불가	법률로써 예산 변경 불가

5 재무행정의 조직

1. 삼원조직구조

(1) 개념

① 삼원조직구조는 '재무행정조직의 기본인 중앙예산기관, 국고수지 총괄기관, 중앙은행으로 재정권력의 견제와 균형을 이루고자 하는 체계'를 말한다.

② 예산기구가 행정수반 직속형인 대통령 중심제형으로, 세출예산을 담당하는 중앙예산기관과 재정 · 회계 · 징세 · 금융 등을 관장하는 국고수지총괄기관이 분리된 형태이다.

(2) 기관

① **중앙예산기관**

㉠ 중앙예산기관은 '세출예산을 배분 · 총괄하는 기관으로, 국가의 예산정책을 입안하고 각 부처의 사업을 검토 · 평가하여 국가의 예산안을 편성하며, 예산이 성립된 다음에 예산을 배정하고 예산집행을 통제하는 중앙행정기관'이다. 즉, 중앙예산기관은 국가예산에 관한 기본정책의 입안, 예산편성, 집행통제와 같은 실질적 예산총괄업무를 담당한다.

㉡ 행정수반의 기본정책과 정부의 재정 · 경제정책에 입각하여 각 부처의 예산요구를 사정 · 조정하고, 사업별로 예산을 배분 · 결정한 후 정부 전체의 예산안을 편성하여 국회에 제출하며, 정부예산의 전반적인 관리를 담당하는 기관이다.

② **국고수지 총괄기관(수입지출 총괄기관)**

㉠ 국고수지 총괄기관은 '세입예산의 수입과 세출예산의 지출을 총괄하는 실무기관'을 말한다.

㉡ 중앙의 징세 · 재정 · 금융 · 회계 · 결산 · 자금관리 · 국고금 지출 등 국가의 수입 · 지출을 총괄하는 기관이다.

③ **중앙은행:** 중앙은행은 '정부의 재정대행기관'으로서 정부의 모든 국고금의 출납업무를 대행한다.

(3) 장단점

① **장점**

㉠ 중앙예산관리 기능이 효과적인 행정관리수단이 된다.

㉡ 각 부처로부터 초월적 입장을 견지할 수 있어서 강력한 행정력을 발휘함으로써 분파주의를 방지할 수 있다.

② **단점:** 세입과 세출의 관장기관이 달라 세입과 세출 간의 유기적 관련성이 저하될 수 있다.

2. 이원조직구조

(1) 개념

① 이원조직구조는 '중앙예산기관과 수지총괄기관을 합쳐서 업무의 통일성을 도모하고자 하는 조직구조'를 말한다.

② 예산기구가 국고수지를 총괄하는 재무성에 소속하는 내각책임제형이다.

(2) 채택

주로 내각책임제 국가에서 채택한다. 우리나라의 기획재정부도 이와 유사한 형태라고 할 수 있다.

(3) 장단점

삼원조직구조의 장단점과 반대의 속성을 지니고 있다.

2 예산 및 회계 관계 법률

1 헌법

1. 의의

(1) 우리나라 재무행정의 법적 기초는 헌법에 근거를 두고 있다.[1]

(2) 헌법에서 규정하고 있는 예산관련 규정

① 입법부의 예산심의 · 확정권

② 계속비와 예비비

③ 추경예산

④ 국회의 예산안 수정권과 증액 · 신비목의 설치 금지

⑤ 국가채무부담행위 동의권

⑥ 조세법률주의

⑦ 국무회의 재정관련 정책심의권

⑧ 세입세출결산과 회계검사기구

⑨ 세입세출결산보고 등

2. 주요 내용[2]

(1) 국회의 예산심의 · 확정권, 예산안 제출 및 의결기한(제54조[3])

① 국회는 국가의 예산안을 심의 · 확정한다.

② 정부는 회계연도마다 예산안을 편성하여 회계연도 개시 90일 전까지 국회에 제출하고[4], 국회는 회계연도 개시 30일 전까지 이를 의결하여야 한다.

❶ 조세법률주의
1. 조세의 부과는 국민의 대표로 구성되는 국회에서 제정하는 법률에 의하여만 가능하다는 원칙이다.
2. **헌법 제59조:** 조세의 종목과 세율은 법률로 정한다.

❷ 헌법과 「국가재정법」의 예산안 국회 제출 일자
1. **헌법:** 회계연도 개시 90일 전까지로 규정하고 있다.
2. **「국가재정법」:** 회계연도 개시 120일 전까지로 규정하고 있다.

❸ 헌법 제54조 제2항
정부는 회계연도마다 예산안을 편성하여 회계연도 개시 90일 전까지 국회에 제출하고, 국회는 회계연도 개시 30일 전까지 이를 의결하여야 한다.

❹ 예산안의 국회제출
「국가재정법」 제33조 【예산안의 국회제출】 정부는 제32조의 규정에 따라 대통령의 승인을 얻은 예산안을 회계연도 개시 120일 전까지 국회에 제출하여야 한다.

(2) 준예산 제도(제54조)

새로운 회계연도가 개시될 때까지 예산안이 의결되지 못한 때에는 정부는 국회에서 예산안이 의결될 때까지 다음의 목적을 위한 경비는 전년도 예산에 준하여 집행할 수 있다.

① 헌법이나 법률에 의하여 설치된 기관 또는 시설의 유지 · 운영

② 법률상 지출의무의 이행

③ 이미 예산으로 승인된 사업의 계속

(3) 계속비와 예비비(제55조)

① 한 회계연도를 넘어 계속하여 지출할 필요가 있을 때에는 정부는 연한을 정하여 계속비로서 국회의 의결을 얻어야 한다.

② 예비비는 총액으로 국회의 의결을 얻어야 한다. 예비비의 지출은 차기 국회의 승인을 얻어야 한다.

(4) 추가경정예산(제56조)

정부는 예산에 변경을 가할 필요가 있을 때에는 추가경정예산안을 편성하여 국회에 제출할 수 있다.

(5) 국회의 예산증액 및 새 비목 설치 제한(제57조)

국회는 정부의 동의 없이 정부가 제출한 지출예산 각 항의 금액을 증가하거나 새 비목을 설치할 수 없다.

(6) 국채 및 국고채무부담행위(제58조)

국채를 모집하거나 예산 외에 국가의 부담이 될 계약을 체결하려 할 때에는 정부는 미리 국회의 의결을 얻어야 한다(기채동의권).

(7) 감사원의 세입 · 세출 결산검사권(제99조)

감사원은 세입 · 세출의 결산을 매년 검사하여 대통령과 차년도 국회에 그 결과를 보고하여야 한다.

(8) 기타

조세법률주의, 재정부담이 될 조약 체결에 대한 동의권, 긴급재정 및 경제처분에 대한 승인권 등이 있다.

2 기타 관계 법률

1. 간접적 법률

헌법 이외에 「국회법」에서는 예산 심의기구와 의결절차를 규정하고 있으며, 「감사원법」에서는 회계검사의 내용과 절차 및 결산의 확인을, 「정부조직법」에서는 예산편성 및 집행업무를 관장하는 재무행정조직에 대한 법적 근거를 규율하고 있다. 이러한 법들은 간접적이지만 재무행정의 기초를 제공하고 있는 법이다.

2. 직접적 법률

이와 같이 간접적인 법과는 달리 정부의 예산회계에 관해 직접적으로 규율하고 있는 법은 「국가재정법」, 「정부기업예산법」, 「공공기관 운영에 관한 법률」, 「국가회계법」 등이 있다.

3 국가재정법

1. 목적

이 법은 국가의 예산·기금·결산·성과관리 및 국가채무 등 재정에 관한 사항을 정함으로써, 효율적이고 성과지향적이며 투명한 재정운용과 건전재정의 기틀을 확립하고, 재정운용의 공공성을 증진하는 것을 목적으로 한다.

2. 주요 내용

<table>
<tr><td rowspan="12">재정
운용의
효율성
제고</td><td rowspan="12">선진
재정
운용
방식
도입</td><td colspan="2">중·장기 재정운용계획</td><td>국가재정운용계획의 수립 및 국회 제출 의무화
· 매년 당해 회계연도부터 5회계연도 이상의 기간에 대한 국가재정운용계획을 수립, 예산안과 함께 국회 제출 의무화
· 재정운용의 기본방향과 목표, 중장기 재정전망 및 근거, 분야별 재원배분계획 및 투자방향, 조세부담률·국민부담률 전망 등 포함</td></tr>
<tr><td colspan="2">예산 총액배분 자율편성
(Top-down) 제도</td><td>· 각 부처는 당해 회계연도부터 5회계연도 이상의 기간에 대한 중기사업계획서를 1월 말까지 기획재정부장관에게 제출
· 기획재정부장관은 각 부처에 3월 31일까지 예산안편성지침 및 기금운용계획안 작성지침에 부처별 지출한도를 포함하여 통보 가능</td></tr>
<tr><td colspan="2">예산순기와 결산순기 조정</td><td>· 부처별 지출한도 설정을 위한 국가재정운용계획 수립
· 부처 자율편성 일정 등을 감안하여 예산순기 조정
· 예·결산 분리 심의를 위해 결산을 조기에 국회 제출</td></tr>
<tr><td rowspan="4">예
산
순
기</td><td>사업계획서 제출
(각 부처 ⇨ 기재부)</td><td>1월 말</td></tr>
<tr><td>예산안 편성지침 통보
(기재부 ⇨ 각 부처)</td><td>3월 31일</td></tr>
<tr><td>예산요구서 제출
(각 부처 ⇨ 기재부)</td><td>5월 31일</td></tr>
<tr><td>예산안 국회 제출</td><td>회계연도 120일 전까지</td></tr>
<tr><td rowspan="4">결
산
순
기</td><td>결산보고서 제출
(각 부처 ⇨ 기재부)</td><td>다음 연도 2월 말</td></tr>
<tr><td>정부결산 제출
(기재부 ⇨ 감사원)</td><td>다음 연도 4월 10일</td></tr>
<tr><td>결산검사 보고서 송부
(감사원 ⇨ 기재부)</td><td>다음 연도 5월 20일</td></tr>
<tr><td>정부결산 국회 제출</td><td>다음 연도 5월 31일</td></tr>
</table>

구분	항목	내용
성과 중심 재정 운용	회계 · 기금 간 여유재원의 신축적 운용	· 회계와 기금 간, 회계 상호 간 및 기금 상호 간 여유 재원의 전입 · 전출 가능 · 단, 연금성 및 보험성 기금(국민연금, 고용보험, 산재보험, 임금채권보장기금) 등은 전입 · 전출 대상에서 제외
	재정사업에 대한 성과관리 (성과계획서와 성과보고서)	· 성과계획서(재정사업 추진 시 기대 성과와 측정 방법 기록) 제출 - 각 부처 ⇨ 기획재정부 - 정부 ⇨ 국회 · 성과보고서(재정사업의 집행 시 당초 기대한 성과의 달성 여부 기록) 제출 - 각 부처 ⇨ 기획재정부 - 정부 ⇨ 국회
	예산낭비에 대한 대응시스템 구축	· 언론 · 시민단체 등에서 제기하는 연례적 · 반복적 예산낭비 사례에 대한 각 부처의 시정 조치를 제도화 · 기획재정부장관이 각 부처 장관에게 예산낭비 실태점검 및 예산낭비 방지를 위한 조치 시행 요구 가능
	예비타당성조사, 타당성재검증 제도 근거 마련	법률(「국가재정법」)에 대상사업 및 선정방식 등 규정
	프로그램예산제도 근거	예산서를 프로그램 분류체계에 따라 작성 · 국민들이 나라 살림을 쉽게 이해하고 재정사업의 성과평가가 용이하도록 예산체계를 변경 · 재정사업을 정책목표 중심으로 통 · 폐합하고 성과관리가 용이한 프로그램예산체계로 개편
재정 정보의 공개범위와 방법		· 중앙정부와 지방정부의 재정정보 공개 · 인쇄물, 인터넷 등으로 공표
재정의 투명성 제고	불법 재정지출에 대한 국민감시제	일반 국민이 불법재정지출에 대한 관계 부처 장관에 대한 시정요구 가능 · 시정요구권의 남용 방지를 위해 증거 제출을 최소한의 필요 요건으로 명시 · 해당 부처 장관은 시정요구자에게 처리결과를 의무적으로 통지(해당 부처 장관은 처리 결과에 따라 예산이 절감된 경우 시정요구자에게 성과금 지급❶ 가능)
재정의 건전성 유지	추가경정예산편성 요건 규정	불가피한 세 가지 경우만 가능 · 전쟁이나 대규모 재해 발생 · 경기침체, 대량실업, 남북관계변화, 경제협력의 필요 등 대내 · 외 여건의 중대한 변화 발생 · 법령에 의해 국가가 지급해야 하는 지출의 발생 또는 증가
	세계잉여금 사용 순서	국가채무 상환에 우선 사용 후 잔액을 추경예산 재원으로 사용
	세계잉여금 사용 시기	결산에 대한 대통령의 승인을 얻은 때부터 사용 가능

❶ 예산성과금의 지급 등
「국가재정법」 제49조 **【예산성과금의 지급 등】** ① 각 중앙관서의 장은 예산의 집행 방법 또는 제도의 개선 등으로 인하여 수입이 증대되거나 지출이 절약된 때에는 이에 기여한 자에게 성과금을 지급할 수 있으며, 절약된 예산을 다른 사업에 사용할 수 있다.
② 각 중앙관서의 장은 제1항의 규정에 따라 성과금을 지급하거나 절약된 예산을 다른 사업에 사용하고자 하는 때에는 예산성과금심사위원회의 심사를 거쳐야 한다.

	국가채무관리계획의 수립 및 국회 제출	기획재정부장관은 매년 국가채무관리계획(국채·차입금 상환실적 및 상환계획, 증감전망 등을 포함)을 수립하여 의무적으로 국회에 제출
	조세감면 관리 제도, 조세지출예산제도	· 국세감면 한도제 도입 · 기획재정부장관의 조세지출예산서 작성 및 국회 제출 의무화(지방정부도 도입)
	예비비 총액한도 제한	· 일반회계 예산총액의 100분의 1 이내의 금액을 예비비로 세입세출예산에 계상할 수 있음 · 다만, 예산총칙 등에 따라 미리 사용목적을 지정해 놓은 예비비는 별도로 세입세출예산에 계상할 수 있음
기타 제도 개선	독립기관의 예산	정부는 독립기관의 예산편성 시 독립기관의 장의 의견을 최대한 존중(독립기관의 예산편성권은 행정부가 가짐)
	성인지(性認知) 예·결산 제도 및 기금 제도	· 성인지 관점에서의 재정운용 원칙 명시 · 정부는 예산 및 기금이 성별에 미치는 영향을 분석하여 국회 제출 의무화

4 정부기업예산법

1. 목적

정부기업별로 특별회계를 설치하고, 그 예산 등의 운용에 관한 사항을 규정함으로써 정부기업(우편사업 · 우체국예금사업 · 양곡관리사업 및 조달사업)의 경영을 합리화하고, 운영의 투명성을 제고함을 목적으로 한다.

2. 특징

(1) 특별회계의 설치

정부기업을 운영하기 위하여 특별회계를 설치하고 그 세입으로써 그 세출에 충당한다.

(2) 다른 법률과의 관계

특별회계의 예산에 관하여는 이 법에 규정된 것을 제외하고는 「국가재정법」을 적용하고, 회계에 관하여는 「국가회계법」, 수입 및 지출 등 국고금의 관리에 관하여는 「국고금관리법」을 적용한다.

(3) 수입금 마련 지출

특별회계는 그 사업을 합리적으로 운영하기 위하여 수요의 증가로 인한 예산초과수입 또는 초과할 것이 예측되는 수입을 그 초과수입에 직접적으로 관련되는 비용에 사용할 수 있다.

(4) 발생주의, 원가계산, 손익계산, 대차대조표를 작성한다.

(5) 국회의 예산심의를 거쳐야 하는 특별회계이다.

5 국가회계법

1. 의의

(1) 국가회계의 투명성과 신뢰성을 높이고 (2) 재정에 관한 유용하고 적정한 정보를 생산 · 제공하도록 하고, (3) 국가회계의 처리기준과 재무보고서의 작성 등에 관한 사항을 정하기 위해서 「국가회계법」을 제정하였다.

2. 주요 내용[1]

(1) 적용 범위(제3조)

「국가재정법」 제4조에 따른 일반회계 및 특별회계, 제5조 제1항에 따라 설치된 기금에 대하여 적용한다.

(2) 국가회계의 원칙(제4조)

① 국가회계는 신뢰할 수 있도록 객관적인 자료와 증빙에 의하여 공정하게 처리되어야 한다.

② 국가회계는 재정활동의 내용과 그 성과를 쉽게 파악할 수 있도록 충분한 정보를 제공하고, 간단 · 명료하게 처리되어야 한다.

(3) 국가회계에 관한 사무의 관장 등(제6조)

기획재정부장관은 국가회계에 관한 사무를 총괄하고, 중앙관서의 장과 기금관리 주체는 그 소관의 회계에 관한 사무를 관리한다.

(4) 회계책임관의 임명 등(제7조)

① 중앙관서의 장은 그 소관에 속하는 회계업무를 총괄적으로 수행하도록 하기 위하여 회계책임관을 임명하여야 한다.

② 회계책임관은 소속 중앙관서의 내부통제 등 회계업무에 관한 사항과 소속중앙관서의 회계 · 결산 및 분석에 관한 사항 등의 업무를 수행한다.

(5) 국가회계제도심의위원회의 설치(제8조)

① 국가회계업무의 수행과 관련하여 국가회계제도와 그 운영, 국가회계의 처리 또는 결산 관련 법령의 제정 · 개정 및 폐지, 국가와 지방자치단체 및 공공기관 간 회계제도의 연계, 그 밖에 국가회계제도의 운영에 관한 사항으로서 대통령령으로 정하는 사항을 심의하기 위하여 기획재정부에 국가회계제도심의위원회를 둔다.

② 위원회는 위원장 1인을 포함한 15인 이내의 위원으로 구성한다.

(6) 다른 법률과의 관계(제10조)

「국가회계법」은 일반회계 · 특별회계 및 기금의 회계 및 결산에 관하여 다른 법률에 우선하여 적용한다.

(7) 국가회계기준(제11조)

① 국가의 재정활동에서 발생하는 경제적 거래 등을 발생사실에 따라 복식부기 방식으로 회계처리하는 데에 필요한 기준(국가회계기준)은 기획재정부령으로 정한다.

---

[1] 회계 관련 국가기관
1. **기획재정부**: 국가회계 주무기관이다.
2. **감사원**: 회계검사기관에 해당한다.

핵심 OX

01 「국가회계법」은 일반회계, 특별회계에 적용되고 기금은 별도의 법률이 적용된다. (O, X)

01 X 「국가회계법」은 일반회계, 특별회계, 기금에 대하여 적용한다.

② 국가회계기준은 회계업무 처리의 적정을 기하고 재정상태 및 재정운영의 내용을 명백히 하기 위하여 객관성과 통일성이 확보될 수 있도록 하여야 한다.

(8) 결산의 수행(제13조)

① 중앙관서의 장은 회계연도마다 그 소관에 속하는 일반회계 · 특별회계 및 기금을 통합한 결산보고서(중앙관서결산보고서)를 작성하여야 한다.

② 중앙관서의 장이 아닌 기금관리 주체는 회계연도마다 기금에 관한 결산보고서(기금결산보고서)를 작성하여 소관 중앙관서의 장에게 제출하여야 한다.

③ 기획재정부장관은 회계연도마다 중앙관서결산보고서를 통합하여 국가의 결산보고서(국가결산보고서)를 작성한 후 국무회의의 심의를 거쳐 대통령의 승인을 받아야 한다.

3 계획(기획)과 예산

1 계획과 예산의 의미

1. 의의

(1) 계획

행정이 추구하는 목표를 설정하고 이의 달성을 위해 최적수단을 선택하는 과정을 의미한다.

(2) 예산

1회계연도에 걸친 정부의 세입 · 세출의 예정표이며, 정부 사업계획의 화폐적 표현을 의미한다.

2. 관계

(1) 예산의 책정은 명백히 계획활동이며, 계획기능과 예산기능은 상호보완적인 불가분의 관계에 있다.

(2) 과거에는 예산을 통제적 관점에서 보았으나, 최근에는 점차 행정 기능이 확대됨에 따라 예산의 계획 기능이 강조되고 있어서 양자의 연계가 중요시되고 있다.

2 계획과 예산[1]의 괴리 원인

1. 예산제도의 결함

통제지향적 · 점증적 예산제도와 조직별 · 품목별 예산제도를 추구하는 경우, 예산과 계획이 유기적으로 연결되거나 예산의 신축성 확보가 어렵다.

[1] 우리나라의 계획과 예산
1. 조직: 기획기관과 예산기관이 통합되어 있다(기획재정부).
2. 운용: 중기사업계획서에 입각하여 다음연도 총액을 요구하므로, 계획과 예산이 연계되어 운용되고 있다.

핵심 OX

01 국가회계에 관한 사무는 감사원이 총괄적으로 수행한다. (O, X)

01 X 기획재정부장관이 국가회계에 관한 사무를 총괄한다.

2. 계획과 예산의 특성

일반적으로 계획은 장기적 · 추상적 · 포괄적이고 합리적 · 분석적인데 비해, 예산은 단기적 · 구체적 · 점증적이고 정치적 성격이 강하므로 양자의 일치가 어렵다.

3. 재원의 부족

계획 수립 시 재원에 대한 고려가 적었거나 정치적 · 경제적 상황의 변화로 계획을 실천할 수 없을 때 계획과 예산이 괴리된다.

4. 담당자의 가치관과 행태의 차이

계획 담당자는 미래지향적 · 발전지향적 · 쇄신적 · 소비지향적인 데 비해, 예산 담당자는 비판적 · 보수적 · 저축지향적인 행태를 보인다.

3 계획과 예산의 연계 방안

1. 예산제도의 개혁

통제 중심의 품목별예산제도에서 계획과 예산이 밀접하게 관련된 사업계획 중심의 예산제도를 지향하고, 조직 내부의 예산편성 기초자료로 계획예산이나 관리예산을 활용하거나 중기재정계획의 구속력을 높인다.

2. 집행기관의 기획 참여 확대와 분권화

집행책임을 지는 행정부서가 기획 과정에 적극 참여하고, 지방정부나 하부 조직단위가 자율적인 업무수행이 가능하도록 적절한 분권화를 하는 것도 양자의 일치에 효과적이다.

3. 심사분석과 결산제도의 개선

계획 수립과 예산편성 시 심사분석과 결산 내용을 반영한다.

4. 계획 · 예산담당자 상호 간의 협조와 공동의식 추구

계획수립을 위한 태스크 포스(task force)나 프로젝트 팀(project team)에 예산 전문가를 포함시키고, 인사교류 또는 순환보직과 공동교육훈련을 통해 상호 간 이해를 촉진한다.

학습 점검 문제

01 **머스그레이브(Musgrave)의 정부 재정기능의 기본 원칙에 대한 설명으로 옳지 않은 것은?** 2018년 지방직 9급

① 시장실패를 교정하고 사회적 최적 생산과 소비수준이 이루어지도록 해야 한다.

② 세입면에서는 차별 과세를 하고, 세출면에서는 사회보장적 지출을 통해 소외계층을 지원해야 한다.

③ 고용, 물가 등과 같은 거시경제 지표들을 안정적으로 조절해야 한다.

④ 정부에 부여된 목적과 자원을 연계하여 소기의 성과를 거둘 수 있도록 관료를 통제해야 한다.

02 **우리나라에서 예산과 법률의 차이에 대한 설명으로 옳은 것은?** 2019년 국가직 7급

① 국회는 발의 · 제출된 법률안을 수정 · 보완할 수 있지만, 제출된 예산안은 정부의 동의 없이는 수정할 수 없다.

② 국회에 제출된 법률안은 의결기한에 제한이 없으나, 예산안은 매년 12월 2일까지 예산결산특별위원회의 심사를 마쳐야 한다.

③ 대통령은 국회가 의결한 법률안에 대해 거부권이 있지만, 국회의결 예산에 대해서는 사안별로만 재의요구권이 있다.

④ 일반적으로 법률은 국가기관과 국민에 대해 구속력을 갖지만, 예산은 국가기관에 대해서만 구속력을 갖는다.

정답 및 해설

01 머스그레이브(Musgrave)는 재정의 3대 기능으로 경제안정화, 자원배분의 효율화, 소득의 재분배 기능을 강조하였으며, ④의 관료에 대한 통제는 이에 포함되지 않는다.

| 오답체크 |

① 시장실패를 교정하는 것은 자원배분의 효율화 기능이다.

② 소득재분배의 기능을 설명하고 있다.

③ 경제 안정화 기능에 대한 설명이다.

02 일반적으로 법률은 국가기관과 국민에 대해 구속력을 갖지만, 예산은 국가기관에 대해서만 구속력을 갖는다.

| 오답체크 |

① 국회는 예산안에 대해서도 수정 · 보완할 수 있다.

② 국회에 제출된 법률안은 의결기한에 제한이 없으나, 예산안은 회계연도 개시 30일 전까지 본회의의 의결을 완료해야 한다.

③ 대통령은 국회가 의결한 법률에 대해 거부권이 있지만, 국회의결 예산에 대해서는 거부권이나 재의요구권이 없다.

정답 01 ④ 02 ④

03 **「국가재정법」상 다음 원칙의 예외에 대한 규정으로 옳지 않은 것은?** 2017년 지방직 9급(6월 시행)

> • 한 회계연도의 모든 수입을 세입으로 하고, 모든 지출을 세출로 한다.
> • 한 회계연도의 세입과 세출은 모두 예산에 계상하여야 한다.

① 수입대체경비에 있어 수입이 예산을 초과하거나 초과할 것이 예상되는 때에는 그 초과수입을 대통령령이 정하는 바에 따라 그 초과수입에 직접 관련되는 경비 및 이에 수반되는 경비에 초과지출할 수 있다.

② 국가가 현물로 출자하는 경우에는 이를 세입세출예산 외로 처리할 수 있다.

③ 국가가 외국차관을 도입하여 전대하는 경우에는 이를 세입세출예산 외로 처리할 수 있다.

④ 출연금이 지원된 국가연구개발사업의 개발 성과물 사용에 따른 대가를 사용하는 경우에는 이를 세입세출예산 외로 처리할 수 있다.

04 **「국가재정법」상 온실가스감축인지 예산제도에 대한 설명으로 옳지 않은 것은?** 2024년 국가직 9급

① 온실가스감축인지 예산제도는 정부예산의 원칙 중 하나이다.

② 온실가스감축인지 예산서에는 온실가스 감축에 대한 기대효과, 성과목표, 효과분석 등을 포함해야 한다.

③ 정부의 기금은 온실가스감축인지 예산제도의 대상에 포함되지 않는다.

④ 정부는 예산이 온실가스를 감축하는 방향으로 집행되었는지를 평가하는 보고서를 작성하여야 한다.

05 **자원관리의 효율성과 계획성을 강조하는 현대적 예산제도의 원칙에 해당하지 않는 것은?** 2017년 지방직 7급(6월 시행)

① 행정부에 의한 책임부담의 원칙

② 예산관리수단 확보의 원칙

③ 공개의 원칙

④ 다원적 절차채택의 원칙

06 **우리나라 예산과정에 대한 설명으로 옳은 것은?** 2015년 지방직 9급

① 정부는 회계연도마다 예산안을 편성하여 회계연도 개시 60일 전까지 국회에 제출해야 한다.

② 예산총액배분 자율편성제도는 중앙예산기관과 정부부처 사이의 정보 비대칭성을 완화하려는 목적을 갖고 있다.

③ 예산집행의 신축성을 확보하기 위한 제도로써 이용, 총괄예산, 계속비, 배정과 재배정 제도가 있다.

④ 예산불성립 시 조치로써 가예산 제도를 채택하고 있다.

07 우리나라의 예산과정에 대한 설명으로 옳지 않은 것은? 2015년 국가직 9급

① 각 중앙관서의 장은 매년 1월 31일까지 당해 회계연도부터 5회계연도 이상의 기간 동안의 신규사업 및 기획재정부장관이 정하는 주요 계속사업에 대한 중기사업계획서를 기획재정부장관에게 제출하여야 한다.

② 국가가 특정한 목적을 위하여 특정한 자금을 신축적으로 운용할 필요가 있을 때에 법률로써 설치하는 기금은 세입세출예산에 의하지 아니하고 운용할 수 있다.

③ 예산안 편성지침은 부처의 예산 편성을 위한 것이기 때문에 국무회의의 심의를 거쳐 대통령의 승인을 받아야 하지만 국회 예산결산특별위원회에 보고할 필요는 없다.

④ 정부는 회계연도마다 예산안을 편성하여 회계연도 90일 전까지 국회에 제출하도록 헌법에 규정되어 있다.

정답 및 해설

03 제시문의 원칙은 예산 완전성의 원칙(=예산총계주의)을 의미하는 것으로, 연구개발사업의 대가는 2014년 「국가재정법」 개정으로 예외에서 제외되었다.

완전성의 원칙(예산총계주의) 예외

구분	내용
순계예산	징세비를 공제하고 순세입만 계상한 예산
기금	· 예산 외로 운영 · 기금은 세입세출예산 외로 운영되기 때문에 예산 완전성 원칙의 예외로 보는 것이 일반적이지만, 엄밀한 의미에서 예산이 아니므로 예산에 포함될 필요가 없다는 점에서 완전성 원칙의 예외에 포함시키지 않는 견해(이종수 외)도 있음
현물출자(現物出資)	동산·부동산·채권·유가증권·특허권 등 금전 이외의 재산에 의한 출자형태를 말함
전대차관(轉貸借款)	· 국내거주자에게 전대(轉貸)할 것을 조건으로 기획재정부장관을 차주(借主)로 하여 외국의 금융기관으로부터 외화자금을 차입(借入)하는 것으로, 차관물자대(借款物資貸)와는 구별됨 · 차관물자대는 외국의 실물자본을 일정기간 사용하거나 대금결제를 유예하면서 도입하는 차관을 의미 · 원칙적으로 전대차관은 예산에서 제외되나, 차관물자대는 예산에 계상됨 · 차관물자대는 부득이한 사유로 세입예산을 초과하게 되는 때에는 그 세출예산을 초과하여 지출할 수 있음
수입대체경비	각 중앙관서의 장은 용역 또는 시설을 제공하여 발생하는 수입과 관련되는 경비로, 대통령령이 정하는 경비(수입대체경비)에 있어 수입이 예산을 초과하거나 초과할 것이 예상되는 때에는 그 초과수입을 대통령령이 정하는 바에 따라 그 초과수입에 직접 관련되는 경비 및 이에 수반되는 경비에 초과지출할 수 있음(초과수입·초과지출 가능)

04 기금도 온실가스감축인지 예산제도의 대상에 포함된다.

| 오답체크 |

①, ② 정부는 예산이 「기후위기 대응을 위한 탄소중립·녹색성장 기본법」 제2조 제5호에 따른 온실가스감축에 미치는 효과를 평가하고, 그 결과를 정부의 예산편성에 반영하기 위하여 노력하여야 한다.

④ 온실가스감축인지 결산보고서에 대한 설명으로 옳은 지문이다.

05 공개의 원칙은 고전적 원칙이며, 그 외에는 모두 현대적 예산의 원칙이다.

| 오답체크 |

① 행정부 책임의 원칙은 행정수반의 지휘·감독하에 계획된 예산을 능률적으로 집행해야 할 책임을 진다는 원칙이다.

② 적절한 수단구비의 원칙은 행정수반의 직접 감독하에 유능한 공무원이 배치되어 있는 예산기관이나 월별·분기별로 예산을 배정할 권한, 준비금 제도 등 적절한 행정수단이 필요하다는 원칙이다.

④ 다원적 절차의 원칙은 모든 정부기관은 다양한 예산절차와 형식을 활용함으로써 효율적으로 예산을 운용해야 한다는 원칙(특별회계·기금 등 운영)이다.

06 예산총액배분 자율편성제도는 사업의 우선순위나 정보면에서 정부 부처가 더 유리하므로, 지출한도만 중앙예산기관이 정해주고 사업의 우선순위 등은 해당 부처의 자율에 맡기는 것으로, 중앙예산기관과 정부부처 사이의 정보 비대칭성을 완화시키는 것이 목적이다.

| 오답체크 |

① 정부는 회계연도마다 예산안을 편성하여 회계연도 개시 120일 전까지 국회에 제출해야 한다.

③ 배정과 재배정 제도는 재정통제제도이다.

④ 가예산 제도는 제1공화국 때 사용한 제도이며, 현재는 준예산 제도이다.

07 예산안 편성지침은 국회 예산결산특별위원회에도 보고해야 한다.

| 오답체크 |

① 각 부처는 1월 31일까지 중기사업계획서를 기획재정부장관에게 제출한다.

② 기금은 법률로 설치하고, 예산 외로 운용한다.

④ 헌법상 예산안 제출 일정은 회계연도 90일 전이다.

정답 03 ④ 04 ③ 05 ③ 06 ② 07 ③

CHAPTER 2 예산의 분류와 종류

1 예산의 분류

1 예산 분류의 의의

1. 개념

(1) 예산 분류란 예산결정 과정에 유용한 정보를 제공하기 위해 세입과 세출의 내용을 일정한 기준에 따라 체계적으로 배열하는 것을 말한다.

(2) 현재 기능별 분류, 조직별 분류, 품목별 분류, 경제성질별 분류 등의 분류 방법이 활용되고 있다.

2. 분류의 초점

구분	초점
기능별 분류	무슨 일을 하는 데 얼마를 쓰는가?
조직별 분류	누가 얼마를 쓰는가?
품목별 분류	무엇을 구입하는 데 얼마를 쓰는가?
경제성질별 분류	국민경제에 미치는 영향은 무엇인가?

2 기능별 분류

1. 의의

(1) 기능별 분류는 '정부의 주요 기능별로 예산을 분류하는 방법'이다.

(2) 우리나라의 기능별 분류는 일반행정비, 방위비, 교육비, 사회개발비, 경제개발비, 지방재정교부금, 채무상환 및 기타로 구분된다.

(3) 기능별 분류는 정부활동에 대한 일반적이며 총체적인 내용을 보여 주어 일반납세자가 정부의 예산내용을 쉽게 이해할 수 있기 때문에 '시민을 위한 분류'라고도 부른다.

2. 특징

(1) 기능별 분류는 어느 한 부처의 예산만을 포함할 수 없다.

(2) 정부활동 중에는 한 개 이상의 기능에 해당되는 사업이 많다.

㉠ 제대군인을 위한 병원은 복지에도 속하고 보건에도 속할 수 있음

(3) 구체적인 공공사업을 개별적인 항목으로 삼지 않고 기능 범주에 포함시킨다.

㉠ 교량, 신호등, 도로포장 등은 모두 교통의 범주에 포함됨

(4) 예산배정이나 채무부담행위 등과는 무관하고, 세출만을 표시한다.

(5) 일반행정비는 가능한 한 적게 해야 할 필요를 안고 있다.

3. 장단점

장점	단점
· 행정수반의 예산결정과 입법부의 예산심의를 지원 · 장기간에 걸쳐 연차적으로 정부활동을 분석하는 데 효과적 · 정부계획의 변동을 파악하기 용이 · 국민이 정부의 예산내용을 쉽게 이해 가능	· 회계책임 확보가 곤란 · 기관별 예산흐름 파악이 곤란 · 예산이 국민경제에 미치는 영향 파악이 곤란

3 조직별 분류

1. 의의

(1) 조직별 분류는 '예산 내용의 편성과 집행 책임을 담당하는 조직단위별로 예산을 분류한 것'을 말한다.

(2) 우리나라의 예산편성 · 심의 · 집행 · 회계검사는 모두 조직별 분류를 일차적인 대상으로 한다.

(3) 정부에서는 이를 소관별 분류라고 한다. 조직별 분류에서의 조직단위는 중앙행정기관의 부 · 처 · 청, 국무총리실, 감사원, 기타 행정기관과 입법부, 대법원 등이다.

2. 장단점

장점	단점
· 입법부의 예산 심의가 용이 · 경비 지출의 책임 소재가 분명 · 예산의 유통구조 파악이 용이	· 경비 지출의 목적을 밝힐 수 없음 · 경제에 미치는 영향 파악이 곤란 · 사업의 우선순위를 확정하기 곤란

4 품목별 분류(지출대상별 분류)

1. 의의

(1) 품목별 분류는 세출예산의 분류 방법으로 가장 널리 사용되고 있는 방법이며, '정부가 구입하고자 하는 물품 혹은 용역의 항목별(지출대상별)로 예산을 분류하는 방법'이다.

(2) 행정부에 대한 입법부의 지위를 강화시키는 역할을 하고, 세출에 대한 통제를 강화하는 데 기여할 수 있다.

(3) 우리나라의 예산 과목인 '장 · 관 · 항 · 세항 · 목' 가운데서 '목'을 품목별로 분류하고 있다. 정부에서는 품목별 분류를 '경비성질별 분류'라고 부른다.

㉠ 인건비, 물건비, 경상이전비, 자본지출, 융자금, 출자금, 보전재원 등

핵심 OX

01 기능별 분류는 시민들이 쉽게 이해하기 힘들다. (O, X)

02 정부 예산의 유통과정을 쉽게 파악하는 것은 조직별 분류이다. (O, X)

01 X 기능별 분류는 시민들이 정부 사업을 쉽게 이해하기 용이한 시민을 위한 분류이다.
02 O

2. 장단점

장점	단점
· 예산집행자의 회계책임을 명확히 함 · 인사행정에 유용한 정보 제공(인건비가 하나의 항목으로 구성되어 있기 때문) · 지출의 합법성을 보는 회계검사가 용이 · 행정의 재량범위를 줄여 행정부 통제가 용이	· 정부 지출의 전모와 지출 목적 및 사업의 우선순위 파악이 곤란 · 예산집행의 신축성 저해 가능 · 정책수립에 도움이 되는 자료를 제공하지 못함 · 국민들이 이해하기 어려움

5 경제성질별 분류[1]

1. 의의

예산이 '국민경제에 미치는 영향을 분석 · 평가하고 정부의 정책결정에 필요한 자료를 제공하기 위해 예산 항목의 경제적 성질을 기준으로 분류하는 방법'이다. 가장 전형적인 분류 방식은 예산을 경상계정과 자본계정으로 분류하는 것이다.

2. 특징

우리나라의 경제성질별 분류는 통합예산을 기준으로 국민소득계정과 연계하여 분류하고, 경상계정과 자본계정으로 분류하며 재정충격지표를 포함한다.

3. 장단점

장점	단점
· 정부 예산이 거시적인 국민경제(실업, 물가, 국제수지 등)에 미치는 영향 파악 가능 · 정부 거래의 경제적 효과 분석 용이 · 경제 정책 · 재정정책 수립에 유용 · 국가 간 예산경비의 비교 가능	· 세입 · 세출의 양과 구조의 변화로 인한 영향만 측정(세입 · 세출 이외의 요인 분석 곤란) · 소득배분에 대한 정부활동의 영향을 밝혀주지 못함 · 재정정책을 수립하는 고위직에만 유용 · 자체만으로는 완전하지 않으므로 항상 다른 예산분류방법과 병용되어야 함

6 우리나라의 예산 분류

1. 예산과목 구조

<table>
<tr><th>소관</th><th>장(章)</th><th>관(款)</th><th>항(項)</th><th>세항(細項)</th><th>목(目)</th></tr>
<tr><td>조직별 분류</td><td>기능별 분류</td><td colspan="3">조직별 · 사업별 · 활동별 분류</td><td>품목별 분류</td></tr>
<tr><td colspan="4">입법과목</td><td colspan="2">행정과목</td></tr>
</table>

2. 예산과목 체계

여러 분류기준이 다양하게 혼합적으로 사용되고 있으나, 말단분류는 품목별 분류이므로 품목별 분류의 성격을 강하게 띠고 있다.

[1] 우리나라 예산의 경제성질별 분류
1. **국민경제예산**: 정부의 수입 · 지출이 국민경제나 국민경제의 기본 구성요소인 소득 · 소비 · 저축 · 투자 등에 어떠한 영향을 미치고 있는가를 파악하려는 예산이다.
2. **완전고용예산**: 경제가 완전고용상태에 도달할 경우 세수가 얼마나 되고 예산적자가 얼마나 될 것인가를 보여주는 예산으로 일시적 적자를 감수하겠다는 예산이다.
3. **재정충격지표**: 거시경제에 미치는 영향을 파악하려는 지표를 의미한다.
4. **통합예산**: 일반회계 · 통합회계 · 기금을 포괄하여 경상수지, 자본수지, 융 · 출자수지, 보전수지의 분류방식을 취하는 예산이다.

핵심 OX

01 경제성질별 분류는 고위직에는 유용하나 하위직에는 유용하지 않다. (O, X)

01 O

3. 「국가재정법」 제21조상의 분류

예산 과목은 세입예산 과목과 세출예산 과목으로 구성되며, 세입세출예산은 독립기관 및 중앙관서의 조직별로 구분된다.

세입	· 성질별로 관·항으로 구분 · **성질:** 경비의 성질을 의미하는 것으로 품목에 해당
세출	기능별·성질별 또는 기관별로 장·관·항으로 구분

4. 실제상의 분류

소관·장·관·항·세항·목으로 구분된다.

세입	소관·관·항·목으로 구분
세출	소관·장·관·항·세항·목으로 구분

핵심정리 프로그램별 예산 분류

1. 의의
   ① 개념
      ㉠ 프로그램예산제도는 '프로그램(사업)을 중심으로 예산을 편성하는 제도'이다. 여기서 프로그램이란 동일한 정책을 수행하는 단위사업(activity/project)의 묶음을 의미한다.
      ㉡ 프로그램예산(program budget)은 기존의 품목별(항목별) 분류체계를 탈피하여 성과를 지향하는 프로그램 중심으로 예산을 분류·운영하는 것이라고 할 수 있다.
      ㉢ 프로그램예산제도는 중앙정부는 2007년, 지방정부는 2008년부터 공식적으로 도입되었다. 지방정부에서는 프로그램예산제도를 사업예산제도라고 부른다. 이에 따라 장·관·항으로 구분하는 지방자치단체의 세출예산을 그 내용의 기능별·사업별 또는 성질별로 주요 항목(분야·부문·정책사업)과 세부 항목(단위사업·세부사업·목)으로 구분하고 있다.
   ② 기본구조
      ㉠ 프로그램예산의 기본구조는 일반적으로 '정부의 기능(function) - 정책(policy) - 프로그램(program) - 단위사업(activity/ project)'의 계층구조를 갖는다.
      ㉡ 정부의 기능 및 정책은 세부 품목이 아닌 '분야'와 '부문'으로 범주화된다.
      ㉢ 프로그램예산의 핵심적 작업은 '프로그램 - 단위사업'의 프로그램 구조를 예산체계에 정립하는 일이다.

<프로그램예산구조>

분야	부문	(실·국)	프로그램	(회계/기금)	단위사업	(세부사업)	편성비목	통계비목
기능		조직		회계분류			품목	

2. 프로그램 구조설계의 기본원칙
   ① 기능과 '프로그램(정책사업) - 단위사업'의 연계
      ㉠ 프로그램 구조는 기능 체계로부터 도출되어 서로 연계된다.
      ㉡ 프로그램은 단일 기능의 특성을 지니며, 각 프로그램은 단 한 개의 기능과 연계되어야 한다. 따라서 정부의 기능 체계를 정점으로 그 밑에 다수의 프로그램이 위치하고, 각 프로그램에 밑에 복수의 단위사업이 위치하도록 설계한다.

ⓒ 기능은 '분야' - '부문'의 2단계로 분류되며, '프로그램'은 '부문'의 하위 기능의 성격을 갖게 직접 연계되도록 분류한다. 따라서 기능과 프로그램의 관계는 1 : n의 관계를 이룬다.

② 조직 중심의 프로그램 구조

㉠ 조직 단위(중앙정부: 실 · 국, 지방정부: 과)와 프로그램(program) 단위가 직접 연계되도록 설계해 프로그램이 해당 조직의 관리중심점, 자율중심점, 책임중심점이 되게 한다.

㉡ 중앙정부의 경우 프로그램은 실 · 국 단위로 연계되며, 실 · 국은 1개 이상의 프로그램을 수행하도록 설계해 단일 관리자에 의해 관리되도록 한다.

③ 모든 재정자원이 포괄되도록 설계

㉠ 일반회계, 특별회계, 기금이 포괄적으로 관리 운용되도록 유사한 목적의 재정자원은 동일한 프로그램으로 설계한다. 이를 위해 '프로그램 - 단위사업', '회계/기금'을 연계한다.

㉡ 동일 또는 유사한 목적의 사업이 다양한 회계 · 기금에 걸친 경우 '조직 단위' - '프로그램' - '회계/기금' - '단위사업'의 순서로 표시하되, '회계/기금'은 일반회계 · 특별회계 · 기금 명칭을 명기한다.

④ 성과 중심의 설계(조직의 성과목표, 성과평가 등을 구현할 수 있도록 설계)

㉠ 프로그램은 성과목표의 적용과 성과평가가 가능한 단위로 설정해 성과 중심 역할을 할 수 있게 설계한다.

㉡ 프로그램은 가능하면 성과목표를 보여주는 형식으로 표현하는 것이 바람직하다. 그러나 단위사업은 굳이 성과목표를 반영하는 형식으로 표현할 필요가 없다.

⑤ 적정한 프로그램의 분류

㉠ 프로그램의 명칭은 단위사업 내용이 함축되게 명명하되, 너무 광범위하거나 추상적인 명칭 사용은 지양한다.

㉡ 프로그램은 정책적 측면과 예산 규모면에서 일정한 중요성을 지녀야 한다.

3. 프로그램예산제도에서의 예산과목 체계

① 프로그램 중심으로 예산구조를 설계할 경우 예산과목 체계는 대폭 단순화된다.

② 종전 예산과목 체계는 '장 - 관 - 항 - 세항 - 세세항 - 목 - 세목'의 다단계의 복잡한 체계로 되어 있으나, 프로그램예산구조는 '분야 - 부문 - 프로그램 - 단위사업 - 목 - 세목'의 단순한 체계로 구성된다.

③ 기능별 분류인 '분야' - '부문', 프로그램 구조인 '프로그램' - '단위사업', 품목별 분류인 '편성비목' - '통계비목'이 예산과목 체계에 반영된다.

④ 자율성과 책임성의 중심점으로서의 조직 단위를 연계하고, 별도로 운용되는 회계 및 기금을 통합적으로 보여 주는 프로그램 예산구조의 양식이 만들어진다.

<프로그램예산제도에서의 예산과목 체계형>

장	관	항	세항	세세항	목	세목
분야	부문	프로그램	단위사업	(세부사항)	편성비목	통계비목
기능별 분류		사업별 분류			품목별 분류	

4. 프로그램예산제도의 역할

프로그램예산제도는 재정 운영에서 제도적 허브(hub) 역할을 한다.

① 국정 전반에 걸친 성과관리의 중심

프로그램예산은 성과관리, 발생주의회계, 중기재정계획, 총액배분자율편성 등의 제도들과 함께 상호 직 · 간접적으로 연계되어 있으며, 제도의 중심점 또는 인프라의 성격을 갖는다.

② 예산운영 규범의 중심

㉠ 예산운영의 규범 차원에서도 프로그램예산은 중심점 역할을 한다.

㉡ 자율성, 책임성, 투명성, 효율성, 성과지향성 등의 가치 개념에서 볼 때 프로그램은 그 중심점이 된다. 즉, 프로그램은 자율중심점, 책임중심점, 성과중심점, 정보공개중심점 등이 된다.

③ 예산단계의 중심

㉠ 프로그램은 예산과정의 모든 단계에서도 중심점 역할을 한다.

㉡ 프로그램은 예산편성 단계에서 전략적 배분 단위가 되며, 총액배분 자율편성 방식의 한도액(ceiling) 설정 단위가 된다.

㉢ 예산사정단계에서 사정 단위·심의단계에서 심의 단위, 집행단계에서 이용 단위, 결산단계에서 성과평가 단위·결산보고 단위가 된다.

④ 회계의 중심

㉠ 회계 차원에서도 프로그램은 중심점이 된다.

㉡ 원가 계산의 중심이 프로그램이다. 다만 간접비 배부 등의 정교한 기법이 발전된다면 하위 단위인 단위사업(activity/project)이 중심이 될 수 있다.

⑤ 조직의 중심

㉠ 조직 차원에서도 프로그램은 중심점이 된다. 이 때 조직은 부처 단위와 실·국 단위 모두 해당된다.

㉡ 프로그램은 조직 단위의 자율중심점, 책임중심점, 관리중심점이 된다.

5. 프로그램예산제도 도입의 효과

① 성과·자율·책임 중심의 재정 운영

㉠ 프로그램예산제도의 도입으로 품목 중심의 투입관리와 통제 중심 재정운영에서 프로그램 중심의 성과·자율·책임 중심 재정운영으로 바뀌게 된다.

㉡ 프로그램 구조를 통해 정책목표와 예산집행을 연계시키고 재정투입을 통해 달성하고자 하는 성과목표와 성과지표를 설정해 그 실적을 파악할 수 있다.

㉢ 예산의 편성·집행·결산 과정에서 자율적 예산운용을 할 수 있는 자율 중심점으로서의 관리 단위가 분명히 설정되고, 조직의 자율에 대한 책임 소재를 보여 주는 책임 중심점이 분명해 진다.

② 총체적 재정배분 내용의 파악

㉠ 프로그램예산 체계 내에 일반회계, 특별회계, 기금이 모두 포괄적으로 표시됨으로써 총체적 재정배분 내용을 파악할 수 있다.

㉡ 프로그램별 재원배분 규모를 총체적으로 파악함으로써 중·장기 전략적 자원배분을 하는 것이 용이하다.

㉢ 일반회계, 특별회계 기금 간 유사·중복 사업의 파악이 가능해져 예산낭비를 제거할 수 있다.

③ 재정집행의 투명성·효율성의 제고

㉠ 프로그램예산제도에는 사업관리 시스템이 함께 운용되기 때문에 재정집행의 투명성과 효율성을 제고할 수 있다.

㉡ 세부사업 단위의 사업의 전 생애주기를 관리함으로써 예산 과정의 투명성과 효율성을 제고할 수 있다.

㉢ 프로그램별 원가 정보를 제공해 성과평가와 재정의 전략적 배분에 유용한 정보를 제공할 수 있다.

④ 중앙정부와 지방정부 예산의 연계

㉠ 프로그램예산 체계에서 기능별 분류를 중앙정부와 지방정부 간에 통일시킴으로써 중앙정부와 지방정부 예산의 연계가 가능해진다.

㉡ 중앙정부와 지방정부 간 재정자금 이동에 관한 정보를 정확하게 파악할 수 있다.

㉢ 특정한 분야에 대한 중앙정부와 지방정부 간 재정 분담 비율 등을 파악할 수 있다.

⑤ 예산사업 이해의 용이성

㉠ 프로그램 중심의 예산은 일반 국민들이 예산사업을 쉽게 이해할 수 있게 된다.

㉡ 실제 예산분석을 시도해 본 시민단체 활동가들이 종전 예산서보다 훨씬 예산정보의 질이 높아졌다고 평가하고 있다.

2 예산의 종류

1 세입 · 세출의 성질에 따른 종류[1]

1. 일반회계예산(일반적 의미의 예산)

(1) 정부재정의 근간이 되는 일반회계는 '일반적 세입'으로 '일반적 지출'을 담당하는 회계이다(예산통일의 원칙에 입각).

(2) 일반회계는 중앙정부의 내국세 · 관세 등 조세수입(90% 이상)과 차관수입 · 재화나 용역의 판매수입과 같은 세외수입 등을 통해 조성되고, 정부의 일반행정경비 · 방위비 · 사회개발비 · 지방재정교부금 등에 지출된다.

(3) 일반회계예산은 순수한 공공재를 생산하는 재원이 된다.

2. 특별회계예산

(1) 의의

① 특별회계예산은 정부예산이 하나로 통일되어 계리되는 일반회계와는 달리, 특정한 목적을 위한 세입과 세출을 별도로 계리하는 예산제도이다.

② 「국가재정법」상 특별회계예산을 설치하는 경우(예산통일 원칙의 예외)를 정하여 엄격하게 제한하고 있다.

㉠ 국가에서 특정한 사업을 운영하고자 할 때

㉡ 특정한 자금을 보유하여 운용하고자 할 때

㉢ 특정한 세입으로 특정한 세출에 충당함으로써 일반회계와 구분하여 회계처리할 필요가 있을 때

(2) 특징

① 예산단일 원칙과 예산통일 원칙의 예외이다.

② 특별회계는 법률에 의하여 만들어지고 운영된다.

③ 특별회계는 「정부기업예산법」에 의해 기업회계의 원칙으로 운영된다[발생주의 원칙, 원가계산, 감가상각, 수입금 마련지출제도(이익자기처분의 원칙)의 운영, 집행의 신축성 확보를 위한 목 간 전용의 용이, 자금조달을 위한 국채발행 가능].

④ 특별회계는 일반회계와 함께 국가예산을 구성하여 국회의 심의를 받는다.

(3) 장단점

장점	단점
· 정부가 운영하는 사업의 수지가 명확 · 행정기관의 재량범위를 넓혀줌으로써 능률의 증진과 경영의 합리화 추구 가능 · 안정된 자금을 확보하여 사업운영의 안정성 도모 · 행정 기능의 전문화와 다양화에 기여	· 예산구조를 복잡하게 하여 예산의 심의 · 관리 및 재정경제 정책과의 연계 운영이 곤란 · 국가 재정의 전체적인 관련성을 명확하지 않게 하여 재정의 통합성을 저해 · 입법부의 예산통제 또는 국민의 행정통제 곤란

[1] 「국가재정법」상 회계구분과 기금
제4조 【회계구분】 ① 국가의 회계는 일반회계와 특별회계로 구분한다.
② 일반회계는 조세수입 등을 주요 세입으로 하여 국가의 일반적인 세출에 충당하기 위하여 설치한다.
③ 특별회계는 국가에서 특정한 사업을 운영하고자 할 때, 특정한 자금을 보유하여 운용하고자 할 때, 특정한 세입으로 특정한 세출에 충당함으로써 일반회계와 구분하여 회계 처리할 필요가 있을 때에 법률로써 설치한다.
제5조 【기금의 설치】 ① 기금은 국가가 특정한 목적을 위하여 특정한 자금을 신축적으로 운용할 필요가 있을 때에 한정하여 법률로써 설치한다.
② 제1항의 규정에 따른 기금은 세입세출예산에 의하지 아니하고 운용할 수 있다.

3. 일반회계와 특별회계의 관계

(1) 교류 및 전출입

일반회계와 특별회계는 상호 간에 명확하게 단절되어 있다기보다는 전출입 등을 통해 상호 교류한다.

(2) 예산순계[1]

일반회계와 특별회계 또는 특별회계 상호 간에 세입·세출의 전출과 전입이 있는 경우 중복금액을 공제한 것을 예산순계라 한다.

2 기금

1. 의의

(1) 기금은 국가가 특정 목적을 위해 특정 자금을 운용할 필요가 있을 때 법률로 설치되는 예산 외의 특별재원으로, 일반회계·특별회계와 함께 '제3의 예산'이라고도 한다.

(2) 기금은 일반회계예산, 특별회계예산과 함께 통합예산의 구성요소가 된다.

2. 기금지출 항목 변경

(1) 기금관리 주체는 주요 항목 지출금액을 변경하여 집행하고자 하는 경우에도 국회의 의결을 받아야 한다.

(2) 다만, 금융성 기금은 30% 이내, 비금융성 기금은 20% 이내일 경우는 국회의 의결을 얻지 않아도 된다.

3. 기금의 운용

(1) 기금운용 법정주의

예산 외로 운용되는 기금의 규모가 커지고 국민경제에 미치는 영향이 증대됨에 따라 기금의 효과적 운용을 위하여 「기금관리기본법」을 제정(1991년)하였으나, 「국가재정법」에 통합되었다(2007년).

(2) 기금 설치의 제한 – 법률에 의한 기금 설치

기금은 국가가 특정한 목적을 위하여 특정한 자금을 신축적으로 운용할 필요가 있을 때에 한하여 법률로써 설치하되, 정부의 출연금 또는 법률에 따른 민간 부담금을 재원으로 하는 기금은 「국가재정법」 별표에 규정된 법률에 의하지 아니하고 이를 설치할 수 없다.

(3) 기금관리·운영의 원칙

① 기금관리 주체는 그 기금의 설치 목적과 공익에 맞게 기금을 관리·운용하여야 한다.

② 기금관리 주체는 「국가회계법」의 규정에 따른 원칙에 따라 계리하여야 한다(기업회계방식).

③ 기금관리 주체는 안정성·유동성·수익성 및 공공성을 고려하여 기금 자산을 투명하고 효율적으로 운용하여야 한다.

④ 기금의 수익률을 제고하기 위해 기금의 주식과 부동산에 대한 투자를 허용하였다.

---

[1] 순계예산과 예산순계

1. **순계예산**: 징세비를 공제하고 순세입만 계상한 예산으로, 완전성 원칙의 예외에 해당한다.
2. **예산순계**: 회계간 전출입 등 내부거래를 공제한 예산으로, 통합예산은 예산순계의 개념으로 작성한다.

핵심 OX

01 일반회계, 특별회계, 기금은 법률로 설치한다. (O, X)

02 기금은 세입세출예산으로 운용된다. (O, X)

01 O
02 X 기금은 세입세출예산 외로 운용된다.

3 성립시기를 기준으로 한 예산의 종류

1. 본예산

(1) 본예산은 당초에 국회의 의결을 거쳐 확정·성립된 예산으로, 기획재정부는 매년 다음 해의 세입과 세출을 예산으로 편성하여 다음 회계연도가 시작되기 120일 전에 국회에 제출한다.

(2) 제출된 본예산은 회계연도 개시 30일 전까지 국회에서 심의·의결되어야 한다.

2. 수정예산[1] - 예산안 변경

(1) 의의

① 수정예산은 '예산안이 국회에 제출된 후 의결·성립되기 이전에 부득이한 사유로 그 내용의 일부를 수정하고자 하는 경우에 작성되는 예산'을 말한다.

② 엄밀하게 말하면 예산안의 변경을 의미한다.

③ 우리나라는 1970년, 1981년, 2009년 세 번에 걸쳐 본예산에 대해 수정예산을 제출한 적이 있고, 1980년에는 추가경정예산에 대해 수정예산을 제출한 적이 있다.

(2) 특징

① 수정예산은 예산안이 국회를 통과하기 전에 제출되는 것이므로 상임위원회와 예산결산특별위원회의 심사를 받아야 한다. 다만, 첨부서류의 일부 또는 전부를 생략할 수 있다.

② 이미 제출한 예산안에 대한 예비심사 또는 종합심사가 진행 중인 때에는 이미 제출한 예산안과 함께 수정예산안을 심사하고, 이미 제출한 예산안의 심사가 종료된 경우에는 별도로 수정예산에 대한 소관 상임위원회의 예비심사와 예산결산특별위원회의 종합심사를 받아야 한다.

③ 추가경정예산에 대해서도 수정예산을 제출할 수 있다.

3. 추가경정예산 - 예산 변경

(1) 의의

① 추가경정예산은 '예산이 성립하고 회계연도가 개시된 후에 발생한 사유로 이미 성립된 예산에 변경을 가할 필요가 있을 때 편성되는 예산'을 말한다. 즉, 예산안의 수정이 아니라 예산의 수정에 해당된다.

② 예산이 확정된 이후에 생긴 사유로 인하여 추가·변경된 예산을 의미한다.

(2) 추가경정예산안의 편성(「국가재정법」 제89조) - 재정의 건전성 확보 차원

① 정부는 다음의 어느 하나에 해당하게 되어 이미 확정된 예산에 변경을 가할 필요가 있는 경우에는 추가경정예산안을 편성할 수 있다.

㉠ 전쟁이나 대규모 재해[2]가 발생한 경우

㉡ 경기침체, 대량실업, 남북관계의 변화, 경제협력과 같은 대내·외 여건에 중대한 변화가 발생하였거나 발생할 우려가 있는 경우

㉢ 법령에 따라 국가가 지급하여야 하는 지출이 발생하거나 증가하는 경우

② 정부는 국회에서 추가경정예산안이 확정되기 전에 이를 미리 배정하거나 집행할 수 없다.

---

[1] 수정예산과 추가경정예산
1. 수정예산: 국회 의결 전 예산안을 변경하는 것이다.
2. 추가경정예산: 국회 의결 후 성립된 예산을 변경하는 것이다.

[2] 대규모 재해
「재난 및 안전관리 기본법」 제3조에서 정의한 자연재난과 사회재난의 발생에 따른 피해를 말한다.

핵심 OX

01 예산안을 변경하는 것은 추가경정예산이다. (O, X)

01 X 수정예산이다.

(3) 특징

① 추가경정예산에 대한 편성 횟수의 제한은 없으나, 우리나라의 경우 중앙정부는 거의 매년 1~2회 편성하고 있다. 지방정부는 보조금 등이 추가로 지급되는 경우에 추가경정예산을 편성하기 때문에 연 3~4회까지도 편성하고 있다.

② 추가경정예산은 본예산과는 별도로 성립되지만 성립 후에는 본예산에 흡수되어 통합운용된다.

③ 단일성의 원칙에 대한 예외이며, 마지막 추가경정예산을 최종예산이라고 한다.

4 예산 불성립 시의 예산

1. 준예산

(1) 의의

① 새로운 회계연도가 개시될 때까지 예산이 성립되지 못한 경우, 예산이 확정될 때까지 특정 경비에 한해 전년도 예산에 준하여 지출할 수 있도록 만든 제도이다(사전의결 원칙의 예외).

② 2공화국 이후 현재까지 우리나라에서 채택하고 있다.

(2) 지출 용도(헌법 제54조 제3항)

준예산은 예산의 원칙 중 사전의결 원칙의 예외이므로 적용되는 영역이 한정되어 있다.

① 헌법이나 법률에 의하여 설치된 기관 또는 시설의 유지비 · 운영비(공무원 보수, 사무처리에 관한 기본경비 등)

② 법률상 지출의 의무가 있는 경비

③ 이미 예산으로 승인된 사업의 계속을 위한 경비 등

(3) 특징

① 준예산은 해당 연도의 예산이 정식으로 성립되면 그 성립된 예산에 의해 집행된 것으로 간주된다.

② 국회의결 없이 해당연도의 예산이 성립할 때까지 제한 없이 사용할 수 있다.

(4) 중앙정부는 준예산을 한 번도 활용한 적이 없으나 지방정부는 이를 편성 · 활용한 적이 있다.

2. 잠정예산

잠정예산은 회계연도 개시 전까지 예산이 국회에서 의결되지 않은 경우 잠정적으로 예산을 편성하여 의회에 제출하고 의회의 사전의결을 얻어 사용하도록 한 예산제도이다(사전의결 원칙의 예외가 아님).

핵심 OX

01 추가경정예산은 본예산과는 별도로 운용된다. (O, X)

01 X 추가경정예산은 성립은 별도로 되지만 성립 후에는 본예산에 흡수되어 통합 운용된다.

3. 가예산

(1) 의의

부득이한 사유로 인하여 예산이 의결되지 못한 때 국회가 1개월 이내의 가예산을 의결하도록 하는 제도이다(사전의결 원칙의 예외가 아님).

(2) 가예산은 잠정예산과 유사하나 사용기간이 1개월인 점에서 다르다. 우리나라는 1948년 정부수립부터 1960년 제3차 헌법 개정이 되어 준예산 제도가 도입될 때까지 가예산 제도가 규정되어 있었다.

(3) 가예산은 1공화국 때 채택했으며, 사용한 적이 있다.

4. 답습예산

답습예산 제도는 회계연도 개시 전까지 예산이 확정되지 않았을 때, 상·하원의 의결을 통해 전년도 예산을 그대로 답습하는 제도이다(사전의결 원칙의 예외가 아님).

5. 각 제도의 비교

구분	기간 제한	국회의결	지출가능 항목	채택 시기
준예산	무제한	불필요	한정적	현재
잠정예산	무제한	필요	전반적	-
가예산	1개월	필요	전반적	1공화국
답습예산	수개월	필요	전반적	-

5 통합예산

1. 의의

(1) 통합예산(통합재정)은 일반회계, 특별회계, 기금을 모두 포함하는 정부의 재정활동으로, 이를 체계적으로 분류하여 표시함으로써 재정이 국민소득, 통화, 국제수지 등의 국민경제에 미치는 효과를 파악하고자 하는 예산제도이다. 우리나라에는 1979년 IMF의 권장에 따라 도입되었다.

(2) IMF가 정한 국제기준에 따라 회계, 기금 간, 각급정부 간 내부거래를 상계하여 순수한 재정활동규모와 재정수지를 분석하는 것이다.

2. 특징

(1) 통합예산은 국가재정을 총체적으로 파악하기 위해 일반회계, 특별회계, 기금을 모두 포함하여 예산의 범위를 넓게 본다.

(2) 회계 간 전출입 등 내부거래를 공제한 예산순계 개념으로 작성된다.

(3) 재정의 국민경제적 효과를 분석할 수 있도록 세입과 세출을 경상거래와 자본거래로 구분하는 경제적 분류로 작성하기 때문에 재정운용이 실물부문에 미치는 효과와 통화부문에 미치는 효과를 파악할 수 있다.

핵심 OX

01 가예산은 지출기간의 제한을 받는다. (O, X)

02 준예산은 지출용도의 제한을 받는다. (O, X)

03 잠정예산은 사전의결원칙의 예외이다. (O, X)

01 O
02 O
03 X 사전의결을 준수한다.

(4) 통합예산은 정부재정 지출규모를 파악하는 자료로도 유용하다.

총 지출규모	지출측면	경상지출 + 자본지출 + 융자지출
	수입측면	일반예산 + 특별회계 + 기금 - 내부거래 - 보전거래* *보전거래: 국내방행, 차입, 채무상환 등 수지차 보전으로, 정부의 재정활동 결과 발생하는 금융활동으로 보아, 순수재정활동만을 대상으로 하는 통합재정[1]규모 및 수집의 집계 시 제외된다.

(5) 대출순계의 구분

민간에 대한 융자지출이나 회수내역을 별도로 표시한다.

3. 우리나라의 통합예산[2]

통합재정수지 작성방식 및 기준은 다음과 같다.

구분	1986 GFSM	2001 GFSM
분석단위	회계단위 (재정기능과 직접 관련된 거래만 포함)	제도단위 (일반정부부문[3]이 수행하는 모든 활동 포함)
통계기록방식	현금주의 (현금의 흐름만 포함)	발생주의 (자산, 부채의 변동 등 경제적 사건 기록)
금융성 기금, 외환평형기금	제외	포함
공공비영리기관	제외	포함
공기업	제외	제외

6 조세지출예산

1. 의의

(1) 조세지출예산(tax expenditure budget)은 조세감면의 구체적 내역을 예산구조를 통해 밝히는 것을 말한다.[4]

(2) 조세지출(조세감면)은 보조금과 동일한 경제적 효과를 갖는 것으로, 세출예산상의 직접지출인 보조금이 입법부의 심의를 거치는 것처럼 이와 동일한 효과를 갖는 조세지출도 입법부의 심의를 거쳐야 한다는 인식에서 탄생했다.

(3) 조세지출예산은 1967년 서독에서 처음 도입되었고, 미국에는 1974년에 도입되었으며, 우리나라는 중앙정부 · 지방정부 모두 도입되었다.

❶ 통합재정
국민연금기금, 공무원연금기금 등 사회보장성기금은 통합재정에 포함된다.

❷ 「지방공기업법」
1. 지방자치단체가 직접 설치 · 운영하거나 법인을 설립하여 경영하는 지방 공기업의 운영에 관하여 필요한 사항을 규정한 법률이다.
2. 지방공기업의 특별회계는 통합재정에 포함된다.

❸ 일반정부부문
정부의 고유하고 본질적인 역할을 수행하는 영역으로 정부단위(정부조직)와 공공비영리기관(준정부기관)을 말한다. 공기업은 제외된다.

❹ 조세지출예산서
조세지출예산서의 작성의무는 「조세특례제한법」에, 국회제출의무는 「국가재정법」에 규정되어 있다.

핵심 OX

01 통합예산은 예산총계 개념으로 작성한다. (O, X)

02 외국환평형기금은 통합예산에 포함된다. (O, X)

01 X 통합예산은 예산순계 개념으로 작성한다.
02 X 외국환평형기금은 통합예산에 포함되지 않는다.

2. 특징

(1) 조세지출은 법률에 따라 집행되기 때문에 경직성이 강하다.

(2) 조세감면[1] 재정정책의 효과를 판단하기 위한 기초자료가 된다.

(3) 조세감면은 정치적 특혜의 가능성이 커서 특정산업에 대한 지원의 성격을 가지며, 부익부 빈익빈의 가능성이 있어 이를 통제하기 위해 필요하고, 이를 통하여 국고수입을 증대시킬 수 있다.

(4) 과세의 수직적 · 수평적 형평을 파악할 수 있기 때문에 부정한 조세지출의 폐지, 재정부담의 형평성 제고, 세수인상을 위한 정책판단의 자료가 된다.

3. 장단점

(1) 장점

① **부당하고 비효율적인 조세지출의 축소:** 부정한 조세지출을 방지할 수 있고, 조세지출의 필요성이 없어진 후에도 관성적으로 존속하는 방만한 조세지출을 막을 수 있다.

② **각종 정책수단의 효과성 파악:** 특정 정책목표를 달성하기 위한 각종 정책수단의 상대적 유용성을 평가할 수 있다. 즉, 조세감면과 성과를 객관적으로 평가하고 평가 결과를 조세감면 범위의 조정 과정에 반영할 수 있다.

③ **재정민주주의의 실현:** 전체적 재정규모가 분명히 밝혀지고 조세지출항목에 대한 평가를 통해 의회의 예산심의권이 충실화되어 재정민주주의에 기여한다.

④ **재정부담의 형평성 제고:** 불공정하게 운영될 수 있는 조세감면의 대상을 명확히 파악하고 심의함으로써, 부익부 빈익빈 현상을 막아 재정부담의 형평성을 제고할 수 있다.

⑤ **정책의 효율적 수립:** 정부가 직접지출(예산지출)을 통한 것과 마찬가지로 조세지출(조세감면)을 통해서도 민간활동을 지원할 수 있음을 인식하는 것이 정책의 효율적 수립을 위해 필요하다.

⑥ **조세제도 및 행정의 개선:** 법정세율과 실효세율의 차이를 정확하게 알려 줌으로써 국민의 조세부담과 조세의 정확한 구조를 이해할 수 있게 해주며, 조세법의 단순화 및 조세행정의 개선에 도움을 줄 수 있다.

⑦ **재정활동에 소요되는 재정규모의 정확한 파악:** 비과세 감면을 통하여 지원되는 재정지출의 수준과 성격을 파악할 수 있다.

(2) 단점

① **경직성:** 조세지출이 법률에 따라 집행되므로 조세지출의 경직성을 초래할 수 있다.

② **통상(무역) 마찰의 소지:** 조세지출은 보조금적 성격을 띠므로 예산서에 명시될 경우 자유무역주의를 바탕으로 하는 개방화된 국제환경하에서 무역마찰의 소지가 있다.

③ **비효율성:** 조세지출이 지나치면 자원배분의 비효율성이 야기될 수 있다.

---

[1] 조세감면 = 조세지출의 성격
1. 형식은 조세이다.
2. 실질적으로는 보조금의 성격을 띤다.
  · 직접지출(×)
  · 간접지출(○)

핵심 OX

01 조세지출은 형식은 조세이지만 실질은 지출이다. (O, X)

01 ○

7 남녀평등예산 – 성인지예산[1]

1. 의의

(1) 차별철폐지향적 예산

남녀평등예산(GRB: Gender Responsive Budget)은 '남녀평등을 구현하려는 정책 의지를 예산 과정에 명시적으로 도입한 차별철폐지향적 예산'이다.

(2) 전제

남녀평등예산제도는 남녀평등 구현을 중요한 원칙으로 삼는 예산으로, 세입세출예산이 남성과 여성에게 미치는 영향은 서로 다르다고 전제한다. 그러한 차이는 남성과 여성의 경제적 · 사회적 차이 때문에 빚어지는 것이라고 본다.

(3) 성 인지적(주류화) 관점

① 남녀평등예산(GRB) 내지 성인지예산(gender budgeting)은 성 중립적(gender neutral) 관점이 아니라, 성 주류화(gender mainstreaming) 내지 성 인지적(gender perspective) 관점에서 출발한다.

② 성 중립적 관점(gender neutral)은 남녀 간의 획일적인 평등을 강조하는 소극적 · 기회의 공평이고, 성 인지적 관점(gender perspective)은 남녀 간의 적극적인 공평을 구현하려는 결과의 공평을 말한다.

2. 특징[2]

(1) 남녀평등예산제도는 세출예산에서의 차별철폐에 더 많은 관심을 갖는다. 세출예산 정책의 남녀차별 효과에 대한 무지를 타파하기 위해 예산정책의 영향에 대한 여러 가지 분석을 한다.

(2) 남녀평등예산제도는 세출뿐만 아니라 세입에 관해서도 차별철폐를 추구한다. 세입에 있어서의 차별철폐는 정부의 모든 수입을 대상으로 한다. 그러나 핵심적 도구는 각종 조세에 관한 차별철폐적 정책이다.

3. 도입

(1) 외국

남녀평등 예산제도는 호주 정부가 1984년에 처음으로 채택하였으며, 그 후 영국 · 독일 등 40여 개 나라에서 도입하였다.

(2) 우리나라

① 「국가재정법」에 성인지예 · 결산제도를 도입하여 2010년 예산안부터 시행하도록 하였다. 이에 따라 정부는 예산이 여성과 남성에게 미칠 영향을 미리 분석한 보고서(성인지예산서)와 여성과 남성이 동등하게 예산의 수혜를 받고 예산이 성차별을 개선하는 방향으로 집행되었는지를 평가하는 보고서(성인지결산서)를 작성하여야 한다.

② 2010년 회계연도 예산안에 첨부하여 처음으로 제출된 성인지예산제도를 보완하기 위하여 성인지예산서의 포괄 범위에 기금을 포함시키도록 법이 개정된 바 있다(2010.5.17). 이에 따라 정부는 성인지기금운용계획서와 성인지 기금결산서를 작성하여야 한다.

---

[1] 성인지예산 – 남녀 간 차이 인정

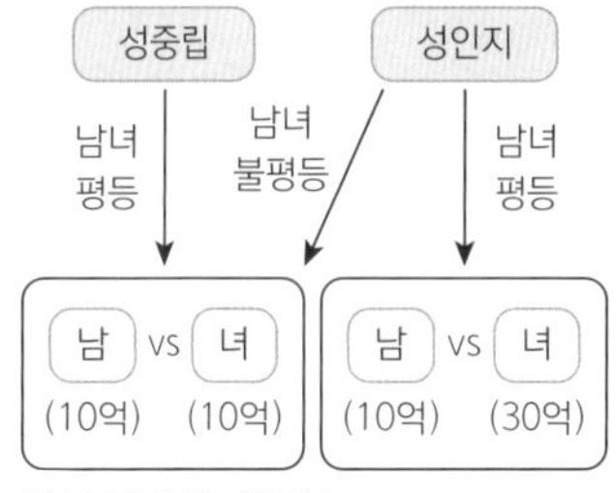

예 다중시설의 화장실

[2] 성인지예산서의 내용 및 작성기준 등

「국가재정법 시행령」 제9조 【성인지 예산서의 내용 및 작성기준 등】 ② 성인지예산서는 기획재정부장관이 여성가족부장관과 협의하여 제시한 작성기준(성인지 예산서 작성 대상사업 선정 기준을 포함) 및 방식 등에 따라 각 중앙관서의 장이 작성한다.

핵심 OX

01 성인지예산제도는 기존의 성중립적 예산제도가 불평등이라는 전제하에 대두되었다. (O, X)

01 O

학습 점검 문제

01 2000년대 초반 도입된 한국의 프로그램예산제도에 대한 설명으로 옳지 않은 것은? 2018년 지방직 7급

① 프로그램예산제도는 현재 운영되지 않는 제도이다.

② 프로그램예산분류(과목) 체계는 분야 – 부문 – 프로그램 – 단위사업 – 세부사업 등으로 구성된다.

③ 프로그램예산제도 도입 시 비목(품목)의 개수를 대폭 축소함으로써 비목 간 칸막이를 최대한 줄였다.

④ 프로그램예산제도는 정책과 성과 중심의 예산운영을 위해 설계 · 도입된 제도이다.

02 프로그램예산제도에 대한 설명으로 옳지 않은 것은? 2024년 지방직 9급

① 우리나라 중앙정부는 2007년부터 프로그램예산제도를 도입하였다.

② 예산 전 과정을 프로그램 중심으로 구조화하고 성과평가체계와 연계시킨다.

③ 세부 업무와 단가를 통해 예산 금액을 산정하는 상향식(bottom up) 방식을 사용한다.

④ 일반회계, 특별회계, 기금이 포괄적으로 표시되어 총체적 재정배분파악이 가능하다.

03 예산 분류별 장단점에 대한 설명으로 옳지 않은 것은? 2021년 지방직 7급

① 예산의 기능별 분류의 단점은 회계 책임이 불명확하다는 점이다.

② 예산의 조직별 분류의 장점은 예산지출의 목적(대상)을 파악하기 쉽다는 점이다.

③ 예산의 기능별 분류의 장점은 국민이 정부 예산을 이해하기 쉽다는 점이다.

④ 예산의 품목별 분류의 단점은 예산집행의 신축성을 저해한다는 점이다.

04 **특별회계예산과 기금에 대한 설명으로 옳지 않은 것은?** 2021년 지방직 9급

① 기금은 특정수입과 지출의 연계가 강하다.

② 특별회계예산은 세입과 세출이라는 운영 체계를 지닌다.

③ 특별회계예산은 합목적성 차원에서 기금보다 자율성과 탄력성이 강하다.

④ 특별회계예산과 기금은 모두 결산서를 국회에 제출하여야 한다.

정답 및 해설

01 프로그램예산제도란 전통적인 품목별 분류 대신 프로그램(정책사업) 중심으로 예산을 분류하는 방식이다. 우리나라는 2007년 도입되어 현재도 활용되고 있다.

| 오답체크 |

② 종전 예산과목 체계는 '장 - 관 - 항 - 세항 - 세세항 - 목 - 세목'의 다단계의 복잡한 체계로 되어 있으나, 프로그램예산구조는 '분야 - 부문 - 프로그램 - 단위사업 - 목 - 세목'의 단순한 체계로 구성된다.

③ 프로그램예산에서도 말단에서 품목별 분류가 사용되지만, 품목의 수는 대폭 축소·통합되어 칸막이를 축소했다.

④ 프로그램예산제도는 통제 중심의 품목별 분류를 탈피하고 정책과 성과 중심의 예산운영을 지향한다.

프로그램예산제도에서의 예산과목 체계형

장	관	항	세항	세세항	목	세목
분야	부문	프로그램	단위사업	(세부사항)	편성비목	통계비목
기능별 분류		사업별 분류			품목별 분류	

02 프로그램예산제도는 '프로그램(사업)을 중심으로 예산을 편성하는 제도'이다. 여기서 프로그램이란 동일한 정책을 수행하는 단위사업(activity/project)의 묶음을 의미한다. 프로그램예산제도에서 프로그램은 예산편성단계에서 전략적 배분 단위가 되며, 총액배분 자율편성 방식의 하향식 방식을 사용한다.

| 오답체크 |

① 프로그램예산제도는 중앙정부는 2007년, 지방정부는 2008년부터 공식적으로 도입되었다.

② 프로그램예산(program budget)은 기존의 품목별(항목별) 분류체계를 탈피하여 성과를 지향하는 프로그램 중심으로 예산을 분류·운영하는 것이라고 할 수 있다.

④ 프로그램예산제도는 일반회계, 특별회계, 기금이 포괄적으로 관리 운용되도록 유사한 목적의 재정자원은 동일한 프로그램으로 설계한다. 이를 위해 '프로그램-단위사업', '회계/기금'을 연계한다.

03 조직별 분류는 예산 내용의 편성과 집행 책임을 담당하는 조직단위별로 예산을 분류한 것을 말한다. 따라서 경비 지출의 목적을 밝힐 수 없다는 한계가 있다.

| 오답체크 |

①, ③ 기능별 분류는 정부활동에 대한 일반적이며 총체적인 내용을 보여주어, 일반납세자가 정부의 예산내용을 쉽게 이해할 수 있기 때문에 '시민을 위한 분류'라고도 부른다. 하지만 총체적인 분류이기 때문에 구체적 지출대상에 대한 회계 책임이 확보되지 않는다는 단점이 있다.

④ 품목별 분류는 행정의 재량범위를 줄여 행정부 통제가 용이하지만, 예산집행의 신축성 저해 가능성이 있다.

04 특별회계예산은 합목적성 차원의 통제가 강하므로 기금에 비하여 자율성과 탄력성이 약하다.

| 오답체크 |

① 기금은 특정수입과 지출이 연계되는 통일성의 원칙의 예외이다.

② 특별회계예산도 예산이므로 세입과 세출이라는 운영 체계를 갖는다.

④ 일반회계, 특별회계, 기금은 모두 결산서를 국회에 제출하여 심의·의결을 받아야 한다.

정답 01 ① 02 ③ 03 ② 04 ③

05 「국가재정법」상 추가경정예산안 편성이 가능한 사유에 해당하지 않는 것은? 2021년 국가직 9급

① 전쟁이나 대규모 재해가 발생한 경우

② 남북관계의 변화와 같은 중대한 변화가 발생한 경우

③ 경기침체, 대량실업 같은 중대한 변화가 발생할 우려가 있는 경우

④ 경제협력, 해외원조를 위한 지출을 예비비로 충당해야 할 우려가 있는 경우

06 우리나라 예산제도에 대한 설명으로 옳지 않은 것은? 2021년 국가직 9급

① 국회는 정부의 동의 없이 정부가 제출한 지출예산 각 항의 금액을 증가시킬 수 없다.

② 정부가 예산안 편성 시 감사원의 세출예산요구액을 감액하고자 할 때에는 국무회의에서 감사원장의 의견을 구하여야 한다.

③ 정부는 회계연도 개시 전까지 예산안이 의결되지 못한 때에는 전년도 예산에 준해 모든 예산을 편성해 운영할 수 있다.

④ 국회는 감사원이 검사를 완료한 국가결산보고서를 정기회 개회 전까지 심의 · 의결을 완료해야 한다.

07 성인지예산(gender budgeting)에 대한 설명으로 옳지 않은 것은? 2012년 지방직 9급

① 예산과정에 성 주류화(gender mainstreaming)의 적용을 의미한다.

② 성 중립적(gender neutral) 관점에서 출발한다.

③ 우리나라는 「국가재정법」에서 성인지예산서와 결산서 작성을 의무화하였다.

④ 성인지적 관점의 예산 운영은 새로운 재정 운영의 규범이 되고 있다.

08 동일 회계연도 예산의 성립을 기준으로 볼 때 시기적으로 빠른 것부터 순서대로 바르게 나열한 것은? 2022년 국가직 9급

① 본예산, 수정예산, 준예산

② 준예산, 추가경정예산, 본예산

③ 수정예산, 본예산, 추가경정예산

④ 잠정예산, 본예산, 준예산

09 **예산 외 공공재원으로서의 기금에 대한 설명으로 옳지 않은 것은?** 2014년 국가직 7급

① 정부는 매년 기금운용계획안을 마련하여 국무회의의 의결을 받아야 하며, 국회에 제출할 필요는 없다.

② 출연금, 부담금 등 다양한 재원으로 융자 사업 등을 수행한다.

③ 특정 수입과 지출을 연계한다는 점에서 특별회계와 공통점이 있다.

④ 합목적성 차원에서 예산에 비하여 운영의 자율성과 탄력성이 높다.

정답 및 해설

05 ④는 추가경정예산안의 편성사유에 해당하지 않는다.

06 예산안이 회계연도 개시 전까지 의결되지 못한 때에는 다음의 용도에 한해서 전년도 예산에 준하여 국회의결 없이 지출할 수 있다. 즉, 모든 예산이 아니다.

㉠ 헌법이나 법률로 설치된 기관 또는 시설의 유지·운영비

㉡ 법률상 지출의무가 있는 경비

㉢ 이미 예산으로 승인된 사업의 계속비

> **헌법 제54조** ③ 새로운 회계연도가 개시될 때까지 예산안이 의결되지 못한 때에는 정부는 국회에서 예산안이 의결될 때까지 다음의 목적을 위한 경비는 전년도 예산에 준하여 집행할 수 있다.
> 1. 헌법이나 법률에 의하여 설치된 기관 또는 시설의 유지·운영
> 2. 법률상 지출의무의 이행
> 3. 이미 예산으로 승인된 사업의 계속

| 오답체크 |

① 국회는 정부 동의 없이 지출예산 각 항의 금액을 증가시키거나 새로운 비목을 설치할 수 없다.

② 감사원이 요구한 예산액을 감액하고자할 때에는 국무회의에서 감사원장의 의견을 구하여야 한다.

④ 국가결산보고서는 정기회 개회 전까지 심의·의결하여야 한다.

07 성인지 내지는 성 주류화 관점은 소극적인 성 중립적 관점을 비판하고 나온 제도이다.

| 오답체크 |

① 성인지예산제도는 예산과정에서 남녀평등을 적극적으로 실현하려는 성 주류화 적용이다.

③ 「국가재정법」에 명문으로 도입되어 있다.

④ 기존의 성 중립적 관점과 구별되는 새로운 재정 운영규범이다.

08 본예산이 국회에서 의결되기 전에 제출하는 것이 수정예산이고, 본예산이 국회에서 의결된 후에 제출하는 것이 추가경정예산이다. 제출순서가 아니라 성립을 기준으로 한 문제이며, 예산의 '성립'을 기준으로 볼 때의 순서는 수정예산 → 본예산 → 추경예산의 순서이다.

09 정부는 매년 기금운용계획안을 마련한 후 국회에 제출하여 심의를 받아야 한다.

| 오답체크 |

② 기금은 조세수입이 아니라 다른 회계로부터 전출입, 출연금, 부담금 등 다양한 세입을 재원으로 한다.

③ 기금은 통일성 원칙의 예외라는 점에서 특별회계와 공통점이 있다.

④ 기금관리 주체는 주요 항목 지출금액을 변경하여 집행하고자 하는 경우에 금융성 기금은 30% 이내, 비금융성 기금은 20% 이내일 경우는 국회의 의결을 얻지 않아도 된다. 따라서 예산에 비해 합목적성 차원의 자율적 운영이 가능하다.

정답 05 ④ 06 ③ 07 ② 08 ③ 09 ①

10 **우리나라 정부재정에 대한 설명으로 옳지 않은 것은?** 2016년 국가직 7급

① 일반회계 예산의 세입은 원칙적으로 조세수입을 재원으로 하고 세출은 국가사업을 위한 기본적 경비지출로 구성된다.

② 실질적인 정부의 총예산 규모를 파악하는 데에는 예산순계 기준보다 예산총계 기준이 더 유용하다.

③ 중앙관서의 장은 특별회계를 신설하고자 하는 때에는 해당 법률안을 입법예고하기 전에 특별회계 신설에 관한 계획서를 기획재정부장관에게 제출하며, 그 신설의 타당성에 관한 심사를 요청하여야 한다.

④ 중앙정부의 통합재정 규모는 일반회계, 특별회계, 기금, 세입세출 외 항목을 포함하지만 내부거래와 보전거래는 제외한다.

11 **조세지출예산제도(tax expenditure budget)의 특징으로 옳지 않은 것은?** 2011년 국가직 7급

① 조세지출은 법률에 따라 진행되기 때문에 경직성이 강하다.

② 조세지출의 주된 분류방법은 세목별 분류로서 의회의 예산심의를 완화하기 위한 제도이다.

③ 조세지출은 세출예산상의 보조금과 같은 경제적 효과를 초래한다.

④ 과세의 수직적 · 수평적 형평을 파악할 수 있기 때문에 세수인상을 위한 정책판단의 자료가 된다.

12 **조세지출예산제도에 대한 설명으로 옳지 않은 것은?** 2020년 지방직 9급

① 세제 지원을 통해 제공한 혜택을 예산지출로 인정하는 것이다.

② 예산지출이 직접적 예산 집행이라면 조세지출은 세제상의 혜택을 통한 간접지출의 성격을 띤다.

③ 직접 보조금과 대비해 눈에 보이지 않는 숨겨진 보조금이라고 이해할 수 있다.

④ 세금 자체를 부과하지 않은 비과세는 조세지출의 방법으로 볼 수 없다.

13 우리나라의 통합재정에 대한 설명으로 옳지 않은 것은? 2023년 국가직 9급

① 세입과 세출은 경상거래와 자본거래로 구분하여 작성한다.

② 통합재정의 범위에는 일반정부와 공기업 등 공공부문 전체가 포함된다.

③ 정부의 재정이 국민 경제에 미치는 효과를 파악하고자 하는 예산의 분류체계이다.

④ 통합재정 산출 시 내부거래와 보전거래를 제외함으로써 세입 · 세출을 순계 개념으로 파악한다.

정답 및 해설

10 실질적인 정부의 총예산 규모 파악에 유리한 방식은 내부거래와 보전거래를 차감한 예산순계 방식이다.

| 오답체크 |

① 일반회계는 중앙정부의 내국세, 관세 등 조세수입(90% 이상)과 차관수입, 재화나 용역의 판매수입과 같은 세외수입 등을 통해 조성되고, 정부의 일반행정경비, 방위비, 사회개발비, 지방재정교부금 등에 지출된다.

③ 특별회계 신설 절차로서 옳은 지문이다.

④ 통합예산은 내부거래와 보전거래를 차감한 예산순계의 개념으로 작성한다.

11 조세지출예산은 세목별 분류를 위주로 하고, 기능별 분류를 가미할 수 있다. 이는 의회의 예산심사권이 강화되어 재정민주주의에 기여한다.

| 오답체크 |

① 조세지출은 조세법률주의상 예산이 아닌 법률에 의하여 지출이 이루어지므로 경직되게 운영될 가능성이 높다.

③ 조세지출은 형식은 조세지만 실질은 보조금과 같다.

④ 과세의 수직적 · 수평적 형평을 파악할 수 있기 때문에 부정한 조세지출의 폐지, 재정부담의 형평성 제고, 세수인상을 위한 정책판단의 자료가 된다.

12 조세지출예산이란 조세감면에 의하여 이루어진 간접지출을 의미하는 것으로 그 형식은 조세감면, 비과세등 다양하다.

| 오답체크 |

① 조세지출예산은 조세감면 등 세제지원을 통해 제공한 혜택을 예산지출에 준하여 인정하는 것이다.

② 조세지출은 조세감면에 의한 간접지출의 성격을 띤다.

③ 조세지출은 간접지출이지만 직접지출인 보조금과 실직적인 효과는 동일하므로 숨겨진 보조금이라고도 부른다.

13 통합재정의 범위에는 일반정부 부문은 포함되지만 「공공기관의 운영에 관한 법률」의 적용을 받는 공기업예산은 포함되지 않는다.

| 오답체크 |

① 통합예산은 일반회계 · 통합회계 · 기금을 포괄하여 경상수지, 자본수지, 융 · 출자 수지, 보전수지의 분류방식을 취하는 예산이다 세입과 세출은 거래의 성격에 따라 경상거래와 자본거래로 구분하여 작성한다.

③ 통합예산(통합재정)은 일반회계, 특별회계, 기금을 모두 포함하는 정부의 재정활동으로, 이를 체계적으로 분류하여 표시함으로써 재정이 국민소득, 통화, 국제수지 등의 국민경제에 미치는 효과를 파악하고자 하는 예산제도이다.

④ 내부거래와 보존거래를 제외한 순계개념으로 작성된다.

정답 10 ② 11 ② 12 ④ 13 ②

CHAPTER 3

예산과정

1 예산과정의 기초

1 예산과정의 의미

예산과정은 행정부의 예산 편성, 입법부의 예산 심의, 행정부의 예산 집행 · 결산 및 회계검사가 이루어지는 과정으로, 예산절차 또는 예산의 순기라고도 한다.

2 회계연도[1]

1. 회계연도

(1) 예산의 유효기간을 말하는 것으로, 각 연도의 수지 상황을 명확하게 하고, 적정한 재정 통제를 실현할 목적으로 수입과 지출을 구분 · 정리하기 위해 설정한 기간을 말한다.

(2) 우리나라를 포함한 대부분의 국가는 회계연도를 1년으로 책정하고 있다.

2. 회계연도 독립의 원칙

(1) 원칙

회계연도를 구분하여 독립적으로 운영하는 것을 '회계연도 독립의 원칙'이라고 한다. 회계연도 독립의 원칙에 의할 경우 한 회계연도에 속하는 세입 · 세출은 원칙적으로 당해 연도 내에 완결되어야 한다(출납정리기한의 준수).

(2) 예외

회계연도 독립의 원칙의 예외로는 예산의 이월, 계속비, 과년도 수입 · 지출 등이 있다.

3 예산과정의 특징

1. 예산과정의 합리성

예산과정은 비용 · 편익분석(CBA) 등 각종의 분석적 방법을 활용하여 자원배분의 최적화를 추구하는 과정이다.

2. 예산과정의 정치성[윌다브스키(Wildavsky)]

예산과정은 대외적으로 정당을 통해 국민의사를 반영하는 수단이 되며, 대내적으로는 부처 간 · 집단 간에 자신의 이권을 위하여 부단히 투쟁을 벌이는 정치적 과정이다.

❶ 각 국의 회계연도
1. 우리나라: 1월 1일~12월 31일
2. 영국 · 일본: 4월 1일~3월 31일
3. 미국: 10월 1일~9월 30일

3. 그 밖의 특징

예산과정은 주기적 순환과정, 사업의 심사·조정과정, 국가자원의 배분과정, 주요 정책의 결정과정이라는 특징을 갖는다.

2 예산편성

1 의의

(1) 예산과정의 출발점인 예산편성은 행정부에서 예산안을 만들어 국회에 제출할 때까지의 활동으로, 정부가 수행하고자 하는 계획과 사업을 재정적인 용어와 금액으로 구체화하는 과정을 말한다.

(2) 예산편성은 예산과정 중 정치적 성격을 가장 많이 갖는 것으로, 각 부처는 더 많은 예산을 확보하기 위해 중앙예산기관과 치열한 투쟁과 교섭활동을 벌이게 된다.

(3) **예산편성 과정에서는 경제적 합리성뿐만 아니라 정치적 합리성도 중요한 가치로** 작용한다.

2 거시적 예산결정과 미시적 예산결정

예산편성 과정은 거시적 예산결정과 미시적 예산결정으로 구분된다. ① 거시적 예산결정은 하향식(top-down) 의사결정으로, 대통령실과 중앙예산기관을 중심으로 정부의 재정 및 경제 정책과 관련된 예산 운용 전반에 대한 결정이다. ② 미시적 예산결정은 상향식(bottom-up) 의사결정으로, 각 행정기관이 자신의 관할 사업들에 재원을 배분하는 결정이다. 거시적 예산결정과 미시적 예산결정은 행정부의 예산편성 과정 뿐만 아니라 국회의 예산심의 과정에서도 발생한다.

1. 거시적 예산결정

(1) 거시적 예산결정(macro-budgeting) 방식은 1970년대 후반 자원난 시대가 도래하고 만성적인 재정 적자가 누적되면서, 이에 대한 적극적인 해결책을 모색하는 과정에서 강조되었다.

(2) **거시적 예산결정의 정책 초점은 총체적 재정규율에 해당하는 예산총액의 결정에 있다.** 예산총액에 대한 결정은 정부 전체의 기능 범위와 수준을 고려한 재정정책적 결정으로, 각 분야별 예산 규모의 합계와 동일하지만 결정과정에서의 주안점이 다르다.

(3) 주요 참여자는 행정부의 경우 중앙예산기관의 장과 행정수반 및 참모들이고, 의회의 경우 예산위원회나 정당지도자들이다.

2. 미시적 예산결정

(1) 미시적 예산결정(micro-budgeting)은 전통적으로 많이 사용되던 방식으로, 각 부처의 예산요구에서부터 시작하여 중앙예산기관이 이를 사정 및 조정해 나가는 방식으로 진행된다.

(2) 미시적 예산결정은 정부의 기능 간 또는 사업 간에 필요성과 중요성을 반영한 우선순위에 따라 각 분야별 · 기관별 · 기능별 · 사업별로 예산을 배분한다.

(3) 주요 참여자는 행정부의 경우 정부의 각 부처와 중앙예산기관의 사정관들이고, 의회의 경우 상임위원회와 세출위원회이다.

3 예산편성의 책임(예산편성기구)

1. 입법부 예산편성제도

(1) 예산편성의 책임을 입법부가 지는 것을 입법부 예산편성제도라고 한다.

(2) 행정업무와 구조가 비교적 단순한 시대에는 입법부 예산제도가 활용된 때도 있었으나, 현재는 널리 활용되고 있지 않다.

(3) 예산을 법률의 형식으로 편성하는 미국과 영국 등은 입법부가 예산을 편성한다고 볼 수 있으나, 예산관련 조서가 정부로부터 이송되는 것들을 고려하면 이들 국가도 사실상 행정부 예산편성주의라고 할 수 있다.

2. 행정부 예산편성제도[1][2][3]

(1) 의의

예산편성의 책임을 행정부가 지는 것으로, 행정부 제출 예산제도라고도 한다. 오늘날에는 정부의 기능이 매우 복잡하고 전문적이기 때문에 대부분의 국가는 중앙예산기구를 만들어 행정부가 주도하는 예산편성제도를 운영하고 있다.

(2) 장점

① 예산편성의 전문성을 제고한다.
② 관련정보와 자료관리가 용이하다.
③ 집행할 부처가 직접 편성하므로 예산 집행이 용이하다.
④ 행정수요의 객관적인 판단과 반영이 용이하다.

(3) 단점

① 대국민 책임확보가 곤란하다.
② 입법부의 예산통제가 곤란하다.

4 우리나라의 예산편성 절차

1. 주요 사업계획서의 제출

(1) 각 중앙관서의 장은 매년 1월 말까지 다음 해에 시행하고자 하는 신규사업과 주요사업에 대한 중기사업계획서를 작성하여 기획재정부장관(중앙예산기관장)에게 제출한다. 제출된 중기사업계획서를 기획재정부장관이 국무회의[4]에 보고한다.

---

❶ 독립기관 및 중앙관서
「국가재정법」 제6조 【독립기관 및 중앙관서】 ① 이 법에서 "독립기관"이라 함은 국회 · 대법원 · 헌법재판소 및 중앙선거관리위원회를 말한다.

❷ 독립기관의 예산편성(행정부가 편성)
「국가재정법」 제40조 【독립기관의 예산】 ① 정부는 독립기관의 예산을 편성할 때 해당 독립기관의 장의 의견을 최대한 존중하여야 하며, 국가재정상황 등에 따라 조정이 필요한 때에는 해당 독립기관의 장과 미리 협의하여야 한다.
② 정부는 제1항의 규정에 따른 협의에도 불구하고 독립기관의 세출예산요구액을 감액하고자 할 때에는 국무회의에서 해당 독립기관의 장의 의견을 들어야 하며, 정부가 독립기관의 세출예산요구액을 감액한 때에는 그 규모 및 이유, 감액에 대한 독립기관의 장의 의견을 국회에 제출하여야 한다.

❸ 감사원의 예산
「국가재정법」 제41조 【감사원의 예산】 정부는 감사원의 세출예산요구액을 감액하고자 할 때에는 국무회의에서 감사원장의 의견을 들어야 한다.

❹ 국무회의
헌법 제88조 ① 국무회의는 정부의 권한에 속하는 중요한 정책을 심의한다.
② 국무회의는 대통령 · 국무총리와 15인 이상 30인 이하의 국무위원으로 구성한다.
③ 대통령은 국무회의의 의장이 되고, 국무총리는 부의장이 된다.

(2) 각 부처는 총액을 함께 요구한다.

2. 예산안편성지침[1]의 작성과 시달

(1) 기획재정부장관(중앙예산기관장)은 매년 3월 31일까지 예산안편성지침을 국무회의 심의와 대통령의 승인을 받아 각 중앙관서의 장에게 시달하여야 한다.[2]

(2) 기획재정부장관은 각 중앙관서의 장에게 통보한 예산안 편성지침을 국회예산결산특별위원회에 보고해야 한다.

(3) 각 부처의 예산총액이 포함되어 있다.

3. 예산요구서 작성과 제출

각 중앙관서는 예산편성지침을 접수하면, 예산편성지침에 따라 그 소관에 속하는 다음 연도의 세입세출예산 · 계속비 · 명시이월비 및 국고채무부담행위 요구서를 작성하여 5월 31일까지 기획재정부장관에게 제출해야 한다.

4. 예산사정(review)

기획재정부(중앙예산기관)는 각 중앙관서로부터 예산요구서가 제출되면, 여러 가지 분석과 정보를 활용하여 예산요구서를 검토하는 예산사정을 통해 정부 전체의 예산규모 내에서 각 부처의 요구를 조정하여 예산안을 작성한다.

5. 정부예산안의 확정과 국회 제출

정부예산안은 국무회의의 심의를 거쳐 대통령 승인을 얻음으로써 정부예산안으로 확정된다. 확정된 정부예산안은 회계연도 개시 120일 전까지 국회에 제출된다.

5 예산편성의 내용[3]

1. 예산총칙

예산총칙에는 세입 · 세출 예산, 명시이월비, 계속비, 국고채무부담행위에 관한 총괄적 규정과 국채 또는 차입금의 한도액, 재정 증권의 발행과 일시차입금의 최고액 등을 규정한다.

2. 세입세출예산

세입세출예산은 예산의 핵심 부분이며 한 회계연도에 있어서 수입 · 지출의 추계이다. 세출예산은 행정부를 엄격히 구속하여 입법부 승인 없는 지출이 불가능하지만, 세입예산은 단순히 추정치에 불과하므로 수입은 세입예산상 과목이 없어도 징수가 가능하다.

3. 계속비

계속비는 공사나 제조에 있어서 그 완성에 수년도를 요하는 것에 관하여 경비총액과 연부액을 미리 입법부의 의결을 얻어 수년도에 걸쳐서 지출할 수 있도록 한 경비이다(공사의 중단 방지).

[1] 예산안편성지침
각 부처가 예산을 편성하는데 지침이 되는 문서로, 국민경제와 예산을 결부시키고 재정운용의 방향을 제시하는 가이드 라인을 말한다.

[2] 예산안편성지침의 통보
「국가재정법」 제29조 【예산안편성지침의 통보】 ① 기획재정부장관은 국무회의의 심의를 거쳐 대통령의 승인을 얻은 다음 연도의 예산안편성지침을 매년 3월 31일까지 각 중앙관서의 장에게 통보하여야 한다.
② 기획재정부장관은 제7조의 규정에 따른 국가재정운용계획과 예산편성을 연계하기 위하여 제1항의 규정에 따른 예산안편성지침에 중앙관서별 지출한도를 포함하여 통보할 수 있다.

[3] 예산의 구성

「국가재정법」상 예산	「지방재정법」상 예산
· 예산총칙	· 예산총칙
· 세입세출예산	· 세입세출예산
· 계속비	· 계속비
· 명시이월비	· 명시이월비
· 국고채무부담행위	· 채무부담행위

핵심 OX

01 헌법재판소의 예산편성권은 헌법재판소가 행한다. (O, X)

02 각 부처는 중기사업계획서를 1월 31일까지 국무회의에 보고한다. (O, X)

01 X 독립기관의 예산편성권은 행정부에 있다. 따라서 헌법재판소의 예산편성권은 행정부에 있다.
02 X 각 부처는 1월 31일까지 기획재정부장관에게 중기사업계획서를 제출하고, 기획재정부장관이 이를 국무회의에 보고한다.

4. 명시이월비

명시이월비는 세출예산 중 경비의 성질상 연도 내에 그 지출을 끝내지 못할 것이 예측될 때, 미리 입법부의 승인을 얻어 다음 연도에 이월하여 사용할 수 있는 경비이다(취지를 세출예산에 명시).

5. 국고채무부담행위

(1) 국고채무부담행위는 세출예산·계속비의 범위 밖에서 국가가 채무만을 부담하는 행위(예 국고의 부담을 야기하는 계약 체결)를 할 수 있는 권한을 부여하는 것으로, 현실적으로 지출이 이루어지기 위해서는 다음 회계연도 이후에 세출예산으로 의결을 받아야 한다.

(2) 일단 국고채무부담행위로서 입법부의 의결을 얻은 경우, 정부의 동의 없이 입법부는 다음 연도 이후에 있어서 그에 관한 예산을 임의로 삭감할 수 없게 된다.

6 예산사정기준 및 예산확보전략

1. 예산사정기준

(1) 무제한예산법

① **의의**: 예산요구에 있어서 제한을 두지 않는 방법이다.
② **장점**: 각 부처가 원하는 사업의 정확한 규모와 종류의 파악이 가능하다.
③ **단점**: 사정기관이 예산삭감의 부담을 진다.

(2) 한도액 설정

① **의의**: 요구예산액에 한도를 설정해 주는 방법(top-down)이다.
② **장점**: 예산의 점증 현상을 막을 수 있다.
③ **단점**: 각 부처가 원하는 사업의 정확한 규모와 종류의 파악이 곤란하다.

(3) 증감분석법

① **의의**: 가장 보편적인 방법으로, 점증주의에 입각하여 전년도와 대비시켜 차이가 있는 부분을 집중적으로 사정하는 방법이다.
② **장점**: 역점 사업이나 예산 비중의 변화 파악이 용이하고 시간이 절약될 수 있다.
③ **단점**: 각 기관이 필요로 하는 예산의 전모 파악이 곤란하다.

(4) 우선순위 표시법

① **의의**: 요구 시에 우선순위를 표시하도록 하는 방법이다.
② **장점**: 예산삭감이 편리하고 시급한 사업이 중시된다.
③ **단점**: 우선순위를 설정하는 것이 쉽지 않다.

(5) 항목별 통제방법

① **의의**: 예산을 개별 항목별로 검토하여 사정하는 방법이다.
② **장점**: 사정자의 의사반영이 용이하다.
③ **단점**: 전체 사업의 관점에서 개별사업을 검토하기 곤란하다.

(6) 단위원가 계산법

① **의의**: 사업별로 업무 단위를 개발하고 단위 원가를 결정하여 비용을 직접 계산하는 방법이다.

② **장점**: 합리적인 사정이 가능하다.

③ **단점**: 업무 단위가 단위 원가의 결정이 어렵다.

2. 예산확보 전략

(1) 보편적 전략

① **수혜자를 동원하는 방법**: 활동적인 고객을 동원한다.

② **신뢰를 확보하는 방법**: 예산기관으로부터의 신뢰를 확보한다.

③ **사업의 중요성을 강조하는 방법**: 자료와 논리를 통해 사업의 필요성과 가치를 강조한다.

(2) 상황적 전략

① **우선순위의 조정**: 인기 있는 사업은 우선순위를 낮게, 인기 없는 사업은 우선순위를 높게 설정하여 두 사업 모두 예산을 확보한다(인기 있는 사업은 우선순위가 낮아도 채택의 가능성이 높고, 삭감되더라도 의회의 반발로 부활 가능).

② **역점 사업의 활용**: 공약 사업 또는 장관역점 사업임을 강조한다.

③ **끼워팔기식**: 인기 있는 사업에 신규 사업이나 문제 있는 사업을 추가한다.

④ **양보와 획득**: 더 큰 것을 얻기 위해 작은 것을 포기한다.

⑤ **자료 및 정보의 이용**: 많은 자료를 첨부하여 설득한다.

⑥ **기득권의 이용**: 신규 사업은 소액의 예산을 요구하고, 승인 후 다음에 증대한다.

⑦ **기관장의 정치적 해결**: 상급자에 호소한다.

⑧ **맹점(정보 격차)을 이용**: 예산 사정자들의 정보 및 지식의 부족을 이용한다.

⑨ **기타**: 인맥(혈연 · 지연 및 인간관계)을 활용하는 방법, 언론매체의 지원을 얻는 방법 등이 있다.

7 예산편성의 문제점

1. 각 부처 예산요구액의 가공성

개별 부처에서는 예산실의 심각한 삭감을 우려해 미리 부풀려서 제출하고, 예산실에서는 부풀려올 것을 대비하여 대폭 삭감하는 악순환이 반복되고 있다. 이러한 편성과정에서의 비합리성은 결산 시 예산의 불용액으로 나타난다.

2. 전년도 답습 예산

예산편성 과정에서 합리적인 분석 과정이 도외시되고 전년도를 답습하는 예산이 편성된다.

3. 예산 단가의 비현실성

단가의 비현실성 때문에 각종 편법이 나타난다. 그러나 단가를 현실화하면 예산의 급격한 팽창이 유발되기 때문에 예산의 현실화에도 어려움이 있다.

4. 예산사정 과정의 비공개

기획재정부가 각 부처의 예산을 삭감하는 과정이 공개되지 않고, 사정의 기준을 알 수 없기 때문에 공정성에 문제가 제기된다.

5. 정치적 영향력 작용

정치적 변수가 강하게 작용하여 예산액 배분이 비합리적으로 이루어진다.

6. 미약한 민중통제

7. 비용·효과분석의 결여

3 예산심의

1 의의 및 각국의 제도

1. 의의

(1) 예산심의란 입법부가 재정감독권을 행사하여 행정부가 작성한 예산을 심사하는 정치적 과정을 말한다.

(2) 입법부는 행정부가 제안한 사업과 그 사업을 지원하기 위한 재원에 대해 재검토하여, 예산총액을 결정할 뿐만 아니라 사업의 정당성까지도 검토하게 된다.

2. 각국의 예산심의 제도

구분	내용
대통령제 vs 내각책임제	· 미국과 우리나라와 같은 대통령제 국가는 예산심의가 상대적으로 엄격함 · 영국이나 일본과 같은 내각책임제 국가에서는 의회 다수당이 행정부를 구성하므로, 정부의 예산안이 국회의 심의 과정에서 큰 수정을 받는 일이 거의 없음
예산 vs 법률	· 영국과 미국은 예산을 법률의 형식으로 성립시킴 · 일본과 우리나라는 예산의 형식으로 의결되며, 법률과 예산은 다른 형식임
증액의 제한	· 영국과 우리나라 국회는 예산안에 대해 폐제삭감권만 있으며, 정부의 동의 없이 새비목을 설치할 수 없음 · 미국이나 일본의 국회는 폐제삭감권 뿐 아니라 새비목의 설치나 증액도 자유롭게 할 수 있음
위원회	· 미국, 일본, 우리나라에서는 예산안이 본회의에 상정되기 전에 소규모 위원회의 심의를 받도록 되어 있음 · 영국은 예산심의를 위한 소위원회가 없고 본회의에서만 심의
입법부의 구조	우리나라와 같은 단원제보다 영국·일본과 같은 양원제의 입법부 구조하에서는 예산심의에 보다 신중하지만, 양원의 의결이 일치하지 않는 경우 양자의 조정 문제가 발생함

2 과정

1. 국정감사

(1) 국회는 국정전반에 관하여 소관 상임위원회별로 매년 정기회 집회일 이전에 감사 시작일로부터 30일 이내의 기간을 정하여 국정감사를 실시한다. 다만, 본회의 의결로 정기회 기간 중에 감사를 실시할 수 있다.

(2) 국정감사는 예산심의와 직접적인 관련이 있지는 않으나, 국회는 국정감사를 통해 예산에 반영할 정책 자료를 획득하고 행정의 위법 · 부당한 사항을 사전에 파악하여 예산심의 활동에 도움을 받을 수 있기 때문에 예산심의 활동의 과정으로 볼 수 있다.

2. 시정연설(본회의)

회계연도 개시 120일 전까지 정부 예산안이 국회에 제출되면 대통령은 본회의에서 시정연설을 한다.

3. 상임위원회의 예비심사

상임위원회의 예비심사는 국회의 실질적인 예산심사의 출발점이다. 소관 부처에 대한 상임위원회의 예비심사는 일반적으로 소위원회를 구성하여 실질적 합의가 이루어진다.

4. 예산결산특별위원회❶의 종합심사

(1) 상임위원회의 예비심사가 끝난 예산안은 예산결산특별위원회에 회부된다. 예산결산특별위원회는 임의기구가 아닌 강제적 특별위원회로 상설화되었다.

(2) 상임위원회가 삭제 · 삭감한 예산을 예산결산특별위원회가 설치 · 증액하고자 하는 경우에는 상임위원회의 동의를 받아야 한다.

5. 본회의 의결❷

예산결산특별위원회의 종합심사가 종결되면 예산안은 본회의에 상정되고, 본회의에서는 의원들의 질의와 토론을 거쳐 회계연도 개시 30일 전까지 예산안을 최종적으로 의결 · 확정한다. 본회의의 의결을 거치는 과정에서 예산안이 수정되는 경우는 거의 없다.

3 우리나라 예산심의의 특징과 문제점

1. 특징

(1) 예산과 법률의 관계

예산은 영미국가와 달리 법률의 형식이 아니라 의결의 형식이다.

(2) 예산 수정의 권한

국회는 정부의 동의 없이 정부가 제출한 예산안의 삭감 · 폐지는 가능하지만 증액이나 새비목을 설치할 수는 없고, 정부제출 예산안에 대한 큰 수정은 거의 없다.

❶ 예산결산특별위원회

「국회법」 제45조 【예산결산특별위원회】

① 예산안, 기금운용계획안 및 결산(세입세출결산과 기금결산을 말한다)을 심사하기 위하여 예산결산특별위원회를 둔다.

② 예산결산특별위원회의 위원 수는 50명으로 한다.

③ 예산결산특별위원회의 위원의 임기는 1년으로 한다.

❷ 자동상정(부의)제도 및 국회의장의 회부 권한

1. 자동부의제도란, 관련위원회가 예산안 등의 심사를 매년 11월 30일까지 마치지 못한 때에는 그 다음날에 위원회에서 심사를 마치고 바로 본회의에 부의된 것으로 보는 제도이다.
2. 국회의장은 예산안을 소관상임위원회에 회부할 때에도 심사기간을 정할 수 있으며, 상임위원회가 이유 없이 그 기간 내에 심사를 마치지 아니한 때에는 이를 바로 예산결산특별위원회에 회부할 수 있다.

핵심 OX

01 예산결산특별위원회는 정기국회 개회와 동시에 구성된다. (O, X)

02 「국가재정법」상 예산 심의기간은 90일이다. (O, X)

03 국회는 행정부의 동의 없이 새로운 비목을 설치하거나 증액할 수 있다. (O, X)

01 X 예산결산특별위원회는 상설화되어 있다.
02 O
03 X 행정부의 동의 없이 새로운 비목을 설치하거나 증액할 수 없다.

(3) 전문성의 저하

예산심의 과정에서 예산결산특별위원회는 핵심적 역할을 수행하지만, 예산위원회와 결산위원회가 분리되지 않고 전문성도 부족하다.

(4) 예산심의의 예외

국정원 소관 예산은 예산결산특별위원회의 심사가 이루어지지 않고, 국회 상임위원회인 정보위원회의 비공개 심사를 받는다.

(5) 위원회 중심의 심의

본회의보다는 위원회(예산결산특별위원회)의 역할이 매우 중요하다. 우리나라의 경우 예산결산특별위원회 등 소위원회 중심체제이지만, 국민에게 부담을 주는 주요 의안의 경우 상임위원회의 의결을 거쳐 전원위원회의 심사를 거칠 수 있도록 하고 있다.

(6) 예산정책처의 설치

예산심의 등 재정통제를 강화하기 위하여 2003년 국회 내에 국회의장 소속으로 예산정책처를 설치하였다.

2. 문제점

(1) 국정감사 · 정책질의의 비효율성과 무리한 자료 요구

국정감사와 예산심의가 형식적으로 이루어지고, 예산과 무관한 내용의 정책질의와 자료제출 요구가 매년 반복되고 있다.

(2) 전문지식 결여와 국정에 대한 이해 부족

예산행정에 대한 국회의 전문성이 떨어지고, 자신의 직접정보보다 행정부가 제공한 간접정보에 의존한다.

(3) 짧은 심의기간

심의기간이 짧고 심의 과정도 형식적으로 운영되고 있어 정책과 사업에 대한 심도 있는 검토가 부족하다.

(4) 국민의견의 투입 및 통제 취약

예산심의 과정에 대한 국민의견 투입이나 통제가 취약하다.

개념PLUS 국회 예산정책처

국회의장 소속으로 국가의 예산 · 결산 · 기금 및 재정운용과 관련된 사항에 관하여 연구 · 분석 · 평가하고 의정활동을 지원하기 위하여 설치되었다.

4 예산집행

1 의의

예산집행이란 국가의 수입 · 지출을 실행하고 관리하는 모든 행위로, 단순히 예산에 정하여진 금액을 국고에 수납하고 국고로부터 지불하는 것만을 말하는 것이 아니라, 국고채무부담행위와 지출원인행위까지도 포함한다.

2 목적

1. 예산통제[1]

예산집행 과정에서 예산통제는 입법부의 의도를 구현하고 재정 한계를 엄수하기 위해 예산의 목적 외 사용이나 초과지출을 금지하는 것을 말한다. 예산통제 수단으로는 예산의 배정과 재배정, 기록과 보고, 정원과 보수 등의 통제, 계약의 통제, 총사업비의 관리 등이 있다.

(1) 예산의 배정

① 의의: 기획재정부장관이 각 중앙관서의 장에게 각 분기별로 집행할 수 있는 금액과 책임 소재를 명확히 하는 절차를 말한다.

② 이는 지출원인행위의 근거가 되며, 일시에 자금이 집중적으로 지출되는 것을 막는 기능을 한다.

③ 예산이 배정되면 각 부처는 배정받은 예산의 범위 내에서 계약 등 지출원인행위를 하게 되며, 지출원인행위를 한 때부터 예산을 지출할 수 있는 근거가 생기게 된다.

(2) 예산의 재배정

① 의의: 중앙관서의 장이 배정받은 예산액의 범위 내에서 산하기관에 예산을 다시 배정해 주는 것이다.

② 목적: 중앙관서의 장으로 하여금 각 기관의 예산집행 상황을 감독 · 통제하고, 재정적 한도를 엄수하게 하려는 목적이다.

(3) 지출원인행위 통제

계약의 방법과 절차에 대한 규정을 마련하여 일정액 이상의 계약에 대해서는 상급기관의 승인을 얻도록 하였다.

(4) 기록 및 보고 제도

예산집행에 대한 기록 및 보고를 통해 예산집행 과정의 투명성을 확보한다.

(5) 정원과 보수에 대한 통제

공무원의 정원이나 보수의 증가는 기관운영비와 인건비의 증대를 초래하기 때문에 공무원의 정원과 보수를 변경할 때 행정안전부장관(정원), 인사혁신처장(보수)은 기획재정부장관과 사전 협의를 하도록 하고 있다.

---

[1] 「국가재정법」

제42조 【예산배정요구서의 제출】 각 중앙관서의 장은 예산이 확정된 후 사업운영계획 및 이에 따른 세입세출예산 · 계속비와 국고채무부담행위를 포함한 예산배정요구서를 기획재정부장관에게 제출하여야 한다.

제43조 【예산의 배정】 ① 기획재정부장관은 제42조의 규정에 따른 예산배정요구서에 따라 분기별 예산배정계획을 작성하여 국무회의의 심의를 거친 후 대통령의 승인을 얻어야 한다.
② 기획재정부장관은 각 중앙관서의 장에게 예산을 배정한 때에는 감사원에 통지하여야 한다.
③ 기획재정부장관은 필요한 때에는 대통령령으로 정하는 바에 따라 회계연도 개시 전에 예산을 배정할 수 있다.
④ 기획재정부장관은 예산의 효율적인 집행관리를 위하여 필요한 때에는 제1항의 규정에 따른 분기별 예산배정계획에도 불구하고 개별사업계획을 검토하여 그 결과에 따라 예산을 배정할 수 있다.
⑤ 기획재정부장관은 재정수지의 적정한 관리 및 예산사업의 효율적인 집행관리 등을 위하여 필요한 때에는 제1항의 규정에 따른 분기별 예산배정계획을 조정하거나 예산배정을 유보할 수 있으며, 배정된 예산의 집행을 보류하도록 조치를 취할 수 있다.

제43조의2 【예산의 재배정】 ① 각 중앙관서의 장은 「국고금 관리법」 제22조 제1항에 따른 재무관으로 하여금 지출원인행위를 하게 할 때에는 제43조에 따라 배정된 세출예산의 범위 안에서 재무관별로 세출예산재배정계획서를 작성하고 이에 따라 세출예산을 재배정(기획재정부장관이 각 중앙관서의 장에게 배정한 예산을 각 중앙관서의 장이 재무관별로 다시 배정하는 것을 말한다. 이하 같다)하여야 한다.
② 각 중앙관서의 장은 예산집행에 필요하다고 인정할 때에는 제1항에 따라 작성한 세출예산재배정계획서를 변경할 수 있고 이에 따라 세출예산을 재배정하여야 한다.
③ 각 중앙관서의 장은 제1항 및 제2항에 따라 세출예산을 재배정한 때에는 이를 「국고금 관리법」 제22조 제1항에 따른 지출관과 기획재정부장관에게 통지하여야 한다.
④ 각 중앙관서의 장은 제1항 및 제2항에 따라 세출예산을 재배정하려는 경우 대통령령으로 정하는 바에 따라 이를 「한국재정정보원법」에 따른 한국재정정보원으로 하여금 대행하게 할 수 있다.

(6) 감사원의 회계감사

감사원의 회계감사를 통해 예산집행 후 지출의 합법성에 대한 사후통제가 이루어진다.

(7) 예비타당성조사제도

기획재정부는 대규모 개발사업에 대한 예비타당성조사를 통하여 경제적 타당성을 검증하고 낭비될 수 있는 지출을 사전적으로 통제한다.

(8) 지방재정 진단제도

행정안전부장관과 시 · 도지사는 재정운영의 건전성이 떨어지는 자치단체의 재정운영 사후평가를 통해 조직개편, 채무상환, 신규사업 제한, 세입증대 등 책임성과 효율성을 도모하기 위한 조치를 모색하도록 하여 지방자치단체 차원의 예산집행을 통제한다.

2. 예산의 신축성 유지

예산의 신축성 유지란 예산성립 이후의 여건 변화에 적응하고 효율적으로 예산을 집행하기 위해 행정재량 등을 부여하여 (1) 세출예산을 지출목적 이외에 사용하거나, (2) 정해진 금액을 초과하여 집행하거나, (3) 회계연도를 넘겨서 사용할 수 있게 하는 것을 의미한다. 예산의 신축성을 유지하기 위한 수단으로는 총괄예산, 예산의 이용과 전용, 예비비, 예산의 이체와 이월, 계속비와 국고채무부담행위, 수입대체경비, 추가경정예산, 수입지출의 특례, 총액예산, 회계연도 개시 전 예산배정 등이 있다.

(1) 이용과 전용[1]

① **예산의 이용(移用)**: 예산의 이용은 중앙관서의 장이 입법과목인 장 · 관 · 항 간에 상호 융통하는 것을 말한다. 예산의 이용은 입법과목에 대한 변동이기 때문에 원칙적으로 허용되지 않으나, 미리 국회의 의결을 얻었을 때에는 기획재정부장관의 승인을 얻어 이용할 수 있다. 그러나 실제 사용되는 예는 거의 없다.

② **예산의 전용(轉用)**: 예산의 전용은 행정과목인 세항 · 목 간에 상호 융통하는 것을 말한다. 각 중앙관서의 장은 대통령령이 정하는 바에 따라 국회의 의결 없이 기획재정부장관의 승인을 얻어 전용할 수 있다. 예산의 전용은 원칙적으로 기획재정부장관의 승인을 얻어 할 수 있으나, 각 중앙관서의 장은 매 회계연도마다 기획재정부장관이 정하는 범위 안에서 각 세항 또는 목의 금액을 전용할 수 있도록 하고 있다.

(2) 예산의 이체(移替)

① **의의**: 정부조직 등에 관한 법령의 제정 · 개정 또는 폐지로 인해 그 직무와 권한에 변동이 있을 때, 중앙관서의 장의 요구에 의해 기획재정부장관이 예산의 책임소관을 변경시키는 것을 말한다.

② 예산의 이체는 정부조직 등에 관한 법령의 제정 · 개정 또는 폐지로 인하여 중앙관서의 직무와 권한에 변동이 있을 때 이루어지는 것으로, 국회의 승인을 필요로 하지 않는다.

❶ 이용과 전용

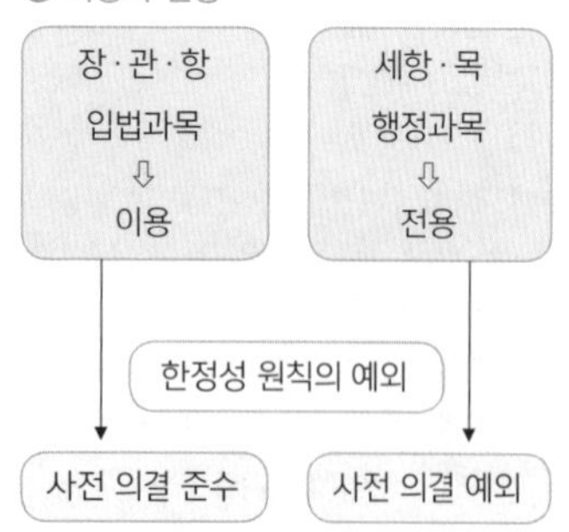

핵심 OX

01 예산의 배정과 재배정은 예산통제방식이다. (O, X)

02 이용과 전용은 각 중앙관서의 장이 행한다. (O, X)

03 전용은 입법과목 상호 간의 융통이다. (O, X)

04 이체는 기획재정부장관이 행한다. (O, X)

01 O
02 O
03 X 행정과목 상호 간의 융통이 전용이다.
04 O

(3) 예비비 제도[1]

① **의의**: 예비비는 '예측할 수 없는 예산 외의 지출 또는 예산 초과지출에 충당하기 위해 세입세출예산에 계상한 금액'을 말한다. 예산에 계상하지 않은 새로운 경비가 필요한 경우나 예산에 계상된 경비가 부족해 초과지출을 해야 되는 경우에 사용된다.

② 사유

㉠ **예산 외 지출**: 예산편성 당시에는 전혀 예측할 수 없었던 사건이 발생하여 경비지출을 요하는 것을 말한다.

㉡ **예산 초과지출**: 예산에 일정한 금액을 계상하였으나, 그 후의 사정변경으로 예산액에 부족이 생겨 경비의 초과지출을 요하는 것을 말한다.

③ **유형**: 예비비는 일반적인 지출소요에 충당하는 일반예비비와 특정 목적을 위한 목적예비비로 나누어진다.

㉠ 일반예비비

ⓐ 국가의 일반적인 활동을 수행하는데 충당하기 위한 목적과 국가 안전보장을 위한 활동에 소요되는 경비를 위한 목적으로 설치되는 것이다.

ⓑ 「국가재정법」에서는 일반회계 예산총액의 1% 이내의 금액을 예비비로 세입세출예산에 계상할 수 있다고 규정하고 있다. 이는 일반회계 예산총액의 '1% 이내'로 그 한도를 설정한 것이다.

㉡ 목적예비비

ⓐ 특정한 용도를 정하여 배타적으로 사용할 수 있는 것이다.

㉰ 봉급예비비 · 공공요금예비비 · 재해대책예비비 · 급량비예비비 · 사전조사예비비 등

ⓑ 예산총칙 등에 따라 미리 사용목적을 지정해 놓은 예비비는 별도로 세입세출예산에 계상할 수 있다. 다만, 공무원의 보수 인상을 위한 인건비 충당을 위하여는 예비비의 사용목적을 지정할 수 없다.

개념PLUS 예비금 제도

헌법상 독립기관인 국회, 법원, 헌법재판소, 중앙선거관리위원회의 소관별 지출 항목에는 예비비와는 별도로 '예비금'이란 항목이 있다. 예비금은 예측할 수 없는 지출에 충당하기 위하여 「국회법」, 「법원조직법」, 「헌법재판소법」 등의 규정에 의해 별도로 예산항목에 계상된 것으로, 이들 기관에 대한 독립성을 보장하기 위하여 별도로 예비비를 청구하지 아니하고도 내부에서 융통성 있게 사용할 수 있도록 한 제도이다.

④ 특징(성격)

㉠ **포괄적 의결**: 예비비는 예산에 설치할 때 포괄적 용도를 정하여 국회의 의결을 거친다.

㉡ 예산 한정성 · 사전의결 원칙에 대한 예외: 구체적인 사용 주체 · 목적이 불명료하므로 예산 한정성의 원칙의 예외이며, 사용 후 사후국회승인을 요하므로 사전의결 원칙의 예외라고 할 수 있다.

⑤ 예비비 사용의 제한

㉠ **국회에서 부결한 용도**: 법에 명문의 규정은 없으나 국회에서 부결한 용도를 위하여 예비비를 사용하는 것은 국회의 예산심의권에 대한 침해이다. 미국은 국회에서 부결한 용도로 예비비를 사용하는 것을 명문으로 금지하고 있다.

[1] 예비비의 관리와 사용
「국가재정법」 제51조 【예비비의 관리와 사용】 ① 예비비는 기획재정부장관이 관리한다.
② 각 중앙관서의 장은 예비비의 사용이 필요한 때에는 그 이유 및 금액과 추산의 기초를 명백히 한 명세서를 작성하여 기획재정부장관에게 제출하여야 한다.
③ 기획재정부장관은 제2항의 규정에 따른 예비비 신청을 심사한 후 필요하다고 인정하는 때에는 이를 조정하고 예비비사용계획명세서를 작성한 후 국무회의의 심의를 거쳐 대통령의 승인을 얻어야 한다.

ⓛ **국회 회기 중의 거액 지출**: 국회 개회 중에 예산의 부족이 일어난 경우 예비비로 처리해서는 안 되고, 추가경정예산을 국회에 제출하고 의결을 얻어 문제를 처리해야 한다.

ⓒ **예산성립 전부터 존재하던 사태**: 예비비는 예측할 수 없는 사태를 위해 지출하는 예산이고, 예산성립 전부터 존재하던 사태는 예측된 것이기 때문에 당해 연도의 예산으로 편성하면 되는 것이다.

(4) 예산의 이월[1]

① **의의**: 예산의 이월이란 예산을 다음 해로 넘겨 차기 연도의 예산에서 사용하는 것으로, 회계연도 독립 원칙의 예외이다. 계속비와 예비비도 이월의 요건을 갖추면 이월이 가능하다.

② **유형**

㉠ **명시이월**: 세출예산 중 경비의 성질상 연내에 지출을 끝내지 못할 것이 예측된 경비로, 미리 국회의 의결을 얻어 다음 연도에 사용할 수 있는 것을 말한다. 명시이월된 경비는 재이월이 가능하다.

ⓛ **사고이월**: 예산성립 후 연도 내에 지출원인행위를 하고 불가피한 사유로 지출하지 못한 경비와 지출원인행위를 하지 아니한 그 부대경비의 금액을 다음 해로 이월하는 것을 말한다. 한번 사고이월한 금액을 재이월하는 것은 금지되고, 예견 가능한 사유로는 사고이월을 할 수 없다.

[1] 이월
1. **명시이월**: 한정성 원칙의 예외이며, 사전 의결을 준수해야 하고 재이월이 가능하다.
2. **사고이월**: 한정성 원칙의 예외이며, 사전 의결의 예외에 해당하고 재이월은 불가능하다.

(5) 계속비[2]

① **의의**: 완성에 수년도를 요하는 공사나 제조 및 연구개발 사업의 경우, 경비의 총액과 연부액을 정해 미리 국회의 의결을 얻은 범위 안에서 수년에 걸쳐 지출할 수 있도록 한 예산을 말한다(회계연도 독립 원칙의 예외).

② 계속비는 연부액에 대해서는 매년 다시 국회의 승인을 받게 되어 있다.

③ 원칙적으로 계속비의 사용기간은 5년까지로 제한되어 있으나, 국회의 의결이 있으면 연장이 가능하다.

④ **계속비의 이월(체차이월)**: 계속비는 이미 총액을 국회의결을 얻은 계속사업으로 집행하는 예산이므로, 그 연부액 중 연도 내 지출을 하지 못한 경비는 당해 사업이 완성되는 연도까지 계속 이월을 할 수 있다.

⑤ 계속비는 일단 착수되면 중단하기 어려워 재정운영의 경직성을 초래할 수 있으므로, 최근에는 장기계속계약제도 등이 이를 실질적으로 대체하고 있다.

[2] 계속비 지출 연한
5회계연도 이내로 한다. 다만, 사업규모 및 국가재원 여건상 필요한 경우에는 예외적으로 10년 이내로 할 수 있다.

(6) 장기계속계약제도

① **의의**: 장기계속계약제도는 장기간에 걸쳐 시행할 필요가 있는 사업에 대해 전체 사업내용과 연차별 사업계획이 확정된 경우에는 총사업액을 부기하고, 당해연도 예산의 범위 내에서 분할을 허용하는 제도이다.

② 단년도 예산의 한계를 극복하기 위해 실질적으로는 다년도 예산을 편성하면서, 형식적으로는 단년도 예산의 형식을 유지하는 것이다.

핵심 OX

01 사고이월은 재이월이 가능하다. (O, X)

02 계속비는 기획재정부장관의 승인이 있으면, 기간을 연장할 수 있다. (O, X)

01 X 사고이월은 재이월이 금지된다.
02 X 국회의 의결이 있으면 연장이 가능하다.

(7) 국고채무부담행위[1]

① 의의: 법률에 의한 것과 세출예산금액 또는 계속비의 총액 범위 내의 것 이외에 국가가 채무를 부담하는 행위를 할 때에는 미리 예산으로서 국회의 의결을 얻어야 한다고 규정하고 있는데, 이 규정에 의해 국가가 채무를 부담하는 행위를 국고채무부담행위라고 한다.

② 특징

㉠ 국회로부터의 의결권의 범위는 채무부담 권한만을 미리 인정받은 것이며, 지출권한을 인정받은 것은 아니다.

㉡ 실제 지출을 위해서는 미리 세출예산에 계상하여 국회의 의결을 얻어야 하며, 따라서 지출은 당해연도가 아닌 차기 회계연도부터 이루어진다.

③ 국가채무와 국고채무부담행위의 비교

국가채무[2]	· 국고채무부담행위, 공채, 차입금, 차관 등 국가의 모든 채무 포함 · 차입금은 세입세출예산에 계상됨
국고채무 부담행위	· 국공채, 차입금, 차관 등 포함 안 됨 · 국고채무부담행위는 세입세출예산에 계상 안 됨

(8) 총액계상예산(명료성 원칙의 예외)

① 의의: 예산의 신축성을 높이기 위한 예산으로, 정부는 구체적인 세부사업별 용도를 확정시키지 않는 상태에서 총액 규모로만 예산을 편성하고 국회에서는 예산을 그대로 승인하여, 세부내역은 집행단계에서 각 중앙관서의 장이 자율적으로 결정하도록 한 예산이다.

② 규정된 사업

㉠ 국·사립대학 재정지원사업

㉡ 경지정리사업

㉢ 지방채 인수사업

㉣ 하천치수사업 등

(9) 수입대체경비

수입대체경비란 지출이 직접 수입을 수반하는 경비로, 중앙예산기관의 장이 지정하는 것을 말한다. 이는 국고수입은 국고에 납부해야 한다는 국고통일의 원칙에 대한 예외로, 자체수입으로 관련경비 총액을 충당할 수 있도록 한 제도이다.

㉥ 대법원 등기소 등기부등·초본 발행 경비, 외무부 여권발급 경비, 교육부 대학입시 경비, 각 시험연구기관의 위탁시험연구비 등

(10) 국고여유자금 활용

기획재정부장관은 국고금의 출납상 지장이 없다고 인정되는 때에는 당해 회계연도에 한하여 정부 각 회계의 여유자금을 국공채나 통화안정증권 매매 등에 세입세출예산 외로 운용할 수 있다.

[1] 국고채무부담행위

「국가재정법」 제25조 【국고채무부담행위】 ① 국가는 법률에 따른 것과 세출예산금액 또는 계속비의 총액의 범위 안의 것 외에 채무를 부담하는 행위를 하는 때에는 미리 예산으로써 국회의 의결을 얻어야 한다.

② 국가는 제1항에 규정된 것 외에 재해복구를 위하여 필요한 때에는 회계연도마다 국회의 의결을 얻은 범위 안에서 채무를 부담하는 행위를 할 수 있다. 이 경우 그 행위는 일반회계 예비비의 사용절차에 준하여 집행된다.

③ 국고채무부담행위는 사항마다 그 필요한 이유를 명백히 하고 그 행위를 할 연도 및 상환연도와 채무부담의 금액을 표시하여야 한다.

[2] 국채의 종류

종류	발행목적
국고채권	사회복지정책 등 공공목적 수행
재정증권	일시 부족 자금 조달
외화표시 외국환 평형기금채권	외화자금매입, 해외부문통화관리
(제1종) 국민주택채권	국민주택사업 재원조달

핵심 OX

01 국고채무부담행위에 대한 국회의 의결은 지출권한을 부여한 것이다. (O, X)

01 X 채무를 부담할 권한만을 의결한 것이지, 지출권한은 아니다.

(11) 신축적인 예산배정제도

예산의 배정은 연간배정계획에 의해 이루어지는 정기배정을 말하지만, 예외적으로 ① 회계연도 개시 전에 배정하는 긴급배정[1](외국에서 지급하는 경비 · 정보비 · 여비와 경제정책상 조기집행이 필요한 공공사업비 등), ② 연간 예산을 주로 상반기에 집중적으로 배정하는 조기배정, ③ 해당 분기 도래 전에 배정하는 당겨배정, ④ 수시배정, ⑤ 배정유보, ⑥ 감액배정 등의 신축적인 예산배정제도가 있다.

(12) 기타 신축성 유지방안

① **신성과주의 예산:** 다회계연도예산, 총괄배정예산, 지출통제예산, 운영예산 등이 해당한다.

② **수입의 특례:** 과년도 수입, 지출금 반납 등이 해당한다.

③ **지출의 특례:** 자금의 전도, 선금급, 개산급, 도급경비, 과년도 지출 등이 해당한다.

④ 대통령의 재정 · 경제에 관한 긴급명령권이 해당한다.

⑤ **기타 신축성 유지방안:** 준예산과 추가경정예산이 해당한다.

[1] 긴급배정사유:
회계연도 개시 전 예산 배정
「국가재정법 시행령」 제16조 【예산의 배정】
1. 외국에서 지급하는 경비
2. 선박의 운영·수리 등에 소요되는 경비
3. 교통이나 통신이 불편한 지역에서 지급하는 경비
4. 각 관서에서 필요한 부식물의 매입경비
5. 범죄수사 등 특수 활동에 소요되는 경비
6. 여비
7. 경제정책상 조기집행을 필요로 하는 공공사업비
8. 재해복구사업에 소요되는 경비

3 예산지출

1. 의의

예산지출이란 예산의 집행에서 지출이란 세출예산의 사용결정으로부터 부담한 채무를 이행하기 위하여 현금을 지급하기까지의 일체의 행위를 말한다.

2. 지출사무기관

구분	내용
지출관리기관	기획재정부장관과 각 중앙관서의 장
재무관 (지방은 경리관)	국가의 현금지불의 원인이 되는 계약체결 등 채무의 부담 결정(지출원인행위를 하는 자)
지출관 (지방은 지출원)	계좌이체를 통해 국고금을 지출하는 공무원
통합지출관	2개 이상 관서의 국고금의 통합지출을 담당하는 지출관

참고 재무관, 지출관은 상호 겸직이 금지되어 있음

3. 지출의 특례

구분	내용
관서운영경비	성질상 법적 절차에 따라 지출할 경우 업무수행에 지장을 가져올 우려가 있는 경비에 대하여는 필요한 자금을 지출관으로부터 교부받아 지급하게 할 수 있는 자금
개산급(槪算給)	· 이행기 도래 전에 미리 지급(여비 등) · 금액미확정, 사후정산 필요
선지급[2]	· 이행기 도래 전에 미리 지급(임대료 등) · 금액확정, 사후정산 불필요
과년도 지출	전년도에 채무를 부담하여 지출이 확정된 금액을 해당 연도 예산으로 지출
과년도 수입 (수입의 특례)	출납기한의 마감 등으로 전년도 세입을 해당 연도 세입으로 편입

[2] 선급
1. 선수금: 수입의 특례에 해당한다.
2. 선지급: 지출의 특례에 해당한다.

4 구매행정[1]

1. 의의

구매행정이란 행정업무 수행에 필요한 수단인 재화, 즉 소모품 · 비품 · 시설 등을 적기에 적량을 매입하는 행위이다.

2. 집중구매제도와 분산구매제도

구매행정은 크게 집중구매제도와 분산구매제도로 구분된다.

(1) 집중구매제도

중앙구매기관에서 통합적으로 재화를 구입하여 각 수요기관에 공급하는 제도이다.

(2) 분산구매제도

각 행정관서에서 직접 재화를 구입하는 제도이다.

(3) 채택 경향

현대국가의 기능 확대로 구매의 중요성이 강조되고, 구매행정이 전문적인 지식과 훈련을 필요로 하는 독자성을 지닌 업무로 등장하게 되면서 각국에서 집중구매제도가 채택되었다.

3. 집중구매제도와 분산구매제도 비교

집중구매	분산구매
· 예산절감 · 구매행정의 전문화 · 물품의 표준화 · 구매정책 수립에 용이 · 구매업무 통제 용이(정실구매 방지) · 구매물품 관리의 신축성 유지(부처 간 상호융통) · 공급자에게 유리(대기업) · 공통품목 · 저장품목 구입 용이	· 구매절차 간소화 · 특수품목 구입에 유리 · 적기공급 보장 · 중소공급자 보호 · 구매의 신축성 유지(적기구매 및 부처실정 반영)

4. 정부계약

(1) 의의

정부계약이란 정부가 체결하는 사법상의 계약이다. 따라서 정부계약은 정부가 통치권의 주체로서 행사하는 권력적인 행위가 아니라, 사인과 대등한 지위에서 체결하는 행위로, 「민법」상의 계약자유 원칙이 적용된다.

(2) 종류

① **일반경쟁계약:** 관계법령에서 원칙으로 하는 계약방법으로, 공고에 의해 희망자를 모집하여 정부에게 가장 유리한 상대자를 선정해 계약을 체결하는 것을 말한다.

② **제한경쟁계약:** 계약의 목적 · 성질 등에 비추어 필요하다고 인정될 때(특수장비 · 특수기술 · 특수공법 · 특수지역 · 특수물품과 관련된 공사 및 구입 등), 경쟁 참가자의 자격을 적극적으로 제한할 수 있도록 하는 제도이다.

[1] 국가종합전자조달시스템(나라장터)
나라장터란 조달청이 전자정부 구현을 위한 핵심사업으로 추진한 것으로, 모든 국가조달 행정절차를 온라인으로 단일화하여, 공공기관 및 조달업체에게 '나타장터'라는 단일조달창구를 통한 one-stop 조달서비스를 제공하는 전자조달 서비스체제이다.

핵심 OX

01 집중구매는 특수품목구입에 유리하다. (O, X)

02 집중구매는 적기공급에 유리하다. (O, X)

01 X 분산구매가 특수품목 구입에 유리하다.
02 X 분산구매가 적기공급에 유리하다.

③ **지명경쟁계약:** 적당하다고 인정되는 수인의 입찰자를 선정하여 이 지명된 자에게만 경쟁입찰을 시켜서 상대자를 결정하는 계약방법이다. 지명경쟁계약은 한정된 업자를 지명하므로 담합의 위험이 높다.

④ **수의계약:** 계약기관이 임의로 적당하다고 인정하는 상대자와 계약하는 방법이다.

5 결산

1 의의

1. 개념

결산은 한 회계연도에 있어 **국가의 수입과 지출 실적을 확정적 계수로 표시하는 행위**를 말한다.

2. 예산과 결산과의 관계

예산과 결산은 총액과 내용이 원칙적으로 일치해야 하지만, 양자가 완전히 일치하는 경우는 거의 없다. 세입의 경우 예산액은 추정액에 불과하기 때문에 실제 징수액과 일치하지 않으며, 세출의 경우 예산의 이월 · 예비비 사용 · 이용 및 전용 · 불용액 등으로 인해 예산액과 결산액 간에 차이가 생기기 때문이다.

3. 성격

(1) 예산주기의 마지막 과정

국회가 결산을 승인한다는 의미는 예산집행에 대한 최종 승인을 국민으로부터 받는다는 것을 뜻하고(재정 민주주의의 실현), 예산집행 결과가 정당한 경우 정부의 예산집행의 책임[1]을 해제하는 법적 효과를 갖는다.

(2) 과정이자 산출물

결산은 1회계연도 내의 세입과 세출의 실적을 예산과 대비하는 과정이자, 세입세출의 실적을 일정한 형식에 따라 계산 · 정리한 기록으로서의 산출물이다.

(3) 정보산출 과정

결산의 산물인 사후적 재정보고서는 재정정보를 의미한다.

(4) 통제 및 환류 과정

결산은 예산의 집행 실적으로 국회의 사후 심사를 받게 된다.

(5) 정치적 성격

결산은 위법 또는 부당한 지출이 지적되어도 그것을 무효로 하거나 취소하는 법적 효력이 없다. 따라서 예산집행상에 있어 위법 · 부당한 사실이 있을 때 감사원과 국회는 정부에 정치적 · 도의적 책임을 추궁하므로 정치적인 성격을 갖는다.

[1] 책임
1. **대물적 책임(×):** 위법 또는 부당한 지출이 지적되어도 취소 · 무효화할 수 없다.
2. **대인적 책임(○)**
   - 형사책임을 물을 수 있다.
   - 징계책임을 물을 수 있다.

4. 기능

(1) 사업의 성과를 평가하여 차기의 예산편성에 환류하고, 재정 · 정책자료에 반영하도록 참고자료를 제공하는 기능을 한다.

(2) 정부가 예산의 범위 내에서 재정활동을 했는지 확인한다.

(3) 지출의 적법성을 파악한다.

(4) 입법부의 의도가 구현되었는지 확인한다.

2 결산 과정[1]

1. 출납사무의 완결(결산의 전제)

(1) 출납정리기한

세입금의 수납 및 세출금의 지출과 지급이 완료되어야 하는 기한을 출납정리기한이라고 한다(원칙적으로 12월 31일). 한국은행과 체신관서는 다음 연도 1월 15일로 예외가 인정된다.

(2) 출납기한

한 회계연도 동안의 출납에 관한 사무가 완료되어야 하는 기한을 출납기한이라고 하며, 장부정리가 마감되어야 하는 기한을 의미한다. 2월 10일까지를 출납기한으로 정하고 있다.

2. 결산서의 작성과 제출(결산서의 조제)

(1) 각 중앙관서의 장이 작성하는 중앙관서별 결산보고서는 다음 연도 2월 말까지 기획재정부장관에게 제출되어야 한다.

(2) 기획재정부장관은 다음 연도 4월 10일까지 총결산을 작성하여 국무회의 심의와 대통령 승인을 얻어 감사원에 제출한다.

3. 감사원 검사(회계검사)

감사원은 세입세출 결산서를 검사하고 그 보고서를 기획재정부장관에 5월 20일까지 송부한다. 감사원은 위법 · 부당한 내용을 발견해도 이를 무효 또는 취소할 수 없다.

4. 국회의 결산심의

(1) 정부는 감사원 검사를 거친 세입세출 결산을 5월 31일까지 국회에 제출한다. 국회에 제출된 결산서는 상임위원회의 결산예비심사와 예산결산특별위원회의 결산종합심사를 거친 후에 본회의에 보고되고 의결되면 결산이 확정 · 승인된다.

(2) 결산은 정기국회 개회 전까지 완료해야 한다. 따라서 우리나라는 예산과 결산을 분리심의한다.

[1] 예산안 · 결산의 회부 및 심사

「국회법」 제84조 【예산안 · 결산의 회부 및 심사】 ① 예산안과 결산은 소관상임위원회에 회부하고, 소관상임위원회는 예비심사를 하여 그 결과를 의장에게 보고한다. 이 경우 예산안에 대하여는 본회의에서 정부의 시정연설을 듣는다.
② 의장은 예산안과 결산에 제1항의 보고서를 첨부하여 이를 예산결산특별위원회에 회부하고 그 심사가 끝난 후 본회의에 부의한다. 결산의 심사결과 위법 또는 부당한 사항이 있는 경우에 국회는 본회의 의결후 정부 또는 해당 기관에 변상 및 징계조치 등 그 시정을 요구하고, 정부 또는 해당 기관은 시정요구를 받은 사항을 지체 없이 처리하여 그 결과를 국회에 보고하여야 한다.
⑤ 예산결산특별위원회는 소관상임위원회의 예비심사내용을 존중하여야 하며, 소관상임위원회에서 삭감한 세출예산 각항의 금액을 증가하게 하거나 새 비목을 설치할 경우에는 소관상임위원회의 동의를 얻어야 한다.

핵심 OX

01 결산은 국가의 수입과 지출에 대한 예정서이다. (O, X)

02 결산은 위법 · 부당한 지출을 취소하거나 무효화할 수 있다. (O, X)

01 X 예산은 예정서이고, 결산은 확정서이다.
02 X 위법 · 부당한 지출이 발견되더라도 결산 과정에서 이를 취소하거나 무효화할 수 없다.

개념PLUS 결산과정

출납정리기한(현금출납폐쇄기한)	· 원칙: 12월 31일 · 예외: 1월 15일(한국은행, 체신관서)
출납에 관한 사무(장부정리 마감기한)	다음 연도 2월 10일까지
각 중앙관서의 장이 기획재정부장관에게 중앙관서결산보고서 제출	다음 연도 2월 말까지
기획재정부장관이 국무회의 의결을 거쳐 대통령의 승인을 얻은 국가결산보고서를 감사원에 제출	다음 연도 4월 10일까지
감사원이 기획재정부장관에게 검사한 국가결산검사보고서 제출	다음 연도 5월 20일까지
정부(기획재정부장관)가 국회에 국가결산보고서 제출	다음 연도 5월 31일까지
국회의 결산심의 완료	정기회 개회 전

3 결산의 문제점과 개선방안

1. 문제점

(1) 이미 집행한 것이기 때문에 형식적 절차에 그치고, 위법·부당한 경우에도 책임확보 수단이 없다.

(2) 국회도 다음 예산에 반영하기 위한 사업에만 관심이 있으며, 결산에는 무관심하다.

(3) 국회의 전문성이 부족하고 짧은 시간에 이루어지기 때문에 심도 있는 분석이 이루어지지 못하고 있다.

2. 개선방안

(1) 결산은 정책평가의 의미를 가지며 예산의 사전심의이므로, 결산의 결과가 예산으로 환류되도록 결산의 기능을 적극적으로 활성화한다.

(2) 국회의 심사를 강화하기 위하여 결산위원회를 설치한다.

(3) 결산자료가 전문가가 아닌 한 이해하기 어렵게 작성되어 있어 전문성이 낮은 경우, 심도 있는 심의가 어려우므로 국회의 전문성이 강화될 필요가 있다. 이를 위해 감사원의 기능 중 회계검사 기능을 입법부로 편입하는 방안을 고려할 수 있다.

개념PLUS 세계잉여금

1. 세계잉여금의 개념

① 세계잉여금은 1회계연도에 수납된 세입액으로부터 지출된 세출액을 차감한 잔액으로, 결산상 잉여금이라고도 한다.

② 세계잉여금은 ㉠ 초과세입액이 있거나, ㉡ 세출에서 이월액이나 불용액이 있는 경우 발생한다.

핵심 OX

01 국회는 결산 승인을 회계연도 30일 전까지 마쳐야 한다. (O, X)

01 X 정기국회 개회 전까지 결산 승인을 끝내야 한다.

2. 세계잉여금의 처리

① 일반회계 예산의 세입 부족을 보전(補塡)하기 위한 목적으로, 해당 연도에 이미 발행한 국채의 금액 범위에서는 해당 연도에 예상되는 초과 조세수입을 이용하여 국채를 우선 상환할 수 있다.

② 회계연도 세입세출의 결산상 잉여금은 교부금의 정산에 사용할 수 있다.

③ 세계잉여금은 「공적자금상환기금법」에 따른 공적자금상환기금에 우선적으로 출연하여야 한다.

④ 세계잉여금은 각 호의 채무를 상환하는 데 사용하여야 한다.

⑤ 세계잉여금은 추가경정예산안의 편성에 사용할 수 있다.

3. 세계잉여금의 사용 시기

세계잉여금은 결산에 대한 대통령의 승인 시점부터 사용할 수 있다.

4 정부회계제도[1][2]

1. 의의

정부회계란 '정부조직의 경제적 사건을 분석 · 기록 · 요약 · 평가 · 해석하고, 그 결과를 보고하는 기술'이다. 정부의 재정정보의 제공이라는 측면에서 정부회계를 보면, 정부회계란 정부의 경제적 정보를 식별 · 측정 · 전달하는 과정으로, 정보이용자의 경제적 의사결정에 유용한 정보를 제공하는 것이다.

2. 거래의 인식 기준에 의한 구분 - 현금주의와 발생주의

(1) 현금주의(형식주의)

① **의의**: 현금을 수취하거나 지급한 시점에 거래를 인식하는 방식이다. ㉠ 현금을 수취했을 때 수익으로 인식하고, ㉡ 현금을 지불했을 때 비용으로 인식한다. 재화와 서비스를 거래하더라도 현금의 흐름이 발생하지 않으면 수입이나 지출로 계상하지 않는다.

② 통상적으로 단식부기를 활용하는 경우가 많다.

③ **장단점**

㉠ **장점**: 현금주의 회계제도는 절차와 운용이 간편하고 이해와 예산의 관리 · 통제가 용이하다.

㉡ **단점**: 기록된 계산의 정확성 확인이나 경영성과 측정이 어렵다.

(2) 발생주의(채권채무주의, 실질주의)

① **의의**: 현금의 수불과는 관계없이 실질적 거래가 발생된 시점에서 거래를 인식하는 방식으로, 실질적으로 수입이 획득되거나 지출 또는 비용이 발생한 시점을 기준으로 한다.

② 발생주의는 복식부기를 전제로 하고, 사업적 성격이 강한 회계부문에 적용된다.

③ **장단점**

㉠ **장점**: 발생주의 회계제도는 차변과 대변으로 나누어 기록하는 이중적 회계 작성으로 비용과 수익 · 부채규모 등 경영성과 파악이 용이하고, 회계상 오류방지가 용이하다.

[1] 국가회계기준

「국가회계법」 제11조 【국가회계기준】

① 국가의 재정활동에서 발생하는 경제적 거래 등을 발생 사실에 따라 복식부기 방식으로 회계처리하는 데에 필요한 기준(이하 "국가회계기준")은 기획재정부령으로 정한다.

② 국가회계기준은 회계업무 처리의 적정을 도모하고 재정상태 및 재정운영의 내용을 명백히 하기 위하여 객관성과 통일성이 확보될 수 있도록 하여야 한다.

[2] 정부재무제표의 구성

1. **재정상태표**: 특정 시점의 정부재정상태를 나타내는 저량(stock) 개념의 재무제표이다.
2. **재정운영표**: 한 회계연도 동안의 운영성과를 알려주는 유량(flow) 개념의 재무제표이다.
3. **순자산 변동표**: 순자산(총자산 - 부채)의 증감내역을 보여주는 재무제표이다.

㉡ **단점:** 채권 · 채무 판단 및 감가상각 등에 있어 자의성이 개입될 여지가 있고, 절차가 복잡하다는 문제가 있다.

(3) 현금주의와 발생주의 비교

구분	현금주의	발생주의
특징	· 현금의 수납 사실을 기준으로 회계계리 · 형식주의 · 단식부기 적용	· 자산의 변동 증감의 발생 사실에 따라 회계계리 · 실질주의 또는 채권채무주의 · 복식부기(기업회계방식) 적용
장점	· 절차와 운용이 간편하고 이해와 통제가 용이 · 현금 흐름(통화부문)에 대한 재정 영향 파악이 용이	· 비용과 편익, 부채규모 등 경영성과 파악이 용이 · 부채규모 파악으로 재정건전성 확보 가능 · 회계상의 오류 방지 용이
단점	· 기록된 계산의 정확성 확인이 곤란 · 경영성과 측정이 곤란 · 거래의 실질 등 미반영	· 채권 · 채무 판단 및 감가상각 등에 있어 자의성이 개입될 여지가 있음 · 부실채권 파악이 곤란 · 절차가 복잡 · 통화부문에 대한 재정활동의 영향 파악 곤란

3. 기장방식에 의한 구분 – 단식부기와 복식부기

(1) 단식부기

① **의의:** 차변과 대변의 구분없이 단일 항목의 증감을 중심으로 기록하는 방식이다. 즉, 거래의 영향을 단 한 가지 측면에서 수입과 지출로만 파악하여 기록하는 방식이다.

② 현금의 증감발생 시 회계처리를 하는 현금주의에서 주로 채택한다.

③ **장단점**

㉠ **장점:** 단식부기는 거래의 수가 적고 규모가 작은 경우에는 사용하기 편리하다.

㉡ **단점:** 복식부기에 비해 정확성이 떨어져 거래의 오류나 탈루를 파악하기 어렵다.

(2) 복식부기

① **의의:** 복식부기는 '경제의 일반 현상인 거래의 이중성을 회계처리에 반영하여 차변(왼쪽)과 대변(오른쪽)으로 나누어 기록하는 방식'이다.

② 복식부기는 자산 · 부채 · 자본을 인식하여 거래의 이중성에 따라 차변과 대변을 계상하고, 그 결과 차변의 합계와 대변의 합계가 반드시 일치하도록 하여 자기검증 기능을 갖게 된다.

③ 경제활동의 발생 시에 이를 기록하는 발생주의에서 주로 채택하는 방식이다.

핵심 OX

01 발생주의는 수입과 지출 시점에서 회계처리한다. (O, X)

02 발생주의는 거래의 이중성으로 자기검증기능이 있다. (O, X)

03 발생주의는 객관성을 가진 회계제도이다. (O, X)

01 X 현금주의가 수입과 지출 시점이며, 발생주의는 채권·채무가 발생시점에서 회계처리한다.
02 O
03 X 현금주의가 객관성을 가지며 발생주의는 자산의 감가 등에서 주관성을 가진다.

6 회계검사

1 의의

1. 개념

회계검사는 어떤 조직의 재정적 활동과 회계 기록에 관한 사실을 독립된 제3자가 체계적으로 확인하고 검토하는 행위를 말한다.

2. 성격

(1) 회계검사의 대상은 회계기록이다.

(2) 회계검사는 회계기록의 비판적인 정부(正否)검증 절차이다.

(3) 감사인의 의견 표명이 필요하다.

3. 목적

(1) 정부부문의 회계검사는 지출의 합법성을 중시한다.

(2) 재정낭비 및 비위 · 부정 등을 적발하고 시정한다.

(3) 검사 결과를 행정관리의 개선과 재정정책의 자료로 환류한다.

2 전통적 회계검사에 대한 비판과 회계검사의 새로운 동향

1. 전통적 회계검사에 대한 비판

(1) 행정책임 확보 곤란 및 능률적 행정수행 저해

지출의 형식적 합법성 검사에만 치중하여 책임성 확보에 미흡하고, 적극적 · 능률적 행정수행을 저해한다.

(2) 부당지출 방지 곤란

불법지출 방지는 가능하나, 공금의 부당지출 및 낭비를 방지하는 것은 곤란하다.

(3) 정부지출의 전반적 성과분석 · 행정관리 곤란

경비분석이나 능률검사가 불가능하여 행정관리 전반에 대한 검토가 곤란하다.

2. 회계검사의 새로운 동향

(1) 합법성 위주의 검사 외에 경제성 · 능률성 · 효과성 검사 등의 성과감사를 강조한다.

(2) 종전에는 회계감사에 국한되었지만, 최근에는 업무감사와 정책감사까지 대상을 확대하고 있다.

(3) 종전에는 회계상의 책임에 한정하여 추궁하였던 것에 반해, 최근에는 관리책임과 정책책임까지 포함하여 추궁한다.

(4) 회계검사의 기능면에서 종전에는 ① 오류와 부정의 적발 기능과 ② 회계기록의 작성 오류에 대한 비판적 기능이 위주였으나, 최근에는 ③ 회계정보를 활용한 행정관리의 개선 기능과 ④ 감사결과를 계획과 집행단계에 환류하는 환류 기능이 강조된다.

3. 전통적 회계검사와 새로운 회계검사의 비교

구분	전통적 회계검사	새로운 회계검사
회계검사의 기준	합법성	경제성 · 능률성 · 효과성
회계검사의 대상	회계감사	업무감사 · 정책감사
책임성의 확보	회계 책임	관리책임, 사업 · 정책책임
회계검사의 기능	적발 · 비판 기능	지도 · 환류 기능
전산화	-	전산검사의 확대

3 회계검사의 종류

합법성 검사	회계 기록의 옳고 그름을 검증하고, 지출이나 수입이 법령과 예산에 위배되는지 여부를 검사
성과 검사	검사 대상기관의 업무수행이 의도했던 목표를 달성했는지 여부를 사후에 검토하고 문제점을 파악하여 대안을 제시하는 검사
서면 검사	각 기관에서 제출된 서류를 통하여 검사
실지 검사	감사원이 직원을 현지에 파견하여 그 직원이 하여금 실지로 검사
대행 검사	비교적 경미한 사항에 관하여 당해 기관 또는 감독기관에 위임하여 검사
일반적 검사	회계 공무원의 회계비리를 규명하는 전통적 합법성 위주의 회계검사(주로 행정기관에 적용)
상업식 검사	재정기록의 정확성과 타당성을 확인하고 일정한 기간 중의 손익을 표시하는 대차대조표상의 숫자를 확인하는 방식의 회계검사(주로 공기업에 적용)
종합적 검사	각 기관이 합법적 · 능률적 · 효과적으로 그 자원을 활용하였는지 전반적으로 검사
정밀 검사	모든 수입과 지출을 상세히 검사
발췌 검사	표본추출에 의해 선택적으로 검사
사전 검사	지출이 있기 전에 실시하는 검사
사후 검사	지출이 있은 후에 실시하는 검사

4 회계검사기구 – 감사원[1]

1. 감사원의 설치와 조직

(1) 감사원의 설치

감사원은 대통령 소속하의 헌법기관으로서 직무의 독립성이 보장된다. 감사원장의 임명에는 국회의 동의가 필요하고, 감사원장은 세입세출의 결산을 검사하여 대통령과 국회에 보고하도록 되어 있는 점은 감사원의 독립적 지위를 보여주는 것이다.

(2) 감사원의 조직

감사원은 원장을 포함한 7인의 감사위원으로 구성되는 합의제 의결기관이다. 사무처는 조사 · 확인기능을 수행하며, 감사원장의 임기는 4년이다.

2. 각국의 회계검사기관의 유형

회계검사 기관의 유형	영미형	미국(GAO), 벨기에, 오스트리아, 이스라엘(입법부 소속)
	대륙형	우리나라, 포르투칼(행정부 소속)
	독립형	프랑스, 독일, 일본(3권과 별개)
	대만형	총통 밑의 5개원 중 감찰원에서 담당
법적 근거	헌법기관	우리나라
	비헌법기관	영국, 미국
단독제 vs 합의제	단독제	미국, 영국
	합의제	일본, 네덜란드, 우리나라

3. 지위

조직상 대통령 소속이지만 직무상 · 인사상 · 예산상 · 규칙제정상 독립성이 인정된다.

(1) 직무상 독립성

감사원은 직무수행에 있어 정치적 압력이나 간섭을 받지 않는다.

(2) 인사상 독립성

① 감사원장은 국회의 동의를 얻어 대통령이 임명한다.

② 감사위원은 감사원장의 제청으로 대통령이 임명하며, 임기는 4년이고 1차에 한하여 중임할 수 있다.

(3) 예산상의 자주권

기획재정부장관은 감사원의 세출요구액을 감액할 때에는 감사원장의 의견을 구하여야 한다.

(4) 규칙제정권

감사절차 및 내부규율과 감사사무 처리에 관한 규칙을 제정할 수 있다.

[1] 헌법

제97조 국가의 세입 · 세출의 결산, 국가 및 법률이 정한 단체의 회계검사와 행정기관 및 공무원의 직무에 관한 감찰을 하기 위하여 대통령 소속하에 감사원을 둔다.

제99조 감사원은 세입 · 세출의 결산을 매년 검사하여 대통령과 차년도 국회에 그 결과를 보고하여야 한다.

4. 감사원의 기능

(1) 세입세출 결산의 확인(결산검사)

① 감사원은 국가의 세입과 세출의 결산을 매년 검사하여 대통령과 차년도 국회에 그 결과를 보고해야 할 의무가 있다. 이때의 결산검사는 국가의 세입 · 세출의 결산을 확인하는 합법성과 정확성 위주의 검사이다.

② 그러나 비합법적이고 부적당하더라도 무효나 취소시키는 효과는 없으며, 시정조치를 요구할 수 있을 뿐이다.

(2) 회계검사

국회의 재정통제의 실효성을 확보하기 위해 국가 및 공공단체의 회계검사를 실시한다.

① **필요적 감사 사항:** 국가 · 지방자치단체 · 한국은행 · 국가나 지방자지단체가 50% 이상 출자한 기관, 타 법률에 의해 감사원의 회계검사를 받도록 규정된 단체의 회계는 필요적 검사 사항이다.

② **선택적 감사 사항:** 감사원이 필요하다고 인정하거나 국무총리의 요구가 있을 때에는 일정한 요건을 갖춘 기관의 회계에 대해 선택적으로 검사할 수 있다.

(3) 직무감찰

직무감찰은 행정기관의 사무와 그에 속하는 공무원의 직무를 감찰하는 것으로, 행정부 소속 공무원 및 공공단체의 임직원의 비위를 방지 · 시정하고 행정운영의 개선에 기여하는 내부통제 수단이다.

(4) 기타 부수적 기능

변상판정권, 감사 · 검사결과의 처리, 행정구제의 일종인 심사청구, 의견진술 기능 등을 수행한다.

핵심 OX

01 감사원은 행정부 공무원에 대하여 직무감찰기능을 가진다. (O, X)

02 감사원은 법원, 국회의 회계검사권을 가진다. (O, X)

03 감사원은 변상판정권을 가진다. (O, X)

04 감사원은 사법부 공무원의 직무감찰권을 가진다. (O, X)

01 O
02 O
03 O
04 X 직무감찰권은 행정부 소속 공무원에 대해서만 가진다.

학습 점검 문제

01 예산과정에 대한 설명으로 옳은 것은? 2019년 지방직 9급

① 예산과정은 예산편성 - 예산집행 - 예산심의 - 예산결산의 순으로 이루어진다.

② 예산집행의 신축성을 확보하기 위해 예비비, 총액계상제도 등을 활용하고 있다.

③ 예산제도 개선 등으로 절약된 예산 일부를 예산성과금으로 지급할 수 있지만 다른 사업에 사용할 수는 없다.

④ 각 중앙부처가 총액 한도를 지정한 후에 사업별 예산을 편성하고 있어 기획재정부의 사업별 예산통제 기능은 미약하다.

02 우리나라 정부의 예산편성 절차를 올바르게 나열한 것은? 2014년 사회복지직 9급

ㄱ. 예산편성지침 통보 ㄴ. 예산의 사정 ㄷ. 국무회의 심의와 대통령 승인 ㄹ. 중기사업계획서 제출 ㅁ. 예산요구서 작성 및 제출

① ㄱ - ㄹ - ㅁ - ㄴ - ㄷ ② ㄹ - ㄱ - ㅁ - ㄴ - ㄷ

③ ㄱ - ㅁ - ㄹ - ㄷ - ㄴ ④ ㄹ - ㄴ - ㄱ - ㅁ - ㄷ

정답 및 해설

01 예산집행의 신축성을 확보하기 위해 예비비(한정성과 사전의결 예외), 총액계상제도(명료성 원칙 예외) 등을 활용하고 있다.

| 오답체크 |

① 예산과정은 예산편성 → 예산심의 → 예산집행 → 예산결산의 순으로 이루어진다.

③ 예산제도 개선 등으로 절약된 예산 일부를 예산성과금으로 지급할 수도 있지만 다른 사업에 사용할 수도 있다.

④ 총액배분 자율편성 예산제도하에서는 기획재정부가 지출한도를 정해준 후에 각 중앙관서에서 사업별 예산을 편성한다. 기획재정부의 사업별 예산통제 기능은 유지되고 있다.

02 우리나라 예산편성 절차는 ㄹ. 중기사업계획서의 제출 ⇨ ㄱ. 예산지침 시달 ⇨ ㅁ. 예산요구서의 작성·제출 ⇨ ㄴ. 예산의 사정 ⇨ ㄷ. 국무회의 심의와 대통령 승인 순으로 진행된다.

정답 01 ② 02 ②

03 우리나라 예산편성절차에 대한 설명으로 가장 옳지 않은 것은? 2021년 군무원 9급

① 우리나라 예산담당부처인 기획재정부는 예산안편성지침과 국가재정운용계획을 사전에 준비하고 범부처 예산사정을 담당한다.

② 각 중앙행정기관은 기획재정부의 지침에 따라 사업계획서와 예산요구서 작성을 준비한다.

③ 기획재정부는 총액배분자율편성제도에 따라 각 부처의 세부사업에 대한 심사보다 부처예산요구총액의 적정성을 집중적으로 심의한다.

④ 기획재정부는 조정된 정부예산안을 회계연도 개시 120일전까지 국회에 제출한다.

04 국회의 예산심의에 대한 설명으로 옳은 것만을 모두 고른 것은? 2013년 지방직 9급

ㄱ. 상임위원회의 예비심사를 거친 예산안은 예산결산특별위원회에 회부된다.
ㄴ. 예산결산특별위원회의 심사를 거친 예산안은 본회의에 부의된다.
ㄷ. 예산결산특별위원회를 구성할 때에는 그 활동기한을 정하여야 한다. 다만, 본회의 의결로 그 기간을 연장할 수 있다.
ㄹ. 예산결산특별회원회는 소관상임위원회의 동의 없이 새 비목을 설치할 수 있다.

① ㄱ, ㄴ
② ㄱ, ㄴ, ㄷ
③ ㄱ, ㄷ, ㄹ
④ ㄴ, ㄹ

05 다음 <보기>에서 예산집행의 시간적 제약을 완화하기 위해 도입한 제도를 모두 고른 것은? 2018년 서울시 7급(3월 추가)

〈보기〉

ㄱ. 총액계상제도
ㄴ. 이용
ㄷ. 전용
ㄹ. 이월제도
ㅁ. 계속비제도
ㅂ. 국고채무부담행위

① ㄱ, ㄴ, ㄷ
② ㄴ, ㄷ, ㄹ
③ ㄹ, ㅁ, ㅂ
④ ㄴ, ㄹ, ㅁ

06 다음 중 예산집행 과정에 대한 설명으로 옳은 것은? 2013년 국회직 8급

① 긴급배정은 계획의 변동이나 여건의 변화로 인하여 당초의 연간정기배정계획보다 지출원인행위를 앞당길 필요가 있을 때, 해당 사업에 대한 예산을 분기별 정기 배정계획과 관계없이 앞당겨 배정하는 제도이다.

② 예산의 이체는 법령의 제정, 개정, 폐지 등으로 그 직무와 권한에 변동이 있을 때, 관련되는 예산의 귀속을 변경시키는 것을 말한다.

③ 예산의 전용은 예산구조상 장 · 관 · 항 간에 상호 융통하는 것을 말한다.

④ 국고채무부담행위에 대한 국회의 의결은 국가로 하여금 다음 연도 이후에 지출할 수 있는 권한을 부여하는 것이다.

⑤ 예비비는 「국고금관리법」에 의하여 기획재정부장관이 관리한다.

정답 및 해설

03 기획재정부(중앙예산기관)는 각 중앙관서로부터 예산요구서가 제출되면, 여러 가지 분석과 정보를 활용하여 세부사업에 대한 예산요구서를 검토하는 예산사정을 실시한다.

| 오답체크 |

① 기획재정부는 중앙예산기관으로서 예산안편성지침 마련 · 시달과 국가재정운용계획을 사전에 준비하고, 범부처 예산사정을 담당한다.

② 「국가재정법 시행령」 제2조에 따라 기획재정부장관은 전년도 12월 말까지 국가재정운용계획수립지침을 마련하여 시달하도록 되어있다.

④ 기획재정부는 대통령의 승인을 얻어 최종 조정된 정부예산안을 회계연도 개시 120일전까지 국회에 제출해야 한다.

04 ㄱ, ㄴ. 국회의 예산심의에 대한 옳은 설명이다.

| 오답체크 |

ㄷ. 예산결산특별위원회는 상설화된 위원회이므로 활동기한이 정해져 있지 않다.

ㄹ. 「국회법」에 의하면 소관상임위원회에서 증액한 내용은 예산결산특별위원회에서 소관상임위원회의 동의 없이 삭감할 수 있으나, 예산결산특별위원회에서 새 비목을 설치할 때에는 소관상임위원회의 동의를 얻어야 한다.

05 시간적 제약을 완화하기 위한 제도란 회계연도 독립의 원칙(기간적 한정성)에 대한 예외를 의미하므로, ㄹ. 이월제도, ㅁ. 계속비제도, ㅂ. 국고채무부담행위가 옳다.

ㄹ. 이월은 사용하지 못한 예산을 다음연도로 넘겨 사용하는 것으로, 기간적 한정성의 예외이다.

ㅁ. 계속비제도는 완성을 하는 데 수년을 요하는 공사 · 제조 · 연구개발사업의 경비의 경우, 회계연도를 초월하여 계속 지출할 수 있도록 하는 제도이다.

ㅂ. 국고채무부담행위의 경우 국회의 의결은 수년에 걸쳐 효력이 지속된다.

예산의 신축성 유지 방안

이용	입법과목(장 · 관 · 항) 간에 상호 융통 (국회의 의결을 요함)
전용	행정과목(세항 · 목) 간에 상호 융통
이체	예산의 책임소관 변경
이월	다음 연도로 넘겨서 예산을 사용(명시이월 · 사고이월)
계속비	수년간 예산지출(5년 이내)
예비비	예산 외의 지출 및 초과지출에 충당하기 위한 경비
추가경정예산	예산 성립 후 추가로 편성된 예산
준예산	예산 불성립 시 전년도에 준하여 지출
국고채무부담행위	법률, 세출예산, 계속비 외에 정부가 채무를 부담하는 행위
지출통제예산 (총액계상예산제도)	예산을 총액으로 편성하고 집행 과정에서 세부적으로 지출

06 예산의 이체는 법령의 제정, 개정, 폐지 등으로 그 직무와 권한에 변동이 있을 때, 관련되는 예산의 귀속을 변경시키는 것을 말한다.

| 오답체크 |

① 계획의 변동이나 여건의 변화로 인하여 당초의 연간정기배정계획보다 지출원인행위를 앞당길 필요가 있을 때, 해당 사업에 대한 예산을 분기별 정기 배정계획과 관계없이 앞당겨 배정하는 제도는 당겨배정이다.

③ 예산구조상 장 · 관 · 항 간에 상호 융통하는 것은 예산의 이용이다.

④ 지출권한이 아니라 채무부담의무를 인정하는 것이다.

⑤ 예비비는 「국가재정법」에 의하여 기획재정부장관이 관리한다.

정답 03 ③ 04 ① 05 ③ 06 ②

07 **국고채무부담행위에 대한 설명으로 옳은 것만을 모두 고르면?** 2024년 국가직 9급

ㄱ. 사항마다 필요한 이유를 명백히 하고 그 행위를 할 연도와 상환연도, 채무부담의 금액을 표시해야 한다.
ㄴ. 국가가 금전 급부 의무를 부담하는 행위로서 그 채무 이행의 책임은 다음 연도 이후에 부담됨을 원칙으로 한다.
ㄷ. 국가가 채무를 부담할 권한과 채무의 지출권한을 부여받은 것으로, 지출을 위한 국회 의결 대상에서 제외된다.
ㄹ. 단년도 예산원칙의 예외라는 점에서 계속비와 동일하지만, 공사나 제조 및 연구개발 사업 등 대상이 한정되어 있다는 점에서는 대상이 한정되지 않는 계속비와 차이가 있다.

① ㄱ, ㄴ
② ㄱ, ㄹ
③ ㄴ, ㄷ
④ ㄷ, ㄹ

08 **다음 중 예산집행상 지출특례와 가장 거리가 먼 것은?** 2016년 서울시 7급

① 선수금
② 과년도 지출
③ 수입대체경비
④ 개산급

09 **다음 중 지출원인행위를 할 수 있는 공무원은?** 2006년 군무원 9급

① 지출관
② 출납공무원
③ 재무관
④ 세입징수관

10 **예산과정에 대한 설명으로 옳지 않은 것은?** 2017년 지방직 9급(12월 추가)

① 단원제에서의 예산심의는 양원제의 경우보다 심의를 신속하게 할 수 있으나 신중한 심의가 어렵다.
② 과거 중앙예산기관과 결산관리기관을 분리하기도 했다.
③ 예산의 배정은 국가예산을 회계체계에 따라 질서있게 집행하도록 하기 위한 내부통제의 기능을 수행한다.
④ 상향식 예산관리모형인 총액배분 자율편성 예산제도는 전략적 재원배분을 촉진한다.

11 다음 중 집중조달(집중구매)의 장점으로 틀린 것은? 2007년 울산 9급

① 신축성 있는 공급이 가능하다.

② 공급자에게 유리한 조달방법이다.

③ 공통품목과 저장품목의 구매가 용이하다.

④ 특수품목 구입과 구매업무의 전문화를 가능하게 해준다.

정답 및 해설

07 ㄱ. 국고채무부담행위는 사항마다 그 필요한 이유를 명백히 하고 그 행위를 할 연도 및 상환연도와 채무부담의 금액을 표시하여야 한다.

ㄴ. 국고채무부담행위의 국회로부터의 의결권의 범위는 채무부담 권한만을 미리 인정받은 것이며, 지출권한을 인정받은 것은 아니다. 실제 지출을 위해서는 미리 세출예산에 계상하여 국회의 의결을 얻어야 하며, 따라서 지출은 당해 연도가 아닌 차기 회계연도부터 이루어진다는 것으로 구성된다.

| 오답체크 |

ㄷ. 국고채무부담행위는 국가가 채무를 부담할 의무만 인정하는 것이지 지출권한을 부여받은 것은 아니다.

ㄹ. 계속비는 공사나 제조 및 연구개발사업 등 대상이 한정되어 있지만, 국고채무부담행위는 그렇지 않다.

08 선수금, 과년도 수입 등은 수입의 특례에 해당한다.

| 오답체크 |

② 과년도 지출, ③ 수입대체경비, ④ 개산급은 지출의 특례이다.

09 지출원인행위를 하는 자를 재무관이라 한다.

지출사무기관

지출관리기관	기획재정부장관과 각 중앙관서의 장
재무관 (지방은 경리관)	국가의 현금지불의 원인이 되는 계약체결 등 채무의 부담결정(지출원인행위를 하는 자)
지출관 (지방은 지출원)	계좌이체를 통해 국고금을 지출하는 공무원
통합지출관	2개 이상 관서의 국고금의 통합지출을 담당하는 지출관

10 전략적 재원배분을 중시하는 총액배분 자율편성 예산제도는 상향식이 아니라 하향식 예산관리모형이다.

| 오답체크 |

① 양원제가 단원제에 비하여 심의는 신중히 하나 신속성은 떨어진다. 반면, 단원제는 양원제에 비해 신속하나 신중성은 떨어진다.

② 과거 우리나라는 중앙예산기관(기획예산처)과 결산관리기관(국고수지총괄기관인 재정경제부)을 분리·운영한 적이 있다.

③ 예산의 배정은 분기별로 예산을 집행할 수 있는 금액과 책임소재를 명확히 해주는 내부통제기능을 수행한다.

11 집중구매는 구매업무의 전문화를 가능하게 해주지만, 특수품목의 구입에는 불편하다.

집중구매와 분산구매의 장점 비교

집중구매의 장점	분산구매의 장점
· 예산절감 · 구매행정의 전문화 · 물품의 표준화 · 구매정책 수립에 용이 · 구매업무 통제 용이 (정실구매 방지) · 구매물품 관리의 신축성 유지 (부처 간 상호융통) · 공급자에게 유리(대기업) · 공통품목, 저장품목 구입 용이	· 구매절차 간소화 · 특수품목 구입에 유리 · 적기공급 보장 · 중소공급자 보호 · 구매의 신축성 유지 (적기구매 및 부처실정 반영)

정답 07 ① 08 ① 09 ③ 10 ④ 11 ④

11 **우리나라의 결산에 대한 설명으로 옳지 않은 것은?** 2018년 국가직 9급

① 결산은 한 회계연도의 수입과 지출 실적을 확정적 계수로 표시하는 행위이다.

② 정부는 감사원의 검사를 거친 국가결산보고서를 국회에 제출하여야 한다.

③ 결산은 국회의 심의를 거쳐 국무회의의 의결과 대통령의 승인으로 종료된다.

④ 각 중앙관서의 장은 회계연도마다 소관 기금의 결산보고서를 중앙관서결산보고서에 통합하여 작성하여야 한다.

12 **중앙정부 결산보고서상의 재무제표로 옳은 것은?** 2022년 국가직 9급

① 손익계산서, 순자산변동표, 현금흐름표

② 대차대조표, 재정운영보고서, 이익잉여금처분계산서

③ 재정상태표, 재정운영표, 순자산변동표

④ 재정상태보고서, 순자산변동표, 현금흐름보고서

13 **발생주의 회계제도에 대한 설명으로 옳은 것은?** 2021년 군무원 9급

> 가. 재화의 감가상각 가치를 회계에 반영할 수 있다.
> 나. 부채규모와 총자산의 파악이 용이하지 않다.
> 다. 현금이 거래되는 시점을 중심으로 기록한다.
> 라. 복식부기 기장방식을 채택하는 것이 일반적이다.

① 가, 라 ② 나, 라

③ 나, 다 ④ 가, 다

14 정부회계의 기장 방식에 대한 설명으로 옳지 않은 것은?

2018년 국가직 9급

① 단식부기는 발생주의 회계와, 복식부기는 현금주의 회계와 서로 밀접한 연계성을 갖는다.

② 단식부기는 현금의 수지와 같이 단일 항목의 증감을 중심으로 기록하는 방식이다.

③ 복식부기에서는 계정 과목 간에 유기적 관련성이 있기 때문에 상호 검증을 통한 부정이나 오류의 발견이 쉽다.

④ 복식부기는 하나의 거래를 대차 평균의 원리에 따라 차변과 대변에 동시에 기록하는 방식이다.

정답 및 해설

11 국무회의의 의결과 대통령의 승인은 행정부 내에서 결산이 확정되는 것이고, 최종적으로 결산은 국회의 최종 심의와 의결을 거쳐 종료된다.

| 오답체크 |

① 예산이 예정서라면 결산은 확정서이다.

② 정부는 감사원 검사를 거친 세입세출 결산을 5월 31일까지 국회에 제출한다.

④ 각 중앙관서의 장은 회계연도마다 소관 기금의 결산보고서를 중앙관서결산보고서에 통합하여 작성한 후 기획재정부장관에게 제출하여야 한다.

12 「국가재정법」상 정부결산보고서에는 재정상태표, 재정운영표, 순자산변동표가 포함된다.

정부재무제표 구성

- 재정상태표
  특정 시점의 정부재정상태를 나타내는 저량(stock)개념의 재무제표이다.
- 재정운영표
  한 회계연도 동안의 운영성과를 알려주는 유량(flow)개념의 재무제표이다.
- 순자산변동표
  순자산(총자산 - 부채)의 증감내역을 보여주는 재무제표이다.

13 가. 발생주의는 현금주의와는 달리 자산의 감가상각을 반영할 수 있다.

라. 발생주의는 복식부기를 전제로 하고, 사업적 성격이 강한 회계부문에 적용된다.

| 오답체크 |

나. 발생주의는 비용과 편익, 부채규모 등 경영성과 파악이 용이하고, 부채규모 파악으로 재정건전성 확보 가능하다.

다. 현금이 거래되는 시점을 중심으로 기록하는 것은 현금주의다. 발생주의는 현금의 수불과는 관계없이 실질적 거래가 발생된 시점에서 거래를 인식하는 방식으로 기록한다.

14 단식부기는 현금주의 회계와, 복식부기는 발생주의 회계와 서로 밀접한 연계성을 갖는다.

현금주의와 발생주의의 비교

구분	현금주의	발생주의
특징	· 현금의 수납사실을 기준으로 회계계리 · 형식주의 · 단식부기 적용	· 자산의 변동 증감의 발생사실에 따라 회계계리 · 실질주의 또는 채권채무주의 · 복식부기(기업회계방식) 적용
장점	· 절차와 운용이 간편하고 이해와 통제가 용이 · 현금 흐름(통화 부문)에 대한 재정 영향 파악이 용이	· 비용과 편익, 부채규모 등 경영성과 파악이 용이 · 부채규모 파악으로 재정 건전성 확보 가능 · 회계상의 오류 방지 용이
단점	· 기록된 계산의 정확성 확인이 곤란 · 경영성과 측정이 곤란 · 거래의 실질 등 미반영	· 채권·채무판단 및 감가상각 등에 있어 자의성이 개입될 여지가 있음 · 부실채권 파악이 곤란 · 절차가 복잡 · 통화 부문에 대한 재정활동의 영향 파악 곤란

정답 11 ③ 12 ③ 13 ① 14 ①

CHAPTER 4 예산제도론

1 예산결정이론의 동향

1 의의

(1) 예산결정이론은 예산 배분을 둘러싼 기준과 유형에 관한 이론을 말하는 것으로, “어떤 근거로 X달러를 B사업 대신 A사업에 배분하도록 결정하는가?”의 물음(Key's question)에 대한 설명 방식이 다양한 예산결정이론으로 발전되었다.

(2) **예산결정이론의 구분**

① 경제 논리에 따른 경제적 합리성을 강조하여, 예산을 합리적 의사결정의 결과로 보는 합리주의모형[쉬크(Schick), 루이스(Lewis)[1]]

② 정치 논리에 따른 정치적 합리성을 강조하여, 예산을 정치적 타협과 조정의 결과로 보는 점증주의모형[윌다브스키(Wildavsky)]

(3) 예산결정이론은 대체로 고전적인 점증주의에서 분석적 기법을 주로 이용하는 현대의 합리주의로 발전해 왔다고 볼 수 있다. 오늘날 예산과정은 대체로 합리적인 측면과 점증주의적인 측면이 공존하고 있다.

[1] 루이스(Lewis)의 대안적 예산제도 (경제학적 접근)
1. **상대가치:** 기회비용 관점에서 순현재가치를 판단하여 대안별 상대적 가치 비교한다.
2. **증분분석:** 한계효용체감의 원칙에 입각하여 상이한 목표 및 대안 간 한계순현재가치를 비교한다.
3. **상대적 효과성:** 공동의 목표달성을 위한 대안들의 상대적 효과성을 비교한다.

2 합리주의모형(총체주의)

1. 의의

(1) 합리주의예산결정모형은 합리적 · 분석적 의사결정 단계를 거쳐 비용과 효용의 측면에서 프로그램이나 정책대안을 체계적으로 검토하여 예산을 배분하는 것을 말한다. 합리주의모형은 예산의 결정자인 인간을 전지전능한 합리적 경제인으로 가정하여 규범적 · 이상적 · 과학적 · 경제적 합리성을 추구한다.

(2) 계획예산제도(PPBS), 영기준예산제도(ZBB) 등이 합리주의예산결정모형에 속한다.

2. 특징

(1) **과학적 기법을 활용한 목표와 수단의 명확한 분석**

합리주의모형은 달성할 목표를 명확히 하고, OR, 게임이론, 비용 · 편익분석, 체제분석 등의 과학적 분석기법을 활용하며, 목표를 달성하기 위한 수단을 체계적으로 분석하여 합리적인 대안을 선택한다.

(2) **종합적 · 체계적(미시적 과정의 측면)**

예산결정에 관련된 모든 요소를 종합적 · 체계적으로 분석한다.

(3) 집권적 · 제도화된 사업별 예산의 강조(거시적 과정의 측면)

계획예산제도(PPBS)에서와 같이 집권적이며 제도화된 사업별 예산을 강조한다.

(4) 대폭적이고 체계적인 예산증액

결과의 측면에서 보면 합리주의모형에 의한 예산은 대폭적이며 체계적인 예산증액의 필요성을 강조한다.

(5) 거시적 예산결정

전체에서 부분으로 지향하는 하향적(top-down) 예산과정에 중점을 두는 거시적 예산결정(macro-budgeting)이다.

3. 한계

(1) 현실적으로 합리주의모형에서 가정하는 것과 같이 인간은 전지전능한 존재가 아니기 때문에 그가 갖는 지식은 항상 부분적인 것에 지나지 않는다.

(2) 선택되는 대안은 미래의 것이기 때문에 불확실하며 완전한 예측이 힘들다.

(3) 합리주의모형에 따를 때에는 결정에 필요한 모든 대안을 고려해야 한다. 하지만 인간의 물리적 한계에 의하여 선택할 수 있는 대안의 범위는 제약을 받는다.

3 점증주의모형

1. 의의

(1) 점증주의예산결정모형은 해당 연도의 예산액을 기준으로 거기에 점차적으로 증감하여 다음 연도의 예산액을 결정하는 것을 말한다. 점증주의모형에서는 경제적 합리성보다는 정치 · 사회적 지지를 얻을 수 있는 정치적 합리성을 추구한다.

(2) 점증주의예산결정은 린드블룸(Lindblom)과 윌다브스키(Wildavsky)에 의하여 발달했고, 품목별예산제도(LIBS) · 성과주의예산제도(PBS) 등이 대표적인 점증주의예산제도이다.

2. 특징

(1) 제한된 합리성과 단편성

총체적인 고려에 의한 합리적인 결정이 아니라 제한된 합리성과 단편적인 조정을 통한 결정방식을 채택한다.

(2) 연속적 · 제한적 비교(미시적 과정의 측면)

과거의 결정에 연속해서 한정적 · 제한적 변수를 고려하는 범위 안에서 예산을 결정한다.

(3) 정치적 타협과 조절(거시적 과정의 측면)

예산결정은 다원적인 정치세력 간의 교섭과 조절, 타협의 산물이다.

(4) 전년에 대비한 소폭적인 증감

결과적으로 보면 점증주의예산모형은 전년도를 기준으로 소폭적인 예산의 증감이 있을 뿐이다.

(5) 미시적 예산결정

부분에서 전체로 지향하는 상향적(buttom-up) 예산과정에 중점을 두는 미시적 예산결정(micro-budgeting)이다.

3. 한계

(1) 급격한 변화를 지양하기 때문에 근본적으로 보수주의적인 모형으로, 쇄신과 혁신을 요구하는 발전도상국의 사회에 적용하기 어렵다.

(2) 정치적 다원주의가 지배하는 사회에서는 적용 가능하지만, 결정자의 판단이 크게 작용하는 나라에서는 적용 가능성이 약하다.

(3) 과거의 결정이 잘못된 경우에도 이를 시정하기 어렵다.

4 점증주의와 합리주의의 비교

구분	점증주의	합리주의
목적	공정한 자원배분, 재정 민주주의	효율적인 자원배분
결정 기준	정치적 합리성	경제적 합리성
대안 범위	부분적(한정된 수)	포괄적(모든 대안)
예산 과정	부수적, 현실적, 단편적	이상적, 규범적, 총체적, 체계적
결정 방법	정치적 타협과 협상	분석적 기법(비용 · 편익분석 등)
예산 담당자	보수적 성향, 기득권 중시	개혁적 성향, 기득권 무시
목표수단분석	미실시(목표조정 가능)	실시(목표설정 · 수단 선택은 순차적, 목표조정 불가)

5 다중합리성모형

1. 의의

(1) 서메이어(Thumaier)와 윌로비(Willoughy)가 제시한 이론으로, 예산과정과 정책과정 간 연계점의 인식틀을 제공하기 위해 킹던(Kingdon)의 정책결정모형과 루빈(Rubin)의 실시간 예산운영모형을 통합하고자 하였다.

(2) 다중합리성모형은 정책결정과 예산결정의 상호 영향력을 행사함을 설명하며, 중앙예산실 분석가들이 거시적 예산결정과 미시적 예산결정의 연계 역할을 수행함을 강조한다.

(3) 서메이어(Thumaier)와 윌로비(Willoughby)의 다중합리성모형은 복수의 합리성 기준이 중앙예산실의 예산분석가들에게 어떤 영향을 미치는지를 미시적으로 분석하였다.

2. 킹던(Kingdon)의 정책결정모형

(1) 문제의 흐름 · 정책대안의 흐름 · 정치의 흐름이 각각 독자적으로 흐르다가 합쳐질 때, 점증적 변화와는 다른 큰 변동이 나타난다고 보았다.

(2) 정부의제와 결정의제를 구분하고, 세 가지 흐름에 영향을 주는 집단을 가시적 집단과 숨겨진 집단으로 구별하였다.

(3) 그는 대통령 · 고위관료 · 의회 지도자와 같은 가시적 집단은 정치적 흐름을 지배하고 정부의제에 영향을 주며, 학자나 연구원 · 직업공무원 · 의회의 참모와 같은 숨겨진 집단은 정책대안을 제시하고 결정의제에 영향을 준다고 주장하였다.

3. 루빈(Rubin)의 실시간 예산운영모형

성격이 다르지만 상호 연결된 세입, 세출, 균형, 집행, 과정의 다섯 가지 의사결정의 흐름이 통합되면서 초래되는 의사결정모형을 말한다.

(1) 세입

누가 얼마만큼 부담할 것인가에 대한 질문으로, 설득의 정치가 내재해 있다.

(2) 세출

예산획득을 위한 경쟁과 예산배분에 관한 결정으로, 선택의 정치가 나타난다.

(3) 예산균형

예산균형에 관한 결정은 제약 조건의 정치적 성격을 지닌다.

(4) 집행

본질적으로 기술적 성격이 강하며, 책임성의 정치가 나타난다.

(5) 예산과정

어떻게 그리고 누가 예산을 결정할 것인가에 관한 정치이다.

6 자원의 희소성과 예산제도

1. 의의

(1) 희소성은 '사람의 욕구는 무한한 반면에 그것을 충족시켜 줄 수 있는 재화(자원)는 한정되어 있는 것'을 말한다. 공공부문의 희소성은 공공자원을 사용할 수 있는 제약 상태를 반영한 개념이다.

(2) 희소성은 최소 제약상태에서 최대 제약상태에 걸친 범위를 반영해 유형화할 수 있다. 희소성의 유형화가 필요한 이유는 희소성의 차이가 정부의 예산과 기획 과정에 반영되기 때문이다.

(3) 쉬크[Schick(1980)]는 점증적 예산자원의 이용 가능성에 초점을 맞추어, 완화 · 만성 · 급성 · 총체적 네 가지 희소성의 유형을 제시하고, 이에 따른 재원배분 행태를 제시하였다.

2. 희소성의 유형

구분	희소성의 상태		예산의 중점
완화된 희소성	계속사업	○	· 사업개발에 역점 · 예산제도로 계획예산제도(PPBS) 도입
	계속사업 증가분	○	
	신규사업	○	
만성적 희소성	계속사업	○	· 신규사업의 분석과 평가는 소홀 · 지출통제보다는 관리개선에 역점 · 만성적 희소성의 인식이 확산되면 영기준예산제도(ZBB)를 고려
	계속사업 증가분	○	
	신규사업	×	
급성 희소성	계속사업	○	· 비용절감을 위해 관리상의 효율 강조 · 예산기획 활동은 중단 · 단기적·임기응변적 예산편성에 몰두
	계속사업 증가분	×	
	신규사업	×	
총체적 희소성	계속사업	×	· 비현실적인 계획, 부정확한 상태로 인한 회피형 예산편성 · 예산통제 및 관리는 무의미하며 허위적 회계 처리 · 돈의 흐름에 따른 반복적 예산편성
	계속사업 증가분	×	
	신규사업	×	

3. 예산운영의 새로운 규범

(1) 총량적 재정규율

① 예산총액의 효과적인 통제를 의미하며, 재정의 건전성을 강조하는 재정규율이다.

② 예산운영 전반에 대한 거시적 결정으로, 대통령과 중앙예산기관이 권한을 가진다.

(2) 배분적 효율성

① 미시적 관점에서 부문 간 재원배분을 통한 재정지출의 총체적 효율성을 도모한다.

② 투자 우선순위의 조정을 통한 파레토 최적의 달성이 목적이다.

(3) 운영상 효율성

① 개별적 지출 차원의 효율성으로, 기술적 효율성 또는 생산적 효율성이라 한다.

② 투입에 대한 산출 비율을 높이는 데 중점을 둔다.

4. 쉬크(Schick)의 나쁜 예산

(1) 비현실적 예산

정부의 세입 능력을 초과해서 세출 규모를 설정한 예산이다.

(2) 숨겨진 예산

진짜 수입과 지출에 관한 예산은 오직 소수의 관계자들만 알고 있는 예산을 의미한다.

(3) 선심성·현실도피적인 예산

사회적 요구에 부응하는 것처럼 보이기 위하여, 재원조달 방안이 불명확함에도 불구하고 대규모 공공지출사업을 발표하는 것이다.

핵심 OX

01 완화된 희소성의 예산제도는 계획예산제도(PPBS)이다. (O, X)

02 총체적 희소성의 예산제도는 영기준예산제도(ZBB)이다. (O, X)

01 O
02 X 영기준예산제도(ZBB)는 만성 희소성과 관련되고, 총체적 희소성은 반복예산제도이다.

(4) 반복적 예산

정치경제적인 상황의 변화에 따라 추가경정예산을 수시로 편성하는 것을 의미한다.

(5) 저금통 예산

예산서에 계획된 대로 정부 지출이 이루어지는 것이 아니라, 정부수입이 많아지면 많이 지출하고, 그것이 모자라면 지출하지 않는 예산이다. 가난한 나라의 경우 이러한 경향이 많이 나타난다.

(6) 책임을 나중으로 떠넘기는 예산

정부의 예산은 수지균형이 맞도록 편성된다. 그러나 그 이면에는 정부가 지출해야 할 것을 하지 않는 경우가 많다. 예를 들어 공공시설의 보완을 위해 지출해야 할 것을 하지 않은 결과, 수치상으로 일단 수지균형을 이룬 것처럼 보이게 하는 것 등이 있다.

2 예산제도의 기능과 발달(예산개혁)

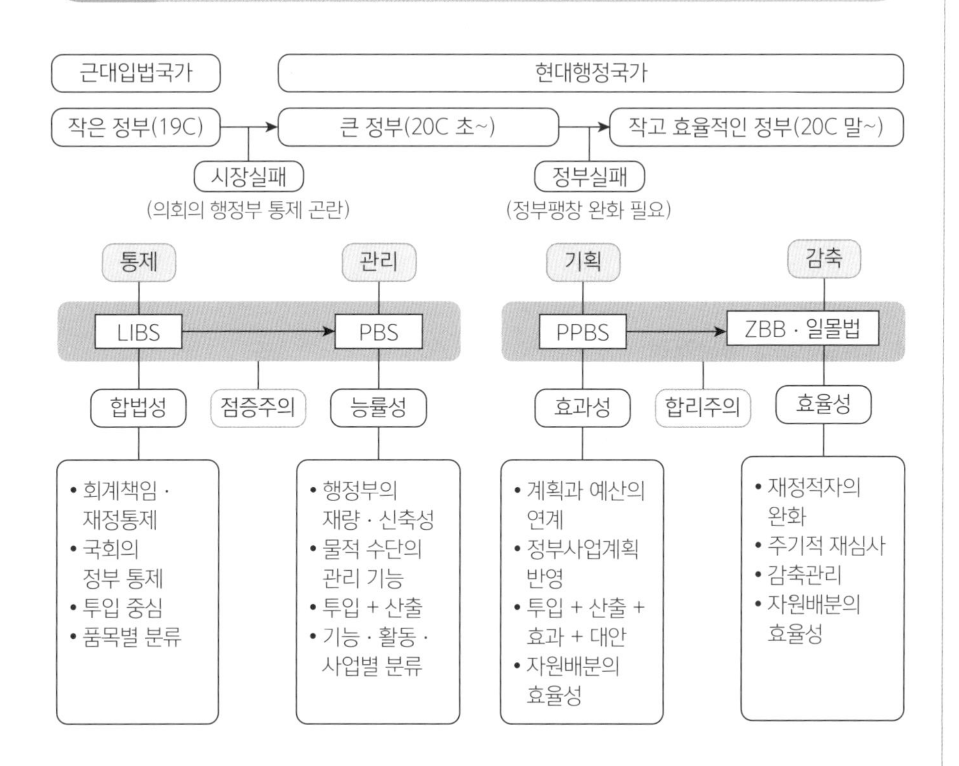

1 예산개혁의 전개방향

예산제도는 기본적으로 통제지향 → 관리지향 → 기획지향[쉬크(Schick)]에 초점을 맞추어 변화했지만, 상황에 따라 다양한 목표를 추구하면서 전개되었다. 최근에는 세계적으로 형성된 행정개혁의 조류에 따라 예산제도도 다양한 변화를 겪고 있다.

1. 통제지향적 예산개혁

(1) 1920년대 초기에 정치적 파벌집단의 영향을 받아 예산을 수립하던 뉴욕시 공무원들의 예산수립 문제점을 개선하고 예산을 통제하기 위해 품목별예산제도(LIBS)가 발명되었다.

(2) 예산제도의 출발점이 된 품목별예산제도는 통제지향적인 예산제도 개혁의 대표적인 산물이다.

2. 관리지향적 예산개혁 - 투입에서 성과로

(1) 1940년대와 1950년대에 운영단위의 관리통제와 예산집행의 능률성 제고를 위한 예산개혁이 이루어졌는데 성과주의예산제도(PBS)가 이에 해당된다.

(2) 이러한 관리지향의 예산제도는 기관에서 구입하는 투입요소나 자원보다 정부활동의 성과에 초점을 맞추는 것으로, 예산에서 가장 중요한 일은 성취해야 할 사업이나 서비스의 비용이 얼마인가를 파악하는 것이었다.

3. 기획지향적 예산개혁 - 계획과 예산의 연계

(1) 관리지향 이후의 예산제도 개혁은 장기적인 계획과 예산의 연계에 초점을 맞추려는 방향으로 나아갔는데, 대표적인 예산제도가 계획예산제도(PPBS)이다.

(2) 기획지향의 예산제도 개혁을 통해 등장한 계획예산은 신규사업 개발과 자원배분에 관한 의사결정 수단으로 활용되었다.

4. 감축지향적 예산개혁

1970년대 이후 자원난 시대를 맞이하여 재정낭비를 줄이고 능률성을 제고하기 위한 예산제도 개혁이 이루어졌는데 그 대표적인 예가 영기준예산제도(ZBB)이다.

5. 참여지향적 예산개혁

최근에는 장기적인 경기침체로 인해 정부의 재정지출 활동에 대한 불신이 높아지면서, 예산개혁이 정부의 지출을 통제하고 책임성을 높이기 위해 의회와 시민사회의 비중이 점차 증대되는 방향으로 이루어지고 있다.

6. 최근 선진국들의 예산개혁 방향

(1) 성과계약을 통한 예산의 관리

미국 NPR(National Performance Review)은 대통령과 각 부처의 최고책임자가 성과계약을 맺고, 성과목표와 정책구조에 맞추어 사업이 기획되고 예산이 편성되어야 한다고 보고하였다. 뉴질랜드는 장관과 부처가 계약을 체결하며, 프랑스는 책임중심점과 장관이 계약을 체결한다.

(2) 권한의 이양과 분권화

사업을 집행할 수 있는 실제적 권한을 부여하고 사명감과 책임감을 불러일으키기 위해 성과평가를 실시한다. 예산개혁으로 각 부처에게 자율을 부여하면, 중앙예산기관은 전략과 정책이슈 · 지출과 수입의 통제 · 사업의 혁신 등에 관한 보다 거시적이고 중요한 사항만을 관할하게 된다.

(3) 예산총액 한도 내에서 편성과 집행의 자율

총액 한도 내에서 편성과 집행의 자율을 부여하면 예산의 신축성이 증가하며, 상황변화에 즉각적으로 대응할 수 있다.

(4) 절약과 효과성, 효율성 달성에 대한 인센티브

예산집행에 자율을 부여하는 경우 예산절약에 대한 인센티브 제도와 결합하여 예산의 효율성을 증진한다. 만약 예산절약 부서에게 인센티브를 부여하지 않고 다음 회계연도 예산을 삭감하면, 효율성에 대한 정보를 공개하지 않거나 정보를 왜곡하고 결국 효율성 증진을 추구하지 않을 것이다.

(5) 결과지향적 예산

최근에는 결과지향적 관리를 통해 목표달성을 추구하고자 한다. 그러나 성과로 나타나는 결과의 측정이 어렵기 때문에 결과보다는 투입의 결과로 나타나는 산출이 목표달성의 측정 수단으로 활용되고 있다. 뉴질랜드에서는 산출을 중심으로 성과를 측정하고 있다.

2 품목별예산제도

1. 의의

(1) 품목별예산제도(LIBS: Line Item Budgeting System)는 예산을 '지출대상(품목)별로 분류하여 예산을 편성'하는 제도이다.

(2) 예산액을 지출대상별로 한계를 명확히 정하여 배정함으로써 관료의 권한과 재량을 제한하는 통제지향적 예산제도이다(재정통제라는 전통적 예산원칙에 가장 충실한 제도).

(3) 품목별 예산의 기준인 지출대상(품목)은 예산과목의 '목(目)'에 해당하는 것으로, 인건비 · 물건비 등의 투입요소를 지칭한다.

2. 연혁 - 미국의 경우

(1) 1907년 뉴욕시 보건국 예산에 최초로 도입된 이래, 1910년 태프트(Taft) 위원회(절약과 능률에 관한 대통령 위원회)가 통제본위의 품목별예산제도를 정부에 건의하였다. 이후 1921년 예산회계법의 제정과 더불어 행정부제출 예산제도가 확립되면서 품목별예산제도(LIBS)를 대부분의 연방부처에서 도입하게 되었다.

(2) 1921년부터 1940년대 성과주의 예산이 도입되기 전까지 미국 연방정부 전체기관에 이용되었으며, 그 후에도 일부 기관에서만 새로운 제도가 도입되었을 뿐 오늘날까지도 대부분의 기관들은 이 제도를 수정 · 보완해 이용하고 있다.

3. 특징

(1) 통제지향적이고 점증적인 예산제도이다.

(2) 예산은 단년도 지출(투입)에 초점을 두어 이루어지며, 관리나 계획에 대한 관심은 적다.

(3) 예산운영의 목적은 지출의 한계를 준수하는 것이며, 회계자료가 유용하게 이용된다.

4. 장단점

(1) 장점

① 예산과목의 최종단계인 '목' 중심으로 예산액이 배분되기 때문에 **회계책임**과 **예산통제**를 용이하게 하고, 예산의 남용을 방지할 수 있다.

② 재량권 남용을 억제하여 **재정통제**라는 근대 예산원칙에 충실하다.

③ 의회의 예산심의를 용이하게 하여 **행정부에 대한 의회의 권한을 강화**할 수 있다.

④ 지출대상별로 세부적으로 분류되어 있기 때문에 급여와 재화, 서비스의 구매에 효과적이다.

⑤ **운영방법이 비교적 간단하다.**

⑥ 정원의 변동이 명백히 표시되어 있어서 정부운영에 필요한 정확한 인력자료와 보수(인건비)에 관한 정확한 정보와 자료를 얻어 활용할 수 있기 때문에 **인사행정에 유용한 자료를 제공**한다.

⑦ 사업별로 편성되지 않기 때문에 예산편성 및 심의과정에서 예산삭감이 이루어질 때 **이익집단의 저항을 덜 받는다는 정치적 이점(利點)**이 있다.

(2) 단점

① 지출 항목이 너무 엄격히 분류되어 정부기능과 정부사업의 전반적인 정보를 확인할 수 없다.

② 정부사업의 성격을 알지 못하고, **사업성과와 정부 생산성을 평가하기 어렵다.**

③ 지출대상의 지나친 세분화로 인하여 신축적이고 효율적인 재정운영이 어렵다.

④ **서비스의 산출이 아닌 투입요소에 초점을 맞춰 지출의 목적을 알 수 없다.**

⑤ 품목들이 상세히 기재될수록 관리자의 재량이 제한되기 때문에 변화가 심한 환경하에서 능동적인 재정 대응이 어렵다.

3 성과주의예산제도

1. 의의

(1) 개념

① 성과주의예산제도(PBS: Performance Budgeting System)는 **산출(output)을 중심으로 예산을 편성하는 것으로, 정부의 기능·활동 및 사업에 따라 예산을 편성하고 관리하는 제도**를 말한다.

② 사업을 중심으로 예산을 편성함으로써 예산액의 절약과 능률보다 사업이나 정책의 성과에 더 큰 관심을 기울인다. 또한 업무 단위의 비용과 업무량을 측정함으로써 정보의 계량화를 시도하여 관리의 능률성을 높이고자 한다.

핵심 OX

01 품목별예산제도는 정부사업의 효과성과 효율성 측정이 용이하다. (O, X)

02 품목별예산제도는 상향적 속성을 가진다. (O, X)

01 X 투입 중심인 품목별예산제도는 지출 목적을 알 수 없기 때문에 효율성 측정이 어렵다.
02 O

(2) 도입 과정

미국에서 후버(Hoover) 위원회의 주도로 도입되었다.

2. 특징

(1) **관리지향적 예산제도이다.** 각각의 사업을 계량화하여 표시하고 원가에 기하여 과학적 · 합리적으로 예산을 편성하며, 그 집행 성과를 측정하고 분석 · 평가하여 효과적으로 재정을 통제하고자 한다.

(2) 성과주의 예산에서는 예산의 배정 과정에서 필요 사업량이 제시되기 때문에 **예산과 사업을 연계시킬 수 있다.**

3. 절차

(1) 정부사업이나 활동을 ① 기능별로 분류 → ② 다시 기관별로 분류 → ③ 몇 개의 사업별로 분류 → ④ 활동별로 세분한다.

(2) 세부사업별로 분류된 각 사업마다 업무 측정단위를 선정하여 업무를 양적으로 표시(업무량)하고, 하나의 업무 측정단위에 대한 원가를 계산(단위원가)하여 예산액을 산출한다(업무량×단위원가 = 예산액).

4. 장단점

(1) 장점

① **의회와 국민의 이해 증진:** 예산이 사업별 · 활동별로 편성됨으로써 **정부가 무엇을 하는지, 즉 정부사업의 성격에 대해 국민과 의회가 이해하기 쉽다는 장점이 있다.**

② **합리적 · 효율적 자원배분:** 업무단위의 선정과 단위원가의 과학적 계산에 의해 합리적이고 효율적인 자원배분을 도모할 수 있다.

③ **예산집행의 신축성:** 행정부는 사업성과의 달성에 대한 책임만 질 뿐 지출대상에 대한 책임은 지지 않기 때문에 행정부가 신축적으로 예산을 운영할 수 있다.

④ **사업계획수립과 예산심의의 용이:** 기능별 · 사업별 · 활동별로 편성 · 운영하므로 정책이나 계획수립을 용이하게 하며, 사업별로 예산의 산출근거가 제시되기 때문에 입법부의 예산심의를 용이하게 한다.

⑤ **성과관리 및 환류의 강화:** 투입과 산출을 비교 · 평가하여 성과관리가 가능하고 환류 기능을 강화시킨다.

⑥ **의사결정의 개선:** 계량화된 정보를 통하여 합리적 의사결정과 관리개선에 도움을 받을 수 있다.

⑦ **효율적인 관리수단 제공:** 성과 기준에 따른 정기적 보고체계를 확립하여 사업의 진척 상태를 파악하므로, **행정기관의 관리층에게 효과적인 관리수단을 제공할 수 있다.**

(2) 단점(한계)

① **업무 측정단위 선정의 어려움:** 정부가 수행하는 사업이나 활동에는 업무단위를 확인할 수 없는 분야가 많다.

② **단위원가 계산의 어려움:** 정부사업이나 활동을 단위별로 구분하여 원가 계산을 하는 것이 쉽지 않다.

③ **개별적인 단위사업 중심:** 구체적이고 개별적인 단위사업만 나타나 있어 계획예산제도(PPBS)에 비하여 전반적인 목표의식이 부족하고, 장기계획과의 연계보다는 단위사업만 중시한다.

④ **성과의 질적인 측면 파악 곤란:** 업무단위가 실질적으로는 최종산출물이 아니라 중간산출물인 경우가 많아서 성과의 질적인 측면을 파악하기 곤란하다.

⑤ **적용상의 한계:** 운전면허시험장처럼 업무의 계량화와 성과의 측정이 용이한 소규모 조직에는 적합하나, 측정이 곤란한 서비스 분야는 도입이 어렵다.

⑥ **총괄계정에 부적합:** 조직의 상위계층으로 갈수록 업무 측정단위의 선정과 단위원가의 계산이 어려우므로 총괄계정에는 부적합하다. 따라서 성과별 분류의 대상은 계량화가 가능한 부국(富局) 수준의 일부 사업에 국한된다.

⑦ **대안의 합리적 검토 곤란:** 이미 결정된 사업에 한정시켜 사업비용의 합리적 책정에 치중하므로, 사업의 우선순위 분석이나 정책대안의 평가나 선택에는 도움을 주지 못한다.

⑧ **입법부 예산 통제 곤란:** 품목이 아닌 사업에 중점을 두므로 입법부의 예산통제가 곤란하고, 회계 책임의 한계가 모호하여 공급 관리가 곤란해진다.

4 계획예산제도

1. 의의

(1) 개념과 특징

① **개념:** 계획예산제도(PPBS: Planning&Programming Budgeting System)란 장기적인 계획(planning)과 단기적인 예산편성(budgeting)을 프로그램 작성(programming)을 통해 유기적으로 연계함으로써 의사결정과 자원배분의 합리성을 이룩하고자 하는 예산제도이다.

② **특징:** 계획예산제도는 총체적·합리적인 의사결정 방법을 예산결정과 계획수립에 적용하는 제도이다. 따라서 이 제도는 ㉠ 정확한 목표의 파악, ㉡ 목표를 달성하기 위한 각종 대안의 체계적 검토, ㉢ 다년간에 걸쳐 사업계획을 수립하는 장기적인 시계(時界)라는 특징을 갖고 있다.

(2) 이론적 기초

① **목표지향성:** 조직의 목표를 가능한 한 수치로 명확히 설정하여 선택한 목표의 효과적 달성을 위한 활동을 산출로 표시한다.

② **예산의 절약과 능률:** 최소의 비용으로 최대의 효과를 내도록 예산과 계획을 연계시키는 제도이다.

③ **행정의 효과성:** 달성하고자 하는 목표의 달성 정도를 중시하기 때문에 비용·효과분석을 중요시 한다.

④ **과학적 객관성:** 의사결정에 있어서 주관적 편견을 배제하고 객관적 판단을 내리기 위해 각종 과학적 기법을 활용하는 제도이다.

⑤ **정치적 안목과 조정:** 계획예산제도(PPBS)는 목표 간의 충돌을 피하기 위한 목표 간의 조정과 비교 과정이라고 할 수 있다.

핵심 OX

01 성과주의예산제도는 사업을 관리하는 수단으로서 유용하다. (O, X)

02 성과주의예산제도는 업무 측정 단위의 선정이 용이하다. (O, X)

01 O
02 X 정부 영역에는 업무 단위를 확인할 수 없는 영역이 많다.

(3) 발달 과정

① 1953년 랜드(RAND)연구소의 노빅(Novick) 연구원이 국방성에 제안하였다.
② 1960년 히치(Hitch)와 맥킨(McKean)이 계획예산제도의 실시를 주장하였다.
③ 1961년 맥나마라(McNamara) 국방장관은 국방성에 계획예산제도를 도입하였다.
④ 1965년 존슨(Johnson) 대통령에 의해 연방정부 기관에 계획예산이 도입되었으나, 1971년에 공식적으로 중단되었다.

2. 품목별예산제도, 성과주의예산제도, 계획예산제도 간의 비교

구분	품목별예산제도	성과주의예산제도	계획예산제도
기본적인 정향	지출 통제	관리의 도구	계획
고려의 범위	투입	투입과 산출	투입·산출·효과 및 대안
결정의 흐름	위로의 통합(상향식)	위로의 통합(상향식)	하향식
대안선택의 유형	점증적 결정모형	점증적 결정모형	총체적 결정모형

3. 내용

(1) 기본요소

① 목표를 명확하게 정의한다.
② 목표달성을 위한 대안으로 각종 사업들을 구체적으로 제시하고, 사업 간 우선순위 결정을 위해 체계적으로 분석·평가(체제분석, 비용·효과분석 등 활용)한다.
③ 장기적 시계와 미래 비용 등을 고려하여 예산을 결정한다.

(2) 수립단계

① 계획예산은 ㉠ 장기계획 수립(planning) → ㉡ 실시계획 작성(programming) → ㉢ 예산편성(budgeting)의 단계를 거쳐 수립된다.
② 실시계획의 근간이 되는 사업구조의 계층적 구조는 다음과 같이 3단계로 구성된다.

구분	내용
사업범주 (program category)	각 기관의 목표나 임무를 나타내는 프로그램 체계의 최상위 수준의 분류 항목
하위사업 (sub-category)	· 사업범주를 세분화한 것 · 하나의 하위 사업은 몇 개의 사업요소로 구성됨
사업요소 (program element)	· 계획예산제도의 사업구조의 기본단위 · 최종 산물을 생산하는 부처의 활동에 해당함

4. 장단점

(1) 장점

① **의사결정의 일원화:** 예산과 기획에 관한 의사결정을 일원화시킴으로써 의사결정자가 보다 합리적인 결정을 내릴 수 있도록 한다.

② **자원배분의 합리화:** 장기적 시계하에서 목표 · 사업 · 대안 · 비용 · 효과 등을 고려하고, 분석적 기법을 활용하여 동일 비용으로 최대 효과 또는 동일 효과를 최소 비용으로 달성하게 하는 최적의 대안을 선택한다.

③ **계획과 예산의 유기적 연계:** 프로그램을 이용하여 장기적인 계획과 연차별 예산을 유기적으로 연계시킨다.

④ **장기 사업계획의 신뢰성 제고:** 장기에 걸친 효과와 비용을 분석 · 평가하여 실현성 있는 계획을 작성함으로써 장기적 사업계획의 신뢰성을 높여준다.

⑤ **조직의 통합적 운영:** 대안의 분석과 검토를 통하여 부서 간의 의견교환이 활발해지고 문제점이 이해됨으로써, 조직의 통합적인 운영이 가능하게 된다.

⑥ **부서 간의 갈등 조정:** 부서별 점증주의적 예산편성 방식을 지양하고 개방체제적 · 통합적 관점에서 편성하므로, 부서할거주의를 타파하고 부서 간의 갈등을 조정해 줄 수 있다.

⑦ **최고관리층의 관리 수단:** 예산에 최고관리층의 의사를 반영할 수 있다.

(2) 단점

① **지나친 집권화의 초래(하향적 · 일방적 의사결정):** 대통령이나 장관 등 최고관리층의 권한을 강화시키고, 막료 중심으로 운용되어 하급 공무원 및 계선기관의 참여가 곤란하다.

② **환산작업 및 성과계량화의 곤란:** 행정문제는 환산작업(수작업 · 계량화)이 곤란하고, 성과계량화도 어렵다.

③ **명확한 목표설정의 곤란:** 행정목표의 무형성과 다양한 참여자의 이해대립으로 인해 목표를 정확하게 제시하기 어렵다.

④ **입법부 지위 약화 가능성:** 관리와 통제 기능은 경시되므로 입법부의 심의기능이 약화된다.

⑤ **계획의 경직성:** 장기계획에 구속되기 때문에 상황 변화에 대한 적응력이 떨어진다.

⑥ **가치중립성:** 능률성의 문제는 해결해주지만, 가치가 개입되는 문제를 처리하기 곤란하다.

5 목표관리제

1. 의의

관리도구로서 목표관리(MBO: Management By Objective)는 예산과 간접적으로 연결되어 있다. 성과주의예산, 계획예산 등은 자원배분을 주된 기능으로 삼고 있는데 비해, 목표관리는 자원배분보다는 진행 중인 사업의 모니터링을 위한 관리도구로, 예산의 집행과 더 밀접한 관련이 있다.

핵심 OX

01 계획예산제도(PPBS)는 하향적 속성을 가진다. (O, X)

02 계획예산제도(PPBS)는 입법부의 예산심의를 용이하게 하는 장점이 있다. (O, X)

01 O
02 X 계획예산제도(PPBS)는 입법부의 심의기능을 약화시킨다.

2. 장점

(1) 참여적 관리를 가능하게 한다.

(2) 목표달성을 촉진한다.

(3) 예산의 집행을 위한 신축성이 높은 제도이다.

6 영기준예산제도

1. 의의

(1) 개념

① 영기준예산제도(ZBB: Zero-Base Budget)란 과거의 관행을 전혀 참조하지 않고 (zero base 상태에서) 목적과 방법 · 자원에 대한 근본적인 재평가를 바탕으로 각 사업과 계획에 대한 우선순위를 부여하고, 우선순위가 높은 사업과 활동을 선택하여 예산을 편성하는 제도를 말한다.

② 경제적 합리성을 제도화하여 점증주의를 극복하기 위한 제도라 할 수 있다.

(2) 도입배경 및 과정

1970년대 자원난 시대에 접어들어 정부 기능의 확대에 의하여 재정적자가 일상화되고 납세자의 저항이 커지자 자원배분의 효율을 높이기 위해 계획예산제도(PPBS)와 목표관리(MBO)를 감축관리와 적절히 혼합한 영기준예산이 도입되었다. 카터(Carter) 행정부는 1979년 연방 정부예산에 영기준예산을 도입했다.

2. 절차

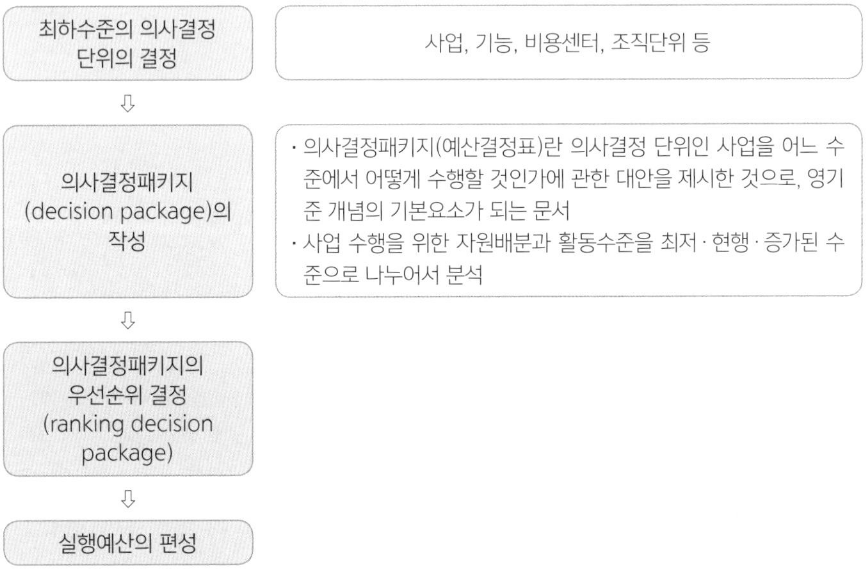

단계	내용
최하수준의 의사결정 단위의 결정	사업, 기능, 비용센터, 조직단위 등
⇩	
의사결정패키지(decision package)의 작성	· 의사결정패키지(예산결정표)란 의사결정 단위인 사업을 어느 수준에서 어떻게 수행할 것인가에 관한 대안을 제시한 것으로, 영기준 개념의 기본요소가 되는 문서 · 사업 수행을 위한 자원배분과 활동수준을 최저 · 현행 · 증가된 수준으로 나누어서 분석
⇩	
의사결정패키지의 우선순위 결정(ranking decision package)	
⇩	
실행예산의 편성	

3. 편성 사례 - 의사결정패키지와 예산액

우선순위	의사결정패키지	예산액	예산누계액
1	A-1	80억	80억
2	B-1	90억	170억
3	C-1	40억	210억
4	B-2	40억	250억
5	A-2	30억	280억
6	A-3	20억	300억
7	B-3	10억	310억
8	C-2	20억	330억
9	C-3	10억	340억

(1) 어떤 부서에서 A, B, C 사업(결정단위)을 추진하려고 한다고 가정한다.

(2) 각 사업(결정단위)은 ① 최저 수준, ② 현행 수준, ③ 증액 수준의 세 가지 점증패키지가 개발되었다고 가정한다.

(3) 모두 9개의 점증패키지의 우선순위와 예산액이 위와 같고, 가용자원의 예산액이 총 300억이라면 6순위까지 사업채택이 가능하다.

(4) A사업(전년도보다 나은 수준)에는 모두 130억, B사업(현행 수준)에는 130억, C사업(최저 수준)에는 40억의 예산이 투입된다.

4. 영기준예산제도와 다른 예산제도의 비교

(1) 계획예산제도와의 비교

구분		계획예산제도(PPBS)	영기준예산제도(ZBB)
공통점		· 계획과 예산의 연결 · 자원배분의 합리화 · 재정 경직성 탈피 · 대안의 비교검토(B/C분석) 등	
차이점	초점	목표에 초점, 기획 강조	목표에 초점, 참여 강조
	결정 권한	상위관리자만 참여(중앙집권)	상·중·하 관리자들이 참여(분권)
	결정 흐름	하향적, 거시적	상향적, 미시적
	체제 모형	개방체제	폐쇄체제
	기간	장기	단기
	계선과 막료	막료 중심의 예산결정	계선 중심의 예산결정

(2) 점증적 예산제도와의 비교

구분	점증적 예산제도	영기준예산제도(ZBB)
기준	전년도 기준	영기준
분석 대상	신규사업만 분석	계속사업까지 분석
중심	화폐와 품목을 중심으로 분석	목표와 활동을 중심으로 분석
의사전달	의사전달 제약	상하 간 의사전달 활발

(3) 일몰법과의 비교

영기준예산제도(ZBB)는 매년 반복되는 단기적 예산심사이기 때문에 장기적인 시야가 결여되지만, 일몰법에 의해 이를 보완할 수 있다. 또한 일몰법에 의한 사업의 장기적 권한 부여에 있어 자원 · 실질목표 · 사업의 성질 · 예산 결과를 영기준예산제도(ZBB) 방법으로 파악할 수 있다.

구분		일몰법	영기준예산제도(ZBB)
공통점		· 모든 사업의 지속 여부를 결정하기 위한 재심사 · 기득권 의식을 없애고 자원의 합리적 배분 · 자원난 시대에 대비하는 감축관리의 일환	
차이점	성격	법률	예산제도
	과정	예산 심의 · 통제를 위한 입법과정	예산편성에 관련된 행정과정
	주기	3~7년의 장기	매년
	계층	최상위 계층의 주요정책 심사	중 · 하위 계층 포함
	심사 범위	최상위 정책	모든 정책

5. 장단점

(1) 장점

① **예산절감을 통한 자원난 극복에 기여:** 우선순위가 낮은 사업의 폐지를 통해서 조세부담의 증가를 방지하고, 예산절감을 통한 자원난 극복에 기여한다.

② **재원의 합리적 배분:** 조직의 모든 사업과 활동을 새롭게 평가하고 분석하는 과정을 통하여 효율성이 높은 사업활동을 계속하거나 새로이 추가하며, 그에 대한 합리적 자원배분이 이루어지도록 한다.

③ **재정 탄력성 확보:** 영기준예산제도(ZBB)는 계속해서 사업활동의 우선순위를 평가하여, 순위가 낮은 것은 신속하고 융통성 있게 배제함으로써 재정의 경직화를 타파하는데 도움을 준다.

④ **각 수준의 관리자의 참여 확대:** 상향적인 의사결정을 택함으로써 모든 수준의 관리자들이 참여하고, 그렇게 함으로써 관리자들이 자기 업무를 개선하여 경제성을 추구하도록 동기를 부여한다.

⑤ **적절한 정보의 제시:** 자원배분에 필요한 적절한 정보를 분석하고 제시한다.

핵심 OX

01 영기준예산제도(ZBB)는 입법과정이고 일몰법은 행정과정이다. (O, X)

02 영기준예산제도(ZBB)는 일몰법에 비해 최고 관리자의 관리수단으로 더 적합하다. (O, X)

03 영기준예산제도(ZBB)는 점증주의를 극복하기 위한 예산제도이다. (O, X)

01 X 영기준예산제도(ZBB)가 행정과정이고 일몰법이 입법과정이다.
02 X 일몰법이 최고 관리자의 관리 수단이고, 영기준예산제도(ZBB)는 중 · 하위 관리자의 관리 수단이다.
03 O

(2) 단점

① **업무량 폭주에 따른 과도한 부담**: 분석 · 평가 · 서류작업 등에 투입하는 시간과 노력의 부담이 과중하다.

② **우선순위 결정의 곤란(적용상의 한계)**: 가치판단이 개입되는 영역에 적용하기 곤란하고 기준이 모호하여 분석 및 우선순위의 결정이 곤란하다.

③ **사업축소 · 폐지 곤란**: 사업의 축소 · 폐지에 대한 관료들의 반발로 인해 영기준예산을 전반적으로 적용하기 어렵다.

④ **소규모 조직의 희생**: 우선순위에서 낮게 정해져서 인원이나 예산이 작은 소규모 조직의 희생을 초래한다.

⑤ **장기적 안목 결여**: 현 시점 위주의 분석이므로 장기적인 목표가 경시되는 경향이 있다.

⑥ **새로운 프로그램 개발 곤란**: 계속사업의 분석에 치중한 나머지 신규사업에 대해 상대적으로 소홀하기 쉽다.

⑦ **근본적인 예산구조의 변혁 실패**: 윌다브스키(Wildavsky)는 사실상 영기준예산제도(ZBB)가 백지상태에서부터 분석을 시도하지 못했기 때문에 예산제도를 근본적으로 개혁하는 데 실패했다고 비판했다.

7 자본예산제도 – 전략 투자를 위한 장치

1. 의의

(1) 자본예산제도(CBS: Capital Budgeting System)는 예산을 단기적인 경상적 계정과 장기적인 자본적 계정으로 구분하고, 경상지출은 경상적 수입에 의하여 충당하며 균형이 되어야 하나, 자본적 지출은 그 대부분을 공채의 발행에 의하여 충당하는 복식예산(double budget)을 말한다.

(2) 자본예산은 공채를 발행하여 불경기를 극복하려는 적극적 재정수단으로, 시장실패를 극복하기 위해 등장한 행정국가의 재정적 산물이다.

개념PLUS 경상예산과 자본예산

구분	경상예산		자본예산	
	세입	세출	세입	세출
개념	매년 반복적으로 이루어지는 수입	매년 반복적으로 이루어지는 세출, 경비	국공채	불규칙적 지출
사례	조세	인건비, 물건비	–	시설, 도로 등 투자적 지출

2. 전개

(1) 스웨덴(중앙정부)

① 자본예산제도가 최초 도입된 스웨덴은 1930년대의 경제대공황에 대처하기 위해 뮈르달(Myrdal)의 제안에 의해 중앙정부에서 1937년에 채택하였다.

② 스웨덴의 자본예산제도의 특징은 **불경기나 실업을 타개할 목적**으로 순환적(주기적) 균형예산에 입각하여 건전 테두리 안에서 예산의 경제안정화 기능을 수행하도록 하여 자본지출을 정당화하는 제도이다.

(2) 미국(지방정부)

① 공황과 2차대전의 산물로 미국에서 발달한 자본예산은 주정부와 시정부에서 공채발행을 통해 지방정부의 공공사업을 계획적으로 수행하기 위해 도입되었다.

② 자본예산제도를 통해 재원의 한정에 따른 세율인상에 대한 조세저항을 회피하고 **수익자 부담의 원칙(세대 간 형평)**을 도모한다.

(3) 우리나라

우리나라는 스웨덴과는 달리 경기회복이나 실업자 구제의 목적보다는 경제성장을 위한 투자재원 조달과 장기적 도시 · 지역개발 계획의 효율적 추진을 위해 도입 필요성이 제기되었다.

3. 정당화 근거[1]

(1) 불경기의 극복수단

① 불경기의 극복을 위한 공공사업의 확충을 위해 공채를 발행하여 재원을 조달하고, 경기가 회복된 후에는 흑자예산으로 공채를 상환한다.

② 불경기하에서의 과다한 조세징수는 구매력의 격감, 기업의 이윤감소 등으로 경기회복 효과를 거둘 수 없기 때문이다.

(2) 국가 순자산 상태의 증감 불변

공채발행으로 부채를 진다해도 부채인 차입금이 자산취득을 위한 투자로 지출된다면, 결과적으로 재정건전성 요구에 배치되는 것은 아니다.

(3) 수익자 부담의 원칙 구현

지출의 효과가 장기간 지속되는 경우 공채를 발행하여 장래의 납세자가 비용을 부담토록 하는 것은 응익주의 방식(user charging)에 해당하는 것으로, 수익자 부담의 원칙을 구현한다.

(4) 장기적 균형의 중시

① 균형의 개념은 주기적인 경기변동에 의한 장기적인 안목에서 이해되어야 한다는 주기적 균형의 원칙에 입각한 것이다.

② **장기적 균형이 중요하기 때문에 단기적 불균형은 감수할 수 있다는 것이다.**

[1] 조세와 공채

구분	조세	공채
부담	현세대 [재정부담이 미래세대로 전가(분담) 되지 않음]	세대 간 분담 [이용자 · 세대 간에 비용부담 전가 (분담)]
관리	간편, 비용 절감	복잡 (이자상환 등)
효과	경기회복 효과 작음	경기회복 효과 큼
저항	큼	작음
낭비	○ (무임승차)	× (수익자 부담)

❶ 차입(공채)에 대한 조세의 장단점

장점	· 이자부담이 없으며 부채관리와 재원관리 비용이 발생하지 않아 장기적으로 차입보다 비용이 저렴 · 납세자인 국민이 정부지출에 직접적인 책임 요구 가능 · 현세대의 의사결정에 대한 재정부담이 미래세대로 전가되지 않음
단점	· 세대 간 비용·편익의 형평성 문제가 발생 · 자유재라는 인식으로 과다수요 혹은 과다지출되는 비효율성 발생 · 일시적인 대규모 투자재원 동원의 시의성 결여 · 과세대상과 세율 결정 등 법적 절차의 복잡성·경직성 · 차입에 비하여 경기회복 효과 기대 곤란

4. 장단점❶

(1) 장점

① **수익자 부담 원칙의 구현**: 자본계정에서 지출될 대상은 대부분 그 혜택이 장기간에 걸치는 것이므로, 공채를 행하여 장래의 납세자가 부담하도록 함으로써 수익자 부담 원칙을 확립할 수 있다.

② **재정 기본구조의 이해 용이**: 자본적 지출을 별도로 관리함으로써 시민들이 국가의 재정상황을 이해하기 쉽게 하여 준다.

③ **장기적 재정계획 수립의 용이**: 장기사업과 자본예산을 연결하여 장기적 재정계획 수립과 집행에 용이하다.

④ **불경기 극복에 이용**: 지역개발을 위한 자본을 축적하거나 불황기에 적자예산에 의해 유효수요 증대 수단으로 활용되어 경기변동 조절에 도움을 준다.

⑤ **예산운영의 합리화**: 자본적 지출이 경상적 지출과 구분되므로 자본지출에 대해 보다 엄격히 심사 및 분석을 할 수 있고, 정부의 순자산 상태 변동 파악이 용이하여 예산운영을 합리화할 수 있다.

⑥ **일관성 있는 조세정책 수립 가능**: 조세수입은 기복없는 경상지출에만 충당되므로, 국민의 조세부담이 매년 거의 일정하게 된다.

(2) 단점

① **자원배분의 불합리**: 자본재의 축적 또는 선심성 공공사업 등에 지출하여 자원배분을 왜곡할 우려가 있다.

② **정치적 이용(적자재정 은폐 수단)**: 경상예산의 불균형을 은폐하기 위해 경상예산에 속하는 각 항목을 자본예산으로 이전하거나 포함시켜, 적자재정의 은폐 수단으로 이용될 수 있다.

③ **경제안정 위협(인플레이션 조장 가능)**: 부채동원·채권발행 등에 의하여 적자예산 편성에 치중하고, 인플레이션을 가속화시켜 경제안정을 해치기 쉽다.

④ **계정 구분의 불명확성**: 정부예산을 경상지출과 자본지출로 구분하기도 힘들다.

⑤ **민간자본의 효율적 이용 불확실**: 민간자본을 동원하여 경제발전이나 불경기 극복에 얼마나 효율적으로 대처할 수 있는지 불확실하다.

핵심정리 예산제도의 비교

구분	품목별예산 (LIBS)	성과주의예산 (PBS)	계획예산 (PPBS)	목표관리 (MBO)	영기준예산 (ZBB)
시대	1920~1930	1950~1960	1965~1971	1973~1979	1979
활용 대통령	-	트루먼 (Truman)	존슨 (Johnson)	닉슨 (Nixon)	카터 (Carter)
정향	통제	관리	기획	관리	의사결정 (우선순위)
주요 정보	지출대상	부처 활동	부처 목표	사업계획의 효과성	사업, 단위 조직목표

핵심 OX

01 자본예산은 인플레이션을 예방하는 장점이 있다. (O, X)

02 자본예산은 재정운용의 단기성을 강조한다. (O, X)

01 X 자본예산은 실업을 극복하지만 인플레이션을 유발하는 단점이 있다.
02 X 자본예산은 장기적 재정계획 수립에 용이하다.

8 최근의 예산제도 개혁

1. 신성과주의예산

(1) 의의

산출이나 결과 중심의 예산이면서 국정 전반의 성과관리 체계를 강조하여, 자율과 책임의 조화를 도모하고자 하는 예산제도이다.

(2) 특징

① 부처별 예산이 총괄배정되고 각 부처 장관의 재량권이 증대되었다.

㉮ 총괄경상비 제도와 영국·호주의 효율성 배당제도 등

② 성과협약의 체결에 따른 관리자의 책임이 증대되었다.

③ 경영성과를 분명히 하기 위해서 발생주의 회계방식을 도입하였다.

④ 지출수요 중심의 지출통제예산, 지출대예산제도를 활용한다.

⑤ 운영예산제도, 산출예산제도, 지출통제예산 등 성과나 결과 중심의 예산을 운용한다.

(3) 성과주의예산과 신성과주의예산의 비교[1]

구분	성과주의예산	신성과주의예산
시대	1950년대 행정국가	1980년대 탈행정국가
이념	통제와 감독	자율과 책임
성과관리	단순한 성과관리	성과의 제고
초점	원가계산 등 예산편성 과정	실제 달성된 결과
적용범위	예산과정에 국한	국정 전반의 성과관리에 연계

[1] 성과주의와 신성과주의

1. **적용범위:** 신성과주의는 국정 전반에 연계되어 있어 성과주의보다 적용범위가 넓다.
2. **예산개혁 목표의 범위:** 성과주의는 회계제도나 예산제도를 바꾸는 부담이 있는 반면, 신성과주의는 이미 발생주의가 발달되고 프로그램 예산을 경험한 상태이기 때문에 성과 정보의 활용만을 개혁의 목표로 삼는다. 따라서, 신성과주의 개혁의 범위나 목표가 성과주의에 비해 좁고 단순하다.

2. 정치관리예산(budgeting as political management)

(1) 의의

정치관리예산제도는 계획예산제도(PPBS) 등 합리주의적 행정부 예산의 폐단을 시정하고 입법부 기능을 강화하기 위해 레이건(Reagan) 행정부에서 도입한 예산이다. 거시적·하향적 예산, 예산 과정에 대통령의 재개입, 입법부의 편의를 위한 예산, 점증주의 탈피, 목표중심의 예산, 입법부와 행정부 간의 정치적 관계가 중시 등을 특징으로 한다.

(2) 특징

① **거시적·하향적 예산편성을 중시:** 연방예산의 기획과 의사결정은 대통령과 관리예산처장관의 정치적 계산으로 결정된다. 따라서 예산결정의 주도권이 상층부로 이동하게 된다.

② **정치관리 기능의 강조(행정부 예산기관의 강화):** 중앙관서장이 아닌 관리예산처(OMB)장관이 직접 의회와 대면하여 정치성을 강화시켰고, 정치관리로서의 예산 기능만 강조되고 나머지 기능은 약화된다.

③ **의회설득적 예산(입법부의 편의를 위한 예산)**: 관리예산처가 나서서 조리있는 예산 서류를 작성하여 넘김으로써, 의회가 정책변화를 잘 이해할 수 있도록 예산을 편성하고자 한다. 의회 기능을 무력화시키는 계획예산제도(PPBS)의 한계를 보완하기 위하여, 명확한 정책문서를 제시하여 의회가 정책변화를 이해하기 용이하도록 하는 의회설득적 예산이라고 할 수 있다. 의회와 정부 간의 정치적 교섭(공조)의 강화를 추구한다.

④ **점증적 예산편성으로부터 경제적 예측으로 변동(점증주의 탈피)**: 보수성을 탈피하고 사회보장 등 경직성 경비를 삭감하기 위하여 경제적 예측에 능동적으로 대처하는 예산편성에 주력한다.

⑤ **연속적이고 신축적인 예산주기의 출현(예산의 신축성 강조)**: 경제적 예측에 따라 능동적으로 대처하기 위하여 경제변동에 따르는 신축적인 예산운용의 필요성이 증대되고, 때에 따라서는 예산을 회계연도를 넘어 편성하는 연속성이 강조되기도 된다.

⑥ **목표 중심의 예산**: 목표에 대한 중앙집권적인 통제로, 최고관리층이 총지출에 대해 엄격히 통제한다.

⑦ **대통령의 권한 강화와 하향적 예산편성의 강화(예산 과정에 대통령의 재개입)**: 하향적·집권적 의사결정으로, 각 행정기관의 입장을 존중하지 않고 대통령과 관리예산처(OMB)의 장 등 중앙에서 일방적으로 부처별 목표를 제시하며, 그 범위 내에서 각 부처가 예산을 자율적으로 운영하도록 한다.

3. 지출통제예산제도

(1) 개념

① 지출통제예산제도(expenditure control budget)란 **'중앙예산기관이 예산의 총액만 정해주면 각 부처는 그 범위 내에서 구체적 항목에 대한 지출을 재량적으로 집행하는 예산제도'를 의미하는 것으로, 지출항목을 없애고 지출을 총액으로만 통제하는 제도라고 할 수 있다.**

② 기존 '계획'과 '통제' 위주의 예산이 아닌 '자율'과 '책임'이 조화된 예산이다.

(2) 특징

① **전용의 신축성**: 각 부처는 부처 내의 지출항목을 없애고 부서 관리자의 필요에 따라 물적 자원을 전용할 수 있도록 한다.

② **이월의 허용**: 각 부처가 예산총액 범위 내에서 지출수요에 따라 예산운용을 신축적으로 하도록 하는 대신 **부처별 예산절감 목표를 강제로 할당해 주고, 지출효율화 노력으로 절감되는 예산은 다음 연도로 이월하여 해당 부처에서 사용할 수 있도록 '효율성 배당제도(efficiency dividend)'를 인정한다.**

(3) 장점

① **효율성 증진**: 지출 우선순위에 따라 예산집행이 신축적으로 이루어짐으로써 재원배분의 효율성이 증진된다.

② **예산절감의 유인**: 종전에는 사용하지 않은 예산은 국고에 환수되었으나, 이 제도 하에서는 익년도에 사용할 수 있게 되어 예산의 절감을 가져올 수 있다.

③ **신축성과 책임성의 조화:** 예산을 자율적이고 신축적으로 집행하도록 하되, 집행의 성과에 대해서는 엄격하게 책임을 지도록 한다.

(4) 단점

① 지나친 재량권의 허용으로 자금의 오용이나 남용을 유발할 수 있다.
② 민주통제가 달성된 다음에 가능한 제도라고 할 수 있다.

9 우리나라의 재정개혁

1. 예비타당성조사[1]

(1) 의의

① 예비타당성조사제도는 대규모 개발사업에 대하여 개략적인 사전조사를 통하여 경제성 · 투자 우선순위 · 적정 투자시기 · 재원조달 방법 · 타부문과의 연계성 등 타당성을 (사전에) 검증함으로써, 대형 신규사업의 신중한 착수와 재정투자의 효율성을 높이기 위한 제도이다.
② 「국가재정법」에서는 **일정규모 이상의 대규모 사업에 대한 기획재정부장관의 예비타당성조사를 의무화하고 있다.**
③ 각 사업부처가 시행하는 타당성조사가 기술적 타당성 측면에서 당해 사업만을 대상으로 하는 것인데 반해, **예비타당성조사는 낭비적 지출을 사전에 억제하기 위하여 경제적 타당성 측면에서 당해 사업뿐만 아니라, 국가재정 전반에 걸쳐 기획재정부가 수행하는 조사제도이다.**
④ 사업 주무부처에서 수행한 기존의 타당성조사는 사업 추진을 기정사실화하고, 기술적인 검토와 예비설계 등에 초점을 맞추었다. 그러나 기획재정부에서 시행하는 예비타당성조사는 본격적인 타당성조사 이전에, 국민경제적인 차원에서 사업의 추진 여부를 판단하게 된다.
⑤ 예비타당성조사 대상사업 추진은 주무부처의 조사의뢰 → 예비타당성조사 → 타당성조사 → 기본설계 → 실시설계 → 발주 및 계약 → 시공 순이다.

(2) 예비타당성조사와 타당성조사의 비교[2](윤영진)

구분	예비타당성조사	타당성조사
조사주체 및 관계법령	· 기획재정부 · 「국가재정법 시행령」	· 국토교통부 등 사업기관 · 「건설기술 진흥법 시행령」 및 「국가통합교통체계효율화법」에 의한 투자평가지침
조사대상	· 총사업비 500억 원 이상 대규모 건설사업 · 국고지원 300억 원 이상인 민자 및 지방자치단체 사업	· 예비타당성조사 결과 경제성이 있는 사업 · 총사업비 100~500억 원의 공공교통시설개발사업(도로 · 철도 · 항만 등)

[1] 예비타당성조사
「국가재정법」 제38조 【예비타당성조사】
① 기획재정부장관은 총사업비가 500억 원 이상이고 국가의 재정지원 규모가 300억 원 이상인 신규 사업으로서 다음 각 호의 어느 하나(생략)에 해당하는 대규모사업에 대한 예산을 편성하기 위하여 미리 예비타당성조사를 실시하고, 그 결과를 요약하여 국회 소관 상임위원회와 예산결산특별위원회에 제출하여야 한다.

[2] 총사업비 관리와 예비타당성조사의 대상사업 비교

구분	내용
총사업비 관리	국가가 직접 시행 또는 위탁사업, 국가예산 · 기금의 보조를 받아 자치단체나 공공기관이 시행하는 사업 중 2년 이상이 소요되는 다음 사업 ㉠ 총사업비가 500억 이상이고 국가재정지원이 300억 이상인 토목 및 지능정보화사업 ㉡ 총사업비가 200억 이상인 건축사업 ㉢ 총사업비가 200억 이상인 연구개발사업
예비타당성조사	총사업비가 500억 이상이고 국가재정지원이 300억 이상인 신규사업 중 다음 사업 ㉠ 건설공사가 포함된 사업 ㉡ 지능정보화사업 ㉢ 국가연구개발사업 등

❶ 예비타당성조사와 타당성조사의 내용
1. 예비타당성조사
  · 경제성 분석
  · 정책성 분석
2. 타당성조사: 기술적 분석

(3) 예비타당성조사와 타당성조사의 내용❶

구분	예비타당성조사	타당성조사
경제성 분석	· 본격적인 타당성조사 필요성 여부를 판단하기 위한 개략적인 수준에서 조사 · 수요 및 편익 추정 · 비용 추정 · 경제·재무성 평가 · 민감도분석	실제 사업 착수를 위해 더욱 정밀하고 세부적인 수준에서 조사
정책적 분석	· 경제성 분석 이외에 국민경제적·정책적 차원에서 고려되어야 할 사항들을 분석 · 지역경제 파급 효과 · 지역균형개발 · 상위계획과 연관성 · 국고지원의 적합성 · 재원조달 가능성 · 환경성, 추진 의지 등	검토 대상이 아니며, 다만 환경성 등 실제 사업의 추진과 관련된 일부 항목에 대해서는 면밀 조사
기술적 분석	검토 대상이 아니며, 필요 시 전문가 자문 등으로 대체	· 토질조사, 공법분석 등 다각적인 기술성 분석 · 입지·공법 분석 · 현장여건 실사

(4) 예비타당성조사 대상 사업

총사업비가 500억 원 이상이고 국가의 재정지원 규모가 300억 원 이상인 신규사업으로서 다음의 어느 하나에 해당하는 사업이다.

① 건설공사가 포함된 사업

② 「지능정보화 기본법」의 공공정보화 추진에 따른 정보화 사업

③ 「과학기술기본법」의 국가연구개발사업의 추진에 따른 국가연구개발사업

④ 그 밖에 사회복지, 보건, 교육, 노동, 문화 및 관광, 환경보호, 농림해양수산, 산업·중소기업 분야의 사업

핵심정리 예비타당성조사

「국가재정법」 제38조【예비타당성조사】 ① 기획재정부장관은 총사업비가 500억 원 이상이고 국가의 재정지원 규모가 300억 원 이상인 신규 사업으로서 다음 각 호의 어느 하나에 해당하는 대규모사업에 대한 예산을 편성하기 위하여 미리 예비타당성조사를 실시하고, 그 결과를 요약하여 국회 소관 상임위원회와 예산결산특별위원회에 제출하여야 한다. 다만, 제4호의 사업은 제28조에 따라 제출된 중기사업계획서에 의한 재정지출이 500억 원 이상 수반되는 신규 사업으로 한다.

1. 건설공사가 포함된 사업
2. 「지능정보화 기본법」 제14조 제1항에 따른 정보화 사업
3. 「과학기술기본법」 제11조에 따른 국가연구개발사업
4. 그 밖에 사회복지, 보건, 교육, 노동, 문화 및 관광, 환경 보호, 농림해양수산, 산업·중소기업 분야의 사업

② 제1항에도 불구하고 다음 각 호의 어느 하나에 해당하는 사업은 대통령령으로 정하는 절차에 따라 예비타당성조사 대상에서 제외한다.

1. 공공청사, 교정시설, 초·중등 교육시설의 신·증축 사업

2. 문화재 복원사업
3. 국가안보와 관계되거나 보안이 필요한 국방 관련 사업
4. 남북교류협력에 관계되거나 국가 간 협약 · 조약에 따라 추진하는 사업
5. 도로 유지보수, 노후 상수도 개량 등 기존 시설의 효용 증진을 위한 단순개량 및 유지보수 사업
6. 「재난 및 안전관리기본법」 제3조 제1호에 따른 재난(이하 "재난"이라 한다)복구 지원, 시설 안전성 확보, 보건 · 식품 안전 문제 등으로 시급한 추진이 필요한 사업
7. 재난예방을 위하여 시급한 추진이 필요한 사업으로서 국회 소관 상임위원회의 동의를 받은 사업
8. 법령에 따라 추진하여야 하는 사업
9. 출연 · 보조기관의 인건비 및 경상비 지원, 융자 사업 등과 같이 예비타당성조사의 실익이 없는 사업
10. 지역 균형발전, 긴급한 경제 · 사회적 상황 대응 등을 위하여 국가 정책적으로 추진이 필요한 사업으로서 다음 각 목의 요건을 모두 갖춘 사업. 이 경우, 예비타당성조사 면제 사업의 내역 및 사유를 지체 없이 국회 소관 상임위원회에 보고하여야 한다.
    가. 사업목적 및 규모, 추진방안 등 구체적인 사업계획이 수립된 사업
    나. 국가 정책적으로 추진이 필요하여 국무회의를 거쳐 확정된 사업

③ 제1항의 규정에 따라 실시하는 예비타당성조사 대상사업은 기획재정부장관이 중앙관서의 장의 신청에 따라 또는 직권으로 선정할 수 있다.
④ 기획재정부장관은 국회가 그 의결로 요구하는 사업에 대하여는 예비타당성조사를 실시하여야 한다.
⑤ 기획재정부장관은 제2항 제10호에 따라 예비타당성조사를 면제한 사업에 대하여 예비타당성조사 방식에 준하여 사업의 중장기 재정소요, 재원조달방안, 비용과 편익 등을 고려한 효율적 대안 등의 분석을 통하여 사업계획의 적정성을 검토하고, 그 결과를 예산편성에 반영하여야 한다.
⑥ 기획재정부장관은 제1항의 규정에 따른 예비타당성조사 대상사업의 선정기준 · 조사수행기관 · 조사방법 및 절차 등에 관한 지침을 마련하여 중앙관서의 장에게 통보하여야 한다.

제38조의2【예비타당성조사 결과 관련 자료의 공개】 기획재정부장관은 제38조 제1항에 따른 예비타당성조사를 제8조의2 제1항 제1호의 업무를 수행하는 전문기관에 의뢰하여 실시할 수 있으며, 예비타당성조사를 의뢰 받은 전문기관의 장은 수요예측자료 등 예비타당성조사 결과에 관한 자료를 「공공기관의 정보공개에 관한 법률」 제7조에 따라 공개하여야 한다.

제38조의3【국가연구개발사업 예비타당성조사의 특례】 ① 기획재정부장관은 제8조의2, 제38조 및 제38조의2에 규정된 사항 중 「과학기술기본법」 제11조에 따른 국가연구개발사업에 대한 예비타당성조사에 관해서는 대통령령으로 정하는 바에 따라 과학기술정보통신부장관에게 위탁할 수 있다.
② 제1항에 따라 예비타당성조사에 관하여 위탁받은 과학기술정보통신부장관은 제38조 제2항 및 제6항과 관련한 사항의 경우 사전에 기획재정부장관과 협의하여야 한다.

「국가재정법 시행령」 제13조의2【예비타당성조사의 면제 절차】 ① 중앙관서의 장이 법 제38조 제2항에 따라 예비타당성조사를 면제받으려는 경우에는 해당 사업의 명칭, 개요, 필요성과 면제 사유 등을 명시한 예비타당성조사 면제요구서를 기획재정부장관에게 제출하여야 한다.
② 기획재정부장관은 제1항에 따른 예비타당성조사 면제요구서를 제출받은 경우 법 제38조 제2항 각 호의 어느 하나에 해당하는 사업에 대해서는 관계 전문가의 자문을 거쳐 예비타당성조사 면제 여부를 결정하고 소관 중앙관서의 장에게 그 결과를 통보하여야 한다. 다만, 국가기밀과 관계된 사업의 경우에는 관계 전문가의 자문을 거치지 아니할 수 있다.
③ 소관 중앙관서의 장은 제2항에 따라 예비타당성조사 면제 결정을 통보받은 경우 법 제38조 제2항 제7호에 따른 재난예방을 위하여 시급한 추진이 필요한 사업의 면제 결정에 대해서는 국회 소관 상임위원회의 동의를 받아야 하며, 같은 항 제10호 전단에 해당하는 사업의 면제 결정에 대해서는 그 사업의 내용과 면제 사유를 지체 없이 국회 소관 상임위원회에 보고하여야 한다.

핵심 OX

01 예비타당성조사는 기술적 분석을 실시한다. (O, X)

02 예비타당성조사는 주무기관장이 실시한다. (O, X)

03 예비타당성조사는 경제성 분석과 정책적 분석을 실시한다. (O, X)

01 X 타당성조사가 기술적 분석을 실시한다.
02 X 예비타당성조사는 기획재정부장관이 실시한다.
03 O

2. 총액계상

(1) 기획재정부장관은 대통령령이 정하는 사업으로서 세부내용을 미리 확정하기 곤란한 사업의 경우에는 이를 총액으로 예산에 계상할 수 있다.

(2) 각 중앙관서의 장은 총액계상사업에 대하여는 예산배정 전에 예산배분에 관한 세부사업 시행계획을 수립하여 기획재정부장관과 협의하여야 하며, 그 세부집행실적을 회계연도 종료 후 3개월 이내에 기획재정부장관에게 제출하여야 한다.

(3) 각 중앙관서의 장은 총액계상사업의 세부사업 시행계획과 세부집행실적을 국회예산결산특별위원회에 제출하여야 한다.

3. 대규모 개발사업 예산의 편성

(1) 각 중앙관서의 장은 대통령령이 정하는 대규모 개발사업에 대하여는 타당성조사 및 기본설계비 · 실시설계비 · 보상비와 공사비의 순서에 따라 그 중 하나의 단계에 소요되는 경비의 전부 또는 일부를 해당 연도의 예산으로 요구하여야 한다. 다만, 부분완공 후 사용이 가능한 경우 등 사업의 효율적인 추진을 위하여 기획재정부장관이 불가피하다고 인정하는 사업에 대하여는 2단계 이상의 예산을 동시에 요구할 수 있다.

(2) 기획재정부장관은 (1)의 규정에 따른 대규모 개발사업에 대하여는 (1)에 따른 요구에 따라 단계별로 해당 연도에 필요한 예산안을 편성하여야 한다. 이 경우 다음의 어느 하나에 해당하는 사업으로서 전체 공정에 대한 실시설계가 완료되고 총사업비가 확정된 경우에는 그 사업이 지연되지 아니하도록 계속비로 예산안을 편성하여야 한다.
   ① 국가기간 교통망 구축을 위하여 필수적인 사업
   ② 재해 복구를 위하여 시급히 추진하여야 하는 사업
   ③ 공사가 지연될 경우 추가 재정부담이 큰 사업
   ④ 그 밖에 국민편익, 사업성격 및 효과 등을 고려하여 시급히 추진할 필요가 있는 사업

(3) 기획재정부장관은 (2)의 규정에도 불구하고 재정여건, 사업성격, 사업기간 및 규모 등을 고려하여 필요하다고 인정하는 대규모 개발사업은 계속비로 예산안을 편성하지 아니할 수 있으며 이에 대한 기준, 절차 등 구체적 사항은 대통령령으로 정한다.

4. 회계 · 기금 간 여유재원의 전입 · 전출[1]

(1) 정부는 국가재정의 효율적 운용을 위하여 필요한 경우에는 다른 법률의 규정에 불구하고 회계 및 기금의 목적 수행에 지장을 초래하지 아니하는 범위 안에서 **회계와 기금 간 또는 회계 및 기금 상호 간에 여유재원을 전입 또는 전출하여 통합적으로 활용할 수 있다.**

(2) 기획재정부장관은 (1)의 규정에 따라 전입 · 전출을 하고자 하는 때에는 관계 중앙관서의 장 및 기금관리 주체와 협의한 후 그 내용을 예산안 또는 기금운용계획안에 반영하여야 한다.

[1] 회계 · 기금 간 여유재원의 전입 · 전출
「국가재정법」 제13조 【회계 · 기금 간 여유재원의 전입 · · 전출】 ① 정부는 국가재정의 효율적 운용을 위하여 필요한 경우에는 다른 법률의 규정에도 불구하고 회계 및 기금의 목적 수행에 지장을 초래하지 아니하는 범위 안에서 회계와 기금 간 또는 회계 및 기금 상호 간에 여유재원을 전입 또는 전출하여 통합적으로 활용할 수 있다. 다만, 다음 각 호의 특별회계 및 기금은 제외한다.
1. 우체국보험특별회계
2. 국민연금기금
3. 공무원연금기금
4. 사립학교교직원연금기금
5. 군인연금기금
6. 고용보험기금
7. 산업재해보상보험 및 예방기금
8. 임금채권보장기금
9. 방사성폐기물관리기금
10. 그 밖에 차입금이나 「부담금관리기본법」 제2조의 규정에 따른 부담금 등을 주요 재원으로 하는 특별회계와 기금 중 대통령령으로 정하는 특별회계와 기금

5. 우리나라의 재정사업 성과관리제도❶❷

재정사업 성과관리제도는 (1) 재정성과 목표관리제도, (2) 재정사업 자율평가제도, (3) 재정사업 심층평가제도의 세 가지 형태로 운영되고 있다.

(1) 재정성과 목표관리제도

기관별 성과계획서 및 성과보고서를 통해 설정된 성과 목표의 달성 여부를 모니터링한다.

(2) 재정사업 자율평가제도

재정사업 자율평가의 대상은 원칙적으로 예산·기금이 투입되는 모든 재정사업이 평가대상이다.

(3) 재정사업 심층평가제도

부처 간 유사·중복 사업 또는 비효율적인 사업 추진으로 예산 낭비의 소지가 있는 사업에 대해서는 재정사업 심층평가를 실시할 수 있다.

6. 주민참여예산제도

(1) 의의(「지방재정법」 제39조)

① 지방자치단체의 장은 대통령령으로 정하는 바에 따라 지방예산편성 등 예산과정에 주민이 참여할 수 있는 제도(이하 "주민참여예산제도")를 마련하여 시행하여야 한다. ⇨ 제도 운용이 법적 제도화되었다.

② 지방자치단체의 장은 ①에 따라 예산편성 과정에 참여한 주민의 의견을 수렴하여 그 의견서를 지방의회에 제출하는 예산안에 첨부하여야 한다.

(2) 주민참여의 방법(「지방재정법 시행령」 제46조)

① 공청회 또는 간담회

② 설문조사

③ 사업공모

④ 그 밖에 주민의견 수렴에 적합하다고 인정하여 조례로 정하는 방법

지방자치단체의 장은 ①~④의 규정에 의하여 수렴된 주민의견을 검토하고 그 결과를 예산편성 시 반영할 수 있다.

⇨ 주민의 의견은 참고사항이며, 법적의무로 반영하는 것은 아니다.

(3) 목적과 특징

① 주민자치의 구현 및 재정 민주주의를 실현한다.

② 관료와 지방의회 중심의 기존 예산과 방식의 한계를 극복하기 위해 주민이 직접 참여한다.

(4) 도입 과정

① 2004년 광주광역시 북구에서 우리나라 최초로 도입한 이래 여러 기초단체로 확대되었으며, 2011년에는 제도의 운영이 의무화되었다(「지방재정법」).

② 브라질 알레그레시가 세계 최초로 도입하였다.

❶ 예산감시 운동

1. **황금양털상**: 미국 프록시 마이어 상원의원이 제정한 것으로, 낭비가 가장 심한 정부기관과 사업에 상을 수여한다.
2. **밑빠진 독상**: '한국의 함께 하는 시민행동'이라는 단체가 낭비사례 기관에 수여하는 상이다.
3. **꿀꿀이 상**: 미국의 예산감시 단체가 낭비사례에 수여하는 상이다.
4. **적자시계**: 독일 납세자 연맹 건물 입구에 독일 연방의 부채 규모를 실시간으로 보여주는 기계이다.

❷ 재정사업의 성과평가

「국가재정법 시행령」 제39조의3【재정사업의 성과평가 등】 ① 기획재정부장관은 법 제85조의8 제1항에 따라 각 중앙관서의 장과 기금관리주체에게 기획재정부장관이 정하는 바에 따라 주요 재정사업을 스스로 평가(이하 "재정사업 자율평가"라 한다)하도록 요구할 수 있으며, 다음 각 호의 어느 하나에 해당하는 사업에 대해서는 심층평가를 실시할 수 있다. 다만, 「과학기술기본법」 제11조에 따른 국가연구개발사업에 대한 평가는 「국가연구개발사업 등의 성과평가 및 성과관리에 관한 법률」에 따른 성과평가로 재정사업자율평가 또는 심층평가를 대체할 수 있다.

1. 재정사업자율평가 결과 추가적인 평가가 필요하다고 판단되는 사업
2. 부처 간 유사·중복 사업이나 비효율적인 사업추진으로 예산낭비의 소지가 있는 사업
3. 향후 지속적 재정지출 급증이 예상되어 객관적 검증을 통해 지출효율화가 필요한 사업
4. 그 밖에 심층적인 분석·평가를 통해 사업추진 성과를 점검할 필요가 있는 사업

7. 국민참여예산제도

국민참여예산제도의 법적 근거는 다음과 같다.

(1) 「국가재정법」 제16조 제4호 - 투명성과 국민참여의 원칙

정부는 예산과정의 투명성과 예산과정에의 국민참여를 제고하기 위하여 노력하여야 한다.

(2) 「국가재정법 시행령」 제7조의2

① 정부는 법 제16조 제4호에 따라 예산과정의 투명성과 국민참여를 제고하기 위하여 필요한 시책을 시행하여야 한다. ⇨ 즉, 법적의무이다.

② 정부는 예산과정에의 국민참여를 통하여 수렴된 의견을 검토하여야 하며, 그 결과를 예산편성 시 반영할 수 있다.

③ 정부는 제2항에 따른 의견수렴을 촉진하기 위하여 국민으로 구성된 참여단을 운영할 수 있다.

④ 제1항에 따른 시책의 마련을 위하여 필요한 구체적인 사항은 기획재정부장관이 정한다.

8. 재정준칙

(1) 재정준칙은 재정수입, 재정지출, 재정수지, 국가채무 등 총량적 재정지표에 대한 구체적이고 법적 구속력이 있는 재정운용 목표로, 재정규율을 확보하기 위해 도입 운영 중인 재정정책 수단이다.

(2) 심각한 재정위기 상황이 우려될 경우 재정건전성을 관리하기 위해 재정준칙을 법제화할 수 있다.

(3) 재정지출, 재정수지, 국가채무와 같은 재정총량지표에 대해 목표치를 정하고 법적 구속력을 갖게 해서 정부의 재정지출을 통제할 수 있다.

(4) 경제성장률과 연동시켜 일정 비율 이상 재정 규모를 확대하지 못하도록 하는 것이 대표적 사례이다.

(5) 재정준칙을 도입하면 재정 규모의 결정이 단순해지기 때문에 재정규율을 확립하는데 용이하다. 또한 이익집단이나 정치적 압력으로부터 재정 확대 압력을 방어하는 수단이 된다.

(6) 다만 법적으로 강제화되지 않으면 실제 효과를 거두기 힘들다. 재정준칙은 전 세계 92개 국가에서 운용 중이나 선진국 중 우리나라와 터키만 도입 경험이 없다. 이에 정부는 2025년부터 시행을 목표로 국가재정법 개정을 추진 중이며 도입할 준칙은 채무준칙과 수지준칙이다.

(7) 재정준칙(권오성 교수) 장단점

재정준칙	장점	단점
재정수지 준칙	· 명확한 운용지침 · 부채건전성과 직접 연관 · 감독 및 커뮤니케이션 용이	· 경기안정화 기능 미비(경기순행적) · 기초재정수지는 통제불능요인에 의한 채무심화 우려
지출준칙	· 명확한 운용지침 · 정부규모 조정 용이 · 감독 및 커뮤니케이션 용이	· 세입제약이 없어 부채건전성과 직접 적 연관 없음 · 지출한도를 맞추려다 지출배분에 불필요한 변화가 발생 가능
채무준칙	· 부채건전성과 직접연관 · 감독 및 커뮤니케이션 용이	· 경기안정화 기능 미비(경기순행적) · 단기에 대한 명확한 운영지침 없음 · 한시적 조치가 될 수 있음 · 통제불능요인에 의한 채무심화 우려
수입(세입) 준칙	· 정부규모 조정 용이 · 세입정책 향상	· 경기순행적 · 지출제약이 없어 부채건전성과 연관 없음

9. 의무지출과 재량지출

(1) 의무지출

① "법률에 따라 지출 의무가 발생하고 법령에 따라 지출 규모가 결정되는 법정지출 및 이자지출"을 말한다. 따라서 예산을 편성하는 중앙정부나 예산을 심의 확정하는 국회가 해당 사업의 근거 법률과 법령을 제 개정하지 않는 이상 임의로 늘리거나 줄이기 어려운 측면이 있다.

② 주요 의무지출로는 ㉠ 지방이전재원인 지방교육재정교부금 · 지방교부세, ㉡ 공적연금인 국민연금 · 공무원연금 · 군인연금 · 사학연금의 급여지출, ㉢ 기초연금 · 의료급여 · 생계급여 · 주거급여 · 영유아보육료 · 아동수당 등 공공부조, ㉣ 구직급여 · 산재급여 등 사회보험 등이 있다.

(2) 재량지출

지출 의무와 규모와 국회가 심의 확정하는 예산 및 기금운용계획에 따라 결정되는 지출이다. 하지만 재량지출이라 하더라도 인건비와 같은 경직성 경비와 국방비가 포함되어 있으므로 말처럼 재량적인 지출만은 아니다.

(3) 「국가재정법」 시행령 제2조(국가재정운용계획의 수립 등) 제3항

국가재정법 제7조 제2항 제4호의2에 따른 의무지출의 범위는 다음과 같다.

① 「지방교부세법」에 따른 지방교부세, 「지방교육재정교부금법」에 따른 지방교육재정교부금 등 법률에 따라 지출의무가 정하여지고 법령에 따라 지출규모가 결정되는 지출

② 외국 또는 국제기구와 체결한 국제조약 또는 일반적으로 승인된 국제법규에 따라 발생되는 지출

③ 국채 및 차입금 등에 대한 이자지출

학습 점검 문제

01 예산이론에 대한 설명으로 옳지 않은 것은? 2023년 국가직 9급

① 총체주의는 계획예산(PPBS), 영기준예산(ZBB)과 같은 예산제도 개혁을 설명하기에 적합한 이론이다.

② 점증주의는 거시적 예산결정과 예산삭감을 설명하기에 적합한 이론이다.

③ 총체주의는 합리적 · 분석적 의사결정과 최적의 자원배분을 전제로 한다.

④ 점증주의는 예산을 결정할 때 대안을 모두 고려하지는 못한다는 것을 전제로 한다.

02 서메이어(K. Thumaier)와 윌로비(K. Willoughby)의 예산 운영의 다중합리성모형에 대한 설명으로 가장 옳은 것은?

2019년 서울시 7급(2월 추가)

① 정부예산의 결과론적 접근방법에 근거한다.

② 미시적 수준의 예산상의 의사결정을 설명하고 탐구한다.

③ 정부 예산의 성공을 위해서는 예산과정 각 단계에서 예산활동과 행태를 구분해서는 안 된다고 주장하였다.

④ 예산과정과 정책과정 간의 연계점의 인식틀을 제시하기 위해 킹던(J. W. Kingdon)의 정책결정모형과 그린과 톰슨(Green & Thompson)의 조직과정모형을 통합하고자 하였다.

03 점증주의 예산결정이론의 특성이 아닌 것은? 2016년 지방직 9급

① 현실설명력은 높지만 본질적인 문제해결방식이 아니며 보수적이다.

② 정책과정상의 갈등을 완화하고 해결하는 데 필요한 정치적 합리성을 갖는다.

③ 계획예산제도(PPBS)와 영기준예산제도(ZBB)는 점증주의 접근을 적용한 대표적 사례이다.

④ 자원이 부족한 경우 소수 기득권층의 이해를 먼저 반영하게 되어 사회적 불평등을 야기할 우려가 있다.

04 품목별예산제도(line-item budget system)에 대한 설명으로 옳지 않은 것은? 2023년 지방직 9급

① 미국에서 공무원의 부정부패를 막고 행정의 능률을 향상시키기 위해 도입되었다.

② 정부 활동에 대한 총체적인 사업계획과 우선순위 결정에 유리하다.

③ 예산 집행의 책임성을 확보할 수 있는 통제지향 예산제도이다.

④ 특정 사업의 지출 성과에 대해서는 파악하기 어렵다.

정답 및 해설

01 점증주의는 거시적 예산결정과 예산삭감을 설명하기에 적합하지 못하다. 점증주의는 부분에서 전체로 지향하는 상향적(Buttom-up) 예산과정에 중점을 두는 미시적 예산결정(Micro-budgeting)이다. 아울러 점증주의 예산모형은 전년도를 기준으로 해서 소폭적인 예산의 증감이 있을 뿐이다.

| 오답체크 |

① 총체주의(합리주의)예산제도에는 계획예산(PPBS), 영기준예산(ZBB)있고 점증주의예산제도에는 품목별예산(LIBS), 성과주의예산(PBS)가 있다. 합리주의모형에 의한 예산은 대폭적이며 체계적인 변화의 필요성을 강조한다.

③ 합리주의 예산결정모형은 합리적·분석적 의사결정 단계를 거쳐 비용과 효용의 측면에서 프로그램이나 정책대안을 체계적으로 검토하여 예산을 배분하는 것을 말한다.

④ 점증주의는 대안을 모두 고려하지는 못한다는 것을 전제로 과거의 결정에 연속해서 한정적·제한적 변수를 고려하는 범위 안에서 예산을 결정한다.

02 서메이어(Thumaier)와 윌로비(Willoughby)의 다중합리성모형은 복수의 합리성 기준이 중앙예산실의 예산분석가들에게 어떤 영향을 미치는지를 미시적으로 분석하였다.

| 오답체크 |

① 정부예산이 편성되는 과정을 중심으로 접근하였다.

③ 정부예산의 성공을 위해서는 예산과정 각 단계에서 나타나는 예산활동과 행태를 구분하여야 한다고 주장하였다.

④ 예산과정과 정책과정 간의 연계점의 인식틀을 제시하기 위해 킹던(Kingdon)의 정책결정모형과 루빈(Rubin)의 실시간 예산운영모형(real time budgeting)을 통합하고자 하였다.

03 계획예산제도(PPBS)와 영기준예산제도(ZBB)는 합리주의 접근을 적용한 대표적인 예산제도이다.

| 오답체크 |

① 점증주의는 보수적 성격으로, 쇄신이 강력히 요구되거나 과감한 정책전환이 요구되고 경제·사회발전이 시급한 발전도상국에는 적절하지 않다는 비판을 받는다.

② 타협과 조정이라는 정치적 합리성으로 갈등을 완화시키는 장점이 있다.

④ 자원이 희소할 경우 권력·영향력이 강한 집단이나 강자에게 유리하고 약자에게 불리하다.

04 품목별예산은 투입중심이기 때문에 정부사업의 성격을 알지 못하고, 정부활동에 대한 총체적인 사업계획이나 우선순위 결정이 불리하다.

| 오답체크 |

① 1907년 뉴욕시 보건국 예산에 최초로 도입된 이래, 1910년 태프트(Taft) 위원회(절약과 능률에 관한 대통령 위원회)가 통제본위의 품목별예산제도를 정부에 건의하였다.

③ 품목별예산은 예산책임성을 확보하기 위한 통제지향적 예산제도이다.

④ 품목중심이므로 정부사업의 성격을 알지 못하고, 사업성과와 정부 생산성을 평가하기 어렵다.

정답 01 ② 02 ② 03 ③ 04 ②

05 품목별예산제도에 대한 설명으로 옳은 것은? 2019년 국가직 9급

① 지출을 통제하고 공무원들로 하여금 회계적 책임을 쉽게 확보할 수 있는 데 용이하다.

② 미국 케네디 행정부의 국방장관인 맥나마라(McNamara)가 국방부에 최초로 도입하였다.

③ 거리 청소, 노면 보수 등과 같이 활동 단위를 중심으로 예산재원을 배분한다.

④ 능률적인 관리를 위하여 구성원의 참여를 촉진한다는 점에서는 목표에 의한 관리(MBO)와 비슷하다.

06 우리나라 주민참여예산제도에 대한 설명으로 옳지 않은 것은? 2023년 국회직 8급

① 주민참여예산은 재정민주주의를 강화하는 방안 중 하나이다.

② 「지방재정법」은 예산과정의 주민 참여 범위를 예산편성으로 제한하고 있다.

③ 주민참여예산제도의 구체적인 내용은 각 지방자치단체의 조례로 정하도록 하고 있다.

④ 예산의 심의, 결산의 승인 등 지방의회의 의결사항은 주민참여예산의 관여 범위가 아니다.

⑤ 주민참여예산제도의 운영을 위하여 지방자치단체장의 소속으로 주민참여예산기구를 둘 수 있다.

07 다음 중 성과주의예산(PBS, Performance Budgeting System)의 장점으로 가장 거리가 먼 것은? 2023년 군무원 9급

① 프로그램을 이용하여 장기적인 계획과 연차별예산이 유기적으로 연계된다.

② 사업별 총액배정을 통한 예산집행의 신축성 · 능률성 제고를 들 수 있다.

③ 투입 · 산출 간 비교와 평가가 쉬워 환류가 강화된다.

④ 과학적 계산에 의한 효율적인 자원배분으로 예산편성과 집행의 관리가 쉽다.

08 우리나라의 재정사업 성과관리에 대한 설명으로 옳지 않은 것은? 2023년 국가직 9급

① 재정사업 성과관리의 내용은 성과목표관리와 성과평가로 구성된다.

② 재정사업 성과평가 결과는 지출 구조조정 등의 방법으로 재정운용에 반영될 수 있다.

③ 재정사업 심층평가 결과 기획재정부장관이 필요하다고 판단하면 재정사업 자율평가를 실시할 수 있다.

④ 재정사업 자율평가는 미국 관리예산처(OMB)의 PART(Pro gram Assessment Rating Tool)를 우리나라 실정에 맞게 도입한 제도이다.

정답 및 해설

05 품목별예산제도는 지출의 대상과 성질별로 예산을 편성함으로써 지출을 통제하고 회계적 책임을 확보할 수 있게 하여 재정민주주의를 구현하는 데 용이한 제도이다.

| 오답체크 |

② 계획예산제도(PPBS)에 해당한다.

③ 성과주의예산제도(PBS)에 해당한다.

④ 영기준예산제도(ZBB)에 해당한다.

06 지방자치단체의 장은 대통령령으로 정하는 바에 따라 지방예산 편성 등 예산과정(「지방자치법」 제47조에 따른 지방의회의 의결사항은 제외한다)에 주민이 참여할 수 있는 제도를 마련하여 시행하여야 한다(「지방재정법」 제39조 제1항).

| 오답체크 |

① 주민참여예산은 주민들이 예산편성과정 등에 직접 참여함으로써 재정민주주의를 구현하기 위한 방안이다.

③ 주민참여예산기구의 구성·운영과 그 밖에 필요한 사항은 해당 지방자치단체의 조례로 정한다.

④ 예산의 심의, 결산의 승인 등 지방의회의 의결사항은 주민참여예산의 관여 범위가 아니다.

⑤ 지방예산 편성 등 예산과정의 주민 참여와 관련되는 사항을 심의하기 위하여 지방자치단체의 장 소속으로 주민참여예산위원회 등 주민참여예산기구를 둘 수 있다.

07 프로그램을 이용하여 장기적인 계획과 연차별 예산이 유기적으로 연계하는 예산제도는 계획예산(PPBS)이다.

| 오답체크 |

② 행정부는 사업성과의 달성에 대한 책임만 질 뿐 지출대상에 대한 책임은 지지 않기 때문에 행정부가 신축적으로 예산을 운영할 수 있다.

③ 성과주의예산은 투입과 산출을 비교·평가하여 성과관리가 가능하고 환류 기능을 강화시킨다.

④ 업무단위의 선정과 단위원가의 과학적 계산에 의해 합리적이고 효율적인 자원배분을 도모할 수 있으므로 행정기관의 관리층에게 효과적인 관리수단을 제공할 수 있다.

08 재정사업자율평가결과 기획재정부 장관이 필요하다고 판단하면 재정사업심층평가를 실시할 수 있다.

> **「국가재정법 시행령」 제39조의3【재정사업의 성과평가 등】** ① 기획재정부장관은 법 제85조의8 제1항에 따라 각 중앙관서의 장과 기금관리주체에게 기획재정부장관이 정하는 바에 따라 주요 재정사업을 스스로 평가(이하 "재정사업자율평가"라 한다)하도록 요구할 수 있으며, 다음 각 호의 어느 하나에 해당하는 사업에 대해서는 심층평가를 실시할 수 있다. 다만, 「과학기술기본법」 제11조에 따른 국가연구개발사업에 대한 평가는 「국가연구개발사업 등의 성과평가 및 성과관리에 관한법률」에 따른 성과평가로 재정사업자율평가 또는 심층평가를 대체할 수 있다.
> 1. 재정사업자율평가 결과 추가적인 평가가 필요하다고 판단되는사업
> 2. 부처 간 유사·중복 사업이나 비효율적인 사업추진으로 예산낭비의 소지가 있는 사업
> 3. 향후 지속적 재정지출 급증이 예상되어 객관적 검증을 통해 지출효율화가 필요한 사업
> 4. 그 밖에 심층적인 분석·평가를 통해 사업추진 성과를 점검할필요가 있는 사업

| 오답체크 |

①
> **제85조의2【재정사업의 성과관리】** ① 정부는 성과중심의 재정운용을 위하여 다음 각 호의 성과목표관리 및 성과평가를 내용으로 하는 재정사업의 성과관리(이하 "재정사업 성과관리"라 한다)를 시행한다.

②
> **제85조의10【재정사업 성과관리 결과의 반영 등】** ① 기획재정부장관은 매년 재정사업의 성과목표관리 결과를 종합하여 국무회의에 보고하여야 한다.
> ② 기획재정부장관은 재정사업의 성과평과 결과를 재정운용에 반영할 수 있다.
> ③ 중앙관서의 장은 재정사업 성과관리의 결과를 조직·예산·인사 및 보수체계에 연계·반영할 수 있다.
> ④ 정부는 재정사업 성과관리 결과 등이 우수한 중앙관서 또는 공무원에게 표창·포상 등을 할 수 있다.

④ 재정사업 자율평가제도는 미국의 PART 제도를 원용하여 도입하였습니다. 미국의 PART는 1993년 도입된 성과지표 중심의 정부성과관리법 체제로는 예산과의 연계에 한계가 있어 관리예산처(OMB) 주도로 2002년 도입한 바 있다.

정답 05 ① 06 ② 07 ① 08 ③

09 A 예산제도에서 강조하는 기능은? 2020년 지방직 9급

> A 예산제도는 당시 미국의 국방장관이었던 맥나마라(McNamara)에 의해 국방부에 처음 도입되었고, 국방부의 성공적인 예산개혁에 공감한 존슨(Johnson) 대통령이 1965년에 전 연방정부에 도입하였다.

① 통제
② 관리
③ 기획
④ 감축

10 다음 설명에 해당하는 예산제도는? 2018년 지방직 9급

> • 합리적 선택을 강조하는 총체주의 방식의 예산제도이다.
> • 조직구성원의 참여가 상대적으로 높은 분권화된 관리체계를 갖는다.
> • 예산편성에 비용 · 노력의 과다한 투입을 요구한다는 비판을 받는다.

① 성과주의예산제도
② 계획예산제도
③ 영기준예산제도
④ 품목별예산제도

11 영기준예산(ZBB)에 대한 설명으로 옳지 않은 것은? 2024년 국가직 9급

① 기존 사업과 새로운 사업을 구분하지 않고 사업의 목적, 방법, 자원에 대한 근본적인 재평가를 바탕으로 예산을 편성하는 제도이다.
② 우리나라는 정부예산에 영기준예산제도를 적용한 경험이 있다.
③ 예산편성의 기본 단위는 의사결정 단위(decision unit)이며 조직 또는 사업 등을 지칭한다.
④ 집권화된 관리체계를 갖기 때문에 예산편성과정에 소수의 조직 구성원만이 참여하게 된다.

12 영기준예산제도(Zero-Base Budgeting)에 대한 설명으로 가장 옳지 않은 것은? 2019년 서울시 7급(10월 추가)

① 자원의 효율적인 배분 및 예산절감의 효과를 얻을 수 있다.
② 예산과정에서 상향적 의사결정이 이루어지므로 실무자의 참여가 확대된다.
③ 예산과정에서 정치적 고려 및 관리자의 가치관이 반영될 가능성이 높다.
④ 현 시점 위주로 분석하므로 장기적인 목표가 경시될 수 있다.

13 중앙정부의 지출 성격상 의무지출에 해당하는 것만을 모두 고르면? 2022년 국가직 7급

ㄱ. 지방교부세
ㄴ. 유엔 평화유지활동(PKO) 예산 분담금
ㄷ. 정부부처 운영비
ㄹ. 지방교육재정교부금
ㅁ. 국채에 대한 이자지출

① ㄱ, ㄴ, ㅁ
② ㄴ, ㄷ, ㄹ
③ ㄱ, ㄴ, ㄹ, ㅁ
④ ㄱ, ㄷ, ㄹ, ㅁ

정답 및 해설

09 제시문은 기획과 예산을 연계시키는 계획예산(PPBS)에 해당하는 설명이다. 1961년 맥나마라(McNamara) 국방장관은 국방성에 계획예산제도를 도입하였으며, 1965년 존슨(Johnson) 대통령에 의해 연방정부 기관에 계획예산이 도입되었으나, 1971년에 공식적으로 중단되었다.

| 오답체크 |
① 통제기능은 전통적인 품목별예산제도이다.
② 관리기능은 성과주의예산이다.
④ 감축기능은 영기준예산이다.

10 영기준예산제도(ZBB: Zero-Base Budgeting)는 계속사업과 신규사업 모두를 원점에서부터 재검토하는 합리주의(총체주의) 예산방식이다. 계획예산제도(PPBS)가 집권·하향적이라면, 영기준예산제도는 분권·상향적 예산제도이다. 모든 사업을 검토하기 때문에 분석·평가·서류작업 등에 투입하는 시간과 노력의 부담이 과중하다.

11 영기준예산은 예산편성과정에 중하급관리자들이 참여하기 때문에 분권화된 예산관리체계이다.

| 오답체크 |
① 영기준예산은 기존사업과 신규사업 모두를 zero-base(원점)에서부터 재평가하는 예산제도이다.
② 우리나라는 1980년대 국방비 등에 영기준예산제도를 적용한 경험이 있다.
③ 영기준예산에서의 예산편성 기본단위는 의사결정단위로 조직단위 또는 사업단위를 말한다.

12 영기준예산제도(ZBB: Zero-Base Budgeting)는 합리주의예산으로, 예산과정에서 정치적 고려 및 관리자의 가치관 등 정치적·심리적 요인이 무시될 수 있다.

| 오답체크 |
① 우선순위가 낮은 사업의 폐지를 통해서 조세 부담의 증가를 방지하고, 예산절감을 통한 자원난 극복에 기여하며, 조직의 모든 사업과 활동을 새롭게 평가하고 분석하는 과정을 통하여 효율성이 높은 사업활동을 계속하거나 새로이 추가하며, 그에 대한 합리적 자원배분이 이루어지도록 한다.
② 상향적인 의사결정을 택함으로써 모든 수준의 관리자들이 참여하고, 그렇게 함으로써 관리자들이 자기 업무를 개선하여 경제성을 추구하도록 동기를 부여한다.
④ 영기준예산은 미래를 고려하는 장기적 시계가 아니라 현 시점 위주의 분석이므로 장기적인 목표가 경시되는 경향이 있다.

13 ㄱ. 지방교부세, ㄴ. 유엔 평화유지활동(PKO) 예산 분담금, ㄹ. 지방교육재정교부금, ㅁ. 국채에 대한 이자지출은 의무적으로 지출해야 하는 의무지출 항목이다.

| 오답체크 |
ㄷ. 정부부처 운영비는 재량지출에 해당한다. 공무원인건비와 국방비는 재량지출중 경직성이 매우 큰 재량지출에 해당한다.

「국가재정법 시행령」 제2조 【국가재정운용계획의 수립 등】 ③ 「국가재정법」 제7조 제2항 제4호의2에 따른 의무지출의 범위는 다음 각 호와 같다.
1. 「지방교부세법」에 따른 지방교부세, 「지방교육재정교부금법」에 따른 지방교육재정교부금 등 법률에 따라 지출의무가 정하여지고 법령에 따라 지출규모가 결정되는 지출
2. 외국 또는 국제기구와 체결한 국제조약 또는 일반적으로 승인된 국제법규에 따라 발생되는 지출
3. 국채 및 차입금 등에 대한 이자지출

참고 우리나라는 2013년 예산안부터 재정지출 사업을 의무지출과 재량지출로 구분하여 국가재정 운용계획에 포함하여 국회에 제출하고 있다. 의무지출은 법령에 따라 지출의무와 지출규모가 명시되는 법정지출과 이자지출로 구분되며, 재량지출은 재정지출에서 의무지출을 제외한 지출을 말한다.

정답 09 ③ 10 ③ 11 ④ 12 ③ 13 ③

14 **다음 중 자본예산제도의 특징으로 가장 옳지 않은 것은?** 2016년 서울시 7급

① 재정안정화 효과 증진
② 중장기 예산운용 가능
③ 부채의 정당화
④ 예산의 적자재정 편성

15 **1990년대에 새롭게 주목받게 된 성과관리예산제도에 대한 설명으로 옳지 않은 것은?** 2015년 국가직 7급

① 투입보다는 산출 또는 성과를 중심으로 삼고 있다.
② 거리청소사업으로 예를 들면, 거리의 청결도와 주민의 만족도 등을 다음연도 예산배분에 반영하는 것이다.
③ 장기적인 기획과 단기적인 예산편성을 유기적으로 연결하여 합리적인 자원배분을 이루려는 제도다.
④ 모든 조직에 공통적으로 적용할 수 있는 표준적 성과측정 지표를 개발하기 어렵다는 점은 성과관리예산제도의 단점으로 지적된다.

16 **우리나라의 재정건전성 관련 제도에 대한 설명으로 가장 옳은 것은?** 2017년 서울시 9급

① 총사업비관리제도는 예비타당성조사제도와 같은 시기에 도입되었다.
② 예비타당성조사는 총사업비 500억 원 이상이면서 국자재정 지원이 300억 원 이상인 신규 사업 중에서 일정한 절차를 거쳐 실시한다.
③ 토목사업은 400억 원 이상일 경우 총사업비관리 대상이다.
④ 재정사업자율평가제도는 2004년부터 실시되었다.

17 예비타당성조사의 분석 내용을 경제성 분석과 정책적 분석으로 구분할 때, 경제성 분석에 해당하는 것은?

2015년 국가직 9급

① 상위계획과의 연관성
② 지역경제에의 파급효과
③ 사업추진 의지
④ 민감도분석

정답 및 해설

14 자본예산제도는 불황 시 실업을 극복하기 위해 정부가 지출을 확대하는 것이므로, 경기를 과열시킴에 따라 경제안정을 해치고 인플레이션을 유발할 수 있다.

| 오답체크 |

② 자본예산 균형의 개념은 주기적인 경기변동에 의한 장기적인 안목에서 이해되어야 한다는 주기적 균형의 원칙에 입각한 것이므로, 중장기 예산운용이 가능하다.

③, ④ 공채 발행으로 부채를 진다해도 부채인 차입금이 자산취득을 위한 투자로 지출된다면 결과적으로 재정 건전성 요구에 배치되는 것은 아니다.

15 장기적인 기획과 단기적인 예산편성을 유기적으로 연결하여 합리적인 자원배분을 이루려고 하는 것은 신성과주의가 아니라 PPBS(계획예산제도)의 특징에 해당한다.

| 오답체크 |

① 효과성을 상대적으로 중시하므로 옳은 지문이다.

② 고객만족 등 최종적인 성과까지 중시하여 다음 연도에 환류시킨다.

④ 모든 조직에 공통적으로 적용할 수 있는 표준적 성과측정 지표를 개발하기 어려운 것은 성과관리의 한계이다.

16 예비타당성조사는 총사업비 500억 원 이상이면서 국가재정 지원이 300억 원 이상인 신규 사업이 그 대상이다(「국가재정법」 제38조).

| 오답체크 |

① 총사업비관리제도는 1994년 처음 도입되었고, 예비타당성조사제도는 1999년부터 대형투자사업에 대해 도입·시행되고 있다.

③ 토목사업은 500억 원 이상, 건축사업은 200억 원 이상인 경우에 총사업비관리 대상이 된다.

④ 재정사업자율평가제도는 원칙적으로 예산·기금이 투입되는 모든 재정사업을 평가대상으로 하는 제도로, 2005년부터 실시되었다.

17 예비타당성조사는 경제성 분석과 정책적 분석이 있는데, 경제성 분석은 비용·편익분석과 민감도분석 등을 한다.

예비타당성조사의 경제성·정책적 분석 비교

경제성 분석	정책적 분석
· 본격적인 타당성조사 필요성 여부를 판단하기 위한 개략적인 수준에서 조사 · 수요 및 편익 추정 · 비용 추정 · 경제·재무성 평가 · 민감도분석	· 경제성 분석 이외에 국민경제적·정책적 차원에서 고려되어야 할 사항들을 분석 · 지역경제 파급 효과 · 지역균형개발 · 상위계획과 연관성 · 국고지원의 적합성 · 재원조달 가능성 · 환경성, 추진 의지 등

정답 14 ① 15 ③ 16 ② 17 ④

10초만에 파악하는 5개년 기출 경향

최근 5개년(2024~2020) 출제율

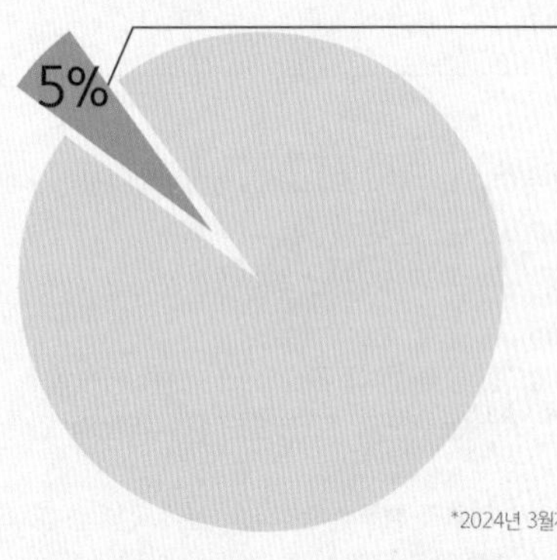

PART 6은 평균 5% 출제되었으며,
모든 공무원 시험에서 약 1~2문제 출제됩니다.

*2024년 3월까지 시행된 국가직/지방직 9·7급 공무원 행정학 시험 기준

CHAPTER별 출제율

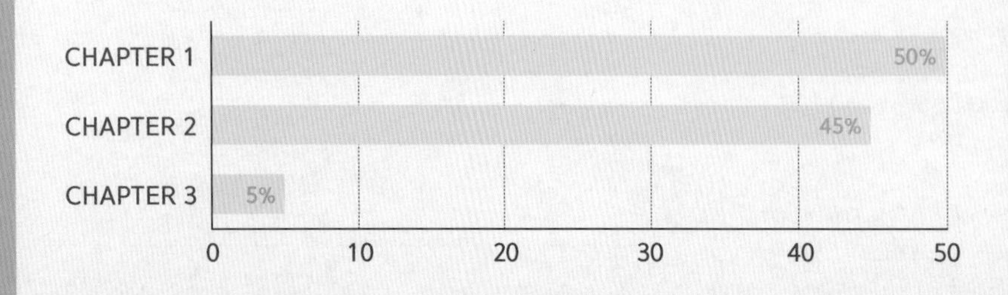

PART 6

지식정보화 사회와 환류론

CHAPTER 1

지식정보화 사회

❶ 사회의 변천과정

농업사회
↓
공업사회
↓
지식정보사회

1 지식정보화 사회의 의의❶

1 의의 및 특징

1. 지식정보사회의 의미

농업사회와 공업사회에 이어 대두되고 있는 지식정보사회란 '지식과 정보가 물질이나 에너지 못지않게 중요한 자원으로 활용되는 사회'이다.

2. 정보사회화의 동인

정보화를 촉발시키고 발전시키는 동인은 일반적으로 정보기술의 발달로 대표되는 원인적 측면(seed)과 사회의 가치관 변화에 따라 나타나는 필요적 측면(need)의 두 가지로 지적된다.

(1) 원인적 측면 - 정보기술의 발달

컴퓨터와 커뮤니케이션 기술로 대표되는 정보기술의 발달이 일차적으로 정보화를 촉발시킨 요인이라 할 수 있다.

(2) 필요적 측면 - 사회수요적 요인

급속한 경제발전에 의해 사람들의 가치관이 점차 개성화 · 다양화 · 민주화 · 합리화 · 인간화 · 국제화되고, 이러한 사회변화에 대응할 수 있는 수단으로 정보기술이 인식됨에 따라 정보화가 가속화되고 있다.

3. 정보사회의 특징

(1) 정보기술의 발달

컴퓨터와 커뮤니케이션 기술로 대표되는 정보기술(IT: Information Technology)이 고도로 발달하여 변화의 기반이 된다.

(2) 높은 부가가치 창출

정보가 중요한 자원으로 인식되고, 높은 부가가치를 창출시킨다.

(3) 권력의 원천으로서 지식과 정보

사회의 권력이 지식과 정보를 장악한 사람이나 집단으로 이동하게 된다(power shift).

(4) 정보활동 중시

정보기술을 기반으로, 정보의 창출 → 축적 → 공유 → 활용 · 학습이라는 정보활동이 중시된다.

(5) 정보의 폭증

(6) **노동의 의미와 성격의 변화**

노동이 보다 창조적으로 변화한다는 긍정적 견해와 예속적이고 소외적으로 변화하리라는 부정적 견해가 대립한다.

(7) **경제의 소프트화**

다품종 소량생산, 상품의 연성화, 탄력적 서비스화가 촉진된다.

(8) **연결의 경제 창출**

시간적 · 공간적 한계를 극복하게 하는 글로벌 네트워크의 등장으로, 고객과 직접 연결된 B2C(Business to Customer), 협력업체 등과 직접 연결된 B2B(Business to Business)와 같은 연결의 경제가 창출된다.

(9) **사회의 조직원리 변화**

다양화 · 분권화로 조직원리가 변화된다.

(10) **과학 · 문화적 측면의 변화**

무인화, 즉시화, 시스템화, 통합화가 이루어진다.

2 정보사회에 대한 명암

1. 낙관론 – 정보사회의 유토피아

낙관론은 컴퓨터 이용이 인간을 단순 · 반복적이며 육체노동적인 업무에서 해방시키고, 인간의 노동생산성을 향상시켜 궁극적으로 인간의 복지를 향상시키는 데 기여할 것이라고 보는 주장이다.

2. 비관론 – 정보사회의 디스토피아

(1) **사회**

코드화 · 고립화된 인간, 문화의 향락화, 정보과잉, 정보격차(digital divide), 컴퓨터 범죄나 바이러스 등으로 안정성이 취약해진다.

(2) **정치**

프라이버시 침해, 보이지 않는 손에 의한 통제와 감시, 정보권력 강화가 나타난다.

(3) **경제**

대량실업(노동의 종말), 경쟁의 치열화가 발생한다.

(4) **국제**

국제적 정보격차가 심화되고, 정보문화 제국주의가 등장한다.

3. 중립론

중립론은 컴퓨터 이용이 인간생활에 플러스 방향으로 작용할 것인가 아니면 마이너스 방향으로 작용할 것인가는 그 사회가 가지고 있는 문화적 속성이나 정치적 속성에 의하여 결정되는 것이며, 컴퓨터 이용이 독립변수가 될 수 없다고 보는 입장이다.

3 정보의 의미

1. 자료(data)

사물이나 사실을 기호(문자 · 소리 · 이미지 · 화상 등)로 표시한 것으로, 이러한 자료는 가공되기 전까지는 그 자체로써 사용자에게 특정한 의미를 주지 못한다.

2. 정보(information)

자료가 사용자에게 의미 있는 형태로 가공된 결과이다.

3. 지식(knowledge)

정보가 의사결정이나 문제해결에 활용될 수 있을 정도로 사용자에게 축적 · 체계화된 것이다.

개념PLUS 지식정보화 사회의 다양한 용어

용어	설명
전자자료교환(EDI: Electronic Data Interchange)	서로 다른 조직 간에 정형화된 표준양식을 이용하여 컴퓨터에서 컴퓨터로 자료를 전송하는 행정상 거래 또는 정보교환방법으로, 전자결재를 가능하게 함
고객관계관리(CRM: Customer Relationship Management)	고객정보를 바탕으로 업무 프로세스 · 조직 · 인력을 정비하고 운용하는 전략
스마트카드(smart card)	전자주민카드
키오스크(KIOSK)	무인행정 서비스 체제
데이터마이닝(data mining)	· 각 데이터 간의 상관관계를 인공지능 기법으로 자동적으로 알려주는 기법으로, 과거에는 알지 못했지만 축적된 데이터 속에서 유도된 새로운 데이터 모델을 발견하여 새로운 전략적 정보를 추출해내는 정보 추출 및 지식 발견 기법 · 데이터마이닝은 형식지에 해당
인트라넷(intranet)	오늘날 기업 내에서 인사관리 등에 가장 많이 사용하는 정보 공유 수단
엑스트라넷(extranet)	인트라넷의 정보를 외부인에게 부분적으로 개방한 정보망
그룹웨어(groupware)	인트라넷과 더불어 기업 내에서 지식을 공유하고 전파하는 데 사용되는 정보기술시스템

2 행정정보체계와 행정정보화

1 행정정보체계

1. 의의

행정정보체계란 '공공조직의 업무수행, 관리, 정책 기능을 효율적으로 지원하기 위해 설계 · 구축된 물리적 요소와 제반 절차의 집합으로, 종합적인 인간 - 기계통합시스템'이라 할 수 있다. 즉, 행정정보체계란 공공부문에 적용된 관리정보체계(MIS)라 할 수 있다.

2. 구조[1]

행정정보체계는 조직의 계층에 따라 필요한 정보를 제공하기 위하여 전산자료처리시스템(EDPS: Electronic Data Processing System), 관리정보시스템(MIS: Management Information System), 의사결정지원시스템(DSS: Decision Support System), 중역정보시스템(EIS: Executive Information System), 전문가시스템(ES: Expert System) 등으로 하나의 계층제적 구조를 이룬다.

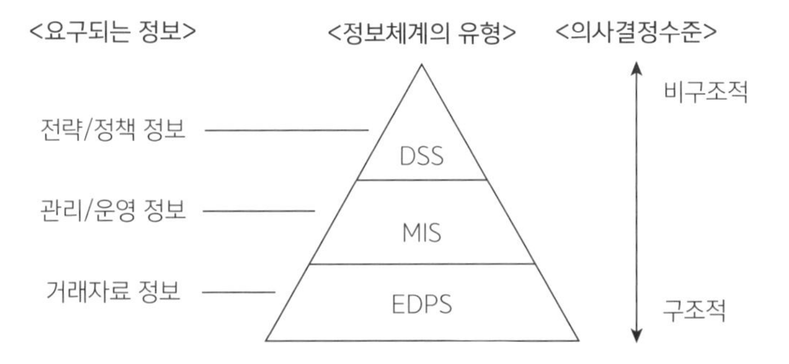

[1] ES와 DSS 비교

ES (Expert System)	· 인공지능의 한 응용 분야 · 특정 전문분야에 대한 전문가의 지식과 경험을 체계화하여 컴퓨터에 미리 기억시켜 둠으로써 의사결정자가 전문가를 만나지 않고도 이를 활용하는 휴리스틱한 컴퓨터 장치
DSS (Decision Supporting System)	· 컴퓨터와의 대화식 시스템 · 비구조적인 상위 관리층의 비정형적이고 전략적인 문제의 해결과 의사결정을 하는 데 필요한 정보 제공

2 행정정보화의 의미와 지향점 – 전자정부

1. 의의

(1) 행정정보화란 정보시스템을 이용하여 행정업무를 수행하는 것으로, 기존의 업무를 단순히 자동화시키는 '행정전산화'보다 훨씬 포괄적인 개념이다.

(2) 정보기술 기반의 구축(행정전산화: 기술적 의미의 정보화)을 토대로, ① 행정기관 내부적으로는 행정의 효율화와 간소화를 추진하면서 동시에 ② 대외적으로는 다양화 · 고도화되는 국민의 행정서비스 욕구를 충족시켜 줄 수 있는 행정을 가능하게 하는 것(행정정보화의 궁극적 목적: 정보기술의 활용에 의한 행정이념의 구현)을 의미한다.

2. 목표

행정정보화의 궁극적 목표는 전자정부의 구현이라 할 수 있다.

3 행정정보화의 영향

1. 조직구조의 형태에 미치는 영향 - 레비트(Leavitt)와 휘슬러(Whisler)의 모형

정보화에 따라 관리자의 의사결정이 많이 자동화되는데, 특히 중간관리자층의 의사결정은 주로 구조적·반복적·일상적 성격이 농후하다는 전제에서 그들의 의사결정이 점차적으로 컴퓨터에 의해 자동처리될 것으로 보고 있다. 이에 따라 중간관리자층이 조직 내에서 차지하는 비중이 상대적으로 줄기 때문에 조직구조가 전통적인 피라미드 형태에서 '종(bell) 위에 럭비공을 올려놓은 것과 같은 형태'로 변화할 것으로 예측하고 있다.

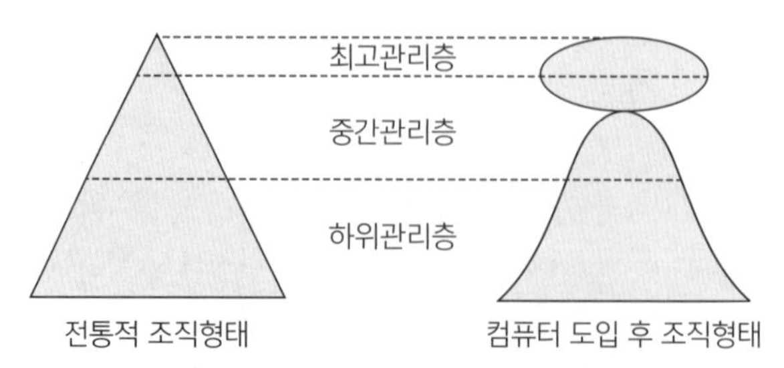

▲ 레비트 - 휘슬러(Leavitt & Whisler) 모형

2. 권력구조의 변화 - 집권화 또는 분권화에 미치는 영향

(1) 집권화를 촉진시킨다는 입장

정보통신 기술이 구성원에 대한 통제를 강화하여 엄격한 계층제를 강화하는 방향으로 활용될 수 있다는 주장이다.

(2) 분권화를 촉진시킨다는 입장

정보통신 기술이 조직 내에서 풍부한 정보를 보편적이고 신속히 소통시킴으로써, ① 조직 내 중간관리자와 지원인력을 상당 부문 감축할 수 있으므로 조직의 소규모화와 저층 구조를 가져오며, ② 기존에 고위관리층에서 독점했던 정보가 조직 전반으로 확산·공유될 수 있어서 의사결정의 분권화를 가져올 것이라는 주장이다.

(3) 중립적 입장

정보통신 기술 그 자체의 도입만으로는 집권화나 분권화의 효과를 가져오지 못하며, 해당 조직의 역사와 문화·관리자의 철학·업무의 성격과 같은 조직 상황적 요인에 의해 그 결과가 나타난다고 보는 주장이다.

3. 정보화에 의한 새로운 조직형태의 유형

(1) 후기기업가조직

① 신속한 행동, 창의적 탐색, 더 많은 신축성, 직원과 고객과의 밀접한 관계 등을 강조하는 조직이다.

② 경직구조와 절차에 얽매이지 않는 유연성과 신속성을 확보할 수 있는 조직이다.

(2) 삼엽조직

① 세 가지 형태의 근로자 집단을 나타내기 위하여 붙여진 이름으로, 미래조직은 핵심적인 소규모 전문직 근로자들·계약직 근로자들·신축적인 근로자들이 그것이다.

② 소규모(계층수가 적은 날씬한 조직)로 구성되었지만, 산출의 극대화가 가능하도록 설계된 조직이다.

(3) 혼돈정부

① 자연과학에서 비롯된 카오스이론 · 비선형동학 · 복잡성이론 등을 조직에 적용한 조직형태이다.

② 정부조직의 혼돈에 숨어있는 질서를 발견하고 조직 간 활동의 조정과 개혁을 도모할 수 있다.

(4) 공동정부

정부는 기획 · 조정 등의 핵심 업무를 직접 담당하고, 정부가 생산하는 서비스의 생산 및 공급 업무는 제3자에게 위임 또는 위탁하게 되면, 정부의 기능이 현저히 줄어들게 되어 정부의 업무가 축소된 형태이다.

4. 행정서비스에 미칠 영향

(1) 업무 처리의 생산성, 신속성, 정확성이 향상된다.

(2) 전자적 정보공개로 정책 과정의 투명성이 제고된다.

(3) 행정서식이 간소화 · 표준화된다.

(4) 고객의 기호에 맞춘 서비스가 다양화된다.

(5) 원스톱 서비스(one-stop service)에 의한 창구 서비스가 종합화 및 일원화된다.

(6) 논스톱 서비스(non-stop service)에 의한 중단없는 서비스가 가능하다.

3 전자정부론

1 전자정부의 개념[1]

(1) 전자정부(electronic government)란 정보사회형 정부 개념으로, 미국의 클린턴(Clinton) 행정부가 정보기술을 활용한 정부혁신 전략으로 추진하면서 등장한 개념이다.

(2) 전자정부는 정보인프라와 정보기술을 활용하여 행정활동의 모든 과정을 혁신(BPR: Business Process Reengineering)하여, ① 행정업무의 효율화와 정책결정의 합리화를 통해 효율적으로 행정서비스를 생산하고(효율적 정부), ② 정부와 시민이 IT기반에 연결되어 언제 · 어디서나 필요한 행정서비스를 제공하는 고객지향적이며, 투명하게 열린 정부를 의미한다.

[1] 전자정부의 도해

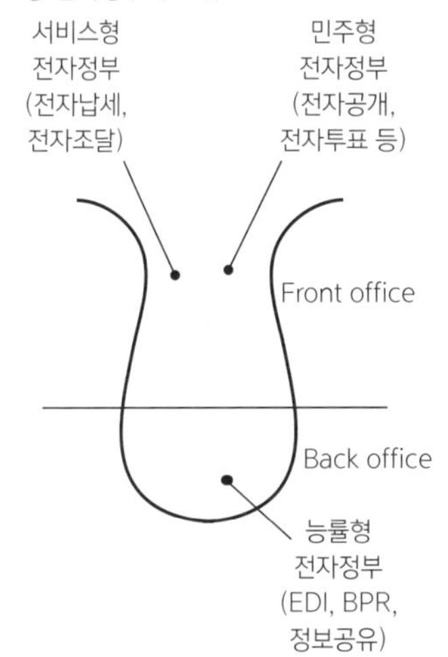

핵심 OX

01 행정정보화는 조직의 중간관리층의 확대를 가져온다. (O, X)

02 행정정보화는 창구서비스의 다양화 · 분산화를 가져온다. (O, X)

01 X 조직의 중간 관리층의 축소를 가져온다.
02 X 원스톱 서비스를 위해 창구 서비스는 종합화 · 일원화된다.

2 전자정부의 유형[1,2]

1. 능률형 전자정부

(1) 정부 자체의 혁신과 정보기술의 활용으로 정부부문의 효율성을 제고하는 것이 목적인 전자정부를 말한다.

(2) 통제 위주로 이용될 가능성이 높으며, 국민과의 쌍방향적인 의사소통이 이루어지지 못한다.

(3) EDI, BPR, 정보공유 등이 중요하다.

2. 서비스형 전자정부

(1) 효율성 제고를 넘어 정보부문의 향상된 정보능력을 민간과 공유하는 가운데 행정정보가 국민의 생활에 얼마나 기여할 수 있는가에 목적이 있다.

(2) 매체의 국민접근 가능성을 제고하고 정보의 통합성을 추구하는 것이 중요하다.

(3) 고객지향 전자정부, 대국민 접근가능성 제고, 정보의 공유통합성 및 전문성 추구를 중시한다.

(4) 전자납세, 전자조달 등 서비스의 혁신이 해당된다.

3. 민주형 전자정부

(1) 국민의 정부에 대한 높은 신뢰에 의해서 발전 가능하며, 이러한 신뢰구축을 위해 정책결정 과정에 국민이 직접 참여하도록 행정부문의 정부 공간의 확대를 중요하게 생각한다.

(2) 열린정부와 프라이버시 보호 등이 중요하다.

(3) 정보의 전자적 공개, 전자투표, 전자거버넌스 등을 통해 이루어진다.

3 전자정부 운영의 원칙[3,4]

1. 대민서비스의 전자화 및 국민편익의 증진

대민서비스를 전자화하여 민원인의 업무처리 과정에 시간과 노력이 최소화되도록 한다.

2. 행정업무의 혁신 및 효율성의 향상

업무처리 과정을 전자적 처리에 적합하도록 혁신하여 생산성을 향상시킨다.

3. 정보시스템의 안정성과 신뢰성 확보

보안시스템을 철저히 하여 정보시스템의 안전성과 신뢰성을 확보한다.

4. 개인정보 및 사생활의 보호

개인정보는 법령에서 정한 경우를 제외하고는 당사자의 의사에 반하여 사용되어서는 아니되며 개인의 사생활을 보장해야 한다.

---

❶ 대민전자정부(G2C 또는 G2B) 사례
1. 우리나라의 전자정부 사례로는 G2C (Government to Customer)나 G2B(Government to Business)가 있다.
2. 정부가 국민이나 기업을 상대로 전자상거래 내지는 전자적 소통을 하는 것이다.
   - G2C: 정부 24 · 국민신문고
   - G2B: 전자조달 나라장터 · 전자통관 시스템

❷ 온-나라 시스템
1. 정부 내부의 업무처리 전산화 시스템으로 G2G에 해당한다.
2. 행정업무의 효율성을 제고하고 비용 절감을 위해 정부가 수행하는 모든 업무를 체계적으로 분류하고, 온라인상에서 실시간으로 업무를 처리하는 전산시스템이다.
3. 행정안전부가 전자정부의 일환으로 구축하여 주관하고 있으며, 핵심은 정부 내부의 과제관리와 문서관리에 있다.

❸ 「지능정보화 기본법」
과학기술정보통신부장관이 지능정보사회 종합계획을 3년 단위로 수집하여야 한다.

❹ 「전자정부법」 및 동법 시행령
1. **「전자정부법」 제5조 【전자정부기본계획의 수립】** ① 중앙사무관장기관의 장은 5년마다 전자정부기본계획을 수립한다.
2. **「전자정부법 시행령」 제53조 【기본계획의 내용 등】** ① 행정안전부장관은 정보기술아키텍처를 체계적으로 도입하고 확산시키기 위한 기본계획을 3년 단위로 수립하여야 한다.

5. 행정정보의 공개 및 공동이용의 확대

행정정보는 인터넷을 통하여 적극 공개하고, 행정기관은 행정정보를 다른 기관과 공동으로 이용한다.

6. 중복 투자의 방지 및 상호 운용성 증진

부처 간 소프트웨어 중복 개발을 방지하고 비용 절감을 위해 상호 운용한다.

7. 정보기술아키텍처*를 기반으로 하는 전자정부 구현과 운영

(1) 행정기관 등은 전자정부의 구현과 운영 및 발전을 추진할 때 정보기술아키텍처를 기반으로 하여야 한다.

(2) 정보기술아키텍처는 일정한 기준과 절차에 따라 업무 · 응용 · 데이터 · 기술 보안 등 조직 전체의 정보화 구성요소들을 통합적으로 분석한 뒤, 이들 간의 관계를 구조적으로 정리한 체계 및 이를 바탕으로 정보시스템을 효율적으로 구성하기 위한 방법이다.

용어

정보기술아키텍처*: 「전자정부법」에 명시되어 있으며, 정보자원 간의 관계를 연결 · 정리한 설계도

8. 행정기관 확인의 원칙

행정기관이 전자적으로 확인할 수 있는 사항은 민원인에게 제출하도록 요구하여서는 아니 된다.

4 전자정부의 비전

정부혁신이라는 관점에서 전자정부의 비전은 다음 4가지 측면으로 요약된다.

1. 종이 없는 사무실(paperless & buildingless government)

문서와 빌딩을 없애 비용을 절감하고, 생산성이 제고되는 효율적 정부이다.

(1) 문서의 전자화

전자문서관리시스템(EDMS)을 구축한다.

(2) 각종 업무처리에 정보기술의 도입

전자결재, 행정DB 구축과 행정정보 공동활용, 화상회의 등이 있다.

(3) 정보기술을 이용한 행정업무 재설계(BPR)

전통적인 종이문서 중심의 행정업무처리 과정을 혁신적으로 개선한다.

2. 민원편의가 극대화되는 정부(one · non · any stop service government)

정보기술을 통한 정부 내 업무 프로세스의 개선으로, 고객지향적이고 고객 감동의 행정서비스가 이루어지는 정부이다.

3. 투명한 열린 정부(transparent, open government)

전자적으로 저장된 문서들의 네트워크를 통한 공개로 투명한 정부행정을 실현하고, 전자감사가 이루어져 부정부패를 추방하는 정부이다.

핵심 OX

01 과학기술정보통신부장관은 정보기술아키텍처를 체계적으로 도입하고 확산시키기 위한 기본계획을 수립하여야 한다. (O, X)

02 행정기관이 전자적으로 확인할 수 있는 사항은 행정기관이 확인하여야 한다. (O, X)

01 X 행정안전부장관이 수립하여야 한다.
02 O

4. 지식정부(knowledge government)

정부 내에 산재해 있는 지식 · 정보가 부처 간 장벽이 없는 네트워크를 통해 전파되고 공유됨으로써, 학습이 일어나고 정책결정 역량이 높아지는 정부이다.

(1) 행정정보의 공동이용[1]

① 행정정보를 공동이용함으로써 특정 기관이 보유하고 있는 정보를 타 기관이 다시 수집 · 보관하는 방식의 비효율성을 제거해야 한다.

② 정보의 공동이용 시 나타나는 그레샴의 법칙을 경계해야 한다. 그레샴의 법칙이란 공개되는 공적정보시스템에는 상대적으로 가치가 적은 정보가 축적되는 반면, 사적정보시스템에는 가치가 있는 정보가 축적되는 병리현상이다.

(2) 학습이 일어나는 정부

(3) 정책결정 흐름의 자동화

5 전자거버넌스와 전자민주주의

1. 의의

(1) 전자거버넌스

IT 기술의 발달로 시간적 · 공간적 제약이 극복되고 다양한 관계의 네트워크가 형성되면서, 전자적 공간을 활용하여 거버넌스가 구현된 것을 전자거버넌스라 한다.

(2) 전자민주주의

전자민주주의는 정보통신 기반의 이용을 통하여 정치 과정에 대한 시민의 참여가 이루어지는 정보사회의 민주주의를 말한다. 즉, 국민과 정책결정자 간의 정책결정 관련정보와 의견의 전달을 돕는 의사소통 기술의 운용을 의미하는 것이다.

2. 전자적 참여의 형태(UN의 기준)

전자정보화 단계	전자적 채널을 통해 국민에게 정보를 공개한 단계
전자자문 단계	시민과 선거직공무원 간의 상호 의사소통과 환류가 이루어지는 단계
전자결정 단계	시민의 의견이 정부의 정책 과정에 반영되는 단계

6 전자정부 구현을 위한 고려 요인[2]

1. 기술적 기반 구축(기술적 정보화 측면, technology-push적 관점의 정보화)

(1) 지금까지 정보화 추진의 주된 측면으로, 정보화를 초고속망의 구축이나 정보통신기기의 고도화 등 정보기술의 도입 차원으로 이해하는 것이다.

(2) 그러나 도입된 정보기술이 제도적 · 행태적 정보화와 결합되지 못하여 구축된 정보기술이 실제의 행정 업무에 활용되지 않음으로써 궁극적인 행정적 가치실현에 기여하지 못하는 소위 '정보화의 생산성 역설 현상'이 발생하기도 한다.

---

❶ 행정정보의 공동이용

장점	단점
행정기관 확인의 원칙	정보의 그레샴 법칙

❷ 정보화의 긍정적 · 부정적 측면

1. 긍정적 측면
   - 모자이크 민주주의: 소수자나 약자 등 구성원 개개인의 의견과 참여가 중시되는 민주주의를 말한다.
   - 모뎀 민주주의: 전자정부 + 민주주의 = 정보민주주의 = 모뎀민주주의
2. 부정적 측면
   - 전자전제주의(telefascism): 정보를 정부나 상급 기관이 독점하면 오히려 집권화나 계층 구조의 강화, 감시 강화, 프라이버시 침해 등의 폐해가 발생하는 것을 의미한다.
   - 팬옵티콘(panopticon): 팬옵티콘의 어원은 그리스어로 '모두'를 뜻하는 'pan'과 '본다'를 뜻하는 'opticon'을 합성한 것으로, 벤담이 소수의 감시자가 모든 수용자를 효과적으로 감시할 수 있는 형태의 감옥을 제안하면서 이 말을 창안하였다. 정보를 장악한 소수가 다수를 효과적으로 통제하는 정보화의 역기능 중 하나이다.
   - 빅브라더상: 시민단체가 개인의 프라이버시 침해에 가장 기여한 기관이나 개인에게 주는 불명예스러운 상이다.

핵심 OX

01 그레샴의 법칙은 정보의 공동이용원칙에서 파급되는 문제이다. (O, X)

01 O

(3) 현재의 전자정부 추진사업에서도 이러한 기술적 측면의 정보화는 어느 정도 충분히 달성된 것으로 판단되고 있으며, 향후 과제는 사회의 정보화 수용성 · 정보화 수요적 관점(demand-pull적 관점의 정보화)을 고려하여 행태적 · 제도적 정보화를 추진하는 것이다.

2. 조직적 · 관리적 차원

(1) 정보자원관리(IRM)의 확립

① 정보화는 정보의 가치가 상승하는 과정이다. 따라서 정보자원관리는 정보와 정보 관련자원을 조직의 주요한 자원으로 인식하고 효과적으로 관리해야 할 필요에 의해 대두된 것이다.

② 일반적으로 정보자원관리란, 정보와 정보 관련자원이 조직적 · 행정적 가치실현(조직의 궁극적 목적 실현)에 효율적으로 이용되도록 전조직적 차원 · 범정부적 차원에서 이루어지는 정보자원에 대한 관리활동이라 할 수 있다.

③ 정보자원은 ㉠ 정보 그 자체와 ㉡ 정보를 다루는 기술(IT), 즉 하드웨어와 소프트웨어, 네트워크 등을 포함하며, ㉢ 이와 관련된 인적 · 재정적 자원을 포괄한다. 그리고 이러한 정보자원관리의 효율적인 추진 주체로서, 정보자원관리 담당 최고관리자(CIO: Chief Information Officer)의 역할이 중요해지고 있다.

(2) 정책결정자의 의지와 지속적 관심이 필요하다.

(3) 정보화 수용적 조직문화 구축과 업무과정의 재설계

전자정부 실현이라는 정부혁신은 실제의 행정업무 수행과정에서 혁신(BPR)이 일어날 때 가능한 것이며, 이러한 BPR을 위해서는 전통적인 부서별 정보독점 관행이나 문화를 정보공유적 문화로 전환하여 행정정보의 공동활용이 이루어져야 한다.

3. 법 · 제도적 기반의 확충

(1) 정보화 촉진적 법제

「전자문서 및 전자거래 기본법」 등이 있다.

(2) 정보화 역기능의 종류

인포데믹스 (infordemics)	정보(information)와 전염병(epidemics)의 합성어로, 정보 확산으로 인한 부작용으로 추측이나 뜬소문이 덧붙여진 부정확한 정보가 인터넷이나 휴대전화를 통해 전염병처럼 빠르게 전파됨으로써, 개인의 사생활 침해는 물론 경제 · 정치 · 안보 등에 치명적인 영향을 미치는 것
집단극화 (group polarization)	집단의 의사결정이 개인의 의사결정보다 더 극단적인 방향으로 이행하는 현상으로, 인터넷 공간에서는 정치적 · 이기적 극단주의자들에 의해 네티즌들이 쉽게 동원 · 조작되어 집단극화의 가능성을 높이게 됨
선택적 정보접촉 (selective exposure to information)	정보의 범람 속에서 유리한 정보만을 선별적으로 취하는 행태
정보격차 (digital divide)	인터넷을 이용하는 사람과 그렇지 않은 사람들 간에 정보접근능력의 차이로 인하여 발생하는 혜택의 격차

(3) 정보화 역기능 억제적 법제

① **정보격차(digital devide) 완화를 위한 정책 개입:** 보편적 서비스를 확립하여 억제한다.

② 개인정보보호 및 디지털 프라이버시 보호를 위한 정책 개입을 한다.

③ 컴퓨터 범죄, 해킹, 바이러스 유포 등 정보나 정보시스템 안전에 대한 위협을 제거한다.

핵심정리 보편적 서비스

1. 의의

정보격차를 완화하기 위한 보편적 서비스는 누구나, 언제나, 어디서나, 저렴하게 정보를 접속·이용 가능하도록 하는 것을 기본속성으로 한다.

2. 보편적 서비스 정책의 내용 – 정보격차 해소

① **접근성:** 장소, 소득, 신체조건 등에 상관없이 접근 가능하다.
② **활용 가능성:** 누구든지 활용 가능(시각 장애인도 이용 가능)하다.
③ **훈련과 지원:** 교육으로 인터넷 활용 능력을 배양한다.
④ **유의미한 목적성:** 개인적, 사회적 의미를 지닌다.
㉠ 국민, 고객 ○
㉡ 국가, 정부 ×
⑤ **요금의 저렴성:** 경제적 이유로 인한 이용 배제를 방지한다.

산업 사회	정보화 사회
시장실패 ↓ 부의 불평등 ↓ 소득 재분배	마타이(마태) 효과* ↓ 정보 격차 ↓ **보편적 서비스:** 정부가 구축

용어

마타이(마태) 효과*: 정보화 사회에서 정보의 부익부 빈익빈 현상이 초래된다는 이론

7 우리나라 전자정부 사업의 추진과정

1. 태동기(1960년대~1970년대)

1960년대에 시작된 행정 전산화 사업이 1970년대까지 지속되었다.

2. 안정기

(1) 제1·2차 행정전산화 사업(1976~1986)

인사, 급여, 연금 등에 대하여 추진되었다.

(2) 제1·2차 행정전산망 구축(1987~1996)

국가기간 전산망 사업이 본격 추진되었다.

① **제1차 행정전산망 사업(1987~1991):** 6대 우선업무(주민등록, 부동산, 경제통계, 자동차, 고용, 통관)에 대하여 추진되었다.

② **제2차 행정전산망 사업(1992~1996)**

㉠ **7대 우선추진업무:** 우체국 종합서비스, 국민복지, EDI형 통관 자동화, 산업재산권 정보관리, 기상정보관리, 어선관리, 물품목록관리

㉡ **4대 정책업무:** 경제통상업무, 농업기술정보, 환경보전, 국세종합관리

핵심 OX

01 활용 가능성은 컴퓨터와 인터넷을 활용할 능력을 교육시키는 것이다. (O, X)

01 X 활용 가능성은 신체 조건과 관계없이 정보서비스를 받을 수 있는 것을 의미한다.

3. 전자정부 기반 구축기(1997~2001)

(1) 초고속 정보통신망 구축사업 본격 추진(1994)

정부 중심의 초고속 정보통신망과 민간투자 중심의 초고속 공중정보통신망 구축사업을 추진하였다.

(2) 「국가정보화 기본법」(1996)

정보화촉진 기본계획을 수립하고 전자정부를 위한 10대 과제를 제시하였다.

참고 2020년 6월, 「지능정보화 기본법」으로 법률의 제명을 변경하였음

4. 전자정부 본격 추진기(2002~2006)

(1) 「전자정부법」을 제정하고(2001), 문서감축 · 정보공유 · BPR 등을 추진하였다.

(2) 2002년 "e-Korea vision 2006" 사업을 추진하였다.

8 정부운영 패러다임의 변화

1. 전자정부의 변천

(1) 전자정부 기술 패러다임 변화(UN의 기준)

① 인터넷 기반 → ② 모바일 기반 → ③ 유비쿼터스 단계로 변천하였다.

(2) 유비쿼터스 정부

① 의의

㉠ **유비쿼터스**: '언제 어디서나 있는'이라는 의미의 라틴어로, 온라인 네트워크나 컴퓨터를 의식하지 않고 시간 · 장소 · 매체에 관계없이 자유롭게 실시간으로 네트워크에 접속할 수 있는 정보통신 환경을 말한다.

㉡ **유비쿼터스 전자정부**: 인터넷 기반 온라인 서비스를 한 차원 뛰어 넘어, 정보서비스를 유선 인터넷에 의한 가상공간뿐만 아니라 무선 또는 모바일 등에 의하여 물리적인 현실공간까지 확대적용하려는 미래형 전자정부를 말한다.

② 전자정부의 변천 패러다임

구분	government 1.0	government 2.0	government 3.0 (u-government)
시기	1995~2000년	2005~2010년	2015~2020년
개념	유선 인터넷 기반 전자정부	무선 모바일 기반 전자정부	유무선 모바일 통합 전자정부
접근성	· 정부 중심 · first stop shop (단일 접속창구)	· 시민 중심 · one stop shop (정부서비스 중개기관을 통해서도 접속)	· 개인 중심 · my government
서비스	· 일방향 정보 제공 · 제한적 정보 제공 · 서비스의 시공간 제약 · 공급 위주 서비스 · 서비스의 전자화	· 양방향 정보 제공 · 정보 공개 확대 · 모바일 서비스 · one stop service	· **개인별 맞춤 정보 제공** · 실시간 정보공개 · 중단없는 서비스 · **서비스의 지능화**

핵심 OX

01 서비스의 지능화를 통한 맞춤형 서비스는 government 2.0의 특성이다. (O, X)

02 양방향 정보 제공은 government 3.0의 특성이다. (O, X)

01 X 서비스의 지능화를 통한 맞춤형은 3.0의 특성이다.
02 X 양방향 정보 제공은 2.0의 특징이다.

2. 스마트 정부

(1) 의의

빅데이터 활용을 통해 ① 사회현상에 관한 새로운 법칙을 발견하여 미래예측 변화 추이·위험 징후 등에 선제적으로 대응하고, ② 각각의 개별적인 시민 요구에 선제적으로 서비스를 제공하는 전자정부이다.

(2) 기존 전자정부와 스마트 정부의 비교

구분		기존 전자정부(~2010)	스마트 정부(2011~)
국민	접근방법	PC만 가능	스마트폰, 태블릿 PC, 스마트TV 등 다매체 활용
	서비스	공급자 중심의 획일적 서비스	· 개인별 맞춤형 통합 서비스 · 개방을 통해 국민이 직접 원하는 서비스 개발·제공
	민원 신청	· 개별 신청 · 동일서류도 복수제출	1회 신청으로 연관 민원 일괄 처리
	수혜 방식	국민이 직접 자격 증명 신청	정부가 자격 요건 확인·지원
공무원	근무위치	지정 사무실(PC)	시간·위치 무관(스마트 워크센터 또는 모바일오피스)
	위기	사후 복구(재난)	사전 예방 및 예측

3. 지능형 전자정부

(1) 개념

'지능형 전자정부'란 인공지능, 빅데이터, 사물인터넷 등 지능정보기술을 활용하여 국민 중심으로 정부서비스를 최적화하고 스스로 일하는 방식을 혁신하며 국민과 함께 국정 운영을 실현함으로써 안전하고 편안한 상생의 사회를 만드는 디지털 신정부를 의미한다.

(2) 지능형 전자정부는 두 가지 측면에서 기존 전자정부와 차별화된다.

① 시스템 측면에서 제4차 산업혁명의 기반이 되는 인공지능, 빅데이터 등의 최첨단 기술을 활용한 차세대 전자정부 플랫폼 구축을 의미한다,

② 국정 운영 측면에서 신기술과 인간의 창의성을 접목하여 국민이 감동하는 서비스를 제공하고 국민과 함께하는 현명한 국정 운영을 지원하는 정부를 의미한다.

(3) 구체적 구별

구분	전자정부	지능형 정부
정책결정	정부 주도	국민 주도
행정업무	행정 현장: 단순업무 처리중심	행정 현장: 복합문제 해결 가능
서비스 내용	생애주기별 맞춤형	일상틈새+생애주기별 비서형
서비스 전달 방식	온라인+모바일 채널	수요 기본 온오프라인 멀티채널

4. 빅데이터

(1) 구성

① **데이터 마이닝**: 인공지능 기법 등의 활용을 통해 방대한 양의 데이터로부터 유용한 정보를 추출해내는 지식발견 기법이다.

② **텍스트 마이닝**: 텍스트로부터 유용한 정보를 추출해내는 지식발견 기법이다.

③ **오피니언 마이닝**: 다양하고 방대한 의견으로부터 유용한 정보를 추출해내는 지식발견 기법이다.

(2) 특성(3V)

방대한 규모(Volume)	빅데이터는 크기 자체가 대형임
빠른 속도(Velocity)	시간 민감성이 큰 경우가 많으므로 빠른 생성 속도가 요구됨
다양한 형태(Variety)	정형적 데이터뿐만 아니라 다양한 비정형적 데이터를 포함함

(3) 전제 조건

개인정보보호제도가 선행되어야 한다.

5. 4차산업혁명

(1) 의의

3차산업혁명을 기반으로, 물리적 · 가상적 · 생물학적 영역의 융합을 통하여 사이버 물리시스템을 구축한다.[1]

(2) 특징

초연결성	사람 – 사람, 사물 – 사물, 사람 – 사물 등 인간생활의 모든 영역을 연결 예 사물인터넷 IoT 등
초지능성	방대한 빅데이터 분석으로 인간생활의 패턴을 파악
초예측성	초연결성 · 초지능성을 토대로 미래를 정확히 예측

(3) 3차산업혁명과의 차이

3차산업혁명의 연장선상에 있지만, 기술발전의 속도와 범위 · 시스템적 충격이라는 측면에서 3차산업혁명과 비교할 수 없는 전반적인 문화 혁명이라고 할 수 있다.

[1] 블록체인
블록체인이란 거래정보의 기록을 중앙의 서버에만 의존하지 않고 분산된 원장을 기반으로 모든 참여자에게 분산공유시킴으로서 집중화된 데이터관리의 폐단을 해소하기 위한 탈집중적 데이터관리기술이다. 모든 예측과 연결이 안전하게 거래 · 교환되어야 하는데 블록체인은 이러한 안전성을 보장해주는 장치이다.

4 지식행정론

1 의의 및 유형

1. 지식의 의의

지식이란 자료가 분석 과정과 의미 파악을 통해 정보로 산출된 후 일정한 규칙이나 파일을 통해서 데이터베이스화 되어 가치평가가 이루어지게 되는데, 이 중 가치 있다고 판단되는 것이다.

2. 지식의 유형

(1) 암묵지(暗黙知; tacit knowledge)

말이나 문서 등으로 형태화가 어려운 주관적이고 내면화된 지식이다.

㉠ 축구선수의 오랜 경험으로 인한 감, 자전거 타기, 음식 맛이나 장인들의 도자기 제작에 대한 말로 표현하기 어려운 know-how 등

(2) 형식지(形式知; explicit knowledge)

말이나 문서 등으로 표현(언어화·형식화)될 수 있는 객관적인 지식으로, 정보시스템을 통해 임의의 형태로 전달 가능하다.

㉠ 사용설명서(manual), 신청서 작성 양식 견본 등

(3) 암묵지와 형식지의 비교

구분	암묵지(暗黙知; tacit knowledge)	형식지(形式知; explicit knowledge)
정의	언어로 표현하기 힘든 주관적 지식	언어로 표현 가능한 객관적 지식
획득	경험을 통해 몸에 밴 지식	언어를 통해 습득된 지식
축적	은유를 통한 전달	언어를 통한 전달
전달	다른 사람에게 전수하기가 어려움	다른 사람에게 전수하는 것이 상대적으로 용이함
예	자전거 타기, 음식 맛, 도공의 도자기 제작 know-how 등	매뉴얼, 신청서 작성 양식 견본 등

2 노나카(Nonaka)의 지식 변환의 네 가지 측면

지식은 **(1)** 암묵지를 서로 공유하는 사회화(socialization) 과정 → **(2)** 암묵지를 획득·축적·전수하는 외부화(externalization) 과정 → **(3)** 형식지를 수집·결합하는 결합화(combination) 과정 → **(4)** 실무를 통해 새로운 지식을 체득해 가는 내면화(internalzation) 과정을 통해 발전한다.

핵심 OX

01 데이터 마이닝은 형식지이다. (O, X)

02 경험은 암묵지이다. (O, X)

01 O
02 O

구분	개념	예
사회화 (공동화)	개인의 암묵지를 경험을 통해 다른 사람의 암묵지로 전환	도예 기술을 전수
외부화 (외재화 · 표출화)	암묵지를 언어로 표출시켜 형식지로 전환	운전기술 노하우를 매뉴얼로 전환
결합화 (연결화 · 조합화)	형식지를 또 다른 형식지로 이전 · 복합하는 과정	통계 자료를 이용하여 요약 보고서 작성
내면화 (내재화)	형식지를 개인의 암묵지로 전환	매뉴얼을 보고 자신의 기술을 습득

3 기존 행정관리와 지식행정관리의 비교

구분	기존 행정관리	지식행정관리
지식 공유	지식의 파편화	공유를 통한 지식가치의 확대재생산
지식 소유	지식의 개인 사유화	지식의 조직 공동재산화
지식 활용	중복 활용	지식의 공동 활용을 통한 조직의 업무능력 향상
조직 성격	계층제	학습조직 기반 구축
구성원 능력	조직구성원의 기량 및 경험이 일과성으로 소모	개인의 전문적 자질 향상
의사소통	계층제적 구조에 의한 의사소통의 공식화	다양한 채널에 의한 의사소통의 활성화

핵심 OX

01 지식행정관리는 지식의 중복 활용을 강조한다. (O, X)

02 지식행정관리는 의사소통의 공식화를 강조한다. (O, X)

01 X 지식의 공동 이용을 강조한다.
02 X 지식행정관리는 의사소통의 활성화를 강조한다.

학습 점검 문제

01 정보통신기술을 활용한 행정개선 사례로 옳지 않은 것은? 2017년 국가직 7급(8월 시행)

① 정부서울청사 등에 스마트 워크센터를 설치하여 운영하고 있다.

② 민원서비스를 통합적으로 제공하는 '정부24'를 도입하였다.

③ 정부에 대한 불편사항 제기, 국민제안, 부패 및 공익 신고 등을 위해 '국민신문고'를 도입하였다.

④ 공공기관의 공사, 용역, 물품 등의 발주정보를 공개하고 조달절차를 인터넷으로 처리하도록 '온나라시스템'을 도입하였다.

02 기존 전자정부와 비교한 스마트 전자정부의 특징이 아닌 것은? 2016년 지방직 7급

① 개인별 맞춤형 통합서비스 제공

② 스마트폰, 태블릿 PC, 스마트 TV 등 다매체 활용

③ 공급자 중심의 서비스 개발

④ 1회 신청으로 연관 민원 일괄처리

03 유비쿼터스 전자정부에 대한 설명으로 옳은 것만을 모두 고르면? 2020년 지방직 9급

ㄱ. 기술적으로 브로드밴드와 무선, 모바일 네트워크, 센싱, 칩 등을 기반으로 한다.
ㄴ. 서비스 전달 측면에서 지능적인 업무수행과 개개인의 수요에 맞는 맞춤형 서비스를 제공한다.
ㄷ. Any-time, Any-where, Any-device, Any-network, Any-service 환경에서 실현되는 정부를 지향한다.

① ㄱ, ㄴ ② ㄱ, ㄷ
③ ㄴ, ㄷ ④ ㄱ, ㄴ, ㄷ

정답 및 해설

01 공공기관의 공사, 용역, 물품 등의 발주정보를 공개하고 조달절차를 인터넷으로 처리하도록 하는 시스템은 조달청이 운영하고 있는 '나라장터(전자조달시스템)'이다. '온나라시스템'은 행정안전부가 운영하는 정부 내부 업무처리과정과 과제관리, 문서관리 등 전반적인 행정 프로세스를 전자문서 등을 이용하여 표준화한 행정업무처리시스템이다.

| 오답체크 |
① 스마트 워크센터란 원격근무 사무실에서 인터넷 망을 통해 사무를 처리하는 시스템으로, 정부서울청사 등에서 운영하고 있다.
② 민원서비스를 통합적으로 제공하는 '정부24'를 도입하였다.
③ 정부에 대한 불편사항 제기, 국민제안, 부패 및 공익 신고 등을 위해 '국민신문고'를 도입하였다.

02 공급자 중심의 획일적 서비스 개발은 기존의 1.0 전자정부의 특징이다. 스마트 전자정부는 2.0 일부와 3.0을 중심으로 한 전자정부를 의미한다.

기존 전자정부와 스마트 정부의 비교

구분		기존 전자정부 (~2010)	스마트 정부 (2011~)
국민	접근 방법	PC만 가능	스마트폰, 태블릿 PC, 스마트 TV 등 다매체 활용
	서비스	공급자 중심의 획일적 서비스	· 개인별 맞춤형 통합 서비스 · 개방을 통해 국민이 직접 원하는 서비스 개발 · 제공
	민원 신청	· 개별 신청 · 동일 서류도 복수 제출	1회 신청으로 연관 민원 일괄 처리
	수혜 방식	국민이 직접 자격 증명 신청	정부가 자격 요건 확인 · 지원
공무원	근무 위치	지정 사무실(PC)	시간 · 위치 무관 (스마트 워크센터 또는 모바일오피스)
	위기	사후 복구(재난)	사전 예방 및 예측

03 ㄱ, ㄴ, ㄷ 모두 유비쿼터스 정부의 특징 또는 모습에 해당한다.
ㄱ. 브로드밴드와 무선, 칩 등은 유비쿼터스의 기술기반이다.
ㄴ. 유비쿼터스 정부는 지능적인 업무 수행과 개개인의 수요에 맞는 맞춤형 서비스를 특징으로 한다.
ㄷ. 유비쿼터스 정부는 언제나, 어디서나, 어떤 기술이나, 어떤 네트워크로도 서비스를 받을 수 있는 보편적 서비스 환경을 말한다.

정답 01 ④ 02 ③ 03 ④

04 「전자정부법」에서 정의하고 있는 다음의 개념은? 2022년 국가직 9급

> 일정한 기준과 절차에 따라 업무, 응용, 데이터, 기술, 보안 등 조직 전체의 구성요소들을 통합적으로 분석한 뒤 이들 간의 관계를 구조적으로 정리한 체제 및 이를 바탕으로 정보화 등을 통하여 구성요소들을 최적화하기 위한 방법

① 전자문서 ② 정보기술아키텍처
③ 정보시스템 ④ 정보자원

05 우리나라의 전자정부에 대한 설명으로 옳지 않은 것은? 2023년 국가직 9급

① 정부는 '지능정보사회 종합계획'을 3년 단위로 수립하여야 한다.
② 과학기술정보통신부장관은 5년마다 행정기관등의 기관별 계획을 종합하여 '전자정부기본계획'을 수립하여야 한다.
③ 「전자정부법」상 '전자화문서'는 종이문서와 그 밖에 전자적 형태로 작성되지 아니한 문서를 정보시스템이 처리할 수 있는 형태로 변환한 문서를 말한다.
④ 중앙행정기관의 장과 지방자치단체의 장은 해당기관의 지능정보사회 시책의 효율적 수립 · 시행과 대통령령이 정하는 업무를 총괄하는 '지능정보화책임관'을 임명하여야 한다.

06 기존 전자정부 대비 지능형 정부의 특징에 대한 설명으로 가장 옳지 않은 것은? 2022년 군무원 9급

① 국민주도로 정책결정이 이루어진다.

② 현장 행정에서 복합문제의 해결이 가능하다.

③ 생애주기별 맞춤형 서비스를 제공한다.

④ 서비스 전달방식은 수요기반 온 · 오프라인 멀티채널이다.

정답 및 해설

04 제시문은 정보자원을 파악하여 통합적 · 구조적으로 종합 · 정리한 정보기술아키텍처 개념을 설명하고 있다. 정보기술아키텍처는 행정안전부장관이 3년마다 기본계획을 수립하여 구축하여야 한다.

05

> **「전자정부법」 제5조【전자정부기본계획의 수립】** ① 중앙사무관장기관의 장은 5년마다 전자정부 기본계획을 수립한다. 행정부의 중앙사무관장기관의 장은 행정안전부장관이다.

| 오답체크 |

① 과학기술정보통신부장관이 지능정보사회종합계획을 3년 단위로 수집하여야 한다.

③ 「전자정부법」상 전자화문서의 개념에 대한 올바른 설명이다.

④ 각 부처별 지능정보화책임관(CIO)의 개념과 역할에 대한 올바른 설명이다.

06 생애주기별 맞춤형 서비스를 제공하는게 아니라 일상틈새+생애주기별 비서형을 추구한다.

❶ 전자정부와 지능형 정부(새행정학 3.0)

구분	전자정부	지능형 정부
정책결정	정부 주도	국민 주도
행정업무	행정 현장: 단순업무 처리 중심	행정 현장: 복합문제 해결 가능
서비스 내용	생애주기별 맞춤형	일상틈새 + 생애주기별 비서형
서비스 전달 방식	온라인 + 모바일 채널	수요 기본 온오프라인 멀티채널

정답 04 ② 05 ② 06 ③

07 **다음은 4차 산업혁명 시대의 주요 정보기술을 설명하고 있다. 이에 해당하는 것은?** 2024년 국가직 9급

> 거래정보의 기록을 중앙집중화된 서버나 관리기능에 의존하지 않고, 분산원장(distributed ledger)을 기반으로 모든 참여자에게 분산된 형태로 배분함으로써, 데이터관리의 탈집중화된 환경을 제공하는 기술이다.

① 인공지능(AI)
② 블록체인(block chain)
③ 빅데이터(big data)
④ 사물인터넷(IoT)

08 **전통적 행정관리와 비교한 새로운 지식행정관리의 특징으로 보기 어려운 것은?** 2014년 지방직 9급

① 공유를 통한 지식가치 향상 및 확대 재생산
② 지식의 조직 공동재산화
③ 계층제적 조직 기반
④ 구성원의 전문가적 자질 향상

09 다음 중 지식행정관리의 기대효과로 가장 옳지 않은 것은? 2015년 서울시 7급

① 조직구성원의 전문적 자질 향상

② 지식공유를 통한 지식가치의 확대 재생산

③ 학습조직 기반 구축

④ 지식의 개인 사유화 촉진

정답 및 해설

07 제시문은 블록체인(block chain)의 개념에 해당한다. 블록체인이란 거래정보의 기록을 중앙의 서버에만 의존하지 않고 분산된 원장을 기반으로 모든 참여자에게 분산공유시킴으로써 집중화된 데이터관리의 폐단을 해소하기 위한 탈집중적 데이터관리기술이다. 또한, 모든 예측과 연결이 안전하게 거래·교환되어야 하는데, 블록체인은 이러한 안전성을 보장해 주는 장치이다.

08 지식행정관리는 학습조직 등 탈계층제적 조직을 기반으로 한다.

09 지식행정관리에서는 지식의 개인 사유화가 아니라 공유화를 강조한다.

기존 행정관리와 지식행정관리 비교

구분	기존 행정관리	지식행정관리
지식 공유	지식의 파편화	공유를 통한 지식가치의 확대재생산
지식 소유	지식의 개인 사유화	지식의 조직 공동재산화
지식 활용	중복 활용	지식의 공동 활용을 통한 조직의 업무능력 향상
조직 성격	계층제	학습조직 기반 구축
구성원 능력	조직구성원의 기량 및 경험이 일과성으로 소모	개인의 전문적 자질 향상
의사소통	계층제적 구조에 의한 의사소통의 공식화	다양한 채널에 의한 의사소통의 활성화

정답 07 ② 08 ③ 09 ④

CHAPTER

2 행정책임·행정통제

1 행정책임

1 개념 및 필요성

1. 개념

(1) 행정책임의 의의

행정책임이란 '행정관료가 직무를 수행함에 있어 국민에 대한 공복으로서 도덕적·법률적 규범에 따라 행동해야 하는 국민에 대한 의무'이다.

(2) 행정책임의 기준

① **명문규정이 있는 경우(강제적·법령적 기준):** 법률, 명령, 규칙, 행정목표가 기준이다.

② **명문규정이 없는 경우(자율적·추상적 기준):** 공익, 행정이념, 공직윤리, 여론, 조직목표와 정책·사업계획, 국민 및 수익자 집단·고객의 요구이다.

2. 필요성

(1) 행정권의 강화와 집중

적절한 민주통제가 수반되지 않는 행정권의 강화로 부패 가능성이 높아졌다.

(2) 현대행정의 전문화와 재량권의 증대

행정의 전문화와 재량권의 증대로 공직부패의 가능성이 증대되고 있다.

(3) 정부주도의 경제발전과 자원배분권의 행사

민간에 대한 행정의 간섭·통제가 증가할수록 국민 권익이 침해될 소지가 있다.

(4) 외부통제의 한계

행정이 전문화되고 복잡화됨으로써 외부통제가 취약성을 드러내고 있다.

(5) 행정책임의 필요성

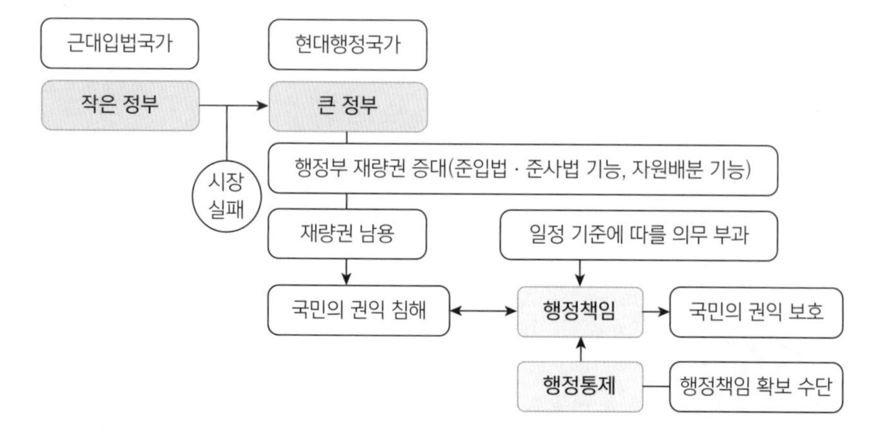

3. 특징

(1) 행정상의 책임은 행정상의 일정한 의무를 전제로 발생한다.

(2) 일정한 재량권의 여지가 있을 때 발생한다. 재량권이 없으면 남용의 위험도 없으며, 책임을 물을 이유도 없다.

(3) 개인적 요구보다 공익적 요구에 반응하는 것이다.

(4) 결과에 대한 책임과 과정에 대한 책임을 포함한다. 1차적 책임은 결과에 대해 발생한다.

(5) 책임 확보를 위해 행정통제가 이루어진다.

(6) 행정책임은 대물적 관계가 아닌 대인적 관계에서 나타난다.

(7) 행정책임 기준의 유동성

입법국가에서는 외재적 책임이 강조되었고, 행정국가 시대에서는 내재적 책임이 강조되고 있다.

2 종류

1. 제도적 책임성 또는 객관적 책임성(accountability) - 외재적 책임

(1) 전통적인 정치

정치행정이원론의 행정관에서는 보는 책임성으로, 관료의 역할은 기본적으로 의회가 제정한 법률을 그 입법 취지에 맞게 효율적으로 집행하는 것이다.

(2) 공식적 · 법적 책임

대의제 원리하에서 법률로 나타나는 의회의 의사나 계층제상 최고관리자의 지시 등 관료가 외부의 요구에 대해 지는 공식적 책임 및 법적 책임이다.

(3) 객관적 책임성의 확보 방안

공식적인 행정통제 기제의 강화를 주장한다. 대표적으로 윌슨(Wilson)은 권한의 집중에 의한 계층제적 통제를 주장하였으며, 파이너(Finer)는 '국민과 국민이 선출한 대의기관에 의한 직접적 통제'라는 정치적 통제를 주장하였다.

2. 자율적 책임성 또는 주관적 책임성(responsibility) - 내재적 책임

(1) 현대행정에서는 복잡성 및 전문기술성의 증대에 따라 객관적 책임성의 실효성이 약화되면서 이에 대한 방안으로 강조되고 있다.

(2) 관료들이 국민에 대한 수임자 · 공복으로서 스스로 내면의 가치와 기준에 따라 자발적으로, 내부적인 유도에 의해 책임감을 느끼고 행동하는 것이다.

(3) 주관적 책임성의 확보 방안

① 사회화 과정, 교육훈련, 전문직업적 기준이나 행정윤리 확립을 통해 관료의 개인적 성격에 영향을 미침으로써 책임성을 제고하고자 한다.

② 대표적으로 프리드리히(Friedrich)의 기능적 책임성에서는 '관료의 전문적 지식'과 '국민적 정서'에 의한 행정책임의 담보를, 신행정론자들은 행정윤리의 확립을 통한 행정책임의 담보를 강조한다.

핵심 OX

01 행정책임은 일정한 의무를 전제로 발생한다. (O, X)

02 프리드리히(Friedrich)는 객관적 책임성의 확보를 중시한다. (O, X)

03 프리드리히(Friedrich)는 기능적 책임을 강조한다. (O, X)

01 O
02 X 외부통제를 통한 외재적 책임, 즉 주관적 책임이 아닌 객관적 책임을 강조한 학자는 파이너(Finer)이다.
03 O

핵심정리 「민원 처리에 관한 법률」

행정기관
· 원칙: 민원인이 될 수 없다.
· 예외: 사(私)경제주체일 경우 민원인이 될 수 있다.

제2조【정의】 이 법에서 사용하는 용어의 뜻은 다음과 같다.

1. "민원"이란 민원인이 행정기관에 대하여 처분 등 특정한 행위를 요구하는 것을 말하며, 그 종류는 다음 각 목과 같다.
   가. 일반민원
      1) 법정민원: 법령·훈령·예규·고시·자치법규 등(이하 "관계법령 등")에서 정한 일정 요건에 따라 인가·허가·승인·특허·면허 등을 신청하거나 장부·대장 등에 등록·등재를 신청 또는 신고하거나 특정한 사실 또는 법률관계에 관한 확인 또는 증명을 신청하는 민원
      2) 질의민원: 법령·제도·절차 등 행정업무에 관하여 행정기관의 설명이나 해석을 요구하는 민원
      3) 건의민원: 행정제도 및 운영의 개선을 요구하는 민원
      4) 기타민원: 법정민원, 질의민원, 건의민원 및 고충민원 외에 행정기관에 단순한 행정절차 또는 형식요건 등에 대한 상담·설명을 요구하거나 일상생활에서 발생하는 불편사항에 대하여 알리는 등 행정기관에 특정한 행위를 요구하는 민원
   나. 고충민원: 「부패방지 및 국민권익위원회의 설치와 운영에 관한 법률」 제2조 제5호에 따른 고충민원
5. "복합민원"이란 하나의 민원 목적을 실현하기 위하여 관계법령 등에 따라 여러 관계기관(민원과 관련된 단체·협회 등을 포함, 이하 같음) 또는 관계부서의 인가·허가·승인·추천·협의 또는 확인 등을 거쳐 처리되는 법정민원을 말한다.
6. "다수인관련민원"이란 5세대(世帶) 이상의 공동이해와 관련되어 5명 이상이 연명으로 제출하는 민원을 말한다.
8. "무인민원발급창구"란 행정기관의 장이 행정기관 또는 공공장소 등에 설치하여 민원인이 직접 민원문서를 발급받을 수 있도록 하는 전자장비를 말한다.

제5조【민원인의 권리와 의무】 ① 민원인은 행정기관에 민원을 신청하고 신속·공정·친절·적법한 응답을 받을 권리가 있다.
② 민원인은 민원을 처리하는 담당자의 적법한 민원처리를 위한 요청에 협조하여야 하고, 행정기관에 부당한 요구를 하거나 다른 민원인에 대한 민원 처리를 지연시키는 등 공무를 방해하는 행위를 하여서는 아니 된다.

제6조【민원 처리의 원칙】 ① 행정기관의 장은 관계법령 등에서 정한 처리기간이 남아 있다거나 그 민원과 관련 없는 공과금 등을 미납하였다는 이유로 민원 처리를 지연시켜서는 아니 된다. 다만, 다른 법령에 특별한 규정이 있는 경우에는 그에 따른다.
② 행정기관의 장은 법령의 규정 또는 위임이 있는 경우를 제외하고는 민원 처리의 절차 등을 강화하여서는 아니 된다.

제10조【불필요한 서류 요구의 금지】 ① 행정기관의 장은 민원을 접수·처리할 때에 민원인에게 관계법령 등에서 정한 구비서류 외의 서류를 추가로 요구하여서는 아니 된다.

제11조【민원취약계층에 대한 편의제공】 ① 행정기관의 장은 민원의 신청 및 접수·처리 과정에서 민원취약계층(장애인, 임산부, 노약자 및 「지능정보화 기본법」 제2조 제13호에 따른 정보격차로 인하여 민원의 신청 등에 제약을 받는 사람, 이하 같음)에 대한 편의를 제공하기 위하여 노력하여야 한다.
② 행정기관의 장은 민원취약계층에 대하여 민원 처리에 따른 수수료를 감면할 수 있다.
③ 제1항 및 제2항에서 규정한 사항 외에 민원취약계층에 대한 편의제공 및 수수료 감면 등에 필요한 사항은 국회규칙, 대법원규칙, 헌법재판소규칙, 중앙선거관리위원회규칙, 대통령령 및 조례로 정한다.

제21조【민원 처리의 예외】 행정기관의 장은 접수된 민원(법정민원을 제외, 이하 이 조에서 같음)이 다음 각 호의 어느 하나에 해당하는 경우에는 그 민원을 처리하지 아니할 수 있다. 이 경우 그 사유를 해당 민원인에게 통지하여야 한다.

1. 고도의 정치적 판단을 요하거나 국가기밀 또는 공무상 비밀에 관한 사항
2. 수사, 재판 및 형집행에 관한 사항 또는 감사원의 감사가 착수된 사항
3. 행정심판, 행정소송, 헌법재판소의 심판, 감사원의 심사청구, 그 밖에 다른 법률에 따라 불복구제절차가 진행 중인 사항
4. 법령에 따라 화해·알선·조정·중재 등 당사자 간의 이해 조정을 목적으로 행하는 절차가 진행 중인 사항
5. 판결·결정·재결·화해·조정·중재 등에 따라 확정된 권리관계에 관한 사항
6. 감사원이 감사위원회의의 결정을 거쳐 행하는 사항
7. 각급 선거관리위원회의 의결을 거쳐 행하는 사항
8. 사인 간의 권리관계 또는 개인의 사생활에 관한 사항
9. 행정기관의 소속 직원에 대한 인사행정상의 행위에 관한 사항

제23조【반복 및 중복 민원의 처리】 ① 행정기관의 장은 민원인이 동일한 내용의 민원(법정민원을 제외)을 정당한 사유 없이 3회 이상 반복하여 제출한 경우에는 2회 이상 그 처리 결과를 통지하고, 그 후에 접수되는 민원에 대하여는 종결처리할 수 있다.

제24조【다수인관련민원의 처리】 ① 다수인관련민원을 신청하는 민원인은 연명부(連名簿)를 원본으로 제출하여야 한다.
② 행정기관의 장은 다수인관련민원이 발생한 경우에는 신속·공정·적법하게 해결될 수 있도록 조치하여야 한다.

제30조【사전심사의 청구 등】 ① 민원인은 법정민원 중 신청에 경제적으로 많은 비용이 수반되는 민원 등 대통령령으로 정하는 민원에 대하여는 행정기관의 장에게 정식으로 민원을 신청하기 전에 미리 약식의 사전심사를 청구할 수 있다.

제32조【민원 1회방문 처리제의 시행】 ① 행정기관의 장은 복합민원을 처리할 때에 그 행정기관의 내부에서 할 수 있는 자료의 확인, 관계 기관·부서와의 협조 등에 따른 모든 절차를 담당 직원이 직접 진행하도록 하는 민원 1회방문 처리제를 확립함으로써 불필요한 사유로 민원인이 행정기관을 다시 방문하지 아니하도록 하여야 한다.

제33조【민원후견인의 지정·운영】 행정기관의 장은 민원 1회방문 처리제의 원활한 운영을 위하여 민원 처리에 경험이 많은 소속 직원을 민원후견인으로 지정하여 민원인을 안내하거나 민원인과 상담하게 할 수 있다.

2 행정참여

1 의의

(1) 정책과정에 시민이 개인적·집단적으로 관여하여 영향을 미치는 것이다.

(2) 의사결정권이 없는 자가 결정권이 있는 자의 행동이나 판단에 영향을 미치는 것이다.

핵심 OX

01 복합민원은 분리 처리가 원칙이다. (O, X)

02 민원 1회방문 처리를 위하여 민원후견인 제도를 시행하고 있다. (O, X)

01 X 복합민원은 주무부서가 일괄 처리하여야 한다.
02 O

2 대두배경

1. 대의민주정치의 한계

(1) 현대행정국가에 와서 행정의 전문화 · 복잡화와 재량권의 확대 등으로 행정의 외부적 · 민주적 통제가 약화되었다. 즉, 입법 · 사법통제가 무력화되었다.

(2) 정책결정 기능의 대부분이 국회에서 행정부로 이관됨으로써 전통적인 선거방식에 의해서는 정책과정에 영향을 미치기가 힘들어졌다.

2. 관료제의 역기능

관료제의 독점에 기인한 대응성 저하 등 역기능을 극복하기 위해서 시민참여가 필요해졌다.

3. 정치권력의 균등화 요구

그 동안 정치과정에서 소외되었던 사회적 약자들이 자신들의 의견을 정치과정에 반영시키고자 하는 욕구가 커졌다.

4. 정책의 결정과 집행의 불일치

정책집행이 원래의 정책결정의 취지에 맞지 않는 경우가 많아졌기 때문에 집행과정에 대한 시민참여의 요구가 커지게 되었다.

3 현대적 행정참여의 특징

(1) 전통적인 정치참여가 아닌 실질적인 행정참여이다.

(2) 포괄적 참여가 아닌 구체적 참여이다.

(3) 중산시민 위주의 참여가 아닌 하층민 등 이해관계자 위주의 참여이다.

4 효용과 한계

1. 참여의 효용

(1) 대의정치의 미비점 보완

정보의 비대칭성에 기인한 관료의 도덕적 해이를 막고, 선거에 의한 간접참정의 미비점을 보완해준다. 즉, 참여를 통해 직접민주주의를 실현할 수 있다.

(2) 행정의 효율성 제고

행정참여가 활성화되면 정책결정 비용은 증가할 수 있지만, 참여 과정에서 국민의 의견을 반영할 경우 집행 과정에 대한 협조와 지지를 획득하였으므로 정책의 순응비용을 낮출 수 있다(공공선택론의 비용극소화 모형).

(3) 행정의 책임성 · 신뢰성 확보

행정참여를 통하여 정책 과정을 감시할 수 있으므로 책임성이 확보되며, 시민과 정부 간에 상호이해를 증진시킴으로써 신뢰성이 제고된다.

(4) **형평성 제고**

소외계층이 행정에 참여할 수 있는 기회를 보장하여 형평성 제고에 기여한다.

(5) **정책의 현실성, 적실성 제고**

국민의 현실적 이해관계를 반영하는 정책결정이 가능해진다.

(6) **시민의 이익 및 행정기관의 이익 증진**

시민의 주체성과 자치능력을 강화시키고 시민권리를 향상시키며, 행정기관의 입장에서도 행정수요를 신속·정확하게 파악할 수 있다. 정책과 관련하여 시민과 공감대를 형성할 수 있다는 측면에서 쌍방 간의 이익이 존재한다.

2. 참여의 한계

(1) **행정의 전문성 저해**

정보와 자질이 부족한 일반시민의 참여는 행정의 전문성과 합리성을 저해할 수 있다.

(2) **행정의 능률성 저해**

결정비용이 증대되어 행정의 능률성이 저하될 수 있다.

(3) **책임의 전가**

잘못된 정책에 대한 책임을 시민에게 전가하는 문제점이 있다.

(4) **특수이익에 의한 포획**

조직화된 활동적인 소수가 참여를 독점함으로써 행정기관 포획 현상을 유발시킨다. 그로 인해 조직화되지 않은 일반시민이나 잠재집단의 이익대변이 곤란해진다.

(5) **정부의 정책조정 능력 저해**

시민의 참여단계가 정책거부점이 될 수 있고, 특수이익에 의한 포획과 집단이기주의에 의한 갈등의 증폭 등으로 정부의 정책조정 능력이 저하될 수 있다.

(6) **대중조작의 가능성**

참여라는 이름하에 정보와 전문성으로 무장된 공직자들이 대중을 조작의 대상으로 전락시킬 수 있다.

3 행정통제[1]

1 개념

(1) 행정통제란 행정책임을 확보하기 위한 수단이다.

(2) 기본적으로 관료들이 자발적으로 행정책임을 구현할 것이라고 기대하기 어렵기 때문에, 보다 분명한 행정책임의 확보를 위해 행정통제가 요구된다.

[1] 행정통제의 원칙
1. **예외성**: 통제의 효율성을 위해 일상적인 것보다는 예외적인 사항만을 통제한다.
2. **적량성**: 지나친 통제는 관료의 사기를 위축시키므로 과다통제나 과소통제를 피하고, 통제비용과 효과를 적정하게 비교형량하여 통제한다.
3. **적응성**: 예측하지 못했던 사태에 신축적으로 대응하는 통제를 의미한다.
4. **즉시성**: 기준에 일탈된 내용은 바로 통제되어야 하며, 신속히 시행되어야 한다.
5. **일치성**: 행위자의 권한과 책임이 일치하도록 통제하여야 한다.
6. **비교성**: 통제에 요구되는 기준과 실제 행동이나 성과를 비교하여 통제하여야 한다.
7. **이해가능성(명확성)**: 통제의 목적이나 기준을 명확하게 인식하여야 한다.
8. **지속성**: 일회성 통제(불조심 강조 기간이나 음주운전 집중단속 기간 등)는 통제에 대한 면역성과 불감증만 높여줄 뿐 효과가 없다.

핵심 OX

01 참여는 행정의 전문성을 확보한다. (O, X)

01 X 일반 시민의 참여는 행정의 전문성을 저해한다.

2 유형[1]

행정통제의 주체와 통제력 행사 방향에 따라 '외부통제'와 '내부통제'로 분류한다.

구분	내용
외부통제	· 국회나 사법부와 같은 행정조직 외부의 사람이나 기관에 의한 통제 · 비교적 행정이 단순했던 입법국가 시대에 중시됨
내부통제	· 행정조직 구성원에 의한 통제 · 행정의 전문성과 복잡성이 심화되는 현대 행정국가 시대에 외부통제의 실효성 약화에 따라 강조되고 있음

1. 외부통제[2]

(1) 공식적 통제

① **입법부에 의한 통제:** 공식적 통제방법으로 가장 중요한 수단이나, 오늘날 행정국가화 현상에 따른 입법부의 약화와 전문성 부족으로 점차 약화되고 있다.

② **사법부에 의한 통제:** 행정소송에 대한 판결 등에 의해 이루어지는 공식적 통제방법이나, ㉠ 행정이 이미 이루어지고 난 후의 사후조치라는 점, ㉡ 비용과 시간이 많이 소요된다는 점 등의 한계가 있다.

③ **옴부즈만(ombudsman)에 의한 통제**

구분		스웨덴의 옴부즈만	우리나라의 국민권익위원회
차이점	조직 소속	의회 소속	행정부 소속(국무총리 소속)
	통제 유형	외부통제	내부통제
	직무상 독립성	있음	합의제 방식으로 독립성을 가지지만 미흡
	법적 근거	헌법상 기관 (헌법에 설치하도록 규정됨)	법률상 기관 (「부패방지 및 국민권익위원회의 설치와 운영에 관한 법률」)
	조사 방식	· 원칙인 신청에 의한 조사도 가능 · 예외적 직권 조사도 가능	· 원칙인 신청에 의한 조사만 가능 · 예외적인 직권 조사는 불인정
유사점	통제 방식	공식적 통제	
	조사 사항	위법(합법성 심사)한 사항 + 부당(합목적성 심사)한 사항	
	조사 결과의 처리	· 법원에 의한 것보다는 신속하고 저렴한 비용으로 처리할 수 있음 · 직접적 통제권은 없고 간접적 통제권만 지님 ⇨ 이빨 없는 감시견(watchdog without teeth; teethless watchdog) · 시정·개선 조치 및 징계의 권고나 요구만 가능 ⇨ 직접 시정·개선 조치를 하지 못함(취소·무효·철회권 없음)	

❶ 책임 유형 - 듀브닉(Dubnick)과 롬젝(Romzek)

강도＼원천		통제의 원천: 내부	통제의 원천: 외부
통제의 강도	높음	관료적 책임 (위계적 책임)	법률적 책임
	낮음	전문적 책임 (정책적 책임)	정치적 책임

❷ 외부통제의 선행조건[립셋(Lipset)]

1. **사회의 다원화:** 사회 속에서 자율성을 가지는 다양한 집단이 존재하여야 한다.
2. **사회적 교화:** 다양한 과정을 통해 국민에게 규범과 지식을 전달하여 국민을 교화시켜야 한다.
3. **시민의 참여:** 민주의식이 높은 시민의 참여가 필요하다.
4. **기본적인 합의:** 다수결에 대한 승복, 상대방 존중, 국민의 알권리 등 민주주의에 대한 기본적 합의가 필요하다.
5. **자유로운 정치활동:** 집회 및 결사의 자유, 참정권, 선거를 통한 정권교체 등 민주통제의 여건이 조성되어야 한다.
6. **엘리트의 순환:** 신진 엘리트의 채용 등으로 공직의 신진대사가 촉진되어야 한다.
7. **기타:** 심리적 안정감, 소득의 평준화, 교육의 보편화 등이 있다.

핵심 OX

01 옴부즈만은 원칙인 직권에 의한 조사도 가능하고 예외적으로 신청에 의한 조사도 가능하다. (O, X)

01 X 원칙이 신청에 의한 조사이고, 직권이 예외적 조사이다.

개념PLUS 국민권익위원회

1. 목적

국민권익위원회를 설치하여 고충민원의 처리와 이에 관련된 불합리한 행정제도를 개선하고 부패의 발생을 예방하며, 부패행위를 효율적으로 규제함으로써 국민의 기본적 권익을 보호하고 행정의 적정성을 확보하며 청렴한 공직 및 사회풍토의 확립에 이바지한다.

2. 설치

고충민원의 처리와 이에 관련된 불합리한 행정제도를 개선하고, 부패의 발생을 예방하며 부패행위를 효율적으로 규제하도록 하기 위하여 국무총리 소속으로 국민권익위원회를 둔다.

3. 주요 기능

① 국민의 권리보호·권익구제 및 부패방지를 위한 정책을 수립 및 시행한다.
② 고충민원의 조사와 처리 및 이와 관련된 시정권고 또는 의견표명을 한다.
③ 고충민원을 유발하는 관련 행정제도 및 그 제도의 운영에 개선이 필요하다고 판단되는 경우 이에 대한 권고 또는 의견표명을 한다.
④ 위원회가 처리한 고충민원의 결과 및 행정제도의 개선에 관한 실태조사와 평가를 한다.
⑤ 공공기관의 부패방지를 위한 시책 및 제도개선 사항의 수립·권고와 이를 위한 공공기관에 대한 실태조사를 진행한다.
⑥ 공공기관의 부패방지시책 추진상황에 대한 실태조사·평가를 진행한다.

4. 구성

① 위원회는 위원장 1명을 포함한 15명의 위원(부위원장 3명과 상임위원 3명을 포함)으로 구성한다. 이 경우 부위원장은 각각 고충민원, 부패방지 업무 및 중앙행정심판위원회의 운영업무로 분장하여 위원장을 보좌한다.
② 위원장 및 부위원장은 국무총리의 제청으로 대통령이 임명하고, 상임위원은 위원장의 제청으로 대통령이 임명하며, 상임이 아닌 위원은 대통령이 임명 또는 위촉한다. 이 경우 상임이 아닌 위원 중 3명은 국회가, 3명은 대법원장이 각각 추천하는 자를 임명 또는 위촉한다.
③ 위원장과 부위원장은 각각 정무직으로 보하고, 상임위원은 고위공무원단에 속하는 일반직공무원으로서 「국가공무원법」 제26조의5에 따른 임기제공무원으로 보한다.

5. 직무상 독립과 신분보장

① 위원회는 그 권한에 속하는 업무를 독립적으로 수행한다.
② 위원장과 위원의 임기는 각각 3년으로 하되 1차에 한하여 연임할 수 있다.

6. 시민고충처리위원회

지방자치단체 및 그 소속 기관에 관한 고충민원의 처리와 행정제도의 개선 등을 위하여 각 지방자치단체에 시민고충처리위원회를 둘 수 있다.

7. 고충민원의 신청 및 접수

① 누구든지(국내에 거주하는 외국인을 포함) 위원회 또는 시민고충처리위원회에 고충민원을 신청할 수 있다. 이 경우 하나의 권익위원회에 대하여 고충민원을 제기한 신청인은 다른 권익위원회에 대하여도 고충민원을 신청할 수 있다.
② 권익위원회에 고충민원을 신청하고자 하는 자는 문서(전자문서를 포함)로 이를 신청하여야 한다. 다만, 문서에 의할 수 없는 특별한 사정이 있는 경우에는 구술로 신청할 수 있다.

핵심 OX

01 국민권익위원회는 사법부 공무원에 대한 통제 권한이 있다. (O, X)

02 국민권익위원회의 위원장의 임기는 3년이며, 1차에 한하여 연임이 가능하다. (O, X)

03 국민권익위원회는 위법·부당한 사항을 취소·무효화시킬 수 있다. (O, X)

01 X 행정부 소속인 국민권익위원회는 독립기관이며, 공무원에 대한 통제권은 없다.
02 O
03 X 권고나 요구만 가능하지, 취소나 무효화는 불가하다.

(2) 비공식적 통제

① **민중통제:** 시민의 지위에서 행사할 수 있는 행정통제 방법이다.
  ㉠ 선거, 주민투표, 주민감사청구권의 행사
  ㉡ 반상회나 공청회 등 각종 주민참여 제도
  ㉢ 시민단체(NGO) 참여 등
② 이익집단에 의한 통제가 가능하다.
③ 여론과 매스컴에 의한 통제가 가능하다.

2. 내부통제

(1) 공식적 통제

① 계층제를 통한 통제가 이뤄진다.
② 감사원에 의한 감찰 통제를 실시한다.
③ 행정수반에 의한 통제가 이뤄진다.

(2) 비공식적 통제

① 행정윤리의 확립을 통한 통제를 시행한다.
② **공무원단체를 통한 통제:** 공무원단체는 스스로의 규범 정립과 구성원의 윤리 일탈에 대한 자율적 통제 기능을 수행하기도 한다.
③ **대표관료제 확립을 통한 통제:** 관료들의 출신집단에 대한 적극적 대표에 의해 행정을 통제하는 장치가 되기도 한다.

3 외부통제와 내부통제

외부통제(민주통제, 타율통제)	공식통제	입법통제	법률제정, 예산의결, 국정조사·감사, 탄핵소추, 결산승인, 해임건의, 임명동의권, 인사청문회
		사법통제	법원의 행정소송, 명령·규칙 위헌심사, 헌법재판소의 헌법소원심판·탄핵심판
		옴부즈만	위법·부당한 사항에 대한 신속·저렴한 해결, 간접적 통제권만 가짐
	비공식통제	민중통제: 선거, 투표, 정당, 이익집단, NGO, 언론, 여론, 정책공동체	
내부통제(관리통제, 자율통제)	공식통제	통제주체별	· 행정수반(대통령), 감사기관(감사원 – 결산검사), 행정심판위원회(행정심판), 감독기관, 감독자(헤드십) · **교차행정조직에 의한 통제:** 인사혁신처(인사권), 기획재정부(예산권), 국무총리실(심사평가)
		통제대상별	운영통제, 감찰통제, 정책·기획통제, 요소별 통제(법제, 정원·인사, 회계, 물자 통제), 절차통제(보고·지시)
	비공식통제	공직윤리(행정윤리), 직업윤리, 기능적·전문적 책임, 비공식조직, 공무원단체, 대표관료제, 내부고발	

핵심 OX

01 감사원에 의한 통제는 외부통제이다. (O, X)
02 대표관료제는 내부통제이다. (O, X)

01 X 감사원 조직상 대통령 소속이므로, 내부통제로 본다.
02 O

학습 점검 문제

01 정부통제를 내부통제와 외부통제로 구분할 때, 내부통제가 아닌 것은? 2018년 서울시 9급

① 감찰통제 ② 예산통제

③ 인력의 정원통제 ④ 정당에 의한 통제

02 행정부에 대한 외부통제에 해당하는 것만을 모두 고르면? 2021년 국가직 9급

> ㄱ. 행정안전부의 각 중앙행정기관 조직과 정원 통제
> ㄴ. 국회의 국정조사
> ㄷ. 기획재정부의 각 부처 예산안 검토 및 조정
> ㄹ. 국민들의 조세부과 처분에 대한 취소소송
> ㅁ. 국무총리의 중앙행정기관에 대한 기관평가
> ㅂ. 환경운동연합의 정부정책에 대한 반대
> ㅅ. 중앙행정기관장의 당해 기관에 대한 자체평가
> ㅇ. 언론의 공무원 부패 보도

① ㄱ, ㄷ, ㅁ, ㅅ ② ㄴ, ㄷ, ㄹ, ㅁ

③ ㄴ, ㄹ, ㅁ, ㅇ ④ ㄴ, ㄹ, ㅂ, ㅇ

정답 및 해설

01 정당에 의한 통제는 외부통제에 해당한다.

| 오답체크 |

①, ②, ③ 모두 내부통제에 해당한다.

① 감찰통제는 독립통제기관인 감사원의 기능이다.

② 예산통제는 교차기능조직인 기획재정부의 기능이다.

③ 조직과 정원통제는 교차기능조직인 행정안전부의 기능이다.

02 외부통제에 해당하는 것은 ㄴ, ㄹ, ㅂ, ㅇ이다.

ㄴ. 국회의 국정조사는 외부통제이다.

ㄹ. 국민들이 행정소송에 의한 통제는 외부통제이다.

ㅂ. 시민단체에 의한 통제는 외부통제이다.

ㅇ. 언론기관에 의한 통제는 외부통제이다.

| 오답체크 |

ㄱ. 행정안전부의 조직과 정원통제는 내부통제이다.

ㄷ. 기획재정부에 의한 예산안 검토 및 조정은 내부통제이다.

ㅁ. 국무총리의 정부업무평가는 내부통제이다.

ㅅ. 중앙행정기관장의 자체평가는 내부통제이다.

정답 01 ④ 02 ④

03 **행정통제에 대한 설명으로 옳지 않은 것은?** 2017년 지방직 9급(12월 추가)

① 감사원에 의한 통제는 회계검사, 직무감찰, 성과감사 등이 있다.

② 사법통제는 행정이 이미 이루어진 후의 소극적 사후조치라는 한계가 있다.

③ 입법통제는 행정명령 · 처분 · 규칙의 위법 여부를 심사하는 외부통제 방법이다.

④ 언론은 행정부의 과오를 감시하고 비판하며 공개하는 역할을 수행함으로써 행정에 영향을 미친다.

04 **행정통제 중 내부통제에 해당하는 것만을 모두 고른 것은?** 2016년 국가직 7급

ㄱ. 입법부에 의한 통제 ㄴ. 사법부에 의한 통제 ㄷ. 감사원에 의한 통제 ㄹ. 시민에 의한 통제 ㅁ. 공무원으로서 직업윤리

① ㄱ, ㄴ ② ㄴ, ㄷ

③ ㄷ, ㅁ ④ ㄹ, ㅁ

05 행정통제의 유형 중 외부통제가 아닌 것은? 2020년 지방직 9급

① 감사원의 직무감찰

② 의회의 국정감사

③ 법원의 행정명령 위법 여부 심사

④ 헌법재판소의 권한쟁의심판

정답 및 해설

03 행정명령·처분·규칙의 위법 여부를 심사하는 기관은 의회(입법통제)가 아니라 사법부(사법통제)이다.

| 오답체크 |

① 감사원의 기능은 회계검사, 직무감찰, 결산확인 등이며, 최근에는 발생주의 도입으로 회계검사는 성과감사에 중점을 두고 있다.

② 소극적 사후조치는 사법통제의 한계로 옳은 지문이다.

④ 언론에 의한 행정통제를 옳게 설명하고 있다.

04 행정통제는 내부·외부 통제와 공식적·비공식적 통제로 분류할 수 있다.

ㄷ. 감사원에 의한 통제 - 내부·공식적 통제

ㅁ. 공무원으로서 직업윤리 - 내부·비공식적 통제

| 오답체크 |

ㄱ. 입법부에 의한 통제 - 외부·공식적 통제

ㄴ. 사법부에 의한 통제 - 외부·공식적 통제

ㄹ. 시민에 의한 통제 - 외부·비공식적 통제

05 감사원의 직무감찰 등은 내부통제에 해당한다. 감사원은 직무상으로는 독립되어 있지만 소속은 어디까지나 대통령 소속이므로 내부통제 기능에 해당한다.

| 오답체크 |

②, ③, ④ 모두 외부통제에 해당한다.

정답 03 ③ 04 ③ 05 ①

06 **행정책임과 행정통제에 대한 설명으로 옳은 것은?** 2020년 지방직 7급

① 파이너(Finer)는 행정의 적극적 이미지를 전제로 전문가로서의 관료의 기능적 책임을 강조하는 책임론을 제시하였다.

② 프리드리히(Friedrich)는 개인적인 도덕적 의무감에 호소하는 책임보다 외재적 · 민주적 책임의 중요성을 강조하였다.

③ 행정통제를 내부통제와 외부통제로 구분할 경우, 윤리적 책임의식의 내재화를 통한 통제는 전자에 속한다.

④ 옴부즈만제도를 의회형과 행정부형으로 구분할 경우, 국민권익위원회의 고충민원처리제도는 전자에 속한다.

07 **롬젝(Romzeck)의 행정책임 유형에 대한 설명으로 옳지 않은 것은?** 2023년 국가직 9급

① 계층적 책임 - 조직 내 상명하복의 원칙에 따라 통제된다.

② 법적 책임 - 표준운영절차(SOP)나 내부 규칙(규정)에 따라 통제된다.

③ 전문가적 책임 - 전문직업적 규범과 전문가집단의 관행을 중시한다.

④ 정치적 책임 - 민간 고객, 이익집단 등 외부 이해관계자의 기대에 부응하는가를 중시한다.

08 **옴부즈만(ombudsman) 제도의 일반적 특징에 대한 설명으로 옳지 않은 것은?** 2017년 지방직 7급

① 옴부즈만은 비교적 임기가 짧고 임기보장이 엄격하게 적용되지 않는다.

② 옴부즈만에게 민원을 신청할 수 있는 사안은 행정 관료의 불법행위와 부당행위를 포함한다.

③ 옴부즈만은 행정기관의 결정에 대해 직접 취소·변경할 수 있는 권한을 갖지 않는다.

④ 업무처리에 있어 절차상의 제약이 크지 않아 옴부즈만에 대한 시민들의 접근이 용이하다.

정답 및 해설

06 관료들이 국민에 대한 수임자·공복으로서 스스로 내면의 가치와 기준에 따라 자발적으로 내부적인 유도에 의해 책임감을 느끼고 행동하는 것이 내재적 책임이며, 내재적 책임을 확보하는 것이 내부통제이다.

| 오답체크 |

① 기능적 책임 등 내재적 책임을 강조한 학자는 프리드리히(Friedrich)이다.

② 파이너(Finer)는 외재적 책임의 중요성을 강조하였다.

④ 우리나라의 국민권익위원회의 고충민원처리제도는 행정부형 옴부즈만제도에 속한다. 국민권익위원회는 국무총리 소속이다.

07 롬젝(Romzeck)은 행정책임의 원천과 통제의 강조에 따라 책임의 유형을 4가지로 나눴다. 법적책임은 통제의 원천이 외부에 있는 책임으로 입법부·사법부등 와의 관계에서 나타나는 책임유형이다.

| 오답체크 |

① 계층적 책임은 관료는 상급자의 감독·명령·지시 또는 내부규율을 준수해야 할 비자율적 책임이다.

③ 전문가적 책임은 관료는 전문가로서의 윤리·신념·경험 등의 내재화된 규범에 따라야 할 자율적 책임이다.

④ 정치적 책임이란 정치인·고객·일반대중의 필요에 대응해야 할 자율적 책임이다.

책임 유형 - 듀브닉(Dubnick)와 롬젝(Romzek)

원천 / 강도		통제의 원천	
		내부	외부
통제의 강도	높음	관료적 책임 (위계적 책임)	법률적 책임
	낮음	전문적 책임 (정책적 책임)	정치적 책임

08 옴부즈만은 일반적으로 임명권자와 임기가 같거나 장기이며, 임기 중 강한 신분보장을 받는다.

| 오답체크 |

② 옴부즈만은 위법하거나 부당한 모든 행정행위를 조사할 수 있다.

③ 옴부즈만은 무효·취소·변경할 수 있는 직접적인 통제권이 없고, 권고나 요구만 할 수 있을 뿐이다.

④ 옴부즈만은 비공식적인 절차도 허용되므로 시민들의 접근이 용이하다.

정답 06 ③ 07 ② 08 ①

09 **행정통제체제에 대한 다음 <보기>의 설명 중 옳지 않은 것을 모두 고르면?** 2013년 국회직 8급

〈보기〉

ㄱ. 일반계서(ordinary hierarchies)는 행정체제 내의 일차적 통제구조에 해당하며 의사결정계층의 연쇄로 구성된다.

ㄴ. 감사원은 전형적인 외부적 독립통제기관이다.

ㄷ. 옴부즈만은 그가 요구하는 시정조치를 법적으로 강제하거나 이를 대행하는 권한을 함께 갖는 것이 원칙이다.

ㄹ. 외부적 통제체제에는 국회, 헌법재판소, 교차기능조직, 국민 등이 포함된다.

① ㄱ, ㄴ

② ㄱ, ㄷ

③ ㄴ, ㄷ

④ ㄴ, ㄷ, ㄹ

⑤ ㄱ, ㄴ, ㄷ, ㄹ

10 **민원행정에 대한 설명으로 옳지 않은 것은?** 2018년 국가직 7급

① 행정체제의 경계를 넘나드는 교호작용을 통하여 주로 규제와 급부에 관련된 행정산출을 전달한다.

② 행정기관의 장은 개인의 사생활에 관한 사항에 해당하는 경우 그 민원을 처리하지 않을 수 있다.

③ 행정구제수단으로서의 기능을 수행한다.

④ 행정기관은 사경제의 주체로서 민원을 제기할 수 없다.

11 민원행정의 성격에 대한 설명으로 옳은 것만을 모두 고르면? 2020년 지방직 9급

> ㄱ. 규정에 따라 서비스를 제공하는 전달적 행정이다.
> ㄴ. 행정기관도 민원을 제기하는 주체가 될 수 있다.
> ㄷ. 행정구제수단으로 볼 수 없다.

① ㄱ
② ㄷ
③ ㄱ, ㄴ
④ ㄴ, ㄷ

정답 및 해설

09 ㄴ. 감사원은 내부적 독립통제기관이다.
ㄷ. 옴부즈만은 법적으로 강제하거나 이를 대행하는 권한을 갖지 못한다.
ㄹ. 교차기능조직은 내부통제기관이다.

10 사경제의 주체로서의 행정기관은 민원을 제기할 수 있다.

> **「민원 처리에 관한 법률」 제2조【정의】** 이 법에서 사용하는 용어의 뜻은 다음과 같다.
> 2. "민원인"이란 행정기관에 민원을 제기하는 개인·법인 또는 단체를 말한다. 다만, 행정기관(사경제의 주체로서 제기하는 경우는 제외한다), 행정기관과 사법(私法)상 계약관계(민원과 직접 관련된 계약관계만 해당한다)에 있는 자, 성명·주소 등이 불명확한 자 등 대통령령으로 정하는 자는 제외한다.

| 오답체크 |
① 민원행정은 정부와 국민 간의 행정이므로 행정체제의 경계를 넘나드는 교호작용을 통하여 주로 규제와 급부에 관련된 행정산출을 전달한다.
② 「민원 처리에 관한 법률」 제21조에 따르면 행정기관의 장은 개인의 사생활에 관한 사항에 해당하는 경우 그 민원을 처리하지 않을 수 있다고 규정되어 있다.
③ 민원행정은 부당한 행정으로 인한 불이익을 시정하고자 하는 의사표시가 포함될 수 있기 때문에 매우 간편한 행정구제수단으로서의 기능을 수행한다.

11 민원행정은 민원인이 행정기관에 대하여 처분 등 특정한 행위를 요구하는 행정으로, 고객접점에서 이루어지는 전달적 행정이자 시민들의 일상생활에 직결되는 민원 중심의 서비스이다. ㄱ. 민원행정은 규정에 따라 고객에게 서비스 제공이 이루어지는 전달적 행정이다. 또한 ㄴ. 원칙적으로 행정기관이 민원의 주체가 될 수 없으나, 사경제 주체로서는 민원을 제기할 수 있다.

| 오답체크 |
ㄷ. 민원행정은 가장 1차적인 행정구제 수단이자 행정통제 수단으로서의 기능을 수행한다.

정답 09 ④ 10 ④ 11 ③

CHAPTER 3 행정개혁

1 행정개혁의 의의

1 의의

1. 의의

(1) 행정개혁(administrative reform)이란 행정체제를 어떤 하나의 상태에서 그보다 나은 다른 하나의 상태로 변동시키는 것을 의미한다.

(2) 즉, 행정의 기구 · 관리기법 · 기술 · 행정인의 능력과 가치관 및 태도를 의도적 · 계획적으로 변화시켜, 행정체제의 바람직한 변동을 추구하는 활동이나 과정인 것이다.

2. 근본가정(전제)

(1) 조직이나 행정의 인위적 변동가능성이 존재한다.

(2) 인간과 조직의 불완전성과 미래의 불확실성이 존재한다.

(3) 인간속성의 양면성(변동추구적인 속성과 현상유지적인 속성)과 갈등성이 내재되어 있다.

(4) 환경과의 관계에 있어서 독립변수이면서 종속변수성이다.

(5) 포괄적 · 통합적으로 연구 · 실천되어야 한다.

2 특징

1. 목표지향성

행정개혁은 의식적으로 설정된 목표를 추구하는 것이므로, 목표에 따른 의식적 · 계획적 · 유도적 활동이다.

2. 동태성 · 행동지향성

(1) 행정개혁은 불확실성 · 위험과 예측의 곤란으로 설명되는 미래와 관련되며, 복잡한 환경요인의 작용과 함께 진행되는 동태적 과정이다.

(2) 의도한 계획을 실천하는 일련의 과정이라는 점에서 행동지향적이다.

3. 포괄적 연관성

행정개혁은 개혁의 대상인 행정체제를 둘러싸고 있는 내 · 외의 요인들 간의 포괄적 연관성을 중시하고 그에 대처하는 활동이다.

4. 지속성

행정개혁은 한 차례의 단편적인 변화로 끝나는 것이 아니라, 행정내·외 여건의 변화로 지속적이고 다발적으로 이루어지는 것이며, 그 결과에 대한 환류가 동시에 진행되는 연속적·순환적 과정이다.

5. 수반되는 저항

행정개혁은 인위적으로 기존의 현상을 무너뜨리는 행동과정이므로, 거의 언제나 현상유지적 세력의 저항을 받게 된다.

6. 공적 상황에서의 개혁(정치성)

행정개혁은 정치적 환경 속에서 정치적 지지를 통해 이루어지고, 민간에서의 개혁과 달리 공공의 감시와 통제를 더 많이 받으며 법적·정치적 제약하에서 이루어진다.

3 계기(동인 및 필요성)

실제 대부분의 경우 여러 가지 원인이 복합적으로 작용하여 개혁이 시행된다.

(1) 정권교체 및 정치적 지배세력의 교체로 인한 새로운 이념이 등장하였다.

(2) 새로운 과학기술이나 분석기법이 도입되었다. 특히 예산과 관련된 부분에서 그러하다(㊞ 복식부기 등).

(3) 정부기능 간에 경계가 불분명하고 중복되어 조직관리 방법이 비능률적인 경우이다.

(4) 전쟁이나 혁명 등과 같은 정치적 변혁과 경제위기의 발생(㊞ IMF 경제위기 등)으로 인한 기존 구조와 절차의 변화 필요성이 대두되는 경우이다.

(5) 세계화·정보화·지방화 등 행정체제 내·외의 환경적 변화에 따라 필요성이 제기되는 경우이다.

(6) 행정이 '해야 하는 것'과 '실제로 해야 하는 것' 간의 괴리(㊞ 행정이 국민의 요망을 충족시키지 못할 경우, 행정기관이 여분의 역량을 보유하고 있으나 장래의 요망에 응하지 못하거나 응할 태세를 갖추고 있지 않는 경우 등) 등이 발생하였다.

4 접근방법

1. 구조적 접근방법

(1) 의의

① 구조적 접근방법(structural approach)은 원칙적으로 행정체제의 구조적 설계를 개선함으로써 행정개혁의 목표를 달성하려는 접근방법이다.

② 이 접근방법은 공식적·합리적 조직관을 가지고 있는 고전기에 매우 중요시되었으며, 가장 역사가 오래된 전통적인 접근방법이다.

③ 최근에 구조적 요인들(분화, 통합의 수준, 규모 등)을 전반적·급진적으로 개혁하려는 리스트럭처링(restructuring)도 여기에 해당한다.

(2) 특징

구조적 접근방법의 구체적 개선 대상(주요 관심사)은 기능 중복의 제거, 분권화의 확대, 통솔범위의 재조정, 권한배분의 수정, 책임의 재규정, 의사전달 체계(명령계통)의 수정, 통제절차의 개선 등이다. 이는 원리 전략과 분권화 전략으로 세분할 수 있다.

① **원리 전략:** 최적 구조가 최적 수행을 초래한다는 조직의 건전 원칙에 의거하여 기능 중복의 제거, 책임의 재규정, 조정 및 통제 절차의 개선, 표준적 절차의 간소화 등을 강조한다.

② **분권화 전략:** 구조의 분권화에 의해 조직을 개선하려는 것으로, 공식적 조직뿐만 아니라 관리자의 행태와 의사결정까지도 포함하는 종합적인 성격을 지니고 있다.

(3) 평가

① **원리 전략:** 인간을 종속변수로 본다는 점(후진국형 접근법)과 조직의 동태적인 면과 환경적 요인을 고려하지 않는다는 한계가 있다.

② **분권화 전략:** 공식적인 구조뿐만 아니라 비공식적인 측면도 고려하며, 구조적 요인과 관련된 행태적 요인도 함께 다룬다.

2. 과정적(관리 · 기술적) 접근방법

(1) 의의

① 과정적 접근방법(process approach)은 행정체제 내의 과정 또는 일의 흐름, 그리고 거기에 결부된 기술을 개선하려는 접근방법이다.

② 이 접근방법은 과학적 관리법을 이론적 배경으로 하며, 주로 관리기술의 개선에 중점을 둔다.

③ 최근에는 계량적 모형과 전산화 방법들이 널리 동원되고 있으며, 특히 조직의 산출활동을 획기적으로 개선하기 위해 업무수행 과정을 급진적으로 재설계하는 리엔지니어링(reengineering or business process reengineering)도 여기에 해당한다.

(2) 특징

과학적 관리법을 이론적 배경으로 하여, 문서의 처리절차 · 업무량 측정 · 정원관리 · 사무실 배치 · 행정사무의 기계화 · 자동화 · 새로운 행정기술 또는 장비를 도입하거나, 관리과학 · OR · 체제분석 · 컴퓨터(EDPS, MIS) 등의 계량화 기법을 활용하는 것을 말한다.

(3) 평가

① **장점:** 기술적 쇄신을 통해 표준적 절차와 조직의 과업수행에 영향을 줄 뿐만 아니라, 조직의 행태와 인간의 행태에 영향을 미친다.

② **단점:** 행정현상을 지나치게 단순화시키고 있고, 기술과 인간과의 갈등을 소홀히 다룬다.

핵심 OX

01 조직의 기능 중복 제거, 책임의 재규정 조정 및 통제 절차의 개선, 표준적 절차의 간소화는 행정 개혁의 구조적 접근법이다. (O, X)

01 O

3. 행태적 접근방법

(1) 의의

① 행태적 접근방법(behavioral approach)은 조직발전(OD) 혹은 인간 중심적 접근방법이라고도 한다.

② 행태과학의 지식과 기법을 활용하여 조직의 목표에 개인의 성장의욕을 결부시킴으로써 조직을 개혁하려는 접근방법이다.

(2) 특징

조직발전(OD)이론, 소집단이론 · 집단동태이론에 속하는 방법들이 개선전략이 될 수 있다. 감수성훈련, 태도조사 등이 이에 해당하며 상향적 · 자발적 성격을 띤다.

(3) 평가

① **장점:** 인간주의를 추구하려는 근래의 연구인들이 가장 중요시하는 전략으로, 구조 중심의 방법에 비하여 인간과 참여에 비중을 두고 있기 때문에 개혁이 성공할 가능성이 높다.

② **단점:** 행태과학에 대한 지식이 필요하고 장기간이 소요되며, 한정된 지식과 정보로 조직 전체에 대한 이해가 부족하다. 또한 조직 외적 상황에 대한 고려가 부족하다.

4. 종합적 접근방법

(1) 의의

종합적 접근방법(integrated approach)은 어느 경우든지 하나의 접근방법으로 하나의 행정개혁 전반을 다루기는 어려우므로, 외적인 환경에 따라 담당자가 개방체제 관념에 입각하여 개혁대상의 구성요소들을 보다 포괄적으로 관찰하고 여러 가지 분화된 접근방법들을 통합하여 해결방안을 탐색하려는 접근방법이다.

(2) 특징

구조, 과정, 인간, 문화, 산출 등을 대상으로 관련되는 접근방법을 적절히 혼합하여 행정의 목표를 수행하면 충분하다는 입장이다.

(3) 평가

① **장점:** 논리상 다양한 접근방법의 장점들만을 취할 수 있다.

② **단점:** 실제에 있어서 개혁 추진자들의 실천적 작업에 많은 부담을 주게 된다. 따라서 많은 연구자들에 의해 강력하게 주장되고 있음에도 불구하고 널리 활용되지 못하고 있다.

핵심 OX

01 행태적 행정개혁 접근법은 구조와 기능 중심이다. (O, X)

01 X 행태적 접근법은 인간의 행태를 변화시켜 조직발전을 추구하는 인간 중심적 전략이다.

2 행정개혁의 과정과 전략

1 과정

1. 개혁의 필요성의 인식

현재의 상황적 조건이 바람직한 수준에 미치지 못하는 경우, 개혁의 필요성이 제기된다.

2. 개혁안의 준비 · 결정

개혁의 목표와 그에 도달하기 위한 구체적인 개혁 실현의 내용 및 전략(개혁의 우선순위 및 저항극복을 위한 전략도 포함)을 담은 개혁안을 준비하는 방법에는 조직 내부인 혹은 외부인이 마련하는 방법 등이 있다.

(1) 조직 내부인이 마련하는 경우

① 장점

㉠ 비용과 시간이 적게 든다.

㉡ 개혁이 조직구성원의 이익에 미치는 영향을 고려할 수 있다.

㉢ 정치적 · 행정적 실현가능성 문제를 심도 있게 고려할 수 있다.

㉣ 실제적인 정책 · 사업계획에 보다 관심을 두기 때문에 개혁안의 집행이 보다 용이하고 빠르다.

② 단점

㉠ 공익보다는 관료의 이익이 우선시된다.

㉡ 객관성과 종합성을 상실할 우려가 있다.

㉢ 단편적이고 보수적인 개혁안이 작성될 가능성이 있다.

㉣ 보고서가 짧고 덜 세밀하며, 중점적(한정적)일 수 있다.

(2) 조직 외부인이 마련하는 경우

① 장점

㉠ 국민적 지지를 확보하기가 용이하다.

㉡ 종합적이고 객관적이다.

㉢ 개혁의 정치적 측면을 충분히 고려한다.

㉣ 보고서가 보다 길고 세밀하며, 과감한 개혁안이 작성될 수 있다.

② 단점

㉠ 시간과 경비가 더 많이 소요된다.

㉡ 현실과 동떨어진 경우 실현가능성이 낮을 가능성이 있다.

㉢ 공무원들의 이익과 상충될 경우 공무원의 내부 저항에 직면하게 될 가능성이 있다.

㉣ 행정조직의 구조 문제나 행정원칙에 더 중점을 두며, 실제적인 사업계획의 검토나 인사 문제에 덜 중점을 두게 된다.

핵심 OX

01 조직 내부인이 개혁안을 작성하는 경우, 비용과 시간이 적게 든다. (O, X)

02 조직 외부인이 개혁안을 작성하는 경우, 종합적이고 객관적이다. (O, X)

01 O
02 O

핵심정리 행정개혁안 준비의 주체별 장단점

구분	조직 내부인에 의한 개혁	조직 외부인에 의한 개혁
장점	· 시간 · 경비 절감 · 조직구성원의 복지에 미치는 영향 고려 · 현실성 및 실현가능성이 높음 · 실제적인 정책 · 사업계획에 대한 관심과 집행 용이	· 국민의 광범위한 지지 확보 가능 · 종합적 · 객관적인 개혁 내용 · 정치적인 면 고려 및 권력구조의 본질적인 재편성 가능 · 보고서가 길고 세밀하며, 과감한 개혁안
단점	· 공익보다는 관료의 이익을 우선시 · 객관성 · 종합성 결여 · 단편적 · 보수적인 개혁 내용 · 보고서가 짧고 덜 세밀하며 중점적	· 시간 · 비용 과다 · 과격한 안이 건의되어 실행가능성 낮음 · 관료들의 저항 유발 · 실제적인 사업계획의 검토나 인사문제에 덜 중점을 두게 됨

3. 개혁안의 집행

개혁안을 집행할 주체를 선정하고 필요한 지지와 인적 · 물적 자원을 동원해야 한다. 법안의 정비, 예산의 이체, 예비비의 사용과 같은 예산 조치, 공무원의 보직 변경 · 훈련 등 많은 조치들이 요구된다.

4. 개혁의 평가

행정개혁의 진행상황과 성과 등을 분석 · 평가하여 그 결과를 개혁 과정의 적절한 단계에 환류시키거나, 새로운 개혁 과정을 촉발하는 정보를 제공한다. 이는 당초의 기대대로 개혁이 이루어졌는지에 대한 확인과 함께, 개혁의 문제점을 보완할 수 있게 함으로써 개혁의 흐름을 순환적인 것으로 만들게 된다.

2 실천전략

개혁은 복잡한 환경과 정치적 여건하에서 일어나기 때문에 일률적인 표준화된 실행방법이 없다. 조직 내 · 외의 상황에 따라 개혁추진자, 추진 범위와 속도, 추진방향이 결정되어야 한다.

1. 개혁추진자

(1) 개혁추진자, 특히 개혁 촉발의 행동 주체가 행정조직의 외부에 있는가 또는 내부에 있는가에 따라 행정개혁을 피동적 개혁과 능동적 개혁으로 나누어 볼 수 있다.

① **피동적 개혁:** 정치 · 행정적 리더들이 행정조직에 외재적으로 요구 또는 부과하여 추진되는 개혁을 의미한다.

② **능동적 개혁:** 개혁대상 조직 또는 공무원들이 스스로 주도하는 경우를 말한다.

(2) 시대의 변천에 따라 피동적 개혁의 필요성은 점차 떨어지고, 오늘날 행정개혁의 주류는 능동적 개혁추진의 중요성을 강조한다.

2. 개혁 범위와 속도

전면적인 개혁을 할지 부분적인 개혁을 할지 고려해야 하고, 개혁의 추진속도와 관련해서는 급진적 전략과 점진적 전략 중, 시기와 상황에 따른 가장 적합한 전략이 무엇인지를 고려하여 결정해야 한다.

구분	급진적 · 전면적 전략	점진적 · 부분적 전략
장점	· 유능한 리더 존재 시 유리 · 개발도상국(특히 경제발전을 위한 개혁 추진 시)에서 유리 · 신속한 변화 가능	· 저항 감소, 성공가능성 높음 · 정책의 일관성 유지 · 조직의 안정감 확보
단점	· 기득권층의 저항 유발 · 정책의 일관성 저해 · 조직과 사회의 안정성 저해	· 신속한 변화 유도 곤란 · 개혁의 보수성 · 개혁목표의 변질가능성 큼

3. 개혁의 추진방향

정부나 조직의 상층부의 지시 · 명령에 의해 주도적으로 개혁이 추진되는 명령적 · 하향적(directive) 전략과, 조직구성원의 참여를 통한 의견수집과 이를 토대로 한 개혁의 추진이 이루어지는 참여적 · 상향적(participative) 전략 등이 있다.

구분	명령적 · 하향적 전략	참여적 · 상향적 전략
장점	· 신속하고 근본적인 변화 필요 시 유리 · 리더의 권위 존재 시 유리	· 구성원의 사기와 책임감 제고 · 지속적 효과 보장 · 구성원의 의견 반영으로 저항 최소화
단점	· 저항 유발 · 개혁효과 지속화 의문	· 신속한 변화 곤란 · 조직 간 갈등 조정 곤란

3 저항과 대책

1. 저항의 원인

개혁에 대한 저항 원인으로는 (1) 기득권의 침해(관료나 이익집단 등), (2) 타성으로 인한 저항(관료제의 보수적 · 현상유지적 경향 및 자기방어 의식에 기인), (3) 개혁 내용의 불확실성, (4) 개혁 내용의 몰이해(개혁 과정이 폐쇄성을 띠는 경우)와 전략에 대한 불신, (5) 재적응의 부담, (6) 개혁 추진자(특히 명령적 · 하향적 전략의 경우)에 대한 불신 등 다양하게 있다.

구분	원인	내용
저항의 상황적 조건	일반적 장애	정치적 불안정, 경제적 빈곤, 사회적 갈등, 문화적 혼란, 행정체제의 능력 부족과 제도화된 부패, 관료제의 경직성과 부수적 행정문화, 조직 내의 갈등과 권력 투쟁, 현상유지적 집단규범, 법령의 제약, 매몰비용 등
	개혁 추진자의 낮은 신망	낮은 신망과 불신

	개혁목표와 내용의 결함	개혁의 필요성 미충족, 신념체계와 상충, 이익 상실 또는 불편 야기 등
	추진방법과 절차의 결함	참여 봉쇄, 합의 부족, 강압적 방법과 절차, 시기와 속도 문제 등
저항의 심리적 원인	개혁 성과에 대한 불신	개혁의 필요와 성과에 대한 의문
	개혁 내용의 몰이해와 불신	개혁 과정이 비밀주의와 의사전달의 왜곡으로 개혁 내용을 개혁 대상자가 이해하지 못할 때 등
	이익침해 인식	개인적 이익을 침해한다고 생각할 때 등
	재적응의 부담	새로운 상황에 적응해야만 하는 심리적 부담 등
	자존심 손상	인정감이나 자존심이 손상되었을 때 등
	미지의 상황에 대한 불안감	기존 질서로부터 새로운 질서로의 이동을 목표로 하기 때문 등

2. 대책

행정개혁의 저항을 극복하는 데는 관계자를 다수 참여시키고 협의를 하는 규범적 · 협조적 전략이 바람직하지만, 최종적으로는 고전적 조직이론에 입각한 강제적 전략으로 나아가지 않을 수 없다.

(1) 강제적 방법(단기적 전략)

① 강제적 방법(coercive method)은 개혁 추진자가 강압적 권력으로 제재를 가하거나 그것을 위협하거나, 또는 직위에 부여된 명령권의 일방적 행사에 의하여 저항을 극복하는 방법이다.

② 강제적 방법은 저항을 근본적으로 해결하지 못하고, 단지 단기적으로 또는 피상적으로 억압하는 대증요법일 때가 많다.

㉄ 명령(상급자의 권한 행사), 신분상의 불이익 처분이나 물리적 제재, 의식적인 긴장의 조성, 권력구조 개편에 의한 저항집단의 세력 약화 등

(2) 공리적 · 기술적 방법

① 공리적 · 기술적 방법(utilitarian-technical method)은 관련자들의 이익 침해를 방지 또는 보상하고 개혁 과정의 기술적 요인을 조정함으로써 저항을 극복하거나 회피하는 방법이다.

② 비용이 많이 들고 장기적인 효과를 기대하기 어렵다는 문제와 저항을 근본적으로 극복하려는 것이 아니라 저항에 양보하고 굴복하는 결과를 빚는다는 문제에 봉착할 수 있다. 그리고 지나친 기술적 조작은 후유증을 수반할 수도 있다.

㉄ 경제적 손실에 대한 보상, 조직 축소의 경우 신분과 보수를 유지해 준다는 약속, 개혁이 가져올 가치와 개인적 이득의 실증(혹은 홍보), 개혁의 시기조절, 개혁안의 명확화와 공공성 강조, 방법의 적응성 있는 운영 등

용어

상징 조작*: 실체와는 다른 환영(幻影)을 교묘하게 조작함으로써 대중을 움직이는 것

(3) 규범적·사회적 방법(장기적 전략)

① 규범적·사회적 방법(normative-social method)은 상징 조작*과 사회적·심리적 지지를 통해 자발적인 협력과 개혁의 수용을 유도하고자 하는 방법이다.

② 방법은 저항의 근본적인 해결책으로서 조직의 인간화를 주장하는 오늘날의 연구인들이 선호하는 전략이다. 그러나 끈기 있는 노력이 요구되고 시간을 많이 소모하는 방법이다.

㉮ 개혁 지도자의 신망 또는 카리스마 제고와 솔선수범, 의사전달과 참여의 촉진(원활화), 사명감 고취와 역할인식 강화, 적응지원(개혁에 적응하는 데 필요한 시간의 충분한 허용과 불만을 노출시키고 해소할 수 있는 기회 제공), 가치 갈등의 해소(개혁의 가치와 기존 가치의 양립 가능성 강조) 등

3 선진국의 행정개혁

1 OECD 정부개혁의 의의

1. 의의

OECD 정부개혁의 기본적 아이디어는 전통적인 관료제적 계층제가 비대응적이었음을 지적하면서, 관료제의 권위와 경직성을 신축성으로 대체하고 정부 내에 시장의 경쟁원리를 도입하려는 데에 있다.

2. 특징

OECD 정부개혁은 '작고 효율적인 정부'를 근본 목적으로 하며, (1) 정부의 생산성 향상, (2) 시장화, (3) 고객지향적 서비스, (4) 분권화, (5) 정책역량, (6) 결과에 대한 책무성을 공통된 특징으로 하고 있다.

2 OECD 정부개혁의 방향

1. 조직구조 개편과 인력 감축

(1) 계층제적 구조를 탈피하여 업무 중심의 자율적 팀제를 운용하도록 한다.

(2) 시장성 테스트(market testing)에 근거한 정부기능 재조정을 통하여 불필요한 사업은 폐지하고, 민간부문에서 더 잘 수행할 수 있는 기능은 민영화(공기업 민영화 등)하며, 철저한 책임경영 조직으로 전환함으로써 정부의 생산성 향상을 도모하고자 한다.

2. 성과(산출) 중심의 행정체제 구축

절차보다는 산출과 결과를 중시하며, 목표를 명확히 한다. 또한 책임을 할당하고 인센티브를 제공하여 성과를 달성하도록 유도하며, 정확한 성과측정과 목표달성에 대한 책임의 소재를 명확히 한다.

핵심 OX

01 개혁에 적응하는 데 필요한 충분한 시간을 주는 것은 규범적 전략이다. (O, X)

02 개혁안의 명확화와 공공성을 강조하는 것은 공리적·기술적 접근방법이다. (O, X)

01 O
02 O

3. 비용가치의 증대(VFM: Value For Money)

행정개혁의 근본 목적은 정부의 비효율성을 제거하여 비용가치(VFM: Value for Money)를 증대함으로써 작고 효율적인 정부를 만드는 데 있다. 이때 비용가치의 증대(VFM)란 경제성(economy), 능률성(efficiency), 효과성(effectiveness)을 반영한 예산이 결과(성과)로서 나타나야 함을 의미한다. 즉, '지출가치(VFM: Value For Money)'를 높여 능률성을 증가시키고 낭비를 줄이며, 효과성을 향상하자는 함의를 내포한다.

4. 재량권의 확대 및 책임통제 강화

(1) 각 부서의 집행 업무에 대한 자율성(융통성)을 허용하고 중앙의 인사권을 각 하위 부서로 이양(empowerment)한다.

(2) 권한의 위임에 따른 평가와 그 책임이 강조된다.

5. 민간과의 경쟁유도(시장화) 및 고객지향적 행정(서비스 지향)

(1) 시장원리를 적용하여, 공공서비스 제공에 있어 민간과 가격경쟁을 하게 한다.

(2) 고객에 대한 대응성을 높이고, 주민이 손쉽게 공공서비스에 접근할 수 있도록 한다. 또한 절차를 단순화하고, 친절한 서비스를 하도록 한다.

6. 정부규제의 개혁

규제를 통합적으로 관리하고 규제에 대한 근본적인 재평가 작업으로 불필요한 규제를 폐지하며, 규제 대안을 개발하여 규제를 완화한다.

7. 지방정부 · 국제기구 등 정부 간 협력

대부분의 국가들은 분권화된 서비스 제공을 확대하여 고객 대응성과 지역민주주의를 향상시켰다. 또한 국제적 차원에서 새로운 기회와 제약 및 의무에 적응하려는 노력을 보이고 있다.

8. 중앙의 전략 및 정책 능력의 강화

재량권의 부여와 분권화의 결과, 흩어진 기능을 조정하기 위하여 중앙관리기구는 핵심 행정기능[노젓기(rowing) 보다는 방향잡기(steering), 조정기능 등]에 역할을 집중할 필요성이 커졌기 때문에 중앙의 전략 및 정책 능력의 확보가 강하게 요구된다.

3 주요 OECD 국가의 정부개혁 사례

1. 영국 및 영연방국가들의 공공개혁(Westminster model)

(1) 정부개혁의 배경

① 노동당 정부하 오랜 경제불황과 높은 실업률에 시달려온 영국은 1979년 보수당의 대처(Thatcher) 수상의 취임을 계기로, OECD 국가 중 제일 먼저 시장 중심의 작고 효율적인 정부개혁을 단행하였다(민영화 모국).

② 이는 공공부문을 최소화하고 민간경영 방식을 도입하는 것을 주 내용으로 하고 있다.

(2) 개혁 내용

① 영국의 주요 개혁의 기본방향

㉠ 정부기능 재정립

㉡ 관리권한의 위임

㉢ 시장원리 및 성과관리의 도입

㉣ 행정서비스의 질 향상

② 1979년 능률성 정밀진단(efficiency scrutiny), 1982년 재무관리개혁, 1988년 책임운영기관의 설치를 포함하는 후속단계(next steps), 1991년 메이저(Major) 수상의 시민헌장제도(Citizen's Charter), 1994년 고위공무원의 개방형 임용을 담고 있는 공무원제도 개혁과 능률계획제도 백서(white paper), 1999년 노동당 블레어(Tony Blair) 정부에 의해 발표된 정부현대화 백서 등으로 발전하였다.

(3) 시민헌장

1991년 메이저(Major) 수상에 의한 시민헌장(Citizen's Charter)은 대처(Thatcher) 정권의 능률성과 효과성에 더하여 고객서비스의 질 향상에 초점을 두고, 다음의 6가지 원칙을 제시하였다.

① 서비스 기준을 설정하고 이를 시민의 권리로 인정한다.

② 서비스 기준을 공표하고 정보를 제공한다.

③ 시민 만족도를 조사하고 서비스 제공자 간의 경쟁으로 시민 선택권을 확대한다.

④ 친절과 봉사 정신을 발휘한다.

⑤ 주민 서비스 불만에 대한 시정조치를 마련한다.

⑥ 일반 납세자에게 비용의 가치를 설득력 있게 제시한다.

2. 미국

(1) 행정개혁의 배경

① 1970년대 후반부터 재정적자와 무역적자(쌍둥이적자; twin deficit)가 심화된 상황에서 1980년 집권한 레이건(Reagan)은 재정적자 해소를 위해, 정부규모의 감축과 정부운영의 효율화를 국가적 과제로 채택하고, 이에 따른 보수적인 행정개혁을 단행하였다.

② 정부가 수행하는 많은 기능을 시장(경쟁)에 의하여 수행하도록 함으로써 적은 예산으로 더 많은 서비스(work better, costs less)를 제공하고자 하는 것이다.

③ 이와 같은 주의는 기본적으로 클린턴(Clinton) 민주당 정부에서도 계속적으로 이어졌다.

(2) 행정개혁의 내용

① 레이건(Reagan) 대통령의 공공부문 개혁에 이어 클린턴(Clinton) 대통령은 1993년 2월 취임 당시, 연방 공무원의 10만 명의 감축 지시와 함께 '정부를 완전히 재창조(reinventing government)'하기 위한 방안을 강구하였다.

② 이를 위하여 고어(Gore) 부통령의 주도 아래 국가업무평가위원회 혹은 국정성과평가팀(NPR: National Performance Review)은 적은 비용으로 일 잘하는 기업가적 국가 운영을 강조한다는 의미로 관료적 형식주의에서 결과주의를 내걸고,

㉠ 서비스 기준(customers service standard)의 발표, ㉡ 성과 중심 조직(performance-based organization)의 도입, ㉢ 고객우선주의 실현, ㉣ 정보기술의 활용과 전자정부 구현, ㉤ 민간의 규제부담 완화(관리규정의 간소화) 등을 주요 내용으로 한 개혁을 추진하였다.

③ 그 결과 ㉠ 관리규정 간소화, ㉡ 인력 감축, ㉢ 규제 완화, ㉣ 고객우선주의를 실현하였다.

3. 뉴질랜드

가장 급진적인 추진 전략으로 정부개혁을 성공시킨 나라로 평가받고 있으며, 민간부문과 지역단체에 대한 정부개입을 최소화하고 공공부문에 대한 민간기업의 방식을 적극적으로 도입하였다.

4. 캐나다

캐나다의 행정개혁은 1989년 말 『Public Service 2000』이라는 정책백서가 발표되면서 시작되었다. 개혁의 핵심은 성과 중심과 고객지향으로 나타났지만, 접근방법에 있어서 외부 인사보다는 내부 공무원을 중심으로 추진되었을 뿐만 아니라, 상당기간에 걸친 준비와 부분적 시범운영을 거쳐 수정 · 보완해나가는 접근방법을 취하였다.

4 우리나라 행정개혁의 특징과 방향

1. 특징과 문제점

(1) 특징

우리나라의 행정개혁은 능률성을 제고하기 위한 목적이 아닌 정치적 합리성을 구현하기 위한 권력 구조의 개편에 주안점이 있었다.

(2) 문제점

① 기구 개편 위주의 개혁이다.

② 고전적인 구조 중심적 개혁에 편향(공무원들의 의식 · 행태 등의 변화에 대해서는 무관심)되어 있다.

③ 국민적 공감대 형성(지지)이 결핍되어 있다.

④ 개혁추진 기구의 비일관성(담당 기관이 통치자의 의도에 따라 한시적인 위원회로 기능)의 문제가 있다.

⑤ 권력 구조의 재편성을 위한 수단(형식적 능률화만을 추구)이다.

⑥ 유능하고 경험이 풍부한 개혁 담당자가 부족하다.

2. 우리나라 행정개혁의 방향

(1) 행정개혁의 비전

① 국가경쟁력의 지속적 저하, 후기 산업사회 및 정보화 사회의 도래, 새로운 세계질서의 도래 및 사회문화의 변화 등과 같은 상황은 우리나라 정부부문의 전면적인 개편을 요구하고 있다.

② 앞으로의 행정개혁은 이전의 행정 내부의 효율성 제고 차원이 아닌, 시민사회와의 관계에서 국정운영의 핵심가치를 보존하면서, 새로운 상황에 적극 대응할 수 있는 역량을 키워나가는 '좋은 거버넌스(good governance)'를 창출하는 것이다.

(2) 작고 효율적인 정부

시장성 테스트를 통한 기능의 재배분, 규제의 합리성 제고, 지방자치의 공고화, 시민참여를 통한 민간부문의 활성화, 제3부문의 개혁 등을 통해 작지만 효율적인 정부로 변해야 한다.

(3) 고객 중심의 행정

공공서비스의 주체인 국민을 본위로 하는 행정으로 변해야 한다. 이를 위해 시민헌장제도의 도입, 총체적 품질관리 등이 필요하다. 고객 중심의 행정을 통해 고객에 대한 행정책임의 향상, 공공서비스 품질 개선, 고객의 행정참여 기회 확대라는 효과를 얻을 수 있다.

(4) 기업가적 정부

고객의 만족과 시민이 원하는 행정서비스를 제공하는 것을 목적으로, 쓰기보다는 버는 기회를 찾는 기업가적인 정신을 가진 정부를 만들어야 한다. 기업가적 정부는 경쟁지향성 · 성과지향성 · 고객지향성 · 수익자 부담주의 · 분권적 조직 · 사명지향성 · 촉매작용적 정부 · 미래예견적 정부 등을 특징으로 하는 반면, 사회적 형평과는 상충될 수 있다.

(5) 부패의 척결

고질적인 부패 문제의 근본적인 원인은 경제발전 과정에서 과다 성장된 관료기구에 의해 부패가 확산된 측면이 강하다. 이러한 부패문제의 해결을 위한 개혁 노력은 정부 정책의 신뢰성 측면에서 시급한 문제이다.

(6) 새로운 추진전략의 모색

① 행정개혁은 지도자의 일방적 추진력으로는 개혁을 통한 소기의 성과를 거두기 어렵고, 다양한 개혁반대 세력의 반대를 극복하기 위해서는 국민의 강력한 지지를 바탕으로 하여야 한다. 이를 위해서는 시민의 참여를 보장하는 정보공개, 분권화된 의사결정체계와 국민들이 공감할 수 있는 민생개혁과제의 발굴이 필요하다.

② 행정개혁의 효과성을 제고하기 위해서는 구조적인 변화에 그칠 것이 아니라, 실제 정책집행을 담당하는 행정관료의 가치관과 행태를 변화시켜야 한다.

③ 행정개혁은 인력과 예산을 줄이는 것이 아니라, 기능 재조정을 통한 공공생산성 향상이 목표가 되어야 한다.

④ 개혁 과정에서의 다양한 저항을 극복하기 위한 전략도 염두에 두어야 한다. 엄격한 원칙하에 관리되어야 하며, 때로는 적절한 보상과 유인을 통해 극복하는 전략도 요구된다.

⑤ 개혁의 결과에 대해 객관적으로 평가하고, 문제가 있으면 궤도 수정을 하는 환류기능이 제고되어야 한다. 종전처럼 일회성 및 전시성으로 그쳐서는 안 되며, 특히 정권의 변동과 관계없이 개혁이 지속적으로 추구되도록 제도화되어야 한다.

3. 노무현 정부

(1) 지방분권

① 지방분권 특별법을 제정하였다.

② 직접민주주의(주민투표, 주민소송, 주민소환)를 도입하였다.

③ 특별지방행정기관을 정비하였다.

(2) 인사개혁

① 성과계약제를 도입하였다.

② 고위공무원단 제도를 도입하였다.

③ 총액인건비제도를 도입하였다.

(3) 재정개혁 - 4대 재정개혁 과제

① 사전재원배분제를 도입하였다.

② 성과관리를 시행하였다.

③ 국가재정운용계획를 운용하였다.

④ 예산회계정보시스템를 도입하였다.

4. 이명박 정부

(1) 부총리제를 폐지하였다.

(2) 공기업의 민영화와 통폐합을 진행하였다.

(3) 특임장관을 신설하였다.

5. 박근혜 정부

(1) 경제부총리를 부활시켰다.

(2) 특임장관을 폐지하였다.

5 행정서비스헌장 - 고객지향

1. 도입배경

(1) 1991년 메이저(Major) 수상에 의한 시민헌장(Citizen's Charter)은 대처(Thatcher) 정권의 능률성과 효과성에 더하여 고객서비스의 질 향상에 초점을 두고, 다음과 같은 6가지 원칙을 제시하였다.

① 서비스 기준을 설정하고 이를 시민의 권리로 인정한다.

② 서비스 기준을 공표하고 정보를 제공한다.

③ 시민 만족도 조사, 서비스 제공자 간의 경쟁으로 시민 선택권을 확대했다.

④ 친절과 봉사 정신을 발휘한다.

⑤ 주민 서비스 불만에 대한 시정조치를 마련한다.

⑥ 일반 납세자에게 비용의 가치를 설득력 있게 제시한다.

(2) 시민헌장을 우리나라에 도입한 것이 행정서비스헌장이다. 시민헌장은 도의적 책임의 영역에 있던 것을 법적 책임의 영역으로 전환한 것이다.

2. 행정서비스헌장

(1) 의의

행정서비스헌장은 행정기관이 제공하는 서비스 중 주민생활과 밀접히 관련되어 있는 서비스를 선정하여, 이에 대한 서비스의 이행 기준과 내용 · 제공방법 · 절차 · 잘못된 상황에 대한 시정 및 보상조치 등을 정해 공표하고, 이의 실현을 국민들에게 문서로서 약속하는 행위이다.

(2) 도입 과정

우리나라는 1998년 행정개혁의 일환으로 행정서비스헌장 제정지침을 발하여, 공공서비스의 질적 수준을 향상시키려는 노력을 구체화하였다. 현재는 대부분의 정부기관에서 행정서비스헌장제도를 도입하고 있다.

(3) 헌장제정의 기본원칙

① 고객 중심의 원칙(customer driven)
② 서비스 구체성 원칙(specified service)
③ 최고 수준의 서비스 제공 원칙(top level service)
④ 비용 · 편익 형량의 원칙(cost & benefit)
⑤ 체계적 정보 제공 원칙(systematic information)
⑥ 시정 및 보상조치 명확화 원칙(correct error)
⑦ 고객참여 원칙(service user participation)

(4) 평가지표

행정안전부가 다음 지표에 의거하여 헌장의 이행 여부를 평가하고 있다.

① **재정지표(30%)**: 각 부처의 헌장 내용이 행정안전부 지침에 의거한 7대 기본원칙을 충실히 반영하여 제정되었는지의 여부
② **실천지표(45%)**: 교육 및 홍보 등 헌장 내용을 실제 충실히 이행하였는지의 여부
③ **사후관리지표(25%)**: 고객만족도 측정 및 보상 여부, 잘못된 행정제도의 시정 및 개선 이행 여부

(5) 행정서비스헌장제도의 평가

① **장점**

㉠ 정부와 국민의 암묵적 · 추상적 관계를 구체적 · 계약적 관계로 전환시켜 줌으로써 행정에 대한 주민들의 근접 통제의 물리적 한계를 극복해 주는 계기가 되었다.
㉡ 서비스 제공의 투명성과 책임성을 제고하였으며, 공공서비스 품질의 표준화와 구체화 및 서비스에 대한 국민의 기대 수준을 명확하게 하였다.

② **단점**

㉠ 공공서비스의 무형성으로 인하여 품질을 구체화 · 표준화하기 어렵다.
㉡ 표준화와 구체화는 행정의 획일화를 초래하여 유연성과 창의성을 저해한다.
㉢ 서비스의 본질적 내용보다는 친절이나 신속과 같은 피상적 측면에 머무르고 있다.
㉣ 행정서비스의 오류를 금전으로 보상하려는 편협한 경제적 논리에 빠지게 된다.

핵심 OX

01 행정서비스헌장제도는 고객 중심적 행정이다. (O, X)
02 행정서비스헌장제도는 관료의 유연성과 창의성을 촉진한다. (O, X)

01 O
02 X 행정서비스헌장제도의 업무의 표준화와 구체화는 행정의 획일화를 초래하여 유연성과 창의성을 저해한다.

학습 점검 문제

01 행정개혁의 접근방법에 대한 설명으로 옳지 않은 것은? 2015년 국가직 9급

① 사업(산출) 중심적 접근방법은 행정활동의 목표를 개선하고 서비스의 양과 질을 개선하려는 접근방법으로 분권화의 확대, 권한 재조정, 명령계통 수정 등에 관심을 갖는다.

② 과정적 접근방법은 행정체제의 과정 또는 일의 흐름을 개선하려는 접근방법이다.

③ 행태적 접근방법의 하나인 조직발전(OD: Organizational Development)은 의식적인 개입을 통해서 조직 전체의 임무수행을 효율화하려는 계획적이고 지속적인 개혁활동이다.

④ 문화론적 접근방법은 행정문화를 개혁함으로써 행정체제의 보다 근본적이고 장기적인 개혁을 성취하려는 접근방법이다.

02 <보기>에서 설명하고 있는 개념으로 가장 옳은 것은? 2020년 서울시 9급

〈보기〉

행정기관이 제공하는 행정서비스의 기준과 내용, 이를 제공받을 수 있는 절차와 방법, 잘못된 서비스에 대한 시정 및 보상조치 등을 구체적으로 정하여 공표하고 이의실현을 국민에게 약속하는 것

① 고객만족도 ② 행정서비스헌장

③ 민원서비스 ④ 행정의 투명성 강화

정답 및 해설

01 ①은 사업이나 산출이 아니라 구조 중심의 접근법에 해당한다. 기능 중복의 해소, 권한과 책임의 재조정, 명령계통 수정 등의 원리전략과 분권화의 확대는 고전적인 구조 중심의 접근법에 해당한다.

행정개혁의 접근법

구조적 접근	원리 전략	기능 중복의 제거, 책임의 재규정, 조정 및 통제 절차의 개선, 표준적 절차의 간소화, 의사소통체제 및 통솔범위의 수정
	분권화 전략	분권화만 되면 공식조직, 행태, 의사결정까지도 변화된다는 전략
관리기술적 접근		운영과정이나 일의 흐름을 개선
행태적 접근		감수성 훈련 등 OD(조직발전) 전략

02 <보기>의 내용은 행정서비스헌장에 대한 설명이다. 현재 우리나라 대부분의 정부기관은 행정서비스헌장제도를 도입하여 공공서비스의 질적 수준을 향상시키려는 노력을 구체화하고 있다.

정답 01 ① 02 ②

10초만에 파악하는 5개년 기출 경향

최근 5개년(2024~2020) 출제율

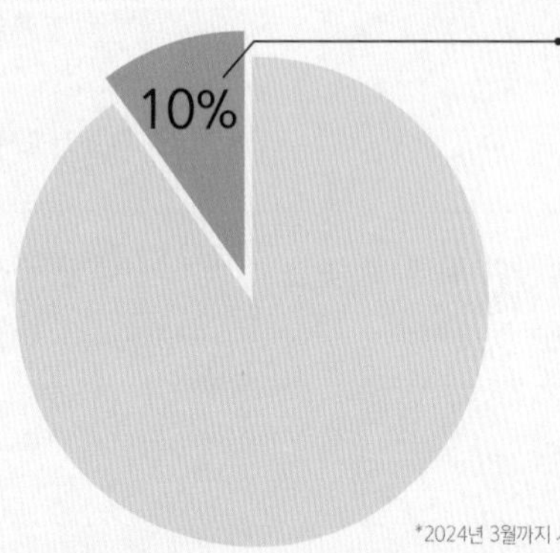

PART 7은 평균 10% 출제되었으며,
모든 공무원 시험에서 약 1~2문제 출제됩니다.

*2024년 3월까지 시행된 국가직/지방직 9·7급 공무원 행정학 시험 기준

CHAPTER별 출제율

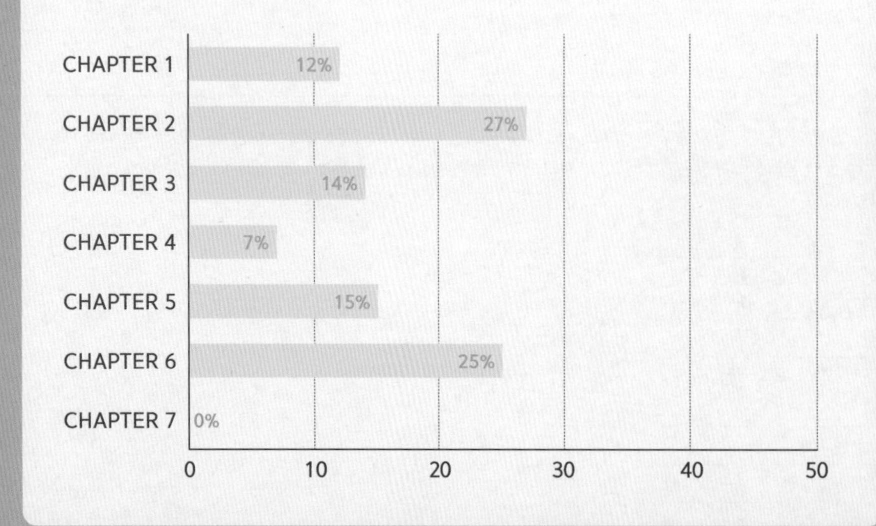

PART 7

지방행정론

CHAPTER 1 지방행정의 기초이론

1 지방행정의 개념 및 특징

1 지방행정의 개념

1. 광의의 지방행정

(1) 일정한 지역 내에서 행해지는 일체의 행정이다.

(2) 광의의 지방행정에는 ① 주민 스스로의 자치행정, ② 국가기관의 지방자치단체에 대한 위임행정, ③ 국가가 지방에서 직접 행하는 관치행정(직접행정) 등이 포함된다(자치행정 + 위임행정 + 관치행정).

2. 협의의 지방행정

(1) 지방자치단체에 의해 처리되는 모든 행정(간접)을 의미한다(자치행정 + 위임행정).

(2) 우리나라에서의 지방행정은 이러한 협의의 개념으로 파악한다[대부분의 단체자치계(대륙계) 국가].

3. 최협의의 지방행정

(1) 지방자치단체가 자기의사와 책임하에 처리하는 행정을 의미한다(자치행정).

(2) 이는 지방자치의 개념과 동일하게 사용된다[대부분의 주민자치제(영미계) 국가].

2 지방행정의 속성

1. 지역행정

(1) 국가행정이 전국을 단위로 통일적 · 일원적으로 실시된다면, 지방행정은 국가 내의 특정 지역 또는 일정한 지방을 단위로 개별적 · 다원적으로 실시되는 행정이다.

(2) 지방행정은 지방자치단체에 의해 특정한 지역에서 실시되는 행정이므로, 지역의 정치 · 경제 · 사회 · 문화 등 모든 환경적인 요인에 의해서 영향을 받는다.

2. 생활행정

(1) 지방행정은 지역주민들의 일상생활과 관련된 구체적 · 개별적 활동이다.

(2) 지방행정은 주로 ① 주민들의 일상생활에 직결되는 사무, ② 지방주민들의 복지증진에 관한 사무를 처리하는 생활행정으로서의 특징을 가진다.

3. 대화행정(일선행정)

(1) 지방행정은 중앙행정과는 달리 주민과 직접 접촉하며, 그들과의 대화를 통하여 수행하는 행정이다.

(2) 지방행정은 주민들과 일상적으로 접촉하면서 대화를 통하여 그들의 의견을 청취하고 이를 바탕으로 수행해 나가는 행정이다.

4. 종합행정

(1) 일정한 지역 내에서 수행되는 행정 중에서 지방자치단체가 처리하는 행정만을 지방행정으로 이해할 때, 그것은 종합행정임을 특징으로 한다.

(2) 지방자치단체의 행정은 그 지역 안에서 일어나는 모든 행정수요에 대응하여 포괄적으로 문제를 해결하는 종합행정이다.

(3) 전문화된 중앙 각 부처의 행정은 지방자치단체에 집결되어 종합화된다.
⇨ 국가행정은 고도의 전문성을 특징으로 하는 부문행정이다.

5. 자치행정

(1) 지방행정을 '일정한 지역을 기초로 하는 단체가 그 지역 내의 사무를 그 지역주민의 의사에 따라 자주재원을 가지고 스스로 또는 대표자를 통하여 처리하는 행정'으로 파악할 때, 그것은 자치행정을 의미한다.

(2) 관치행정은 그 주체가 국가 또는 중앙정부로, 중앙의 의사에 의해 운영되는 법인격을 부여받지 못한 타율적 행정인 반면, 자치행정은 지역주민 또는 지역주민의 대표자에 의해 구성되어 있는 자치단체가 법인격을 가지고 자율적으로 수행하는 행정이다.

6. 비권력적 행정

(1) 지방행정은 주민생활의 편익도모, 서비스의 제공, 복지증진과 같은 비권력적 행정의 분야가 많은 것이 특징이다.

(2) 중앙행정과 지방행정은 그 처리하는 사무가 다르기 때문에 그 수행 방법도 다르다.

3 지방행정의 수행 형태

지방행정은 각 국가의 지방분권체계의 여부와 그 정도에 따라 상이한 형태를 보인다.

1. 관치형 지방행정

(1) 의미

관치형 지방행정이란 중앙행정기관이 전국적으로 하부 행정기관인 지방행정기관을 두고 지방사무를 처리하는 방식으로, 중앙집권체제하의 비민주적 지방행정을 의미한다.

핵심 OX

01 지방행정은 부문행정이다. (O, X)

02 지방행정은 비권력적 행정이자 생활행정이다. (O, X)

01 X 국가행정이 부문행정인데 반해, 지방행정은 종합행정이다.
02 O

(2) 특징

① 주민의 참여나 통제가 인정되지 않고, 행정은 국가에 대해서만 책임을 진다.
② 자치사무는 존재하지 않으며, 중앙정부의 정책이나 지시에 따라 집행한다.

2. 자치형 지방행정

(1) 의미

국가로부터 독립된 지방자치단체가 모든 지방사무를 지역주민의 의사와 책임하에 자주적으로 처리하는 방식이다.

(2) 특징

① 자치권의 범위가 넓으며, 주민의 참여를 폭넓게 인정한다.
② 지방자치단체가 모두 지방공무원으로 구성되며, 지방행정은 다양성 · 개별성 · 탄력성을 갖는다.

3. 자치 · 관치 지방행정(반자치적 지방행정)

(1) 의미

주민의 복리와 직결된 사무는 자치사무로서 자치단체가 직접 처리하고, 지방적 처리를 요하는 국가사무는 자치단체와 그 기관에 위임하여 처리하는 방식이다.

(2) 특징

① 자치사무와 위임사무를 엄격히 구분하고 있으며, 대부분이 위임사무이므로 자치권의 범위가 협소하다.
② 국가의 통제 · 감독권이 엄격하며, 기관위임사무에 대해서는 지방의회의 관여를 원칙적으로 배제한다.

(3) 대표적 국가

우리나라, 이탈리아, 네덜란드, 벨기에, 스페인 등 단체자치의 영향을 받은 대륙계 국가들이 이에 속한다.

4 우리나라 지방자치역사

구분	지방자치 주요 내용
1공화국	· 1949년 지방자치법 제정, 공포 · 2계층: 특별시 · 도 - 시 · 읍 · 면 · 1952년 최초의 지방선거인 시 · 읍 · 면 의원선거(4월 25일), 도의원선거(5월 10일) · 1956년 시 · 읍 · 면장에 대한 최초의 주민직선(서울시장과 도지사는 임명직)
2공화국 (1960.8.~ 1961.5.16.)	· 1960년: 서울시장, 도지사, 시 · 읍 · 면장과 지방의원 모두를 주민의 직접 선출 · 서울시장 주민직선: 1960년 3차 지방선거
3공화국	· 1961년: 지방자치에 관한 임시조치법에 의해 읍면자치제 대신 군 지자체가 채택 · 지방의회 해산과 자치단체장 임명제
6공화국	· 1991년: 지방의회 의원선거 · 1995년 6월 27일: 지방의회의원 및 단체장 주민직선

2 지방행정의 이념과 기초

1 지방행정 이념의 의의와 관계

1. 의의

(1) 지방행정 이념이란 지방행정의 궁극적 목적인 주민복지의 증진을 실현하는 데 있어서 그 근간이 되는 지도철학으로, 지방행정 활동의 가치기준 또는 운영지침이다.

(2) 여기에는 ① 민주성, ② 능률성, ③ 형평성, ④ 합법성과 합목적성, ⑤ 종합성과 다양성 등이 있다.

2. 지방행정 이념의 상호관계

종래 주민자치계 국가에서는 민주성을, 단체자치계 국가에서는 능률성을 중시하였으나, 오늘날 거의 모든 국가에서는 양 이념을 상호보완적인 관계에서 동시에 추구하는 신중앙집권·신지방분권의 경향을 보이고 있다.

2 지방자치의 본질

1. 지방자치의 개념

(1) 일정한 지역의 주민들이 지방자치단체를 형성하여, 그 지역의 공동문제를 자기부담과 책임하에 스스로 또는 대표기관을 통하여 처리하는 활동 과정이다.

(2) 민주주의 실현, 지방분권 및 자기 책임성을 그 개념요소로 한다.

2. 지방자치의 구성 요소

구성 요소	· 구역 · 자치권 · 주민 · 사무 · 자치기관 · 자주재원 등
3대 요소	· 구역 · 자치권 · 주민
자치권	· 자치입법권 · 자치행정권 · 자치조직권 · 자치재정권

3 지방자치의 유형

1. 발생론적 구별

(1) 주민자치 - 영미계통의 순수한 지방자치 유형

① 의의

㉠ 루돌프 폰 그나이스트(Rudolf von Gneist): 주민자치는 지방의 조세로써 경비를 지출하고, 국가의 법률에 따라 명예직 공무원에 의하여 처리하는 지방자치단체의 행정이다.

㉡ 레들리히와 허스트(Redlich & Hirst): 주민자치는 지방 주민의 의사와 책임하에 스스로 또는 주민이 선출한 대표자를 통해 사무를 처리하는 것을 말한다.

㉢ 주민자치에서는 국가의 통치구조가 민주주의에 입각한 지방자치를 기초로 하고 있고, 국가 이전에 지역공동체 생활이 선행하였다는 점을 중시한다.

㉣ 주민의 참여에 의해서 자치사무를 처리한다는 측면에서 지방자치의 의의를 찾는 것이 주민자치이다.

㉤ 영국은 일찍부터 민주주의가 발전하여 지방의 자치적 전통이 확립되었고, 지방 주민은 당연히 자치권을 가지고 있는 것으로 인식되었다.

② 특징

㉠ 주민자치는 자치단체와 주민과의 관계에 중점을 두는 제도로, 민주주의의 원리를 표현하는 지방자치의 사상이다.

㉡ 주민자치는 지방행정에 대한 주민 참여를 핵심으로 하는 것으로, 정치적 의미의 자치라고 할 수 있다.

㉢ 영국 국민의 자치의식은 오랜 역사 속에서 함양된 것으로, 지방 주민의 의사와 다른 국가의 지방행정이란 있을 수 없다고 인식하고 있다. 그러므로 국가사무와 지방사무 모두가 정치적으로, 국민자치 사상의 제도적 표현으로 간주되고 있다.

㉣ 주민자치하에서는 의회 중심의 자치 형태를 취하며, 자치단체가 국가의 일선기관으로서의 지위를 갖지 않는다.

(2) 단체자치 - 대륙계 국가들이 갖는 유형

① 의의

㉠ 단체자치는 'ⓐ 국가와 별개의 법인격을 가진 지방자치단체가 ⓑ 국가로부터 상대적으로 독립된 지위와 권한을 부여받아, ⓒ 일정한 범위 내에서 중앙의 통제를 받지 않고 독자적으로 행정사무를 처리하는 제도'를 말한다.

㉡ 국가가 국권(國權)을 가지고 있는 것과 같이, 지방자치단체도 국가에서 독립된 공법인으로서 자치권을 가지고 있으며, 이를 토대로 지방자치단체가 자주적으로 그 의사를 결정하고, 그것을 실현하는 형태의 자치를 단체자치라고 한다.

㉢ 독일 · 프랑스 등 유럽대륙에서는 절대군주의 전제적 전통이 강해, 중앙정부의 권력에 항거하면서도 중앙정부의 통제를 강하게 받는 지방자치가 형성되었다.

② 특징

㉠ 단체자치는 지방자치단체와 중앙정부와의 관계에 중점을 두는 자치제도로, 고유사무와 위임사무를 엄격히 구분한다.

㉡ 단체자치는 법률적 의미의 자치 개념으로 파악되고 있다. 법률적 의미의 자치란 국가에 대한 자치단체의 법적 독립성을 의미한다.

㉢ 법률적 의미의 자치를 보장하는 제도적 장치에는 자치단체의 법인화(法人化)와 고유사무에 대한 행정통제의 배제 등이 있다.

㉣ 단체자치는 관료적 · 중앙집권적 색채가 강하고 자치의 범위가 좁으며, 국가의 하부구조로서 획일적 · 계층적인 지방행정 단위를 설정하여 이에 한정된 지방자치를 인정한다.

핵심정리 주민자치와 단체자치의 비교

구분	주민자치	단체자치
자치의 의미	정치적 의미, 민주주의 사상	법률적 의미, 지방분권 사상
자치권의 인식	자연법상의 천부적 권리 (고유권설 = 지방권설)	실정법상 국가에 의해 주어진 권리 (전래설 = 국권설)
자치의 중점	지방자치단체와 주민과의 관계	지방자치단체와 국가와의 관계
자치의 범위	광범위	협소
권한배분의 방식	개별적 지정주의*	포괄적 위임주의*
중앙통제의 방식	입법적 · 사법적 통제	행정적 통제
지방정부의 형태	기관통합형, 의결기관 우월주의	기관대립형, 집행기관 우월주의
사무 구분	자치사무와 국가위임사무 비구분 (위임사무 부존재)	자치사무와 국가위임사무 구분
조세제도	독립세주의	부가세주의
중앙과 지방 관계	기능적 협력관계	권력적 감독관계
위법행위 통제	사법재판소	행정재판소
자치단체의 성격	단일적 성격(지방정부)	이중적 성격(자치단체인 동시에 국가의 하급기관)
주요 국가	영국, 미국 등	독일, 프랑스 등 대륙계 국가

2. 기능별 유형

(1) 지역적 자치(territorial decentralization)

지역을 중심으로 지방정부 또는 지방자치단체가 모든 권한과 기능에 관해서 자치권을 행사하는 경우이다.

㉠ 현행 우리나라의 광역 · 기초자치단체에 의한 행정 등

(2) 기능적 자치(functional decentralization)

자치의 주체를 일정한 지역을 전제로 하는 동시에 국가의 특정 기능만을 한정하는 자치제도의 유형이다. 그 기능에 관련되는 주민만 구성원이 되고, 그 기능 범위에서 지방자치가 이루어진다.

㉠ 현행 교육자치 등

용어

개별적 지정주의*: 사무를 지방자치단체별 · 사무종목별로 개별적으로 일일이 법률로 지정하여 배분하는 방식으로, 사무의 구분은 명확하나 융통성이 없음

포괄적 위임주의*: 사무를 지방자치단체의 특성 구별 없이 포괄적으로 일괄해서 규정하는 방식을 말하며, 사무의 구분이 불명확함

핵심 OX

01 단체자치는 법률적 의미의 자치이다. (O, X)

02 단체자치는 기관통합형이다. (O, X)

03 주민자치는 지방자치와 민주주의와의 상관관계를 인정한다. (O, X)

01 O
02 X 단체자치는 기관대립형이다.
03 O

4 지방자치의 가치

1. 지방자치와 민주주의와의 관계

(1) 관계 긍정설

① **의의:** 민주주의를 지방자치의 본질적 요소로 간주하며, 양자 간 상호보완성을 주장하는 입장으로, 고유권설에 입각한 영미계의 자치(주민자치)에 근거한다.

② **대표 학자:** 팬터-브릭(Panter-Brick), 밀(Mill), 브라이스(Bryce), 토크빌(Tocqueville), 라스키(Laski) 등

③ **근거**

㉠ 독재적인 중앙 권력을 견제할 수 있는 장치이다.

㉡ 민주주의 학교 및 훈련장이 된다.

㉢ 민주주의의 실현 원리이다.

㉣ 주민 참여를 통한 참정 기회를 제공한다.

(2) 관계 부정설

① **의의:** 지역사회의 정치적 모순을 인지하고, 이의 타파를 위하여 중앙정부의 적극적 역할을 강조한다. 민주화된 정치체제에 있어서 지방자치란 무가치하며 능률을 저해한다는 입장이다. 주로 국권설에 입각한 대륙계의 자치에 근거하고 있다.

② **대표 학자:** 랭그로드(Langrod), 물랑(Moulin), 벤슨(Benson), 켈슨(Kelsen) 등

③ **근거**

㉠ 참여의 확대가 실질적 의미의 민주주의를 보장하지 않는다는 측면에서 낮은 참여 수준을 보인다.

㉡ 현대 국가에서는 유럽대륙의 전제권력에 대항하였던 지방자치의 민주주의의 의의와 타당성이 상실되고 있다.

㉢ 현대국가에서는 지방자치단체의 지역공동체적 성격이 상실되고 있다.

㉣ 중앙정부에 의해 임명되는 공무원의 존재로 인하여 국가의 개입은 불가피하다.

㉤ 자치행정은 실제로 전문적인 사무직원에 의해 수행된다.

㉥ 지역이기주의 및 배타주의 심화에 따른 자치단체 간 불필요한 경쟁과 감정대립의 야기 우려 등이 있다.

2. 지방자치의 필요성

(1) 정치적 가치

① **민주주의의 실천 원리:** 주민들의 참여와 토론을 통해 지역문제를 해결한다.

② 민주주의의 훈련장 역할을 한다.

③ **쿠데타, 혁명의 방지:** 행정권의 강화에 따른 국정의 독재화 및 관료화의 위험에 대한 방파제의 역할을 한다.

④ **평화적 사회개혁:** 권력의 지방분산에 따른 점진적 · 평화적 사회 개혁이 가능하다.

⑤ **정국 혼란의 방지:** 일시적인 정치 · 사회 혼란과 마비를 극복하고 지방행정의 안정성과 일관성을 도모할 수 있다.

(2) 행정적 가치

① **지역 특성에 적합한 행정의 실현**: 다양한 지방적 특성에 부합하고, 주민들의 개별적 · 집단적 요구에 부응할 수 있는 행정구현이 가능하다.
② 지역적인 종합행정의 구현이 가능하다.
③ **행정의 기능적 분화를 통한 효율행정의 촉진**: 중앙정부는 국가적 · 전국적 사항에만 전념함으로써 중앙정부의 과중한 업무부담 완화 및 행정능률 향상을 도모한다.
④ 주민참여를 통한 행정통제와 민주화를 구현한다.
⑤ 지역적 실험을 통한 다양한 정책 경험이 가능하다.
⑥ 지방공무원의 사기진작과 능력 발전이 가능하다.

(3) 사회 · 경제적 가치

① 지역 주민의 주체의식 함양이 가능하다.
② 사회계층 간의 갈등을 해소할 수 있다.
③ **실질적인 사회 · 경제 개발의 촉진**: 지역 주민의 이익도모와 그 지역의 개발에 중점을 둔다.
④ **지역문화 육성**: 지방의 고유한 생활양식을 발전시키고 문화생활의 질을 고양시킨다.
⑤ 인적 · 물적 자원의 집중화를 방지할 수 있다.

3 중앙집권과 지방분권

1 중앙집권과 지방분권의 개념

1. 중앙집권

지방행정에 대한 통치권과 의사결정권이 중앙정부에 집중되어, 지방자치단체의 자주성 · 독립성이 제약되어 있는 현상을 의미한다.

2. 지방분권

지방행정에 대한 통치권과 의사결정권이 지방자치단체에 분산되어, 지방자치단체의 자주성 · 독립성이 보장되어 있는 현상을 의미한다.

개념PLUS 중앙집권과 지방분권의 측정지표

지표	내용
특별지방행정기관의 종류와 수	그 수가 많으면 중앙집권적
지방자치단체의 중요 직위의 선임 방식	중앙정부에 의한 임명은 중앙집권적
국가공무원과 지방공무원 수의 대비	국가공무원 수가 많으면 중앙집권적
국가재정과 지방재정 규모의 대비	국가재정의 비중이 크면 중앙집권적

국세와 지방세의 대비	국세가 지방세보다 비중이 크면 중앙집권적
중앙정부의 지방예산 통제의 정도	중앙정부의 통제 강도와 빈도가 높으면 중앙집권적
지방자치단체의 사무구성 비율	위임사무의 비율이 높거나 그 중에서 기관위임사무의 비율이 높으면 중앙집권적
민원사무의 배분 비율	중앙정부가 민원사무를 담당하는 경우라면 중앙집권적
감사 및 보고의 횟수	중앙정부로부터 감사나 보고의 요구 횟수가 높으면 중앙집권적

2 중앙집권과 지방분권의 촉진요인

중앙집권의 촉진요인	지방분권의 촉진요인
· 행정관리의 전문화가 요청될 때 · 행정의 획일성과 통일성이 요구될 때 · 교통 · 통신수단과 의사전달기술의 발달 · 카리스마적 리더십이 요구될 때 · 기능 중복 방지와 경비의 절약이 요구될 때 · 능률성 제고(규모의 경제, 집적이익, 수익의 증가, 외부효과) · 신설 조직, 소규모 조직의 경우 · 조직에 위기가 존재하는 경우 · 사회복지 재정의 확대	· 관리자 양성의 기회나 참여의 중시 · 상급자의 업무부담 감소 · 하급 직원의 책임감 강화 · 사기앙양, 민주성, 책임성 중시 · 지방실정에의 적용 · 민주적 통제의 강화를 요할 때 · 신속한 업무 처리를 요할 때(위임 중시) · 불확실한 상황에 적용 · 조직의 대규모화나 안정된 조직의 경우 · 다양성의 확대

3 중앙집권과 지방분권의 장단점

(1) 중앙집권과 지방분권은 상호 상대적 · 보완적 관계에 있으므로, 그 장단점도 각 국가의 역사적, 정치적, 사회 · 경제적 여건이나 운영 여하에 따라 상이하게 나타난다.

(2) 일반적으로 중앙집권은 전국적인 통일성과 능률성을 도모하는 데 비해, 지방분권은 지역성과 민주성을 중시한다.

(3) 중앙집권의 단점과 지방분권의 단점은 각각 지방분권의 장점과 중앙집권의 장점의 반대이다.

중앙집권의 장점	지방분권의 장점
· 행정의 통일성 · 일관성 · 안정성 확보 · 행정관리의 전문화 · 비상사태나 위기발생 시 신속한 대처 · 경제적 능률성 제고 · 전국적 · 광역적인 대규모 사업의 추진 · 지역 간 행정 · 재정력의 격차 조정 및 균형적인 지역발전 도모 · 인적 · 물적 자원의 최적 활용과 예산의 절약 · 공공서비스 공급의 형평성과 균질성 확보	· 지역실정과 특수성에 적합한 행정 수행 · 다양한 정책 경험 · 행정에 대한 주민통제의 강화 · 행정의 책임성 제고 · 지역경제 및 문화의 활성화 · 신속한 행정처리 · 주민 참여의 확대와 행정의 민주화 구현 · 사회적 능률의 제고 · 지방공무원의 능력배양 및 사기진작

4 지방분권의 방법

1. 행정적 분권(관치적 분권)

중앙정부에서 지방행정기관을 지방에 설치하고 중앙정부의 지휘·감독하에 행정업무를 수행하도록 하는 방식이다.

2. 자치적 분권

지방적으로 처리해야 할 행정사무와 기능은 자치단체가 자기사무로서 독자적·자주적으로 처리하는 방식이다. 포괄적 수권방식, 개별적 수권주의, 절충주의, 계약주의 등의 방식이 있다.

3. 기능별 분권 또는 특수적 분권

특수한 행정사무를 처리하거나 행정사무의 공동처리를 위하여 법인격을 가진 특별지방자치단체를 설치하고, 그로 하여금 일정한 권한의 범위 내에서 자치권을 행사하도록 하는 방식이다. 현재 우리나라의 지방자치단체조합이 이러한 유형에 속한다.

5 중앙집권과 지방분권의 조화[1]

(1) 행정 기능이 확대되고 복잡해진 현대국가에서는 완전한 집권체제나 지방분권체제가 현실적으로 불가능하다. 복잡다기한 행정 기능을 효율적으로 수행하기 위하여 기능적·분권화 필요성이 증대되고, 전국적인 행정 수준을 유지하기 위하여 전체적인 통합·조정할 필요성도 함께 커지고 있다. 신중앙집권과 신지방분권 경향의 확산은 이러한 경향을 반영하고 있는 것이다.

(2) 중앙집권과 지방분권의 조화는 민주성과 능률성 조화의 문제로, 중앙정부의 지도와 협조를 통한 참여적 집권을 지향하고, 지방정부는 협력적 분권을 지향하는 기능적 협력관계로 체제전환이 이루어져야 할 것이다.

6 지방자치의 현대적 경향

1. 지방자치의 현대적 의의

20세기 이후 전국적·종합적 견지에서 통일적·능률적으로 처리할 필요가 있는 경제·사회 문제의 등장과 자치단체에 대한 국고보조금의 증가 등으로 인하여 자치권의 범위가 축소되고, 대국가 의존도가 높아지는 현상이 나타나게 되었다. 이에 독일과 프랑스에서는 지방자치의 위기론이 대두되었고, 영국과 미국에서는 지방자치의 개편론이 대두되었다.

2. 지방자치의 위기론

(1) 국가와 사회의 동질화에 따라 자치이론의 역사적 기반이 상실되었다.

(2) 자치의식이 후퇴하였다.

(3) 지방재정의 허약성 때문이다.

[1] 정부별 지방분권 추진기구

정권	법률	추진기구
김대중	「중앙행정권한의 지방이양 촉진에 관한 법률」(1999)	지방이양추진위원회
노무현	「지방분권 특별법」(2004)	정부혁신지방분권위원회
이명박	·「지방분권촉진에 관한 특별법」(2008) ·「지방행정체제 개편에 관한 특별법」(2010)	지방분권촉진위원회, 지방행정체제개편추진위원회
박근혜	「지방분권 및 지방행정체제 개편에 관한 특별법」(2013)	대통령 소속의 지방자치발전위원회
문재인	「지방자치분권 및 지방행정체제 개편에 관한 특별법」	대통령 소속의 자치분권위원회
윤석열	「지방자치분권 및 지역균형발전에 관한 특별법」	대통령 소속의 지방시대위원회

(4) 정당의 무분별한 지방자치 개입이 자행되었다.

(5) 광역행정이 강화되었다.

(6) 중앙통제의 확대 등에 따른 자치권의 축소되었다.

3. 지방자치의 개편론

최근 들어 영미제국에서 지방자치의 개편론이 대두되고 있다.

(1) 상급단체로 정치권력을 이동시킨다.

(2) 재정적 중앙의존을 심화시킨다(재정연방주의 등).

(3) 복지정책 기능의 상급단체로의 이양 등의 개편을 진행한다.

4. 신중앙집권(new centralization)

(1) 의의

① 신중앙집권화는 지방자치제도를 발전시켜 온 근대민주국가에서 사회발전과 행정 기능의 확대·강화에 따라 중앙정부의 권한이 현저하게 강화되는 새로운 경향을 의미한다.

② 대륙계 단체자치국가나 우리나라의 경우에는 지방분권화의 역사를 경험하지 못하였으므로, 엄밀한 의미에서의 신중앙집화가 아니다.

③ 신중앙집권화는 지방분권·지방자치를 부정하는 과거 군주국가시대의 절대적 중앙집권의 부활이나 지방자치에 대한 불신이 아니라, 상황의 변화에 따른 권력의 재조정 차원에서의 권력의 초점(focus)이 지방정부에서 중앙정부로 이동한 것을 의미한다.

(2) 성격

① 신중앙집권화는 권력적 집권이 아니라 기술적·지시적·협동적 집권이다.

② 권력은 분산하되, 지식과 기술은 집중하는 것이다[밀(Mill)].

③ 행정의 능률화와 민주화를 조화시키기 위해 신중앙집권화에 기반한 집권이다.

(3) 이념

새로운 집권화에 의한 능률성과 지방자치에 의한 민주성의 조화를 추구한다.

개념PLUS 중앙집권과 신중앙집권의 성격

구분	성격
중앙집권	지배적 집권, 강압적 집권, 관료적 집권, 윤리적 집권, 후견적 집권, 권력적 집권
신중앙집권	지도적 집권, 협동적 집권, 사회적 집권, 지식적 집권, 기술적 집권, 비권력적 집권

(4) 신중앙집권화의 촉진요인

신중앙집권화의 경향은 1930년대에서 1970년대 후반에 이르기까지 고도의 지방분권 체제를 갖춘 대부분의 선진국에서 기술적·정치적 근대화와 관련된 시대적 여건의 변화에 따라 지방자치단체에 대한 중앙정부의 행정적인 통제를 강화함으로써 나타난 현상이다.

① 과학 · 기술이 발달하였다.
② 행정 기능의 양적 증대와 질적 변화가 일어났다.
③ 교통 · 통신이 발달하였다.
④ 지방사무의 국가사무화가 진행되었다.
⑤ 복지국가의 실현이 일어났다.
⑥ 국가에 의한 통합 · 조정 역할이 증대하였다.
⑦ 보존경제로의 전환이 일어났다.
⑧ 국민경제 · 국제경제로의 발전이 이루어졌다.
⑨ 국민 생활권이 확대되었다.
⑩ 사회 · 경제의 비약적 발전이 이루어졌다.
⑪ 지방재정의 취약성이 나타났다.

(5) 신중앙집권화의 형태

신중앙집권화는 다음과 같은 형태가 동시에 복합적으로 발현되고 있다.
① 지방 기능의 중앙이관이 일어난다.
② 중앙통제의 강화가 발생한다.
③ 중앙재정에의 의존이 나타난다.
④ 특별행정기관의 설치 및 기관위임사무의 증대가 나타난다.
⑤ 지방자치단체 간의 통 · 폐합이 발생한다.
⑥ 광역행정 등이 이루어진다.

(6) 신중앙집권화의 한계와 조화 모색

① **한계**: 중앙집권은 행정의 능률에 기여하나, 지나친 중앙집권화는 지방행정의 자주성과 민주성을 말살할 우려가 있다.
② **조화 모색**
㉠ 중앙의 통제성과 지방의 자주성을 조화시킨다.
㉡ 국가공무원과 지방공무원의 차별을 배제한다.
㉢ 지방과 국가의 발전을 위한 협력관계를 모색한다.
㉣ 능률성과 민주성(주민참여와 민주통제)의 조화를 이룬다.
㉤ 행정구역 광역화의 적정화 모색(전국적 · 종합적 계획과 지방주민의 이익, 자치의식 고려) 등을 고려한다.

5. 신지방분권(new decentralization)

(1) 의의

① 프랑스 등 전통적인 중앙집권적 풍토를 가지고 있던 대륙계 국가들이 1980년대에 접어들면서, 세계화나 신자유주의의 영향 아래 새롭게 지방분권적인 경향을 보이는 현상이다.
② 지방정부의 자율성 강화와 함께 국가에 협력하여 중앙과 지방 사이에 기능을 분담한다는 새로운 관점을 함축한다.
③ 독일, 이탈리아, 일본의 지방제도 개혁, 미국의 자치(home rule, 자치헌장제도) 운동과 레이건(Reagan) 정부의 신연방주의(new federalism), 프랑스 미테랑(Mitterrand) 정부의 분권화 경향 등이 있다.

④ 종래의 지방분권은 시민의 자유를 억압하던 중앙집권적 권력을 극복하는 데 그 의의가 있었으나, 신지방분권은 중앙정부와 지방자치단체가 모두 국가통치기구의 일환으로, 국민복지의 증진이라는 공동목표를 위해 기능을 분담하면서 상호 협력하는 데 그 의의가 있다.

개념PLUS 지방분권과 신지방분권

지방분권	절대적 분권	항거적, 배타적, 소극적	중앙집권과 대립적 관계
신지방분권	상대적 분권	참여적, 협력적, 적극적	중앙집권과 상호보완적 관계

(2) 촉진요인(대두배경)[1]

① 중앙집권의 폐해가 일어났기 때문이다.

② 전국적이면서 동시에 지방적 이해를 갖는 공공사무의 처리에 지방적 이해를 반영하였다.

③ 중앙정부의 재정적자가 심화되었다.

④ 세계화의 심화에 따른 경쟁 환경의 변화가 일어났다.

⑤ 정보화의 가속화에 따른 포디즘(fordism) 생산 양식의 붕괴가 일어났다.

⑥ 경제블록화 현상, 도시화의 진전에 따른 지역분산의 가속화 등이 발생하였다.

핵심정리 신중앙집권과 신지방분권의 비교

구분	신중앙집권	신지방분권[2]
개념	지방자치를 발전시켜온 영국과 미국 등에서 행정국가화·광역화·국제화 등으로 인하여 중앙집권이 새롭게 일어나는 현상	중앙집권적 성향이 강했던 대륙의 프랑스 등에서 정보화·국제화·도시화·지역불균형화 등으로 인하여 1980년대 이후 나타난 지방분권화 경향
촉진 요인	· 행정 사무의 양적 증가와 질적 변화 · 과학기술과 교통·통신 기술의 발달 · 중앙재정에의 의존 · 국민 생활권 확대와 경제규제의 필요성 · 국민적 최저수준 유지 필요성	· 중앙집권화의 폐해로 나타난 지역 간 불균형 · 도시화의 진전 · 정보화의 확산 · 국제화·세계화의 추세로 활동 영역의 확대
특징과 이념	· 능률성과 민주성의 조화 · 비권력적 집권(지식, 기술 등의 집중) · 협력적·수평적·기능적 집권	· 능률성과 민주성의 조화 · **국가와 자치단체 간의 관계:** 병렬적 관계 · 상대적·참여적·협조적·적극적 분권 · 기본정책 결정, 지방은 집행 · 국가의 사전적·권력적 관여 배제, 지시적·사후적 관여만 함

[1] 집권화를 촉진하는 5대 요소
1. 규모의 경제
2. 외부효과
3. 교통·통신의 발달로 생활권 확대
4. 국민적 최저수준 확보
5. 위기 발생

[2] 지방의제 21(Local Agenda 21)
지구환경보존운동을 천명한 리우선언을 실현하기 위하여, 세계 각국 자치단체별로 지역주민·기업·지방정부가 네트워크를 구성하여 추진한 환경보존계획이다.

핵심 OX

01 규모의 경제는 중앙집권을 촉진한다. (O, X)

02 신중앙집권은 권력의 집권을 의미한다. (O, X)

03 유엔의 리우선언은 신중앙집권 운동의 일환이다. (O, X)

01 O
02 X 지식과 기술은 집중하고 권력은 분산하는 것이 신중앙집권이다.
03 X 리우선언은 신지방분권 운동의 일환이다.

학습 점검 문제

01 다음 중 주민자치의 내용이 아닌 것은?

① 위임사무와 자치사무를 구분한다.

② 자치단체와 주민과의 관계에 중점을 둔다.

③ 개별적 수권주의를 취한다.

④ 지방자치와 민주주의의 상관관계를 인정한다.

02 지방분권의 장점으로 가장 옳지 않은 것은? 2021년 군무원 9급

① 행정의 민주화 진작 ② 지역 간 격차 완화

③ 행정의 대응성 강화 ④ 지방공무원의 사기진작

03 지방분권화가 확대되는 이유로 옳지 않은 것은? 2021년 지방직 7급

① 내생적 발전전략에 기반한 도시경쟁력 확보가 중요해지고 있다.

② 중앙집권 체제가 초래하는 낮은 대응성과 구조적 부패 등은 국가 성장의 장애 요인으로 작용하고 있다.

③ 사회적 인프라가 어느 정도 갖춰진 국가에서는 지역 간 평등한 공공서비스의 수요가 증가하고 있다.

④ 신공공관리론에 근거한 정부혁신이 강조되고 있다.

정답 및 해설

01 주민자치는 지방자치단체의 단일적 성격만을 인정하기 때문에 사무의 구별이 없고, 단체자치가 이중적 성격을 인정하기 때문에 사무를 구별한다.

| 오답체크 |

② 주민자치는 주민과 자치단체와의 관계를 중시하고, 중앙정부와 지방정부의 관계를 중시하는 것은 단체자치이다.

③ 주민자치가 개별적 수권, 단체자치가 포괄적 수권이다.

④ 민주주의와 지방자치의 상관관계를 강조하는 자치방식은 주민자치이다.

02 지역 간 행정·재정력의 격차 조정은 중앙집권의 장점이다. 발생한 지역 간 격차는 중앙정부의 개입에 의하여 완화할 수 있다.

03 지역 간 평등한 행정서비스를 위해서는 중앙집권화가 요구된다.

| 오답체크 |

① 내생적 발전전략은 자치단체별로 지역내부에서 발전의 원동력을 찾으려는 자생적·분권적인 전략을 말한다.

② 중앙집권의 한계를 지방분권의 확대로 해결하고자 하는 관점이다.

④ 신공공관리론적 정부개혁은 규제의 비용·효과분석을 통하여 경제적 규제의 완화와 사회적 규제의 강화를 기본 방향으로 한다. 또한 지방정부로의 권한이양과 정부 간 파트너십이 강조된다.

정답 01 ① 02 ② 03 ③

CHAPTER

2 지방행정의 구조와 구역

1 지방자치단체의 구조

1 의의

1. 개념[1]

(1) 지방자치단체란 '국가 내의 일정한 지역을 관할구역으로 하여, 그 주민들에 의해 선출된 기관이 국가로부터 상대적으로 독립된 지위에서 주민의 복리에 관한 사무를 자주적으로 하는 법인격이 있는 공공단체'를 말한다.

(2) 지방자치단체로 성립하기 위해서는 장소적 요건으로서 구역, 인적 요건으로서의 주민, 법적 요건으로서의 자치권을 구비하여야 한다.

2. 특성

(1) 국가와 독립된 법인으로, 사법인인 사단법인이나 재단법인과 구별되는 공법인이다.

(2) 지역단체이며, 통치기관이고, 헌법상의 기관이다.

2 종류 - 일반지방자치단체와 특별지방자치단체

1. 일반지방자치단체

일반지방자치단체는 그 존립 목적 · 조직 · 권능 등에 있어서 일반적 · 종합적 성격을 가지며, 전국적 · 보편적으로 존재하고 있는 자치단체를 의미한다. 우리나라의 헌법 제117조 제2항은 '지방자치단체의 종류는 법률로 정한다'고 규정하였고, 「지방자치법」 제2조 제1항은 지방자치단체를 광역자치단체와 기초자치단체로 구분하고 있다.

(1) 광역자치단체 - 특별시와 광역시, 도, 특별자치시[2], 특별자치도

광역자치단체는 모두 정부 직할 자치단체로서 원칙적으로 법적 지위는 동일하나, 서울특별시의 경우에는 「서울특별시 행정특례에 관한 법률」에 의해 일부 특례를 인정받고 있다.

(2) 기초자치단체 - 시 · 군 및 자치구

자치구란 특별시와 광역시에 설치된 구(區)를 의미하며, 인구 50만 명 이상의 시에 설치된 구(일반구)는 자치구가 아닌 행정구이다. 따라서 자치구청장은 그 신분이 지방자치단체장으로 지방 정무직인데 비해, 일반구의 구청장은 일반직(지방직) 공무원이다. 읍 · 면 · 동장도 지방직공무원으로, 시장 · 군수 · 구청장이 임명한다.

---

[1] 「지방자치법」

제2조 【지방자치단체의 종류】 ① 지방자치단체는 다음의 두 가지 종류로 구분한다.
1. 특별시, 광역시, 특별자치시, 도, 특별자치도
2. 시, 군, 구

② 지방자치단체인 구(이하 "자치구")는 특별시와 광역시의 관할 구역의 구만을 말하며, 자치구의 자치권의 범위는 법령으로 정하는 바에 따라 시 · 군과 다르게 할 수 있다.
③ 제1항의 지방자치단체 외에 특정한 목적을 수행하기 위하여 필요하면 따로 특별지방자치단체를 설치할 수 있다. 이 경우 특별지방자치단체의 설치 등에 관하여는 제12장에서 정하는 바에 따른다.

제3조 【지방자치단체의 법인격과 관할】
① 지방자치단체는 법인으로 한다.
② 특별시, 광역시, 특별자치시, 도, 특별자치도는 정부의 직할(直轄)로 두고, 시는 도의 관할 구역 안에, 군은 광역시나 도의 관할 구역 안에 두며, 자치구는 특별시와 광역시의 관할 구역 안에 둔다.
③ 특별시 · 광역시 또는 특별자치시가 아닌 인구 50만 이상의 시에는 자치구가 아닌 구를 둘 수 있고, 군에는 읍 · 면을 두며, 시와 구(자치구를 포함)에는 동을, 읍 · 면에는 리를 둔다.
④ 제10조 제2항에 따라 설치된 시에는 도시의 형태를 갖춘 지역에는 동을, 그 밖의 지역에는 읍 · 면을 두되, 자치구가 아닌 구를 둘 경우에는 그 구에 읍 · 면 · 동을 둘 수 있다.
⑤ 특별자치시와 특별자치도의 하부행정기관에 관한 사항은 따로 법률로 정한다.

[2] 세종특별자치시의 설치

세종특별자치시 설치 등에 관한 특별법 제6조 【설치 등】 ① 정부의 직할(直轄)로 세종특별자치시를 설치한다.
② 세종특별자치시의 관할구역에는 「지방자치법」 제2조 제1항 제2호의 지방자치단체를 두지 아니한다.

참고 「지방자치법」 제2조 제1항 제2호: 시, 군, 구

주의 제주특별자치도와 세종특별자치시는 기초자치단체를 둘 수 없음

(3) 광역자치단체와 기초자치단체 간의 관계[1]

① 원칙적으로 각 지방자치단체가 헌법에 의해 독립된 법인격을 가진 공법인이므로, 상하관계에 있는 것이 아니라 각기 기능을 나누어 직무를 담당하는 상호협력 관계에 있다.

② 다만, 여러 법령에서 예외적으로 사무처리(특히 위임사무)에 관한 지도 · 감독관계를 상하관계로 규정하고 있다.

[1] 특별자치도
- 「강원특별자치도 설치 등에 관한 특별법」(2023.6.11.)
- 「전북특별자치도 설치 등에 관한 특별법」(2024.1.18.)

2. 특별지방자치단체

(1) 우리나라의 특별지방자치단체 - 「지방자치법」 제12장

제199조【설치】 ① 2개 이상의 지방자치단체가 공동으로 특정한 목적을 위하여 광역적으로 사무를 처리할 필요가 있을 때에는 특별지방자치단체를 설치할 수 있다. 이 경우 특별지방자치단체를 구성하는 지방자치단체(이하 "구성 지방자치단체")는 상호 협의에 따른 규약을 정하여 구성 지방자치단체의 지방의회 의결을 거쳐 행정안전부장관의 승인을 받아야 한다.
③ 특별지방자치단체는 법인으로 한다.
⑤ 행정안전부장관이 국가 또는 시 · 도 사무의 위임이 포함된 규약에 대하여 승인할 때에는 사전에 관계 중앙행정기관의 장 또는 시 · 도지사와 협의하여야 한다.

제200조【설치 권고 등】 행정안전부장관은 공익상 필요하다고 인정할 때에는 관계 지방자치단체에 대하여 특별지방자치단체의 설치, 해산 또는 규약 변경을 권고할 수 있다. 이 경우 행정안전부장관의 권고가 국가 또는 시 · 도 사무의 위임을 포함하고 있을 때에는 사전에 관계 중앙행정기관의 장 또는 시 · 도지사와 협의하여야 한다.

제203조【기본계획 등】 ① 특별지방자치단체의 장은 소관 사무를 처리하기 위한 기본계획(이하 "기본계획")을 수립하여 특별지방자치단체 의회의 의결을 받아야 한다. 기본계획을 변경하는 경우에도 또한 같다.
② 특별지방자치단체는 기본계획에 따라 사무를 처리하여야 한다.

제204조【의회의 조직 등】 ① 특별지방자치단체의 의회는 규약으로 정하는 바에 따라 구성 지방자치단체의 의회 의원으로 구성한다.
② 제1항의 지방의회의원은 제43조 제1항에도 불구하고 특별지방자치단체의 의회 의원을 겸할 수 있다.

제205조【집행기관의 조직 등】 ① 특별지방자치단체의 장은 규약으로 정하는 바에 따라 특별지방자치단체의 의회에서 선출한다.
② 구성 지방자치단체의 장은 제109조에도 불구하고 특별지방자치단체의 장을 겸할 수 있다.
③ 특별지방자치단체의 의회 및 집행기관의 직원은 규약으로 정하는 바에 따라 특별지방자치단체 소속인 지방공무원과 구성 지방자치단체의 지방공무원 중에서 파견된 사람으로 구성한다.

제206조【경비의 부담】 ① 특별지방자치단체의 운영 및 사무처리에 필요한 경비는 구성 지방자치단체의 인구, 사무처리의 수혜범위 등을 고려하여 규약으로 정하는 바에 따라 구성 지방자치단체가 분담한다.

② 구성 지방자치단체는 제1항의 경비에 대하여 특별회계를 설치하여 운영하여야 한다.
③ 국가 또는 시·도가 사무를 위임하는 경우에는 그 사무를 수행하는 데 필요한 재정적 지원을 할 수 있다.

제208조【가입 및 탈퇴】 ① 특별지방자치단체에 가입하거나 특별지방자치단체에서 탈퇴하려는 지방자치단체의 장은 해당 지방의회의 의결을 거쳐 특별지방자치단체의 장에게 가입 또는 탈퇴를 신청하여야 한다.
② 제1항에 따른 가입 또는 탈퇴의 신청을 받은 특별지방자치단체의 장은 특별지방자치단체 의회의 동의를 받아 신청의 수용 여부를 결정하되, 특별한 사유가 없으면 가입하거나 탈퇴하려는 지방자치단체의 의견을 존중하여야 한다.

제209조【해산】 ① 구성 지방자치단체는 특별지방자치단체가 그 설치 목적을 달성하는 등 해산의 사유가 있을 때에는 해당 지방의회의 의결을 거쳐 행정안전부장관의 승인을 받아 특별지방자치단체를 해산하여야 한다.
② 구성 지방자치단체는 제1항에 따라 특별지방자치단체를 해산할 경우에는 상호 협의에 따라 그 재산을 처분하고 사무와 직원의 재배치를 하여야 하며, 국가 또는 시·도 사무를 위임받았을 때에는 관계 중앙행정기관의 장 또는 시·도지사와 협의하여야 한다. 다만, 협의가 성립하지 아니할 때에는 당사자의 신청을 받아 행정안전부장관이 조정할 수 있다.

(2) 우리나라의 특별지방자치단체 – 지방자치단체조합

지방자치단체조합은 지방자치단체의 권한에 속하는 하나 또는 둘 이상의 사무를 공동으로 처리하기 위하여 지방자치단체 간의 합의에 의하여 설립되는 법인을 말한다. 즉, 법인체를 통한 공법상의 협력 방식을 의미한다.

핵심정리 우리나라 지방자치단체의 종류

구분		지방자치단체	지방행정기관(일선기관)
유형(목적별)	보통(일반)	[보통 지방자치단체] · 광역(상급·2차)자치단체: 특별시, 광역시, 도, 특별자치도, 특별자치시 · 기초(하급·1차)자치단체: 시, 군, 자치구(광역시·특별시에 설치)	[보통 지방행정기관] 국가의 지방행정기관으로서 광역시·특별시·도, 시·군·자치구 및 행정구(= 일반구, 인구 50만 명 이상의 시에 설치)·읍·면·동·리❶
	특별	[특별지방자치단체] 「지방자치법」상 특별지방자치단체	[특별지방행정기관] 세무서, 출입국관리사무소
특성		자치권, 법인격(당사자 능력) 있음	자치권, 법인격(당사자 능력) 없음

❶ 대도시 등에 대한 특례 인정
「지방자치법」 제198조【대도시 등에 대한 특례 인정】 ① 서울특별시·광역시 및 특별자치시를 제외한 인구 50만 이상 대도시의 행정, 재정 운영 및 국가의 지도·감독에 대해서는 그 특성을 고려하여 관계 법률로 정하는 바에 따라 특례를 둘 수 있다.
② 제1항에도 불구하고 서울특별시·광역시 및 특별자치시를 제외한 다음 각 호의 어느 하나에 해당하는 대도시 및 시·군·구의 행정, 재정 운영 및 국가의 지도·감독에 대해서는 그 특성을 고려하여 관계 법률로 정하는 바에 따라 추가로 특례를 둘 수 있다.
1. 인구 100만 이상 대도시(이하 "특례시")
2. 실질적인 행정수요, 국가균형발전 및 지방소멸위기 등을 고려하여 대통령령으로 정하는 기준과 절차에 따라 행정안전부장관이 지정하는 시·군·구
③ 제1항에 따른 인구 50만 이상 대도시와 제2항 제1호에 따른 특례시의 인구 인정기준은 대통령령으로 정한다.

핵심 OX

01 시·군과 자치구의 자치권은 달리 정할 수 있다. (O, X)

02 특별자치시(= 세종시)는 광역자치단체이다. (O, X)

03 지방자치단체는 법인격이 있다. (O, X)

01 O
02 O
03 O

2 지방자치단체의 계층구조

1 계층구조의 의의

일정한 지역을 관할하는 보통지방자치단체의 수에 따라 계층구조를 분류함이 일반적이며, 일반적으로 ① 단층제, ② 중층제(2층제), ③ 다층제 등으로 나뉜다. 이 중 많은 국가에서 중층제(2층제)를 채택하고 있다.

2 단층제와 중층제의 장단점

1. 장점

단층제	중층제
· 이중행정(감독)의 폐단을 방지 · 신속한 행정을 도모 · 낭비 제거 및 능률 증진 · 행정책임의 명확화 · 자치단체의 자치권이나 지역의 특수성 · 개별성을 존중 · 중앙정부와 주민 간의 의사소통이 원활	· 기초와 광역자치단체 간에 행정 기능 분담 · 광역자치단체가 기초자치단체에 대한 보완 · 조정 · 지원 기능을 수행 · 광역자치단체를 통하여 기초자치단체에 대한 국가의 감독 기능을 유지 · 중앙정부의 강력한 직접적 통제로부터 기초자치단체를 보호 · 기초자치단체 간의 분쟁 · 갈등 조정

2. 단점

단층제	중층제
· 국토가 넓고 인구가 많으면 적용 곤란 · 중앙정부의 직접적인 지시와 감독 등으로 인해 중앙집권화의 우려 · 행정 기능의 전문화와 서비스 공급의 효율성 제고 곤란 · 중앙정부 통솔범위가 너무 넓어짐 · 광역행정이나 대규모 개발사업의 수행에 부적합	· 행정 기능의 중복 현상, 이중행정의 폐단이 노정 · 기능배분 불명확 · 상하자치단체 간 책임 모호 · 행정의 지체와 낭비를 초래 · 각 지역의 특수성 · 개별성 무시 · 중간자치단체 경유에 따른 중앙행정의 침투가 느리고 왜곡됨

3 우리나라 계층구조의 현황 및 문제점

1. 계층구조의 현황

우리나라의 지방행정 계층구조는 자치계층과 행정계층의 이원적 구조이다.

(1) 자치계층

광역과 기초로 2계층이다.

(2) 행정계층

읍 · 면 · 동까지 포함하여 3~4계층이다.

핵심 OX

01 중층제는 책임의 한계가 명확하다. (O, X)

01 X 단층제가 책임의 한계가 명확하고, 중층제는 책임의 한계가 불명확하다.

2. 문제점

(1) 중간 계층의 경유기관화

상위계층의 명령이나 지시를 하위계층에게 전달하는 역할을 하고 있다.

(2) 주민과 기초자치단체 간의 관계 소홀

단순 행정계층으로 행정구(인구 50만 명 이상의 도시에 설치 가능)나 읍 · 면 · 동을 둠으로써, 자치단체와 주민 간에 거리감 · 이질감이 형성되어 주민 참여의 기회를 제한하고 있다.

(3) 지방행정계층 간 기능 및 사무의 중복

① 하위계층의 권한 이양이 미진하며, 오히려 책임만을 지우려는 경향이 있다.

② 하위계층에 대한 지시와 감독이 중첩되어, 행정수행의 자율성이 크게 제한되고 있다.

(4) 거래비용의 증대

계층 간 전달 경로가 중복되므로 불필요한 업무량이 파생하고, 행정계층 간 의사결정 비용이나 거래비용이 증대되어 행정의 비효율이 나타나고 있다.

(5) 단순 행정계층의 중심성 상실

교통 · 통신의 발달과 행정 전산화 등으로 인한 생활권의 확대로, 단순 행정계층의 지역 중심지로서의 역할을 상실하고 있다.

(6) 기초자치단체의 인구 과다

지방자치의 실효성을 확보하기 위해서는 대면적 접촉이 가능하여야 하나, 현실적으로 시 · 군 · 구의 인구가 많고 구역이 넓다.

3 지방자치단체의 구역

1 자치단체 구역의 의의

1. 개념

(1) 구역이란 자치단체의 통치권 또는 자치권이 미치는 지역적 범위를 의미한다.

(2) 구역은 당해 자치단체의 기능을 지역적으로 한정시키되, 그 지역 내에 주소 · 거소 · 영업소를 가진 자연인이나 법인 · 단체 등을 복종시키는 권한을 가진다.

2. 구역의 성격

(1) 구역은 기능 배분(공공서비스 제공 방식)의 문제와 밀접한 관련을 가진다.

(2) 계층구조와도 밀접한 관련을 가진다.

(3) 구역이 작을수록 주민의 참여를 통한 민주적 이념을 실현하기 용이하며, 구역이 클수록 능률성 이념의 실현이 용이하다.

2 적정 구역의 설정 기준

1. 광역자치단체의 구역 설정 기준 - 능률성

(1) 기초자치단체의 행정기능을 가장 효과적으로 조정할 수 있는 지역범위일 것

(2) 가장 효과적으로 지역 및 경제 개발을 추진할 수 있는 지역적 범위일 것

(3) 도시 행정기능과 농촌 행정기능을 동시에 가장 효율적으로 수행할 수 있는 범위일 것

(4) 기초자치단체의 행정기능을 지원 · 보완하는 데 가장 적절한 규모일 것

2. 기초자치단체의 구역 설정 기준 - 민주성

(1) 지역공동체 의식의 형성과 공동생활권을 기준으로 할 것

(2) 민주성과 능률성이 조화롭게 고려될 것, 즉 주민참여와 주민통제가 효과적으로 보장되고, 주민의 생활행정이 효율적으로 수행될 수 있을 것

(3) 재정수요와 재원조달 능력이 고려될 것

(4) 주민의 편의와 행정의 편의가 조화롭게 고려될 것

(5) 공동체 개발의 단위일 것

3 지방자치단체의 구역 개편

1. 의의

구역 개편은 단순히 물리적인 경계만을 조정하는 것이 아니라, 사회적 · 경제적 · 정치적 제반세력의 이해관계를 반영하는 공간의 합리적인 가치배분 과정이다.

2. 구역개편의 필요성

(1) 사회경제적 여건의 변화에 대한 적응 때문이다.

(2) 개발권 · 생활권과 행정구역의 불일치에 따른 주민편의적인 측면 때문이다.

(3) 지방행정의 경제적 효율성 제고를 위한 지방자치단체 간 불균형(면적 · 인구 · 재정 규모 등의 격차는 불균등한 지역발전 심화) 시정 때문이다.

(4) 민주성(주민의 행정참여 및 통제, 자치행정의 능률적 수행, 자치재원의 확보 등)의 제고를 위한 자치 규모의 적정화 때문이다.

(5) 계층구조가 다층제일 경우 계층의 수를 줄이기 위한 수단 등이기 때문이다.

3. 구역개편[1]의 방식

구분	광역시 · 특별시 · 도, 시 · 군 · 자치구	일반구, 읍 · 면 · 동
명칭 · 구역 변경	· 법률로 정하되 관할 구역 경계변경[2]과 한자명칭 변경은 대통령령으로 정함 · 이 경우 주민투표를 실시한 경우가 아니면, 관계 지방의회의 의견을 들어야 함	당해 자치단체의 조례로 정하고, 그 결과를 특별시장 · 광역시장 · 도지사에게 보고
폐치 · 분합		행정안전부장관의 승인을 얻어 당해 자치단체의 조례로 정함
사무소 소재지 변경	당해 자치단체의 조례(당해 지방의회의 재적의원 과반수의 찬성 필요)로 정함	

개념PLUS 도농복합시의 설치요건(「지방자치법」 제10조 제2항)

다음의 어느 하나에 해당하는 지역은 도농 복합형태의 시로 할 수 있다.

1. 시는 그 대부분이 도시의 형태를 갖추고 인구 5만 이상이 되어야 한다는 규정에 따라 설치된 시와 군을 통합한 지역
2. 인구 5만 이상의 도시 형태를 갖춘 지역이 있는 군
3. 인구 2만 이상의 도시 형태를 갖춘 2개 이상의 지역의 인구가 5만 이상인 군(이 경우 군의 인구가 15만 이상으로서 대통령령이 정하는 요건을 갖추어야 함)
4. 국가의 정책으로 인하여 도시가 형성되고, 도의 출장소가 설치된 지역으로서 그 지역의 인구가 3만 이상이고, 인구 15만 이상의 도농 복합형태의 시의 일부인 지역

4 특별지방행정기관(일선기관)

1 개념

국가의 특정한 중앙행정기관에 소속되어 당해 관할구역 내에서 시행되는 소속중앙행정기관의 권한에 속하는 행정사무를 관장하는 국가의 지방행정기관이다.

2 필요성(기능)과 문제점

1. 필요성(기능)

(1) 중앙행정기관이 관장하고 있는 업무 중 전국적으로 통일적인 업무 집행이 필요한 경우

(2) 집행 기능을 일선조직이 담당하게 함으로써 중앙행정기관의 정책 기능을 강화할 필요가 있는 경우

---

[1] 구역변경과 경계변경
1. **구역변경**: 자치구역의 전면적 재구획을 말한다.
   → 법률에 의한다.
2. **경계변경**: 자치단체의 존폐와는 관계없이 관할 구역만 일부 변경하는 것을 말한다.
   → 대통령령으로 가능하다.

[2] 지방자치단체의 관할 구역 경계변경 등
「지방자치법」 제6조【지방자치단체의 관할 구역 경계변경 등】 ④ 행정안전부장관은 제3항에 따른 기간이 끝난 후 지체 없이 대통령령으로 정하는 바에 따라 관계 지방자치단체 등 당사자 간 경계변경에 관한 사항을 효율적으로 협의할 수 있도록 경계변경자율협의체(이하 이 조에서 "협의체")를 구성 · 운영할 것을 관계 지방자치단체의 장에게 요청하여야 한다.
⑤ 관계 지방자치단체는 제4항에 따른 협의체 구성 · 운영 요청을 받은 후 지체 없이 협의체를 구성하고, 경계변경 여부 및 대상 등에 대하여 같은 항에 따른 행정안전부장관의 요청을 받은 날부터 120일 이내에 협의를 하여야 한다. 다만, 대통령령으로 정하는 부득이한 사유가 있는 경우에는 30일의 범위에서 그 기간을 연장할 수 있다.

핵심 OX

01 서울특별시와 경기도의 관할 구역 경계변경은 법률로 한다. (O, X)

02 서울시 강남구와 동작구의 관할 구역 경계변경은 법률로 한다. (O, X)

03 우리나라는 도농분리형이다. (O, X)

01 X 관할 구역 경계변경은 대통령령으로 한다.
02 X 광역 간이든 기초 간이든 관할 구역 경계변경은 대통령령으로 한다.
03 X 우리나라는 도농통합형이다.

(3) 특정한 행정기능을 지역별 특성에 맞게 집행해야 하는 경우

(4) 주민과 직접 접촉하여 지역주민의 의사를 행정에 반영할 필요가 있는 경우

(5) 중앙행정기관(국가)의 업무부담 경감을 위해서 필요한 경우

(6) 통일적 기술 · 절차 · 장비의 전국적 활용을 위해서 필요한 경우

(7) 중앙정부나 인접지역과의 협력이 가능하고 광역행정의 수단으로 활용 가능

(8) 기타 행정의 전문성 제고, 국가의 관리와 감독의 용이, 공공서비스 제공의 형평성 제고 등

2. 문제점

(1) 행정의 민주성 및 책임성 저해

지방자치단체에 대해서는 주민들의 참여와 통제에 의하여 책임성과 대응성을 확보할 수 있지만, 특별지방행정기관에 대해서는 주민에 의한 통제와 책임 확보가 어렵다.

(2) 중앙통제의 강화와 자치행정(자율성)의 저해

중앙부서에서는 지방자치단체에서 처리할 수 있는 사무에 대해서도 자신들의 특별지방행정기관(일선기관)을 통해 집행할 가능성이 높기 때문에, 지방분권의 관점에서 볼 때 특별지방행정기관은 지방자치단체의 권한과 책임성을 저해하는 요인이 될 수 있다.

(3) 유사 · 중복 업무로 인한 비효율성

특별지방행정기관과 지방자치단체 간의 기능이 중복되어 인력과 예산이 낭비됨으로써, 지방행정의 비효율성이 초래될 수 있다.

(4) 고객의 혼란과 불편

특별지방행정기관과 자치단체 간의 이원적 업무수행으로 인해 주민들에게 혼란과 불편을 초래하고, 그 관할범위가 지나치게 넓어 현지성이 떨어지기도 한다.

(5) 종합행정의 저해

특별지방행정기관은 분야별로 별도로 설치되어 있어, 주민에 대한 종합적인 행정서비스를 저해한다.

(6) 단체자치체제상 부적합

우리나라는 자치단체가 국가의 위임사무를 처리하는 단체자치국가의 전통을 가지고 있으면서도, 영미계의 주민자치에서 운용되는 특별지방행정기관(일선기관)을 다수 설치하고 있다.

(7) 경비 증가의 문제

수많은 일선기관(특별지방행정기관)을 설치 · 운영하는 데 많은 경비가 소모될 수 있다.

핵심 OX

01 특별지방행정기관은 광역행정의 측면에서 순기능이 있다. (O, X)

02 특별지방행정기관은 행정의 책임성 확보에 유리하다. (O, X)

01 O
02 X 주민에게 책임을 지지 않으므로 책임성 · 민주성이 저해된다.

(8) 기타 문제점

① 특별지방행정기관이 남설될 경우, 자치단체와의 역할 갈등과 중복의 문제가 발생할 수 있다.

② 주민참여가 곤란해지고 자치의식을 저해할 수 있어, 민주적 통제가 곤란해진다.

③ 지방행정체제의 이원화로 횡적 조정이 곤란해질 수 있다.

④ 집권화를 초래할 수 있다.

5 지방자치단체의 주민

1 주민의 의의[1]

(1) 주민은 지방자치단체의 인적 구성요소로, 피치자인 동시에 지방자치단체의 조직 · 운영에 참여하는 주권자를 의미한다.

(2) 주민은 국적이나 성, 연령, 행위능력, 자연인 · 법인 여부를 가리지 않고 지방자치단체에 주소를 가지고 있으면 모두 포함된다.

❶ 주민의 자격

「지방자치법」 제16조 【주민의 자격】 지방자치단체의 구역에 주소를 가진 자는 그 지방자치단체의 주민이 된다.

2 주민의 권리[2]와 의무

1. 주민의 권리

주민은 지방자치단체의 주체 또는 그 구성원으로 법령이 정하는 바에 의하여 권리를 가지게 된다.

(1) 참정권

선거권(18세 이상의 주민), 피선거권(18세 이상의 국민), 주민투표권, 청원권, 공무담임권, 선거소청권, 조례재정 · 개폐청구권, 주민감사청구권, 주민소송권, 주민소환권 등이 인정된다.

(2) 수익권

재산 및 공공시설 이용권, 행정서비스 향수권 등이 있다.

(3) 쟁송권

사용료 · 수수료 또는 분담금의 부과나 징수에 대한 불복권, 배상 · 보상 청구권, 행정심판 청구권 등이 인정된다.

(4) 주민생활에 영향을 미치는 정책결정 및 집행과정에 참여할 권리가 신설되었다.

2. 주민의 의무

비용분담의무, 공공시설의 이용강제의무, 명예직 수락의무, 긴급재해 시 명령복종의무, 법규준수의무 등이 있다.

❷ 주민의 권리

「지방자치법」 제17조 【주민의 권리】 ① 주민은 법령으로 정하는 바에 따라 주민생활에 영향을 미치는 지방자치단체의 정책의 결정 및 집행 과정에 참여할 권리를 가진다.
② 주민은 법령으로 정하는 바에 따라 소속 지방자치단체의 재산과 공공시설을 이용할 권리와 그 지방자치단체로부터 균등하게 행정의 혜택을 받을 권리를 가진다.
③ 주민은 법령으로 정하는 바에 따라 그 지방자치단체에서 실시하는 지방의회의원과 지방자치단체의 장의 선거에 참여할 권리를 가진다.

3 주민의 직접참정 방식[1]

1. 직접참정제도의 의의

(1) 간접참정[2] 방식

주민이 대표를 선출하여 자치업무를 수행한다.

(2) 직접참정 방식

주민 자신이 직접 정치행정 과정에 참여하여 의사를 표현하고, 그러한 자주적 의사에 따라 자치업무를 수행하는 방식을 의미한다.

2. 우리나라의 직접참정제도

조례 제정 및 개폐 청구제도, 주민투표제도, 주민감사청구제도, 주민소송제도, 주민소환제도 등이 있다.

4 조례 제정 및 개폐 청구제도(주민발안)[3]

(1) 주민은 지방자치단체의 조례를 제정하거나 개정하거나 폐지할 것을 청구할 수 있다(「지방자치법」 제19조 제1항).

(2) 조례의 제정 · 개정 또는 폐지 청구의 청구권자 · 청구대상 · 청구요건 및 절차 등에 관한 사항은 따로 법률로 정한다(「지방자치법」 제19조 제2항).

(3) 「주민조례발안에 관한 법률」의 주요 내용

> **제1조【목적】** 이 법은 「지방자치법」 제19조에 따른 주민의 조례 제정과 개정 · 폐지 청구에 필요한 사항을 규정함으로써 주민의 직접참여를 보장하고 지방자치행정의 민주성과 책임성을 제고함을 목적으로 한다.
>
> **제2조【주민조례청구권자】** 18세 이상의 주민으로서 다음 각 호의 어느 하나에 해당하는 사람(「공직선거법」 제18조에 따른 선거권이 없는 사람은 제외, 이하 "청구권자")은 해당 지방자치단체의 의회(이하 "지방의회")에 조례를 제정하거나 개정 또는 폐지할 것을 청구(이하 "주민조례청구")할 수 있다.
> 1. 해당 지방자치단체의 관할 구역에 주민등록이 되어 있는 사람
> 2. 「출입국관리법」 제10조에 따른 영주(永住)할 수 있는 체류자격 취득일 후 3년이 지난 외국인으로서 같은 법 제34조에 따라 해당 지방자치단체의 외국인등록대장에 올라 있는 사람
>
> **제4조【주민조례청구 제외 대상】** 다음 각 호의 사항은 주민조례청구 대상에서 제외한다.
> 1. 법령을 위반하는 사항
> 2. 지방세 · 사용료 · 수수료 · 부담금을 부과 · 징수 또는 감면하는 사항
> 3. 행정기구를 설치하거나 변경하는 사항
> 4. 공공시설의 설치를 반대하는 사항

[1] 우리나라의 주민직접참여제도
1. 주민조례개폐청구(1999)
2. 주민감사청구제도(1999)
3. 주민투표제도(2004)
4. 주민소송제도(2006)
5. 주민소환제도(2007)

[2] 간접참여
위원회 등을 매개로 참여하는 것도 간접참여에 해당한다.

[3] 주민발안제도
「지방자치법」 제20조【규칙의 제정과 개정 · 폐지 의견 제출】 ① 주민은 제29조에 따른 규칙(권리 · 의무와 직접 관련되는 사항으로 한정한다)의 제정, 개정 또는 폐지와 관련된 의견을 해당 지방자치단체의 장에게 제출할 수 있다.
② 법령이나 조례를 위반하거나 법령이나 조례에서 위임한 범위를 벗어나는 사항은 제1항에 따른 의견 제출 대상에서 제외한다.
③ 지방자치단체의 장은 제1항에 따라 제출된 의견에 대하여 의견이 제출된 날부터 30일 이내에 검토 결과를 그 의견을 제출한 주민에게 통보하여야 한다.
④ 제1항에 따른 의견 제출, 제3항에 따른 의견의 검토와 결과 통보의 방법 및 절차는 해당 지방자치단체의 조례로 정한다.

핵심 OX

01 각종 위원회를 통한 참여는 직접참여의 유형이다. (O, X)

02 주민은 조례 제정을 지방의회에 청구할 수 있다. (O, X)

01 X 위원회 등을 통한 참여는 간접참여이다.
02 O

제5조【주민조례청구 요건】 ① 청구권자가 주민조례청구를 하려는 경우에는 다음 각 호의 구분에 따른 기준 이내에서 해당 지방자치단체의 조례로 정하는 청구권자 수 이상이 연대 서명하여야 한다.
1. 특별시 및 인구 800만 이상의 광역시 · 도: 청구권자 총수의 200분의 1
2. 인구 800만 미만의 광역시 · 도, 특별자치시, 특별자치도 및 인구 100만 이상의 시: 청구권자 총수의 150분의 1
3. 인구 50만 이상 100만 미만의 시 · 군 및 자치구: 청구권자 총수의 100분의 1
4. 인구 10만 이상 50만 미만의 시 · 군 및 자치구: 청구권자 총수의 70분의 1
5. 인구 5만 이상 10만 미만의 시 · 군 및 자치구: 청구권자 총수의 50분의 1
6. 인구 5만 미만의 시 · 군 및 자치구: 청구권자 총수의 20분의 1
② 청구권자 총수는 전년도 12월 31일 현재의 주민등록표 및 외국인등록표에 따라 산정한다.
③ 지방자치단체의 장은 매년 1월 10일까지 제2항에 따라 산정한 청구권자 총수를 공표하여야 한다.

제13조【주민청구조례안의 심사 절차】 ① 지방의회는 제12조 제1항에 따라 주민청구조례안이 수리된 날부터 1년 이내에 주민청구조례안을 의결하여야 한다. 다만, 필요한 경우에는 본회의 의결로 1년 이내의 범위에서 한 차례만 그 기간을 연장할 수 있다.
③ 「지방자치법」 제79조 단서에도 불구하고 주민청구조례안은 제12조 제1항에 따라 주민청구조례안을 수리한 당시의 지방의회의원의 임기가 끝나더라도 다음 지방의회의원의 임기까지는 의결되지 못한 것 때문에 폐기되지 아니한다.
④ 제1항부터 제3항까지에서 규정한 사항 외에 주민청구조례안의 심사 절차에 관하여 필요한 사항은 지방의회의 회의규칙으로 정한다.

5 주민투표제도

1. 의의

(1) 개념

① 주민투표제도는 '중요사항에 대하여 유권자의 투표에 의하여 그 승인을 얻도록 하는 것'을 말한다.
② 우리나라는 「주민투표법」 제정으로 주민투표제도가 도입 · 시행되고 있다.

(2) 법적 근거

① **「지방자치법」(제18조)**: 지방자치단체의 장은 주민에게 과도한 부담을 주거나 중대한 영향을 미치는 지방자치단체의 주요 결정사항 등에 대하여 주민투표에 부칠 수 있다.
② **「주민투표법」**: 주민투표의 대상 · 발의자 · 발의요건, 그 밖에 투표절차 등에 필요한 사항을 규정하고 있다.

2. 「주민투표법」의 주요 내용

제1조【목적】 이 법은 지방자치단체의 주요결정사항에 관한 주민의 직접참여를 보장하기 위하여 「지방자치법」 제18조에 따른 주민투표의 대상 · 발의자 · 발의요건 · 투표절차 등에 관한 사항을 규정함으로써 지방자치행정의 민주성과 책임성을 제고하고 주민복리를 증진함을 목적으로 한다.

제3조【주민투표사무의 관리】 ① 주민투표사무는 이 법에 특별한 규정이 있는 경우를 제외하고는 특별시 · 광역시 · 특별자치시 · 도 또는 특별자치도(이하 "시 · 도")는 시 · 도선거관리위원회가, 시 · 군 또는 구(자치구를 말하며, 이하 "시 · 군 · 구")는 구 · 시 · 군선거관리위원회가 관리한다.

제5조【주민투표권】 ① 18세 이상의 주민 중 제6조 제1항에 따른 투표인명부 작성기준일 현재 다음 각 호의 어느 하나에 해당하는 사람에게는 주민투표권이 있다. 다만, 「공직선거법」 제18조에 따라 선거권이 없는 사람에게는 주민투표권이 없다.

1. 그 지방자치단체의 관할 구역에 주민등록이 되어 있는 사람
2. 출입국관리 관계 법령에 따라 대한민국에 계속 거주할 수 있는 자격(체류자격 변경허가 또는 체류기간연장허가를 통하여 계속 거주할 수 있는 경우를 포함)을 갖춘 외국인으로서 지방자치단체의 조례로 정한 사람

제7조【주민투표의 대상】 ① 주민에게 과도한 부담을 주거나 중대한 영향을 미치는 지방자치단체의 주요결정사항은 주민투표에 부칠 수 있다.

② 제1항에도 불구하고 다음 각 호의 어느 하나에 해당하는 사항은 주민투표에 부칠 수 없다.

1. 법령에 위반되거나 재판중인 사항
2. 국가 또는 다른 지방자치단체의 권한 또는 사무에 속하는 사항
3. 지방자치단체가 수행하는 다음 각 목의 어느 하나에 해당하는 사무의 처리에 관한 사항
   가. 예산 편성 · 의결 및 집행
   나. 회계 · 계약 및 재산관리

3의2. 지방세 · 사용료 · 수수료 · 분담금 등 각종 공과금의 부과 또는 감면에 관한 사항

4. 행정기구의 설치 · 변경에 관한 사항과 공무원의 인사 · 정원 등 신분과 보수에 관한 사항
5. 다른 법률에 의하여 주민대표가 직접 의사결정주체로서 참여할 수 있는 공공시설의 설치에 관한 사항. 다만, 제9조 제5항의 규정에 의하여 지방의회가 주민투표의 실시를 청구하는 경우에는 그러하지 아니하다.
6. 동일한 사항(그 사항과 취지가 동일한 경우를 포함)에 대하여 주민투표가 실시된 후 2년이 경과되지 아니한 사항

제8조【국가정책에 관한 주민투표】 ① 중앙행정기관의 장은 지방자치단체를 폐지하거나 설치하거나 나누거나 합치는 경우 또는 지방자치단체의 구역을 변경하거나 주요시설을 설치하는 등 국가정책의 수립에 관하여 주민의 의견을 듣기 위하여 필요하다고 인정하는 때에는 주민투표의 실시구역을 정하여 관계 지방자치단체의 장에게 주민투표의 실시를 요구할 수 있다. 이 경우 중앙행정기관의 장은 미리 행정안전부장관과 협의하여야 한다.

② 지방자치단체의 장은 제1항의 규정에 의하여 주민투표의 실시를 요구받은 때에는 지체없이 이를 공표하여야 하며, 공표일부터 30일 이내에 그 지방의회의 의견을 들어야 한다.

③ 제2항의 규정에 의하여 지방의회의 의견을 들은 지방자치단체의 장은 그 결과를 관계 중앙행정기관의 장에게 통지하여야 한다.

제9조【주민투표의 실시요건】 ① 지방자치단체의 장은 다음 각 호의 어느 하나에 해당하는 경우에는 주민투표를 실시할 수 있다. 이 경우 제1호 또는 제2호에 해당하는 경우에는 주민투표를 실시하여야 한다.

1. 주민이 제2항에 따라 주민투표의 실시를 청구하는 경우
2. 지방의회가 제5항에 따라 주민투표의 실시를 청구하는 경우
3. 지방자치단체의 장이 주민의 의견을 듣기 위하여 필요하다고 판단하는 경우

② 18세 이상 주민 중 제5조 제1항 각 호의 어느 하나에 해당하는 사람(같은 항 각 호 외의 부분 단서에 따라 주민투표권이 없는 사람은 제외한다. 이하 "주민투표청구권자")은 주민투표청구권자 총수의 20분의 1 이상 5분의 1 이하의 범위에서 지방자치단체의 조례로 정하는 수 이상의 서명으로 그 지방자치단체의 장에게 주민투표의 실시를 청구할 수 있다.

⑤ 지방의회는 재적의원 과반수의 출석과 출석의원 3분의 2 이상의 찬성으로 그 지방자치단체의 장에게 주민투표의 실시를 청구할 수 있다.

⑥ 지방자치단체의 장은 직권에 의하여 주민투표를 실시하고자 하는 때에는 그 지방의회 재적의원 과반수의 출석과 출석의원 과반수의 동의를 얻어야 한다.

제12조의2【주민투표청구심의회】 ① 제9조에 따른 주민투표에 관한 다음 각 호의 사항을 심의하기 위하여 지방자치단체의 장 소속으로 주민투표청구심의회(이하 "심의회")를 둔다. 다만, 해당 지방자치단체에 심의회와 성격·기능이 유사한 위원회가 설치되어 있는 경우에는 해당 지방자치단체의 조례로 정하는 바에 따라 그 위원회가 심의회의 기능을 대신할 수 있다.

제13조【주민투표의 발의】 ① 지방자치단체의 장은 다음 각 호의 어느 하나에 해당하는 경우에는 지체없이 그 요지를 공표하고 관할선거관리위원회에 통지하여야 한다.

제14조【주민투표의 투표일】 ① 주민투표의 투표일은 제13조 제2항에 따른 주민투표발의일부터 23일(제3항에 따라 투표일을 정할 수 없는 기간은 산입하지 아니함) 이후 첫 번째 수요일로 한다.

제15조【주민투표의 형식】 주민투표는 특정한 사항에 대하여 찬성 또는 반대의 의사표시를 하거나 두 가지 사항중 하나를 선택하는 형식으로 실시하여야 한다.

제16조【주민투표실시구역】 ① 주민투표는 그 지방자치단체의 관할구역 전체를 대상으로 실시한다. 다만, 특정한 지역 또는 주민에게만 이해관계가 있는 사항인 경우 지방자치단체의 장은 그 지방자치단체의 관할구역 중 일부를 대상으로 지방의회의 동의를 얻어 주민투표를 실시할 수 있다.

제18조의2 【전자적 방법에 의한 투표·개표】 ① 제18조에도 불구하고 지방자치단체의 장은 다음 각 호의 어느 하나에 해당하는 경우에는 중앙선거관리위원회규칙으로 정하는 정보시스템을 사용하는 방법에 따른 투표(이하 이 조에서 "전자투표") 및 개표(이하 이 조에서 "전자개표")를 실시할 수 있다.

1. 청구인대표자가 요구하는 경우
2. 지방의회가 요구하는 경우
3. 지방자치단체의 장이 필요하다고 판단하는 경우

제24조 【주민투표결과의 확정】 ① 주민투표에 부쳐진 사항은 주민투표권자 총수의 4분의 1 이상의 투표와 유효투표수 과반수의 득표로 확정된다. 다만, 다음 각 호의 어느 하나에 해당하는 경우에는 찬성과 반대 양자를 모두 수용하지 아니하거나, 양자택일의 대상이 되는 사항 모두를 선택하지 아니하기로 확정된 것으로 본다.

1. 전체 투표수가 주민투표권자 총수의 4분의 1에 미달되는 경우
2. 주민투표에 부쳐진 사항에 관한 유효득표수가 동수인 경우

⑤ 지방자치단체의 장 및 지방의회는 주민투표결과 확정된 내용대로 행정·재정상의 필요한 조치를 하여야 한다.

⑥ 지방자치단체의 장 및 지방의회는 주민투표결과 확정된 사항에 대하여 2년 이내에는 이를 변경하거나 새로운 결정을 할 수 없다. 다만, 제1항 단서의 규정에 의하여 찬성과 반대 양자를 모두 수용하지 아니하거나 양자택일의 대상이 되는 사항 모두를 선택하지 아니하기로 확정된 때에는 그러하지 아니하다.

제25조 【주민투표소송 등】 ① 주민투표의 효력에 관하여 이의가 있는 주민투표권자는 주민투표권자 총수의 100분의 1 이상의 서명으로 제24조 제3항에 따라 주민투표결과가 공표된 날부터 14일 이내에 관할선거관리위원회 위원장을 피소청인으로 하여 시·군·구의 경우에는 시·도선거관리위원회에, 시·도의 경우에는 중앙선거관리위원회에 소청할 수 있다.

② 소청인은 제1항에 따른 소청에 대한 결정에 불복하려는 경우 관할선거관리위원회위원장을 피고로 하여 그 결정서를 받은 날(결정서를 받지 못한 때에는 결정기간이 종료된 날을 말함)부터 10일 이내에 시·도의 경우에는 대법원에, 시·군·구의 경우에는 관할 고등법원에 소를 제기할 수 있다.

제26조 【재투표 및 투표연기】 ① 지방자치단체의 장은 주민투표의 전부 또는 일부 무효의 판결이 확정된 때에는 그 날부터 20일 이내에 무효로 된 투표구의 재투표를 실시하여야 한다. 이 경우 투표일은 늦어도 투표일전 7일까지 공고하여야 한다.

핵심 OX

01 주민투표로 결정된 사항은 주민투표로도 2년 이내에는 변경이 불가능하다. (O, X)

02 지방자치단체장은 지방의회의 동의 없이 직권으로 주민투표를 실시할 수 있나. (O, X)

01 O
02 X 지방자치단체장이 직권으로 주민투표를 실시하고자 하는 경우에는 지방의회 동의를 얻어야 한다.

6 주민감사청구제도

청구주체	지방자치단체의 18세 이상 주민[1]으로 광역시·특별시·도는 300명, 50만 이상 대도시는 200명, 시·군·자치구는 150명을 초과하지 않는 범위 내에서 당해 자치단체의 조례로 정하는 수 이상의 연서
청구객체	· 특별시·광역시·도 → 주무부서 장관 · 시·군·자치구 → 특별시장·광역시장·도지사
청구사안	당해 자치단체와 그 장의 권한에 속하는 사무의 처리가 법령에 위반되거나 공익을 현저히 해하는 경우
청구제외 사항	· 수사나 재판에 관여하게 되는 사항 · 개인의 사생활 침해의 우려가 있는 사항 · 다른 기관에서 감사하였거나 감사 중인 사항(단, 다른 기관에서 감사한 사항이라도 새로운 사항이 발견되거나 중요사항이 감사에서 누락된 경우나 주민소송 대상이 되는 경우 청구 가능) · 동일한 사항에 대해 제22조 제2항(주민소송 방식)의 어느 하나에 해당하는 소송이 계속 중이거나 그 판결이 확정된 사항 · 청구 대상이 되는 사무의 처리가 있었던 날 또는 종료된 날부터 3년 경과 시 감사청구 못함
처리	청구 수리일로부터 60일 이내에 감사청구된 사항의 감사를 종료하고 감사 결과를 청구인의 대표자와 당해 지방자치단체장에게 통지하고 공표함

[1] 연령제한
1. **피선거권:** 18세(대통령 선거의 경우 40세) 이상
2. **선거권:** 18세 이상
3. **주민조례개폐청구:** 18세 이상
4. **주민감사청구:** 18세 이상
5. **주민투표:** 18세 이상
6. **주민소송:** 18세 이상
7. **주민소환:** 19세 이상

7 주민소송[2]제도(납세자소송)

1. 의의

공금의 지출에 관한 사항, 재산의 취득·관리·처분에 관한 사항, 해당 지방자치단체를 당사자로 하는 매매·임차·도급 그 밖의 계약의 체결·이행에 관한 사항 또는 지방세·사용료·수수료·과태료 등 공금의 부과·징수의 해태에 관한 사항을 감사청구한 주민은 감사 결과 등에 불복이 있는 경우에는 그 감사청구한 사항과 관련있는 위법한 행위나 해태사실에 대하여 당해 지방자치단체의 장을 상대방으로 주민소송을 제기할 수 있다.

2. 대상

주민소송제도(납세자소송)는 지방재정을 대상으로 한다.

3. 소송의 제한과 소송 절차의 수계

주민소송의 남발을 방지하기 위하여 주민소송이 계속 중인 때에는 동일한 사항에 대하여 다른 주민이 별도의 소송을 제기하지 못하도록 하고, 소송을 제기한 주민이 사망하거나 주민의 자격을 상실한 때에는 다른 주민이 6월 이내에 소송 절차를 수계(受繼)할 수 있다.

4. 비용 청구

주민소송에서 승소한 주민은 당해 지방자치단체에 대하여 변호사 보수 등의 소송비용, 감사청구절차 진행 등을 위하여 소요된 여비 그 밖의 실비의 보상을 청구할 수 있다.

[2] 주민소송
1. 지방재정 대상
2. 주민감사전치주의
3. 간접소송
4. 소송수계제도

핵심 OX

01 주민투표의 문항 구성에는 제한이 없다. (O, X)

01 X 주민투표는 특정 정책의 찬·반을 묻는 것이므로, 문항 구성에 제한이 있다.

5. 우리나라 주민소송제도의 문제점

(1) 감사청구 전치주의

먼저 주민의 집단서명을 받아 주민감사를 청구하지 않으면 직접 주민소송을 할 수 없도록 하고 있다.

(2) 간접소송

위 (1) 감사청구 전치주의의 절차를 거친 뒤에도 비리의 당사자(비리공직자 또는 위법·부당한 행위로 예산을 낭비한 업체 등)를 상대로 직접 주민소송을 하지 못하게 하고, 지방자치단체로 하여금 비리의 당사자에게 부당이득반환을 요구하는 소송을 진행할 것을 강제하는 판결을 구하는 소송, 즉 간접소송만 가능하도록 하고 있다.

8 주민소환제도[1]

1. 목적

지방자치에 관한 주민의 직접참여를 확대하고 지방행정의 민주성과 책임성을 제고함을 목적으로 한다.

2. 주민소환의 대상자 및 요건

구분	요건
특별시장·광역시장·도지사·교육감	당해 지방자치단체의 주민소환투표청구권자 총수의 100분의 10 이상
시장·군수·자치구의 구청장	당해 지방자치단체의 주민소환투표청구권자 총수의 100분의 15 이상
지역선거구 시·도의회의원 및 지역선거구 자치구·시·군의회의원	당해 지방의회의원의 선거구 안의 주민소환투표청구권자 총수의 100분의 20 이상(비례대표의원은 제외)

3. 주민소환투표의 청구 제한기간

다음의 어느 하나에 해당하는 때에는 주민소환투표의 실시를 청구할 수 없다.

(1) 선출직 지방공직자의 임기개시일부터 1년이 경과하지 아니한 때

(2) 선출직 지방공직자의 임기만료일부터 1년 미만일 때

(3) 해당 선출직 지방공직자에 대한 주민소환투표를 실시한 날부터 1년 이내인 때

4. 주민소환투표 결과의 확정

(1) 주민소환투표권자 총수의 3분의 1 이상의 투표와 유효투표 총수 과반수의 찬성으로 확정된다.

(2) 전체 주민소환투표자의 수가 주민소환투표권자 총수의 3분의 1에 미달하는 때에는 개표를 하지 아니한다.

[1] 주민소환투표인명부의 작성 및 확정

「주민소환에 관한 법률」 제4조 【주민소환투표인명부의 작성 및 확정】 ① 주민소환투표를 실시하는 때에는 주민소환투표인명부 작성기준일(제12조의 규정에 의한 주민소환투표 발의일을 말함)부터 5일 이내에 주민소환투표인명부를 작성하여야 한다.
② 주민소환투표인명부에 등재되어 있는 국내거주자 중 「공직선거법」 제38조 제4항 제1호부터 제5호까지에 해당하는 사람은 주민소환투표인명부 작성기간 중에 거소투표신고를 할 수 있다.
③ 제1항에 따른 주민소환투표인명부의 작성·확정과 제2항에 따른 거소투표신고의 절차 및 거소투표신고인명부의 작성 등에 관하여는 「공직선거법」 제5장(선상투표에 관한 사항은 제외)을 준용한다. 이 경우 제9조의 규정에 의한 주민소환투표청구인대표자와 제12조 제2항의 규정에 의한 주민소환투표 대상자가 주민소환투표인명부(거소투표신고인명부를 포함)의 사본이나 전산자료 복사본의 교부 신청을 하는 경우에는 제18조 제1항의 규정에 의한 주민소환투표운동기간 개시일 다음날까지 하여야 한다.

핵심 OX

01 주민소환투표는 임기개시일부터 실시할 수 있다. (O, X)

02 주민소환투표 대상자에는 비례대표의원을 포함한 지방의회의원이 포함된다. (O, X)

03 주민소환투표는 유권자 총수의 2분의 1 이상이 투표하고 투표자 과반수가 찬성하면 확정된다. (O, X)

01 X 주민소환투표는 임기개시일로부터 1년간, 임기만료일로부터 1년간, 실시한 날로부터 1년간 실시할 수 없다.
02 X 비례대표의원은 주민소환투표의 대상이 아니다.
03 X 유권자 총수의 3분의 1 이상이 투표하고, 투표자 과반수가 찬성하면 확정된다.

5. 주민소환투표의 효력

(1) 주민소환이 확정된 때에는 주민소환투표 대상자는 그 결과가 공표된 시점부터 그 직을 상실한다.

(2) 그 직을 상실한 자는 그로 인하여 실시하는 「주민소환에 관한 법률」 또는 「공직선거법」에 의한 해당 보궐선거에 후보자로 등록할 수 없다.

핵심정리 아른슈테인(Arnstein)의 주민참여의 8단계

구분	내용
실질적 참여(주민 권력)	⑧ **주민통제(citizen control) - 8단계:** 주민이 정부의 진정한 주인으로 모든 결정을 주도
	⑦ **권한위임(delegated power) - 7단계:** 동반자 관계를 넘어 주민이 결정을 주도
	⑥ **협력(partnership) - 6단계:** 결정권의 소재에 대한 합의와 정책결정을 공동으로 하기 위한 공동위원회 등 제도적인 틀이 마련
명목적 참여	⑤ **유화(placation) - 5단계:** 참여가 이루어지는 듯하나, 실질적으로는 의사결정에 영향을 미치지 못함 ㉄ 위원회를 만들어 결정하게 하나, 이를 받아들이는 권한은 지방정부가 보유함
	④ **상담 · 의견수렴(consultation) - 4단계:** 정부가 보다 적극적으로 주민의 의견 청취 ㉄ 공청회나 설문조사를 통해 의견청취만 함
	③ **정보제공(informing) - 3단계:** 지방정부가 지역주민에게 정보를 일방적으로 제공(양방향 의사소통이나 협상 불허)
비참여	② **치료(therapy) - 2단계:** 참여라는 이름 아래 주민들의 태도나 행태 교정
	① **조작(manipulation) - 1단계:** 주민이 지방정부의 활동에 관심을 두지 않은 상태에서 공공부문이 주도적으로 주민을 접촉 ㉄ 주민자문위원회를 설치하여 주민 대표들을 가르치고 설득, 도장 찍는 역할

학습 점검 문제

01 다음 중 주민의 직접적 지방행정 참여제도와 가장 거리가 먼 것은? 2016년 서울시 9급

① 주민소환제도 ② 주민감사청구제도

③ 주민협의회제도 ④ 주민참여예산제도

02 「지방자치법」상 우리나라 지방자치단체에 대한 설명으로 옳지 않은 것은? 2016년 지방직 9급

① 지방자치단체인 구는 특별시와 광역시의 관할구역 안의 구만을 말한다.

② 자치구가 아닌 구의 명칭과 구역의 변경은 그 지방자치단체의 조례로 정한다.

③ 주민은 지방자치단체와 그 장의 권한에 속하는 사무의 처리가 법령에 위반되거나 공익을 현저히 해친다고 인정되면 감사를 청구할 수 있다.

④ 주민은 그 지방자치단체의 장 뿐만 아니라 지방에 속한 모든 의회의원까지도 소환할 권리를 가진다.

정답 및 해설

01 각종 위원회, 주민협의회 등은 간접적 참여방식에 해당한다.

| 오답체크 |

① 주민소환제도, ② 주민감사청구제도, ④ 주민참여예산제도 등은 주민의 직접적 참여방식에 해당한다.

02 주민소환의 대상은 자치단체의 장과 비례대표를 제외한 지방의회의원이다.

| 오답체크 |

① 「지방자치법」에 의하면 지방자치단체인 구(자치구)는 특별시와 광역시의 관할구역 안의 구만을 규정하고 있다.

② 행정구, 읍·면·동의 명칭과 구역의 변경은 당해 자치단체 조례로 정한다.

③ 당해 자치단체와 그 장의 권한에 속하는 사무의 처리가 법령에 위반되거나 공익을 현저히 해하는 경우 주민감사를 청구할 수 있다.

정답 01 ③ 02 ④

03 **특별지방행정기관에 대한 설명으로 옳은 것은?** 2019년 국가직 7급

① 국가의 사무를 집행하기 위해 설치한 일선집행기관으로 고유의 법인격을 가지고 있다.

② 전문분야의 행정을 보다 효율적으로 수행하기 위해 설치하나 행정기관 간의 중복을 야기하기도 한다.

③ 특별지방행정기관의 예로는 자치구가 아닌 일반행정구가 있다.

④ 특별지방행정기관은 지방행정의 전문성을 제고하여 지방분권 강화에 긍정적인 영향을 미친다.

04 **지역에서의 행정서비스 전달주체에 대한 설명으로 가장 적절하지 않은 것은?** 2023년 군무원 9급

① 지역에서의 행정서비스 전달주체는 크게 특별지방행정기관과 지방자치단체로 구분된다.

② 특별지방행정기관은 지역에 위치한 세무서 등인데 소속 중앙행정기관의 지시 및 감독을 받는다.

③ 지방자치단체는 독자적인 법인격은 없지만 국가의 위임사무나 자치사무를 수행한다.

④ 지역에서의 행정서비스는 주민복지 등 지역주민의 생활공간 안에서의 생활행정이자 근접행정이다.

05 주민참여제도 중 지방자치 실시 이후 가장 먼저 도입된 것은? 2018년 서울시 7급(3월 추가)

① 주민소환제 ② 조례제정개폐청구제

③ 주민투표제 ④ 주민소송제

정답 및 해설

03 지방자치단체는 독자적인 법인격이 있다. 반면, 특별지방행정기관은 국가업무의 효율적이고 광역적인 추진을 위해 설치된다. 그러나 지방자치단체와 특별지방행정기관 간 업무의 중복 추진으로 인하여 이중행정의 폐단이 초래된다.

| 오답체크 |

① 특별지방행정기관은 국가의 지역 일선기관으로, 법인격 및 자치권이 없다.

③ 자치구가 아닌 일반 행정구는 지방자치단체의 하부기관에 해당한다.

④ 특별지방행정기관은 해당 업무의 전문성을 확보할 수 있으나, 중앙정부의 통제를 강화시키는 경향이 있기 때문에 자치행정을 저해한다는 비판을 받는다.

04 특별지방행정기관은 특정한 중앙행정기관에 소속되어 당해 관할구역 내에서 시행되는 소속중앙행정기관의 권한에 속하는 행정사무를 관장하는 국가의 지방행정기관이며, 독자적인 법인격이 없다.

| 오답체크 |

① 지역에서의 행정서비스 전달주체는 크게 중앙 행정기관에 소속되어 있는 특별지방행정기관과 지방자치단체로 구분된다.

② 특별지방행정기관은 중앙행정기관 소속이므로 중앙행정기관의 지시 및 감독을 받는다.

④ 지역에서의 행정서비스는 지방행정은 주로 주민들의 일상생활에 직결되는 사무와 지방주민들의 복지증진에 관한 사무를 처리하는 생활행정으로서의 특징을 가진다.

05 주민조례개폐청구제도는 주민감사청구제도와 함께 1999년 가장 먼저 도입되었다.

| 오답체크 |

① 주민소환제는 2007년 도입되었다.

③ 주민투표제는 2004년 도입되었다.

④ 주민소송제는 2006년 도입되었다.

정답 03 ② 04 ③ 05 ②

06 **우리나라의 주민소환제도에 대한 설명으로 옳지 않은 것은?** 2021년 국가직 9급

① 가장 유력한 직접민주주의 제도이다.

② 비례대표 지방의회의원은 주민소환 대상이 아니다.

③ 심리적 통제 효과가 크다.

④ 군수를 소환하려고 할 경우에는 해당 군의 주민소환투표청구권자 총수의 100분의 10 이상의 서명을 받아 청구해야 한다.

07 **주민소환제에 대한 설명으로 옳은 것은?** 2014년 서울시 7급

① 주민은 그 지방자치단체의 장 및 비례대표를 포함한 지방의회의원을 소환할 권리를 가진다.

② 선출직 지방공직자의 임기만료일로부터 1년 미만일 때에는 주민소환투표의 실시를 청구할 수 없다.

③ 주민소환은 주민소환투표권자 총수의 2분의 1 이상의 투표자와 유효투표 총수 과반수의 찬성으로 확정된다.

④ 지방행정의 민주성과 책임성을 제고할 목적으로 도입한 주민 간접참여 방식의 제도이다.

⑤ 주민소환투표의 효력에 이의가 있는 경우 투표결과가 공표된 날부터 10일 이내에 소청할 수 있다.

08 지방자치단체의 계층구조에 대한 설명으로 옳지 않은 것은? 2011년 국가직 9급

① 계층구조는 각 국가의 정치 형태, 면적, 인구 등에 따라 다양한 형태를 갖는다.

② 중층제에서는 단층제에서보다 기초자치단체와 중앙정부의 의사소통이 원활하지 못할 수 있다.

③ 단층제는 중층제보다 중복행정으로 인한 행정지연의 낭비를 줄일 수 있다.

④ 중층제는 단층제보다 행정책임을 보다 명확하게 할 수 있다.

정답 및 해설

06 군수 등 기초자치단체의 장을 소환하고자 할 경우에는 해당 군의 주민소환투표청구권자 총수의 100분의 15 이상의 서명을 받아 청구해야 한다.

| 오답체크 |

① 선출직 지방공직자에 대한 해임을 주민들이 직접 결정하는 제도로, 가장 강력한 직접민주주의제도이다.

② 비례대표 지방의회의원은 주민소환의 대상에 포함되지 않는다.

③ 주민소환제도는 선출 이후에도 주민에 의하여 감시 받는다는 심리적 통제효과가 크다.

07 선출직 지방공직자의 임기만료일로부터 1년 미만일 때에는 주민소환투표의 실시를 청구할 수 없다.

| 오답체크 |

① 주민소환 대상에서 비례대표의원은 제외된다.

③ 주민소환은 주민소환투표권자 총수의 3분의 1 이상의 투표자와 유효투표 총수 과반의 찬성으로 확정된다.

④ 주민소환제는 지방행정의 민주성과 책임성을 제고할 목적으로 도입한 주민 직접참여 방식의 제도이다.

⑤ 주민소환투표의 효력에 이의가 있는 경우 14일 이내에 소청심사청구를, 소청결정서를 받은 날로부터 10일 이내에 소송을 제기할 수 있다.

08 중층제는 단층제에 비하여 계층이 많으므로 행정책임이 모호해질 수 있다.

단층제와 중층제의 비교

구분	단층제	중층제
장점	· 이중행정(감독)의 폐단을 방지 · 신속한 행정을 도모 · 낭비 제거 및 능률 증진 · 행정책임의 명확화 · 자치단체의 자치권이나 지역의 특수성·개별성을 존중 · 중앙정부와 주민 간의 의사소통이 원활	· 기초와 광역자치단체 간에 행정기능 분담 · 광역자치단체가 기초자치단체에 대한 보완·조정·지원 기능을 수행 · 광역자치단체를 통하여 기초자치단체에 대한 국가의 감독기능을 유지 · 중앙정부의 강력한 직접적 통제로부터 기초자치단체를 보호 · 기초자치단체 간 분쟁·갈등 조정
단점	· 국토가 넓고 인구가 많으면 적용 곤란 · 중앙정부의 직접적인 지시와 감독 등으로 인해 중앙집권화의 우려 · 행정기능의 전문화와 서비스 공급의 효율성 제고 곤란 · 중앙정부 통솔범위가 너무 넓어짐 · 광역행정이나 대규모 개발사업의 수행에 부적합	· 행정기능의 중복현상, 이중행정의 폐단이 노정 · 기능배분 불명확·상하 자치단체 간 책임 모호 · 행정의 지체와 낭비를 초래 · 각 지역의 특수성·개별성 무시 · 중간자치단체 경유에 따른 중앙행정의 침투가 느리고 왜곡됨

정답 06 ④ 07 ② 08 ④

CHAPTER 3 지방자치단체의 권능과 사무

1 지방자치단체의 자치권

1 자치권의 본질

1. 자치권의 개념

(1) 자치권이란 법인격을 지닌 지방자치단체가 지역적 통치단체로서 일정한 구역과 주민을 지배하고, 그 소관 사무를 스스로의 책임하에 처리할 수 있는 권능을 의미한다.

(2) 자치권은 자치입법권, 자치행정권, 자치조직 · 인사권, 자치재정권으로 구분된다.

2. 자치권의 특성

지방자치단체의 자치권은 다음과 같은 특징을 가지고 있다.

(1) 종속성

국가로부터 수여된 권능이다.

(2) 일반성

자치단체의 주민과 구역 안에서 영향을 미친다.

(3) 자주성

일정한 범위 내에서는 독자적인 권리이다.

3. 자치권에 대한 학설

(1) 고유권설(지방권설)

자치권은 지방자치단체가 본래 향유하는 고유한 기본 권리(국가 이전의 권리)로, 자연법 사상에 근거한 것이다. 영미를 중심으로 지방자치 이념의 근간을 이루고 있다.

(2) 전래권설(국권설) - 종래의 통설

자치권은 국가통치권의 일부가 법률에 의하여 전래 · 수탁된 권리로, 지방자치단체의 고유의 지방권을 인정하지 않는다. 법실증주의(독일의 공법학자들)의 영향 아래 주장되었다.

(3) 제도적 보장설 - 최근의 통설 내지 다수설

자치권을 국가의 통치권에 의하여 위임된 권리라고 보는 점에서 전래권설과 동일하지만, 헌법에 의하여 특별한 제도적 보장을 받는 권력이라고 보는 점에서는 다르다. 슈미트(Schmitt)에 의해 확립되었으며, 우리나라도 헌법 제117조, 제118조의 규정을 통해 지방자치제도를 보장하고 있다.

2 자치권의 내용[1]

1. 자치입법권

자치입법권이란 지방자치단체가 그 자치권에 근거하여, 당해 관할구역 내에서 적용될 자치법규를 정립할 수 있는 권능을 의미한다. 현행법상 자치법규에는 '조례'와 '규칙'이 있다.

(1) 조례

① **개념**: 조례는 지방자치단체가 법령의 범위 안에서 그 권한에 속하는 사무에 관하여 지방의회의 의결로 제정하는 자치법규를 의미한다.

② **성질**: 조례는 대외적 효력을 갖는 법규성이 있는 것(㉠ 주민의 권리·의무에 관한 사항)과 조직 내부에서 효력을 갖는 행정규칙적인 것이 있다.

③ 종류

㉠ **필요적 조례사항**: 법령이 반드시 조례로 규정하도록 한 조례사항이다.

㉡ **임의적 조례사항**: 자치단체의 자유의사에 기한 조례사항이다.

④ 조례제정권의 범위와 한계

㉠ **조례제정권의 범위**: 지방자치단체는 그 권한에 속하는 사무에 관하여 조례를 제정할 수 있는 바, 자치사무와 단체위임사무에 한한다. 기관위임사무에 관한 조례는 원칙적으로 위법하나, 개별법령이 기관위임사무에 관한 사항을 조례로 규정하는 경우에는 예외적으로 조례를 정할 수 있다.

㉡ **법률 우위의 원칙**: 조례는 법령의 범위 안에서만 제정할 수 있으므로 이미 법령이 규정하고 있는 경우, 법령으로 규정해야 할 사항을 명백히 한 경우, 조례로 규정하는 것을 금지한 경우 등에는 제정할 수 없다.

㉢ **법률 유보의 원칙**: 주민의 권리 제한 또는 의무 부과에 관한 사항이나 벌칙을 조례로 정할 때에는 법률의 위임이 있어야 한다.

㉣ **광역자치단체 우위의 원칙**: 지방자치단체는 상급자치단체의 조례에 위반하여 조례를 제정할 수 없다.

(2) 규칙

① **개념**: 규칙은 지방자치단체장이 법령 또는 조례의 범위 내에 그 권한에 속하는 사항에 대하여 제정하는 자치법규이다.

② **제정 범위**: 규칙은 기관위임사무를 포함한 모든 사무에 관하여 제정할 수 있다.

[1] 우리나라의 자치입법권의 한계
1. **직접적 제약**: 법령의 범위 안에서 자치에 관한 조례를 제정할 수 있다.
2. **간접적 제약**: 기관위임사무의 비율이 높아 조례제정권이 간접적으로 제약받고 있다.
3. **개별법 우선의 원칙**: 개별법령에 다른 규정이 있는 경우, 조례 제정이 불가하다.
4. **법률유보주의**: 법률의 위임이 있어야만 주민의 권리·의무에 관한 사항이나 벌칙 제정이 가능하다.

(3) 조례[1]와 규칙[2] 간의 관계

구분	조례[3][4]	규칙
의의	지방의회가 헌법과 법률의 범위 내에서 제정한 자치법규	지방자치단체장, 기타 집행기관이 법령 또는 조례의 범위 내에서 그 권한에 속하는 사무에 관하여 제정하는 자치법규
제정권자	지방의회	지방자치단체장, 기타 집행기관, 교육감(교육·학예 분야)
사무 범위	· 자치사무, 단체위임사무에 대하여 규정 가능 · 기관위임사무는 원칙적으로 규정 못함(집행기관에게 위임된 사무이므로 의결기관인 지방의회는 관여할 수 없는 것이 원칙)	자치사무, 단체위임사무, 기관위임사무를 불문하고 지방자치단체의 장의 권한에 속하는 모든 사항에 관하여 제정 가능
제정 범위	법령의 범위 내 (법령에 위반되지 않는 범위 내)	법령과 조례의 범위 내
한계	· 상급자치단체 조례를 위반할 수 없음 · 기초자치단체 조례는 광역자치단체의 조례·규칙을 위반해서는 안 됨	· 제정을 위임한 조례에 위반할 수 없음 · 기초자치단체 규칙은 광역자치단체의 조례·규칙을 위반해서는 안 됨
양자 간 효력	조례와 규칙은 형식적 효력상 대등하나, 다음과 같은 예외가 있음 · 조례로 정할 사항을 규칙으로 정하거나 규칙으로 정할 사항을 조례로 정하는 경우 무효 · 규율사항 구분 불명확 시 어느 것으로든 규율 가능하지만, 양자에 공동으로 적용되는 사항이면 조례가 규칙보다 우선 적용되고 효력을 가짐	

2. 자치조직권

자치조직권이란 지방자치단체가 그 권한에 속하는 사무를 수행하기 위해 필요한 조직을 자주적으로 설치·관리할 수 있는 권능을 의미한다.

3. 자치재정권

자치재정권이란 지방자치단체가 그 사업 처리에 필요한 경비에 충당한 재원을 자주적으로 조달하고, 이를 자유로운 의사와 판단에 의하여 사용할 수 있는 권능을 의미한다.

4. 자치행정권

자치행정권이란 지방자치단체가 자기의 독자적 사무를 원칙적으로 국가의 간섭을 받지 아니하고, 자주적으로 처리할 수 있는 권능을 의미한다.

---

❶ 조례

「지방자치법」 제28조 【조례】 ① 지방자치단체는 법령의 범위에서 그 사무에 관하여 조례를 제정할 수 있다. 다만, 주민의 권리 제한 또는 의무 부과에 관한 사항이나 벌칙을 정할 때에는 법률의 위임이 있어야 한다.

② 법령에서 조례로 정하도록 위임한 사항은 그 법령의 하위 법령에서 그 위임의 내용과 범위를 제한하거나 직접 규정할 수 없다.

❷ 규칙

「지방자치법」 제29조 【규칙】 지방자치단체의 장은 법령 또는 조례의 범위에서 그 권한에 속하는 사무에 관하여 규칙을 제정할 수 있다.

❸ 조례 위반에 대한 과태료

「지방자치법」 제34조 【조례 위반에 대한 과태료】 ① 지방자치단체는 조례를 위반한 행위에 대하여 조례로써 1천만 원 이하의 과태료를 정할 수 있다.

② 제1항에 따른 과태료는 해당 지방자치단체의 장이나 그 관할 구역의 지방자치단체의 장이 부과·징수한다.

❹ 벌칙

형벌이 아닌 행정벌(천만 원 이하의 과태료)만 부과할 수 있다.

핵심 OX

01 조례는 법령이 위임한 범위 내에서 제정한다. (O, X)

02 조례로 기관위임사무를 규정할 수 있다. (O, X)

01 X 조례는 법령의 범위 내에서 제정한다.
02 X 조례로는 기관위임사무를 규정할 수 없다.

2 지방자치단체의 사무

1 의의

지방자치단체의 사무란 지방자치단체가 그 목적을 수행하기 위하여 당연히 처리해야 할 공공행정사무로, 우리나라의 「지방자치법」은 '그 관할구역의 자치사무와 법령에 의하여 지방자치단체에 속하는 사무'로 규정하여 자치사무와 단체위임사무로 한정하고 있다.

2 지방자치단체의 사무 구분

1. 법적 구분

우리나라는 「지방자치법」상 '지방자치단체는 그 관할 구역의 자치사무와 법령에 따라 지방자치단체에 속하는 사무를 처리한다', '지방자치단체의 장은 그 지방자치단체의 사무와 법령에 따라 그 지방자치단체의 장에게 위임된 사무를 관리하고 집행한다'고 규정하여 지방자치단체의 사무를 (1) 자치사무, (2) 단체위임사무, (3) 기관위임사무로 구분하고 있다.

2. 구별 실익

지방자치단체 사무의 구분은 다음과 관련하여 의의를 가진다.

(1) 사무처리의 주체가 누구인지 파악한다.

(2) 경비부담 관계가 어떻게 구성되어 있는지 파악한다.

(3) 감독관계가 어떻게 구성되어 있는지 파악한다.

(4) 지방의회의 관여가 이루어지는지 파악한다.

(5) 배상책임의 귀속 등에 대하여 파악한다.

3 유형

1. 자치사무

(1) 개념

자치사무란 지방자치단체가 자치권에 근거하여, 지역주민의 공공복리를 위해 자기 의사와 책임하에 처리하는 자치단체의 본래적 사무로, 고유사무를 뜻한다.

(2) 특성

① 자치사무에 대한 국가 또는 상급기관의 감독은 원칙적으로 배제되며, 사후적 위법성 감독에 그친다.

② 소요경비는 원칙적으로 당해 지방자치단체가 부담한다.

③ 자치사무는 지방의회의 의결, 동의, 사후감독, 회계감사 등을 받는다.

④ 국고보조금을 받는 경우에는 장려적 보조금의 성격을 갖는다.

핵심 OX

01 자치사무에 대해서는 중앙정부가 공익을 현저히 해하는 것도 감사·통제할 수 있다. (O, X)

01 X 자치사무에 대해서는 공익을 현저히 해하는 것을 감사·통제할 수 없다.
02 X 단체위임사무는 지방자치단체에 위

2. 단체위임사무

(1) 개념

단체위임사무는 법령의 위임에 의해 지방자치단체에 속하는 사무이다.

(2) 특성

① 국가나 상급자치단체의 지도 · 감독은 법령상 광범위하며, 합법적 감독과 합목적적 감독도 가능하지만, 예방적 감독은 원칙적으로 제외된다.

② 그 사무가 국가와 자치단체 상호 간에 이해관계가 있거나, 국가 스스로 행해야 할 사무인 경우에는 국가가 경비의 전부 또는 일부를 부담하여야 한다.

③ 지방의회의 관여가 인정된다.

④ 국가로부터 교부받는 보조금은 부담금의 성격을 갖는다.

3. 기관위임사무

(1) 개념

① 기관위임사무란 국가 또는 상급자치단체가 자신의 사무를 직접 처리하지 않고, 지방자치단체의 장에게 위임하여 처리하게 하는 사무이다.

② 기관위임사무는 위임한 법령에 의하여 내용이 정해지며, 포괄적 수권주의에 따라 개별 법령의 근거를 필요로 하지 않는다.

(2) 특성

① 기관위임사무는 지방적 이해관계가 없는 국가사무이다.

② 지방자치단체의 장은 국가 또는 상급지방자치단체의 하급행정기관의 지위에서 업무를 수행한다.

③ 국가와 상급지방자치단체는 기관위임사무에 대하여 적극적인 지도 · 감독권(사전적 예방감독권까지 포함)을 갖게 되며, 자치단체장이 기관위임사무의 집행을 해태한 경우 감독관청은 직무이행명령과 대집행을 할 수 있다.

④ 수임 주체는 지방자치단체가 아닌 그 집행기관이므로, 지방의회는 원칙적으로 관여할 수 없다.

⑤ 경비는 전액 국가가 부담하며, 보조금은 의무적 위탁금 또는 교부금의 성격을 띤다.

4. 사무의 구별

(1) 통제 · 감사의 범위

① **자치사무**: 중앙정부는 사후적으로 법령을 위반한 것만 통제 · 감사할 수 있고, 현저히 공익을 해하는 것은 통제 · 감사할 수 없다.

② **단체위임사무**: 중앙정부는 사후적으로 법령을 위반한 것과 현저히 공익을 해하는 것도 통제 · 감사할 수 있다.

③ **기관위임사무**: 사전 · 사후 모든 통제 · 감사가 가능하다.

핵심 OX

01 단체위임사무는 집행기관에 위임한 사무이다. (O, X)

02 단체위임사무는 전액 국가가 비용을 부담한다. (O, X)

01 X 단체위임사무는 지방자치단체에 위임한 사무이다.
02 X 단체위임사무의 비용은 국가와 지방자치단체가 공동 부담한다.

(2) 자치사무, 단체위임사무, 기관위임사무의 비교

구분	자치사무(고유사무)	단체위임사무	기관위임사무
의의	주민의 복리증진, 자치단체 존립과 관련된 본래적 사무	국가나 타지방자치단체가 지방자치단체에게 개별 법령에 의해 위임한 사무	국가나 상급지방정부가 지방자치단체장 또는 집행기관에게 위임한 사무
예	쓰레기 처리, 학교, 공원 등	보건, 재난구호, 징수 등	직업면허, 근로기준 설정 등
사무 성질	지방적 이해를 갖는 사무	지방 + 국가적 이해관계 (개별적인 법적 근거 필요)	국가적 이해관계 (상급기관에서 하급기관으로)
경비 부담	· 지방자치단체가 부담 · 국가보조 가능 (장려적 보조금)	일부 국가가 부담 (부담금)	전액 국가가 보조 (교부금)
배상 책임	지방책임	국가 · 지방 공동책임	국가 책임
지방의회의 관여	가능	가능	원칙적으로 불가능
중앙정부의 감독과 통제의 범위	사후적 위법성만 통제	사후적으로 위법* · 부당*도 통제	사전(예방), 사후(교정) 통제 모두 가능

용어

위법*: 법령을 위반

부당*: 현저히 공익을 해하는 것

3 기능(사무)배분[1]

1 의의

1. 개념[2]

정부 간 기능배분이란 주민의 복리를 극대화하고 국가 전체의 균형적 발전을 도모하기 위하여 각종 행정기능의 처리 권한 및 책임을 중앙정부와 각급 지방자치단체 간에 배분하는 것을 말한다.

2. 성격

기능배분은 고정된 것이 아니라, 각 국가가 처한 정치적 · 행정적 환경이나 시대적 상황에 따라 변하는 유동적인 성격을 가진다.[3]

❶ 우리나라의 사무구분

우리나라는 중앙과 지방 간의 사무구분은 포괄적 예시주의를 택하고 있다.

❷ 국가사무의 처리 제한

「지방자치법」 제15조【국가사무의 처리 제한】 지방자치단체는 다음 각 호에 해당하는 국가사무를 처리할 수 없다. 다만, 법률에 이와 다른 규정이 있는 경우에는 국가사무를 처리할 수 있다.

1. 외교, 국방, 사법(司法), 국세 등 국가의 존립에 필요한 사무
2. 물가정책, 금융정책, 수출입정책 등 전국적으로 통일적 처리를 요하는 사무
3. 농산물 · 임산물 · 축산물 · 수산물및 양곡의 수급조절과 수출입 등 전국적 규모의 사무
4. 국가종합경제개발계획, 국가하천, 국유림, 국토종합개발계획, 지정항만, 고속국도 · 일반국도, 국립공원 등 전국적 규모나 이와 비슷한 규모의 사무
5. 근로기준, 측량단위 등 전국적으로 기준을 통일하고 조정하여야 할 필요가 있는 사무
6. 우편, 철도 등 전국적 규모나 이와 비슷한 규모의 사무
7. 고도의 기술이 필요한 검사 · 시험 · 연구, 항공관리, 기상행정, 원자력개발 등 지방자치단체의 기술과 재정능력으로 감당하기 어려운 사무

❸ 소방직관련 변화 사항

1. 소방직 신분은 전원 국가직화 되었다(20.04.01.).
2. 기구(소방본부, 소방서)는 시 · 도지사 소속이다.
3. 소방업무는 시 · 도지사 지휘 · 감독, 대형재난이나 인사 등은 소방청장의 지휘 · 감독을 받는다.
4. 기초자치단체장은 지휘 · 감독권이 없다.

2 방식[1]

1. 개별적 지정(수권) 방식

(1) 개념

① 자치단체가 처리할 수 있는 권한사항을 사무분야별 · 자치단체별로 개별적인 법률에 의하여 구체적으로 명시해 주는 방식이다.

② 주로 주민자치제도를 채택하고 있는 국가에서 활용하고 있다.

(2) 장점

① 중앙정부와 자치단체 간, 광역과 기초자치단체 간의 사무배분과 그 한계가 명확하다.

② 각 자치단체의 개별적 특수성에 입각한 자치행정이 가능하다.

(3) 단점

① 사무범위에 대한 신축성의 결여로 인해 행정수요에 대한 탄력적인 대응이 어렵다.

② 사무배분을 위한 계속적인 개별법의 제 · 개정이 요구되므로, 많은 시간과 노력의 낭비와 행정상의 혼란을 야기할 우려가 있다.

2. 포괄적 수권 방식

(1) 개념

① 법률로 특별히 금지한 사항이나 중앙정부의 전속적 관할에 속하는 사항을 제외하고는 지역 주민의 이익을 위하여 필요로 한 사무는 지방자치단체로 하여금 처리하도록 헌법 또는 법률에 의해 일괄적으로 권한을 부여하는 방식이다.

② 주로 단체자치에 중점을 두고 있는 대륙계 국가들이 채택하고 있다.

(2) 장점

① 권한부여 방식이 간편하다.

② 사무처리에 상당한 재량이 부여된다.

③ 각 지방자치단체의 특수한 행정 · 재정수요 및 능력에 적합한 행정이 가능하도록 신축성을 부여한다.

(3) 단점

① 중앙정부와 자치단체 간 사무 구분이 불명확하다.

② 자치사무와 위임사무의 한계도 모호하여 사무처리의 중복이나 상급단체의 지나친 통제 · 감독을 초래하기 쉽다.

---

[1] 지방자치단체의 종류별 사무배분기준

「지방자치법」 제14조【지방자치단체의 종류별 사무배분기준】 ① 제13조에 따른 지방자치단체의 사무를 지방자치단체의 종류별로 배분하는 기준은 다음 각 호와 같다.

1. 시 · 도
   가. 행정처리 결과가 2개 이상의 시 · 군 및 자치구에 미치는 광역적 사무
   나. 시 · 도 단위로 동일한 기준에 따라 처리되어야 할 성질의 사무
   다. 지역적 특성을 살리면서 시 · 도 단위로 통일성을 유지할 필요가 있는 사무
   라. 국가와 시 · 군 및 자치구 사이의 연락 · 조정 등의 사무
   마. 시 · 군 및 자치구가 독자적으로 처리하기에 부적당한 사무
   바. 2개 이상의 시 · 군 및 자치구가 공동으로 설치하는 것이 적당하다고 인정되는 규모의 시설을 설치하고 관리하는 사무
2. 시 · 군 및 자치구
   제1호에서 시 · 도가 처리하는 것으로 되어 있는 사무를 제외한 사무. 다만, 인구 50만 이상의 시에 대하여는 도가 처리하는 사무의 일부를 직접 처리하게 할 수 있다.

③ 시 · 도와 시 · 군 및 자치구는 사무를 처리할 때 서로 경합하지 아니하도록 하여야 하며, 사무가 서로 경합하면 시 · 군 및 자치구에서 먼저 처리한다.

3 원칙

1. 현지성의 원칙

지방주민의 요구와 그 지역의 행정수요에 적합하도록 지역적 특수성을 고려하여야 한다.

2. 능률성(경제성)의 원칙

지방자치단체의 규모 · 재정적 능력에 비추어 가장 능률적으로 수행할 수 있는 수준의 행정단위에 사무를 배분한다.

3. 기초자치단체 우선의 원칙

(1) 주민생활에 밀착된 사무는 주민에 보다 가까운 최저단계의 행정기관에 배분한다.

(2) 광역과 기초 간의 사무배분은 외부효과 · 규모의 경제 · 분쟁 가능성 · 접근 가능성을 고려하여 결정하되, **경합 시에는 기초자치단체에 우선 배분되어야 한다는 원칙이다.**

(3) 일종의 보충성의 원칙이다.

4. 보충성의 원칙

(1) 의의

① 하급단위에서 잘 처리할 수 있는 업무를 상급단위에서 직접 처리해서는 안 된다는 원칙을 말한다.

② 지방자치의 기본단위인 시 · 군 · 구의 권한을 중심으로, 시 · 도와 중앙정부의 권한 범위가 정해져야 한다는 것을 말한다.

(2) 구분

보충성의 원리는 소극적 의미와 적극적 의미로 나누어진다.

① **소극적 의미: 기초자치단체가 할 수 있는 일을 상급정부나 상급공동체가 관여해서는 안 된다는 것이다. 업무처리 능력의 여부와 관계없이 개별적인 사회구성단위의 활동을 파괴하거나 박탈해서는 안 된다는 것이다.**

② **적극적 의미: 상급정부 또는 상급공동체가 기초정부 또는 기초공동체가 일차적으로 활동할 수 있는 조건을 갖출 수 있도록 지원해 주어야 한다는 것이다.**

5. 책임 명확화의 원칙

사무는 가능한 중복되지 않게 구분하여 책임이 명확하도록 한다.

6. 계획 · 집행 분리의 원칙

정책을 계획하고 기준을 설정하는 것은 국가가, 그 계획 및 기준에 따라 사안을 처리하는 것은 지방이 구분하여 처리한다.

핵심 OX

01 광역자치단체와 기초자치단체의 업무가 중복될 때에는 광역자치단체가 우선 처리한다. (O, X)

02 지방자치단체의 권한을 강화시키기 위하여 지방자치단체가 계획 · 집행 기능을 통합하는 것이 원칙이다. (O, X)

01 X 기초자치단체가 우선 처리한다.
02 X 정책을 계획하는 것은 국가가, 계획에 따라 사안을 처리하는 것은 지방이 처리하는 것이 원칙이다.

7. 이해관계 범위의 원칙

어떤 사무가 전국적인 이해관계에 있는 경우에는 중앙정부가, 특정 지역의 이해관계에 국한된 사무인 경우에는 그 지역의 자치단체가 책임지고 해결하도록 한다는 원칙이다.

8. 경비부담 능력의 원칙

사무는 그 수행에 따르는 경비가 자체수입으로 충당할 수 있도록 배분한다.

9. 종합성의 원칙

특별한 사무만을 처리하는 일선기관보다는, 가급적 지방의 행정이 종합적으로 이루어지는 자치단체에 사무를 배분한다.

10. 총체적 사무배분의 원칙

관련 기능이 총체적으로 배분되어 권한과 책임이 일치하도록 개편한다.

개념PLUS 「지방자치법」 상 사무배분과 사무처리의 기본원칙

「지방자치법」 제11조【사무배분의 기본원칙】 ① 국가는 지방자치단체가 사무를 종합적·자율적으로 수행할 수 있도록 국가와 지방자치단체 간 또는 지방자치단체 상호 간의 사무를 주민의 편익증진, 집행의 효과 등을 고려하여 서로 중복되지 아니하도록 배분하여야 한다.
② 국가는 제1항에 따라 사무를 배분하는 경우 지역주민생활과 밀접한 관련이 있는 사무는 원칙적으로 시·군 및 자치구의 사무로, 시·군 및 자치구가 처리하기 어려운 사무는 시·도의 사무로, 시·도가 처리하기 어려운 사무는 국가의 사무로 각각 배분하여야 한다.
③ 국가가 지방자치단체에 사무를 배분하거나 지방자치단체가 사무를 다른 지방자치단체에 재배분할 때에는 사무를 배분받거나 재배분받는 지방자치단체가 그 사무를 자기의 책임하에 종합적으로 처리할 수 있도록 관련 사무를 포괄적으로 배분하여야 한다.

제12조【사무처리의 기본원칙】 ① 지방자치단체는 사무를 처리할 때 주민의 편의와 복리증진을 위하여 노력하여야 한다.
② 지방자치단체는 조직과 운영을 합리적으로 하고 규모를 적절하게 유지하여야 한다.
③ 지방자치단체는 법령을 위반하여 사무를 처리할 수 없으며, 시·군 및 자치구는 해당 구역을 관할하는 시·도의 조례를 위반하여 사무를 처리할 수 없다.

학습 점검 문제

01 우리나라 지방자치단체의 권한(자치권)으로 옳지 않은 것은? 2021년 국가직 9급

① 지방자치단체는 법률의 위임이 있어야 주민의 권리를 제한하는 조례를 제정할 수 있다.

② 지방자치단체는 주민의 복지증진과 사업의 효율적 수행을 위하여 지방공기업을 설치 · 운영할 수 있다.

③ 지방자치단체는 조례를 위반한 행위에 대하여 조례로써 1,500만 원 이하의 과태료를 정할 수 있다.

④ 지방자치단체조합도 따로 법률로 정하는 바에 따라 지방채를 발행할 수 있다.

정답 및 해설

01 지방자치단체는 조례를 위반한 행위에 대하여 조례로서 천만 원 이하의 과태료를 정할 수 있다.

| 오답체크 |

① 주민의 권리 제한 또는 의무 부과에 관한 사항이나 벌칙을 조례로 정할 때에는 법률의 위임이 있어야 한다.

② 지방공기업의 설치 · 운영에 관한 내용은 「지방자치법」에 제시되어 있다.

> **「지방자치법」【지방공기업의 설치 · 운영】** ① 지방자치단체는 주민의 복리증진과 사업의 효율적 수행을 위하여 지방공기업을 설치 · 운영할 수 있다.
> ② 지방공기업의 설치 · 운영에 필요한 사항은 따로 법률(「지방공기업법」)로 정한다.

④ 지방자치단체조합은 법률로 정하는 바에 따라 지방채를 발행할 수 있다. 이 경우 행정안전부장관의 사전 승인을 얻어야 한다.

정답 01 ③

02 **지방분권 추진 원칙 중 다음 설명에 해당하는 것은?** 2020년 지방직 9급

- 기능 배분에 있어 가까운 정부에게 우선적 관할권을 부여한다.
- 민간이 처리할 수 있다면 정부가 관여해서는 안 된다.
- 가까운 지방정부가 처리할 수 있는 업무에 상급 지방정부나 중앙정부가 관여해서는 안 된다.

① 보충성의 원칙
② 포괄성의 원칙
③ 형평성의 원칙
④ 경제성의 원칙

03 **중앙정부의 지방자치단체 사무배분 원칙에 대한 설명으로 옳은 것만을 모두 고르면?** 2021년 국가직 7급

ㄱ. 지역주민생활과 밀접한 관련이 있는 사무는 원칙적으로 시·군 및 자치구의 사무로 배분하여야 한다.
ㄴ. 서로 관련된 사무들을 배분할 때는 포괄적으로 배분하여야 한다.
ㄷ. 시·군 및 자치구가 처리하기 어려운 사무는 국가보다는 시·도에 우선적으로 배분하여야 한다.
ㄹ. 시·군 및 자치구가 해당 사무를 원활히 처리할 수 있도록 행정적·재정적 지원을 병행하여야 한다.
ㅁ. 주민의 편익증진과 집행의 효과 등을 고려하여 지방자치단체 상호 간 중복되지 않도록 해야 한다.

① ㄱ, ㄷ, ㅁ
② ㄴ, ㄷ, ㄹ
③ ㄱ, ㄴ, ㄹ, ㅁ
④ ㄱ, ㄴ, ㄷ, ㄹ, ㅁ

04 우리나라 지방자치제도에 대한 설명으로 옳지 않은 것은? 2016년 국가직 7급

① 자치사무와 달리 법령에 의하여 지방자치단체에 속하는 사무인 단체위임사무에 관해서는 조례로 규정할 수 없다.

② 합의제 행정기관의 설치 · 운영에 관하여 필요한 사항은 대통령령 또는 조례로 정한다.

③ 지방자치단체는 공공시설을 부정사용한 자에 대하여 과태료를 부과하는 규정을 조례로 정할 수 있다.

④ 지방자치단체는 공공시설을 관계 지방자치단체의 동의를 얻어 그 지방자치단체의 구역 밖에 설치할 수 있다.

정답 및 해설

02 제시문의 내용들은 모두 지방분권 추진 원칙 중 보충성의 원리에 해당한다. 보충성의 원리란 지방행정 사무가 가급적 주민이나 민간과 가까운 하급자치단체에 우선적으로 배분하고, 지방정부가 처리할 수 있는 업무는 상급정부나 중앙정부가 관여해서는 안 된다는 원칙을 말한다.

| 오답체크 |

② 포괄성의 원칙이란 관련 기능이 총체적으로 배분되어 권한과 책임이 일치하도록 해야한다는 원칙이다.

③ 형평성의 원칙이란 자치단체 간에 차등을 두지 말고 가급적 균등하게 배분해야 한다는 원칙이다.

④ 경제성의 원칙은 지방자치단체의 그 규모 · 재정적 능력에 비추어, 가장 능률적으로 수행할 수 있는 수준의 행정단위에 사무를 배분한다는 원칙이다.

03 중앙정부와 지방정부 간 상호배분의 원칙으로 모두 옳은 설명이다.

ㄱ. 기초자치단체 우선의 원칙이다.
ㄴ. 포괄적 배분의 원칙이다.
ㄷ. 보충성의 원칙이다.
ㄹ. 적극적 보충성의 원칙(행정적 · 재정적 지원 병행)이다.
ㅁ. 중복금지의 원칙(불경합의 원칙)이다.

04 단체위임사무는 위임된 사무이지만, 해당 자치단체 자체에 위임된 사무이기 때문에 해당 자치단체 의회가 그 사무의 처리에 참여하며, 조례제정권을 가진다.

> **「지방자치법」 제129조 【합의제 행정기관】** ① 지방자치단체는 그 소관 사무의 일부를 독립하여 수행할 필요가 있으면 법령이나 그 지방자치단체의 조례로 정하는 바에 따라 합의제 행정기관을 설치할 수 있다.
> ② 제1항의 합의제 행정기관의 설치 · 운영에 관하여 필요한 사항은 대통령령이나 그 지방자치단체의 조례로 정한다.
> **제156조 【사용료의 징수조례 등】** ② 사기나 그 밖의 부정한 방법으로 사용료 · 수수료 또는 분담금의 징수를 면한 자에게는 그 징수를 면한 금액의 5배 이내의 과태료를, 공공시설을 부정사용한 자에게는 50만 원 이하의 과태료를 부과하는 규정을 조례로 정할 수 있다.
> **제161조 【공공시설】** ③ 제1항의 공공시설은 관계 지방자치단체의 동의를 받아 그 지방자치단체의 구역 밖에 설치할 수 있다.

정답 02 ① 03 ④ 04 ①

CHAPTER

4 지방자치단체의 기관

1 지방자치단체의 기관 구성

1 의의[1]

[1] 지방자치단체의 기관 구성 형태의 특례
「지방자치법」 제4조 【지방자치단체의 기관구성 형태의 특례】 ① 지방자치단체의 의회(이하 "지방의회")와 집행기관에 관한 이 법의 규정에도 불구하고 따로 법률로 정하는 바에 따라 지방자치단체의 장의 선임방법을 포함한 지방자치단체의 기관구성 형태를 달리 할 수 있다.
② 제1항에 따라 지방의회와 집행기관의 구성을 달리하려는 경우에는 「주민투표법」에 따른 주민투표를 거쳐야 한다.

자치단체의 기관 구성 형태는 의결기관과 집행기관의 조직양태에 따라 크게 기관통합형, 기관대립형으로 분류된다.

2 기관통합형(기관단일형)

1. 의의

기관통합형은 권력집중주의에 입각하여, 자치단체의 의결 기능과 집행 기능을 단일기관인 지방의회에 귀속시키는 형태이다. 의결기관과 집행기관이 구분되지 않거나 유기적인 협조를 중시하는 내각제 방식이다.

2. 장단점

장점	단점
· 권한과 책임이 의회에 집중되어 민주정치와 책임행정 구현 용이 · 대립의 소지가 없어 지방행정의 안정성과 능률성 확보 · 다수 의원의 참여에 따른 신중하고 공정한 자치행정 수행 · 소규모의 기초자치단체에 적합 · 미국 위원회의 경우 소수의 위원으로 운영되므로 예산 절감 및 신속하고 탄력적인 행정집행 도모	· 단일기관에 의한 권력행사로 견제와 균형이 상실되어 권력 남용 용이 · 의원이 행정을 하게 되므로 행정의 전문화를 저해할 가능성 · 의원들 간의 행정 분담으로 행정의 통일성과 종합성 저해 · 위원회형의 경우 다양한 이익을 대표하기에는 부적합 · 지방행정에 정치적 요인이 개입될 우려

3 기관대립형(기관분리형)

1. 의의

기관대립형은 권력분립주의 원칙에 입각하여 자치단체의 의결 기능과 집행 기능을 각각 다른 기관에 분담시키고, 이들 상호 간의 견제와 균형을 통하여 자치행정을 수행해 나가는 대통령제적 방식이다.

2. 장단점

장점	단점
· 의결기관과 집행기관을 다같이 주민직선에 의하여 선출함으로써 실질적인 주민통제 가능 · 시장의 임기가 보장됨으로써 강력한 행정시책을 추진 · 견제와 균형의 원리에 입각하여 운영되기 때문에 권력의 전횡이나 부패를 방지하고 비판과 감시가 용이 · 자치단체장은 주민의 선임에 기초하여 행정을 수행하기 때문에 자치행정에 민의를 반영하기가 용이	· 자치단체장은 연임하기 위해서 인기에 영합하는 행정집행을 함으로써 행정의 능률성이나 공평성을 희생할 가능성이 높음 · 반드시 행정능력을 갖춘 인사가 단체장으로 선출되는 것은 아니기에 효율적인 행정을 기대하기 곤란 · 의결기관과 집행기관 사이에 갈등이나 알력이 발생할 경우 자칫 지방행정의 마비를 초래할 우려

2 집행기관

1 의의

1. 개념

지방자치단체의 집행기관이란 '자치단체의 목적과 기능을 구체적 · 적극적으로 실현하며, 당해 자치단체의 의사를 대외적으로 표시할 수 있는 기관'으로, 일반적으로 의결기관인 지방의회와 대비적으로 인정된 기관을 의미한다.

2. 우리나라에서의 집행기관

(1) 현행 「지방자치법」은 집행기관으로 ① 자치단체장을 두고, 별도로 ② 시 · 도에 교육감을 두어, 하나의 지방자치단체 안에 두 계통의 집행기관을 병립시키고 있다.

(2) 우리나라의 집행기관은 독임제로, 현행 「지방자치법」은 모든 자치단체장을 주민직선에 의해 선출하도록 하고 있다.

2 지방자치단체의 장[1]

1. 지방자치단체장의 신분

지방자치단체의 장은 주민의 선거에 의하여 선출되는 정무직 지방공무원이다.

(1) 피선거권

피선거권은 선거일 현재 계속하여 60일 이상 당해 관할구역 안의 주민등록이 되어 있는 자로, 18세 이상인 자이며 정당 추천이 허용된다.

[1] 지방자치단체의 장의 직 인수위원회

「지방자치법」 제105조 【지방자치단체의 장의 직 인수위원회】 ① 「공직선거법」 제191조에 따른 지방자치단체의 장의 당선인(같은 법 제14조 제3항 단서에 따라 당선이 결정된 사람을 포함하며, 이하 이 조에서 "당선인"이라 함)은 이 법에서 정하는 바에 따라 지방자치단체의 장의 직 인수를 위하여 필요한 권한을 갖는다.
② 당선인을 보좌하여 지방자치단체의 장의 직 인수와 관련된 업무를 담당하기 위하여 당선이 결정된 때부터 해당 지방자치단체에 지방자치단체의 장의 직 인수위원회(이하 이 조에서 "인수위원회"라 함)를 설치할 수 있다.
③ 인수위원회는 당선인으로 결정된 때부터 지방자치단체의 장의 임기 시작일 이후 20일의 범위에서 존속한다.

(2) 겸직 및 영리행위 금지

대통령, 국회의원, 지방의회의원, 국가 및 지방공무원, 정부투자기관임직원, 교원 등의 지위를 겸직할 수 없으며, 재임 중 당해 자치단체와 영리를 목적으로 하는 거래나 관계있는 영리사업에 종사할 수 없다.

(3) 임기

지방자치단체의 장의 임기는 4년으로 하며, 지방자치단체의 장의 계속 재임은 3기에 한한다.

(4) 신분 소멸

사임 · 당연퇴직 · 임기만료 · 선거무효 · 당선무효 · 사망 등에 의해 그 신분이 소멸되며, 사임하고자 할 때에는 지방의회 의장에게 미리 서면으로 통지하여야 한다.

2. 자치단체장의 지위

(1) 지방자치단체의 대표기관

자치단체장은 당해 지방자치단체를 대표하고, 그 사무를 통할하는 지위에 있다. 즉, 지방자치단체장만이 외부에 대하여 당해 지방자치단체의 의사를 표시할 수 있다.

(2) 주민의 대표기관

자치단체장은 주민의 보통 · 평등 · 직접 · 비밀선거에 의하여 선출되었으므로, 주민의 대표로서의 지위를 갖는다.

(3) 지방자치단체의 집행기관

자치단체장은 당해 지방자치단체의 사무(자치사무와 단체위임사무)를 관리하고 집행한다.

(4) 국가의 하부기관

자치단체장은 법령에 의하여 국가로부터 사무를 위임받은 범위 내에서 국가 하부집행기관의 지위에 있게 된다.

3. 자치단체장의 권한(개괄주의)

(1) 통할 · 대표권

자치단체장은 대내적으로 행정기능 전반을 종합 · 조정하고, 대외적으로 자치단체의 의사를 표시할 수 있는 권한을 가진다.

(2) 사무의 관리집행권

자치단체장은 당해 지방자치단체의 사무와 법령에 의하여 위임된 기관위임사무를 관리하고 집행한다.

(3) 지휘 · 감독권

관할구역 안에 있는 각급 행정청과 지방자치단체를 지휘 · 감독한다.

(4) 규칙제정권

자치단체장은 법령 또는 조례의 범위 안에서 그 권한에 속하는 사무에 관하여 규칙을 제정할 수 있다.

(5) 임면권

자치단체장은 소속 직원(지방의회의 사무직원은 제외)을 지휘 · 감독하고, 법령이 정하는 바에 의하여 그 임면 · 교육훈련 · 복무 · 징계 등에 관한 사항을 처리한다.

(6) 지방의회에 관한 권한

자치단체장은 지방의회와의 관계에 있어서 총선거 후 최초로 집회되는 임시회 및 일반임시회의 소집요구권, 의회출석 및 진술권, 재의요구 및 제소권, 의안의 발의권, 부의안건의 공고권, 조례공포권, 선결처분권 등이 있다.

(7) 재정에 관한 권한

예산편성권과 집행권, 지방채발행권 등이 있다.

(8) 기타 권한

사무위임권, 사무인계권 등이 있다.

4. 보조기관❶❷

(1) 의의

보조기관은 자치단체장이 당해 지방자치단체의 목적을 실현하기 위하여 의사를 결정하고 표시할 때, 이를 보조하는 권한을 갖는 내부적인 행정기관을 의미한다.

(2) 부단체장

① **부단체장의 정수:** 특별시 3인, 광역시와 도는 2인(인구 800만 명 초과 시는 3인)을 초과하지 않는 범위 안에서 대통령령으로 정하며, 시 · 군 · 자치구에서는 1인으로 한다.

② **부단체장의 권한:** 부단체장은 당해 자치단체장을 보좌하며 사무를 총괄하고, 소속 직원을 지휘 · 감독한다. 자치단체장의 유고 시에 부단체장은 일정한 권한을 행사하게 된다.

㉠ **권한대행(권한의 이전이 없으므로 법적으로 대리에 해당함)❸:** 자치단체장의 권한을 부단체장이 유효하게 행사하는 것으로, 권한대행을 하게 된 때에는 즉시 지방의회에 통보하여야 한다. 권한대행의 사유는 다음과 같다.

ⓐ 지방자치단체의 장이 궐위되거나 공소제기된 후 구금 상태에 있는 경우

ⓑ 의료기관에 60일 이상 입원한 경우

ⓒ 당해 지방자치단체의 장 선거에 입후보한 경우(후보등록을 한 날로부터 선거일까지) 등

㉡ **직무대리:** 지방자치단체장이 출장 · 휴가 등 일시적 사유로 직무를 수행할 수 없는 경우에는 부단체장이 직무를 대리한다.

❶ 부지사 · 부시장 · 부군수 · 부구청장

「지방자치법」 제123조 【부지사 · 부시장 · 부군수 · 부구청장】 ① 특별시 · 광역시 및 특별자치시에 부시장, 도와 특별자치도에 부지사, 시에 부시장, 군에 부군수, 자치구에 부구청장을 두며, 그 수는 다음 각 호의 구분과 같다.

1. 특별시의 부시장의 수: 3명을 넘지 아니하는 범위에서 대통령령으로 정한다.
2. 광역시와 특별자치시의 부시장 및 도와 특별자치도의 부지사의 수: 2명(인구 800만 이상의 광역시나 도는 3명)을 넘지 아니하는 범위에서 대통령령으로 정한다.
3. 시의 부시장, 군의 부군수 및 자치구의 부구청장의 수: 1명으로 한다.

❷ 특례시의 보조기관 등

「지방자치분권 및 지방행정체제개편에 관한 특별법」 제42조 【특례시의 보조기관 등】 ① 「지방자치법」 제123조 제1항에도 불구하고 특례시의 부시장은 2명으로 한다. 이 경우 부시장 1명은 「지방자치법」 제123조 제4항에도 불구하고 일반직, 별정직 또는 임기제 지방공무원으로 보(補)할 수 있다.
② 제1항에 따라 부시장 2명을 두는 경우에 명칭은 각각 제1부시장 및 제2부시장으로 하고, 그 사무 분장은 해당 지방자치단체의 조례로 정한다.

❸ 권한대행에 관한 헌법재판소 판례

금고 이상의 형의 선고를 받고 그 형이 확정되지 않은 경우는 헌법재판소의 헌법 불합치 결정으로 부단체장의 권한 대행 사유에서 삭제되었다.

핵심 OX

01 지방자치단체장의 권한은 개괄주의이다. (O, X)

01 O

5. 행정기구[1]

자치단체의 행정사무를 분장하기 위하여 필요한 행정기구를 둘 수 있다.

(1) 소속 행정기관

지방자치단체의 사무 가운데 전문분야의 행정 사무를 담당·처리하는 기능적 분장 기관이다.

(2) 하부 행정기관

지방자치단체의 행정 사무를 지역적으로 분담·처리함으로써 보조기관과는 달리 대외적으로 지방자치단체의 의사를 표시하고, 그에 따른 법적 효과를 발생시키는 행정청을 말한다.

핵심정리 보조기관과 행정기구

보조기관	부단체장, 행정기구, 소속공무원
소속 행정기관	· 직속기관(교육소방기관, 교육훈련기관, 보건진료기관, 시험연구기관, 중소기업지도기관 등) · 사업소(특정업무를 수행하는 특별행정기관) · 출장소(자치단체장의 권한을 지역적으로 분담하는 일반행정기관) · 합의제 행정기관(선거관리위원회, 인사위원회), 소청심사위원회
하부 행정기관	행정구청장, 읍장, 면장, 동장(일반직 지방공무원 신분, 당해 자치단체장이 임명)

3 지방의회

1 의의

1. 개념

지방의회는 지방자치단체의 최고의사결정기관으로써 주민에 의해 선출된 의원을 구성원으로 하여 성립하는 합의제 의결기관이다.

2. 지위

(1) 헌법상의 기관[2]

헌법 제118조는 '지방자치단체에 의회를 두고, 지방의회의 조직·권한·의원의 선거에 관한 사항은 법률로 정한다'고 하여 헌법기관임을 천명하고 있다.

(2) 주민대표기관

지방의회는 주민의 투표에 의하여 선출된 의원으로 구성된다.

[1] 「지방자치법」상 행정기구
제125조【행정기구와 공무원】 ① 지방자치단체는 그 사무를 분장하기 위하여 필요한 행정기구와 지방공무원을 둔다.
② 제1항에 따른 행정기구의 설치와 지방공무원의 정원은 인건비 등 대통령령으로 정하는 기준에 따라 그 지방자치단체의 조례로 정한다.
③ 행정안전부장관은 지방자치단체의 행정기구와 지방공무원의 정원이 적절하게 운영되고 다른 지방자치단체와의 균형이 유지되도록 하기 위하여 필요한 사항을 권고할 수 있다.
④ 지방공무원의 임용과 시험·자격·보수·복무·신분보장·징계·교육·훈련 등에 관한 사항은 따로 법률로 정한다.
⑤ 지방자치단체에는 제1항에도 불구하고 법률로 정하는 바에 따라 국가공무원을 둘 수 있다.
⑥ 제5항에 규정된 국가공무원의 경우 「국가공무원법」 제32조 제1항부터 제3항까지의 규정에도 불구하고 5급 이상의 국가공무원이나 고위공무원단에 속하는 공무원은 해당 지방자치단체의 장의 제청으로 소속 장관을 거쳐 대통령이 임명하고, 6급 이하의 국가공무원은 그 지방자치단체의 장의 제청으로 소속 장관이 임명한다.

[2] 지방자치
헌법 제117조 ① 지방자치단체는 주민의 복리에 관한 사무를 처리하고 재산을 관리하며, 법령의 범위안에서 자치에 관한 규정을 제정할 수 있다.
② 지방자치단체의 종류는 법률로 정한다.
제118조 ① 지방자치단체에 의회를 둔다.
② 지방의회의 조직·권한·의원선거와 지방자치단체의 장의 선임방법 기타 지방자치단체의 조직과 운영에 관한 사항은 법률로 정한다.

(3) 의사결정기관

지방의회는 지방행정 사무를 독자적으로 결정하고, 법령의 범위 안에서 지방자치단체의 의사를 스스로 결정하는 의결기관이자 주요 정책기관으로서의 지위를 갖는다.

(4) 입법기관

지방의회는 법령의 범위 안에서 당해 사무에 관하여 조례를 제정할 수 있다.

(5) 비판 · 감시기관

지방의회는 자기지배의 원칙 · 자기통제의 원칙에 근거하여, 자신의 결정사항에 대한 행정의 집행을 감시 · 비판할 수 있는 지위에 있다.

2 구성

1. 지방의회의원[1]

(1) 지방의원은 주민에 의해 선출되는 정무직 지방공무원이다.

(2) 임기는 4년이다.

(3) 연임제한 규정이 없다.

(4) 국회의원과 같은 면책 특권과 불체포 특권이 인정되지 아니한다.

2. 지방의회의 조직

(1) 지방의회의 구성

「공직선거법」에 따르면 의원정수의 산정은 지방자치단체의 유형별로 나누어 각각 그 관할구역 안의 행정구역을 기준으로 하되, 인구수를 고려하여 정하고 있다.

(2) 의회의 의장단

① **선거:** 지방의회는 의원 중에서 시 · 도의 경우 의장[2] 1인과 부의장 2인을, 시 · 군 및 자치구의 경우 의장과 부의장 각 1인을 무기명 투표로 선거하여야 한다. 지방의회의 의장 또는 부의장이 궐위된 때에는 보궐선거를 실시하며, 의장과 부의장이 모두 사고가 있을 때에는 임시의장을 선출하여 의장의 직무를 대행하게 한다.

② **임기:** 의장과 부의장의 임기는 2년으로 한다. 보궐선거에 의하여 당선된 의장 또는 부의장의 임기는 전임자의 잔임기간으로 한다.

3 권한(기능)

1. 의결권

「지방자치법」 제47조는 '지방의회는 다음 사항을 의결한다'고 규정하여 이에 열거된 사항은 반드시 의결하여야 하는 제한적 열거주의를 채택하고 있다.

(1) 조례의 제정 및 개폐

(2) 예산의 심의 · 확정(시 · 도는 회계연도 개시 15일 전까지, 시 · 군 및 자치구에서는 10일 전까지 예산을 확정, 국회는 회계연도 개시 30일 전까지), 결산의 승인

[1] 지방의회 의결정족수

일반의결 정족수	재적의원 과반수 출석, 출석 과반수 찬성
특별의결 정족수	· **재의요구 재의결:** 과반수 출석, 출석 3분의 2 이상 찬성 · **의원 제명:** 재적의원 3분의 2 이상 찬성 · **의장불신임:** 4분의 1 발의, 재적의원 과반수 찬성

[2] 「지방자치법」 제73조
의장은 표결권을 가지되, 가부동수인 때에는 부결된 것으로 본다(casting-vote 불인정).

(3) 법령에 규정된 것을 제외한 사용료 · 수수료 · 분담금 · 지방세 또는 가입금의 부과와 징수

(4) 기금의 설치 · 운용

(5) 대통령령으로 정하는 중요 재산의 취득 · 처분 및 공공시설의 설치 · 처분

(6) 법령과 조례에 규정된 것을 제외한 예산 외 의무 부담이나 권리의 포기

(7) 청원의 수리와 처리

(8) 외국 지방자치단체와의 교류협력에 관한 사항

(9) 기타 법령에 의하여 그 권한에 속하는 사항 등

2. 행정감시권

의회의 감시권은 집행기관과 장에 대한 독주를 방지하고 적정한 행정운영을 유도하여 의회의 의결권 행사를 보완하는 데 있다. 서류제출 요구권, 행정사무 처리상황의 보고와 질문응답권, 행정사무 감사권 및 조사권[1] 등이 있다.

[1] 행정사무 감사권 및 조사권
「지방자치법」 제49조【행정사무 감사권 및 조사권】 ① 지방의회는 매년 1회 그 지방자치단체의 사무에 대하여 시 · 도에서는 14일의 범위에서, 시 · 군 및 자치구에서는 9일의 범위에서 감사를 실시하고, 지방자치단체의 사무 중 특정 사안에 관하여 본회의 의결로 본회의나 위원회에서 조사하게 할 수 있다.
② 제1항의 조사를 발의할 때에는 이유를 밝힌 서면으로 하여야 하며, 재적의원 3분의 1 이상의 찬성이 있어야 한다.

3. 선거권

지방의회는 의장 · 부의장 · 임시의장의 선거, 위원회의원의 선거, 검사위원의 선거 등에 관한 선거권을 가진다.

4. 청원수리권

(1) 지방의회에 접수된 청원을 심사하여 채택한 청원으로, 자치단체장이 처리함이 타당하다고 인정된 때에는 의견서를 첨부하여 자치단체장에게 이송하여야 한다.

(2) 지방의회에 청원하고자 하는 주민은 지방의회의원의 소개로 할 수 있다.

(3) 청원자의 성명 및 주소를 기재하고 서명 · 날인해야 한다.

5. 의견표명권

지방의회는 주민의 대표기관이므로, 당해 자치단체와 관련된 사항에 대해서는 의견을 표명할 수 있다.

㉠ 자치단체의 폐치 · 분합 또는 그 명칭 또는 구역변경 등

핵심정리 지방자치단체장과 지방의회의원

구분	임기	공직 분류	연임 제한	보수	영리행위 제한	겸직 금지 규정	선거에의 정당 참여
지방자치단체장	4년	정무직 지방 공무원	있음 (3회)	유급직	있음	있음	인정
지방의회의원			없음		있음 (제한적)		

핵심 OX

01 지방의회의 권한은 열거주의다. (O, X)

02 지방의회는 법령이 규정하고 있는 것을 포함하여 의결한다. (O, X)

01 O
02 X 법령에 규정된 것을 제외한 것을 의결한다.

4 개정 「지방자치법」의 주요 내용

1. 지방의회 인사권 독립

지방의회 소속 사무직원 임용권을 지방의회 의장에게 부여한다.

> **「지방자치법」 제103조【사무직원의 정원과 임면 등】** ① 지방의회에 두는 사무직원의 수는 인건비 등 대통령령으로 정하는 기준에 따라 조례로 정한다.
> ② 지방의회의 의장은 지방의회 사무직원을 지휘·감독하고 법령과 조례·의회규칙으로 정하는 바에 따라 그 임면·교육·훈련·복무·징계 등에 관한 사항을 처리한다.

2. 정책지원 전문인력 도입

> **「지방자치법」 제41조【의원의 정책지원 전문인력】** ① 지방의회의원의 의정활동을 지원하기 위하여 지방의회의원 정수의 2분의 1 범위에서 해당 지방자치단체의 조례로 정하는 바에 따라 지방의회에 정책지원 전문인력을 둘 수 있다.
> ② 정책지원 전문인력은 지방공무원으로 보하며, 직급·직무 및 임용절차 등 운영에 필요한 사항은 대통령령으로 정한다.

3. 정보공개 확대

> **「지방자치법」 제26조【주민에 대한 정보공개】** ① 지방자치단체는 사무처리의 투명성을 높이기 위하여 「공공기관의 정보공개에 관한 법률」에서 정하는 바에 따라 지방의회의 의정활동, 집행기관의 조직, 재무 등 지방자치에 관한 정보(이하 "지방자치정보")를 주민에게 공개하여야 한다.
> ② 행정안전부장관은 주민의 지방자치정보에 대한 접근성을 높이기 위하여 이 법 또는 다른 법령에 따라 공개된 지방자치정보를 체계적으로 수집하고 주민에게 제공하기 위한 정보공개시스템을 구축·운영할 수 있다.

4. 의정활동 투명성 강화

> **「지방자치법」 제74조【표결방법】** 본회의에서 표결할 때에는 조례 또는 회의규칙으로 정하는 표결방식에 의한 기록표결로 가부(可否)를 결정한다. 다만, 다음 각 호의 어느 하나에 해당하는 경우에는 무기명투표로 표결한다.
> 1. 제57조에 따른 의장·부의장 선거
> 2. 제60조에 따른 임시의장 선출
> 3. 제62조에 따른 의장·부의장 불신임 의결
> 4. 제92조에 따른 자격상실 의결
> 5. 제100조에 따른 징계 의결
> 6. 제32조, 제120조 또는 제121조, 제192조에 따른 재의 요구에 관한 의결
> 7. 그 밖에 지방의회에서 하는 각종 선거 및 인사에 관한 사항

5. 겸직금지 대상의 구체화 및 윤리특별위원회설치 의무화

「지방자치법」 제43조 【겸직 등 금지】 ① 지방의회의원은 다음 각 호의 어느 하나에 해당하는 직(職)을 겸할 수 없다.

1. 국회의원, 다른 지방의회의원
2. 헌법재판소 재판관, 각급 선거관리위원회 위원
3. 「국가공무원법」 제2조에 따른 국가공무원과 「지방공무원법」 제2조에 따른 지방공무원(「정당법」 제22조에 따라 정당의 당원이 될 수 있는 교원은 제외)
4. 「공공기관의 운영에 관한 법률」 제4조에 따른 공공기관(한국방송공사, 한국교육방송공사 및 한국은행을 포함)의 임직원
5. 「지방공기업법」 제2조에 따른 지방공사와 지방공단의 임직원
6. 농업협동조합, 수산업협동조합, 산림조합, 엽연초생산협동조합, 신용협동조합, 새마을금고(이들 조합·금고의 중앙회와 연합회를 포함)의 임직원과 이들 조합·금고의 중앙회장이나 연합회장
7. 「정당법」 제22조에 따라 정당의 당원이 될 수 없는 교원
8. 다른 법령에 따라 공무원의 신분을 가지는 직
9. 그 밖에 다른 법률에서 겸임할 수 없도록 정하는 직

② 「정당법」 제22조에 따라 정당의 당원이 될 수 있는 교원이 지방의회의원으로 당선되면 임기 중 그 교원의 직은 휴직된다.

③ 지방의회의원이 당선 전부터 제1항 각 호의 직을 제외한 다른 직을 가진 경우에는 임기 개시 후 1개월 이내에, 임기 중 그 다른 직에 취임한 경우에는 취임 후 15일 이내에 지방의회의 의장에게 서면으로 신고하여야 하며, 그 방법과 절차는 해당 지방자치단체의 조례로 정한다.

④ 지방의회의 의장은 제3항에 따라 지방의회의원의 겸직신고를 받으면 그 내용을 연 1회 이상 해당 지방의회의 인터넷 홈페이지에 게시하거나 지방자치단체의 조례로 정하는 방법에 따라 공개하여야 한다.

⑤ 지방의회의원이 다음 각 호의 기관·단체 및 그 기관·단체가 설립·운영하는 시설의 대표, 임원, 상근직원 또는 그 소속 위원회(자문위원회는 제외)의 위원이 된 경우에는 그 겸한 직을 사임하여야 한다.

1. 해당 지방자치단체가 출자·출연(재출자·재출연을 포함)한 기관·단체
2. 해당 지방자치단체의 사무를 위탁받아 수행하고 있는 기관·단체
3. 해당 지방자치단체로부터 운영비, 사업비 등을 지원받고 있는 기관·단체
4. 법령에 따라 해당 지방자치단체의 장의 인가를 받아 설립된 조합(조합설립을 위한 추진위원회 등 준비단체를 포함)의 임직원

⑥ 지방의회의 의장은 지방의회의원이 다음 각 호의 어느 하나에 해당하는 경우에는 그 겸한 직을 사임할 것을 권고하여야 한다. 이 경우 지방의회의 의장은 제66조에 따른 윤리심사자문위원회의 의견을 들어야 하며 그 의견을 존중하여야 한다.

1. 제5항에 해당하는 데도 불구하고 겸한 직을 사임하지 아니할 때
2. 다른 직을 겸하는 것이 제44조 제2항에 위반된다고 인정될 때

⑦ 지방의회의 의장은 지방의회의원의 행위 또는 양수인이나 관리인의 지위가 제5항 또는 제6항에 따라 제한되는지와 관련하여 제66조에 따른 윤리심사자문위원회의 의견을 들을 수 있다.

제65조【윤리특별위원회】① 지방의회의원의 윤리강령과 윤리실천규범 준수 여부 및 징계에 관한 사항을 심사하기 위하여 윤리특별위원회를 둔다.

② 제1항에 따른 윤리특별위원회는 지방의회의원의 윤리강령과 윤리실천규범 준수 여부 및 지방의회의원의 징계에 관한 사항을 심사하기 전에 제66조에 따른 윤리심사자문위원회의 의견을 들어야 하며 그 의견을 존중하여야 한다.

4 지방의회와 집행기관의 관계

1 우리나라의 지방의회와 집행기관 관계의 특징

1. 수장우위적 기관대립형

우리나라의 집행기관 구성 형태는 집행기관이 지방의회에 대하여 우월적 지위를 갖는 수장우위적 기관대립형이다.

2. 이유

자치단체장은 의회가 관여할 수 없는 기관위임사무를 관장하고, 그 권한에 있어 개괄주의를 채택하고 있으며, 재의요구권 · 제소권 · 선결처분권 등이 부여되어 있기 때문이다.

2 일반적 견제수단

지방의회와 집행기관은 평상 시에 상호 간의 견제와 균형을 유지하면서 각자의 기능을 수행하는 견제수단으로 다음과 같은 권한을 갖는다.

1. 지방의회

출석 · 답변 요구권, 지방행정 사무의 조사 · 감독권, 동의 및 승인권, 의결권 등이 있다.

2. 집행기관

의회소집권 및 소집요구권, 각종 의안의 발의권, 예산안 편성 · 제출권 등이 있다.

지방의회의 집행기관에 대한 견제수단	집행기관의 지방의회에 대한 견제수단
조례제정권, 예산의결권, 주요 정책사항에 대한 의결권, 행정사무 감사 · 조사 등	임시회 소집요구, 지방의회 의안 및 조례의 발의, 예산안의 편성 및 제출, 조례의 공포, 의회의원 선거일 공고 등

3 특수한 견제수단[1]

양 기관 간에 심각한 대립 · 갈등이 발생한 경우, 해결을 위한 수단 및 비상시의 특수 견제수단으로 자치단체장의 재의요구권 및 제소권, 선결처분권 등을 인정하고 있다.

지방의회의 권한	집행기관의 권한
자치단체장에 대한 불신임의결권[2] (기관통합형에서 채택하고 있으나, 우리나라는 미채택)	재의요구권, 제소권, 선결처분권, 의회해산권 (의회해산권은 미채택)

1. 재의요구권[3]

자치단체장이 지방의회 의결에 대해 이의가 있는 경우에 이의 수리 또는 공포를 거부하고 의회에 반송하여, 이를 다르게 의결해 줄 것을 요구하는 권한이다.

구분 종류	재의 조건	요구 기간	재의결 정족수	재의결 효과
일반의결	월권 · 위법 또는 현저히 공익을 해한다고 인정될 때	20일 이내	재적의원 과반수 출석과 출석의원 3분의 2 이상 찬성	확정적
경비의결	집행 불가능한 경비 포함 또는 지방자치단체의 필수부담 경비와 재해 응급복구경비 삭감의결 때			
조례제정	이의가 있는 때			
감독관청의 요구	위법 또는 현저히 부당하다고 인정될 때 (시 · 도에 대하여는 주무부장관이, 시 · 군 및 자치구에 대하여는 시 · 도지사가 재의를 요구)			

2. 제소권

지방자치단체의 장은 재의결된 사항이 법령에 위반된다고 판단되는 때에는 재의결된 날부터 20일 이내에 대법원에 소를 제기할 수 있다. 이 경우 필요하다고 인정되는 때에는 그 의결의 집행을 정지하게 하는 집행정지 결정을 신청할 수 있다.

3. 자치단체장의 선결처분권(일반 사항의 경우)

(1) 지방자치단체의 장은 지방의회가 성립되지 아니한 때와 지방의회의 의결사항 중 주민의 생명과 재산 보호를 위하여 긴급하게 필요한 사항으로서 지방의회를 소집할 시간적 여유가 없거나 지방의회에서 의결이 지체되어 의결되지 아니한 때에는 행정 · 재정상의 선결처분할 수 있다.

(2) 선결처분은 지체없이 지방의회에 보고하여 승인을 얻어야 한다.

(3) 지방의회에서 승인을 얻지 못한 때에는 그 선결처분은 그때부터 효력을 상실한다.

❶ 우리나라의 의회해산권과 불신임권

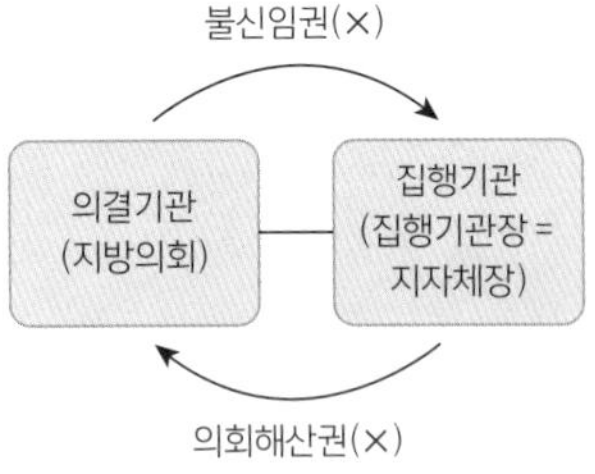

우리나라는 의회해산권과 불신임권을 모두 인정하지 않고 있다.

❷ 의장 불신임의 의결

「지방자치법」 제62조【의장 · 부의장 불신임의 의결】 ① 지방의회의 의장이나 부의장이 법령을 위반하거나 정당한 사유 없이 직무를 수행하지 아니하면 지방의회는 불신임을 의결할 수 있다.
② 제1항의 불신임 의결은 재적의원 4분의 1 이상의 발의와 재적의원 과반수의 찬성으로 행한다.
③ 제2항의 불신임 의결이 있으면 의장이나 부의장은 그 직에서 해임된다.

❸ 재의요구권

1. 지방의회는 의결 후 5일 이내에 지방자치단체장에게 이송한다.
2. 지방자치단체장은 20일 이내 재의요구를 할 수 있다.

핵심 OX

01 집행기관장은 지방의회를 해산할 수 있다. (O, X)

02 선결처분권은 지방의회의 권한에 해당한다. (O, X)

01 X 집행기관의 장은 의회를 해산할 수 없고, 지방의회도 집행기관장을 불신임할 수 없다.
02 X 선결처분은 집행기관장의 권한이다.

학습 점검 문제

01 지방의회가 지방자치단체에 대하여 행사할 수 있는 권한으로 옳지 않은 것은? 2016년 서울시 7급

① 예산불성립 시 예산집행
② 선결처분의 사후승인
③ 행정사무의 감사 · 조사
④ 청원서의 이송 · 보고요구

02 지방행정제도에 대한 설명으로 옳지 않은 것은? 2024년 국가직 9급

① 일정 조건을 충족한 주민은 해당 지방의회에 조례를 제정하거나 개정 또는 폐지할 것을 청구할 수 있다.
② 지방자치단체 간 관할 구역의 경계변경 조정 시 일정기간 이내에 경계변경자율협의체를 구성하지 못한 경우 행정안전부장관은 지방자치단체 중앙분쟁조정위원회의 심의 · 의결을 거쳐 조정할 수 있다.
③ 정책지원 전문인력인 정책지원관제도는 지방자치단체장의 정책기능을 강화하기 위해 도입되었다.
④ 자치경찰사무는 합의제 행정기관인 시 · 도지사 소속 시 · 도 자치경찰위원회가 관장하며 업무는 독립적으로 수행한다.

정답 및 해설

01 예산불성립 시 준예산 집행은 지방자치단체장의 권한이다.

| 오답체크 |
② 선결처분은 지방자치단체장의 권한이지만, 선결처분의 사후승인은 지방의회의 권한이다.
③ 행정감시권으로, 행정사무감사권과 행정사무조사권은 지방의회의 권한이다.
④ 청원 수리 및 처리권, 청원의 이송과 처리보고 등은 지방의회의 권한이다.

02 정책지원 전문인력인 정책지원관제도는 지방자치단체장이 아닌, 지방의회의원들의 정책기능을 강화하기 위하여 「지방자치법」 개정으로 도입되었다.

「지방자치법」 제41조 **【의원의 정책지원 전문인력】** ① 지방의회의원의 의정활동을 지원하기 위하여 지방의회의원 정수의 2분의 1 범위에서 해당 지방자치단체의 조례로 정하는 바에 따라 지방의회에 정책지원 전문인력을 둘 수 있다.
② 정책지원 전문인력은 지방공무원으로 보하며, 직급 · 직무 및 임용절차 등 운영에 필요한 사항은 대통령령으로 정한다.

| 오답체크 |
① 주민은 일정 수 이상의 연대서명으로 해당 지방의회의 조례의 제정, 개정 또는 폐지를 청구할 수 있다.
② 지방자치단체 간 경계변경 조정 시 행정안전부장관의 조정권을 설명한 내용으로 옳은 지문이다.
④ 합의제 행정기관인 시 · 도 자치경찰위원회에 대한 설명으로 옳은 지문이다.

「지방자치법」상 정책지원 전문인력

구분	개정 전	현행
정책지원 전문인력 도입 (제41조)	규정 없음 [「제주특별법」에 따라 제주도만 의원정수 1/2 범위에서 정책연구위원 운영(21명)]	모든 지방의회에서 의원정수 1/2 범위에서 정책지원전문인력 운영 가능 (단, 2023년까지 단계적 도입)

정답 01 ① 02 ③

03 「지방자치법」상 지방의회에 대한 내용으로 옳지 않은 것은? 2018년 국가직 9급

① 지방의회는 조례로 정하는 바에 따라 위원회를 둘 수 있으며, 위원회의 종류는 상임위원회와 특별위원회로 한다.

② 지방의회는 그 의결로 소속 의원의 사직을 허가할 수 있다. 다만, 폐회 중에는 의장이 허가할 수 있다.

③ 의장은 의결에서 표결권을 가지지 못하며, 찬성과 반대가 같으면 부결된 것으로 본다.

④ 지방의회에서 부결된 의안은 같은 회기 중에 다시 발의하거나 제출할 수 없다.

04 지방자치단체의 조례에 관한 설명으로 옳은 것을 모두 고른 것은? 2014년 지방직 9급(변형)

> ㄱ. 지방자치단체의 장은 법령이나 조례의 범위에서 그 권한에 속하는 사무에 관하여 규칙을 제정할 수 있다.
> ㄴ. 지방의회에서 의결된 조례안은 10일 이내에 지방자치단체의 장에게 이송되어야 한다.
> ㄷ. 재의요구를 받은 조례안은 재적의원 과반수의 출석과 출석의원 과반수의 찬성으로 재의요구를 받기 전과 같이 의결되면, 조례로 확정된다.
> ㄹ. 지방자치단체의 장은 재의결된 조례가 법령에 위반된다고 판단되면 재의결된 날부터 20일 이내에 대법원에 제소할 수 있다.

① ㄱ, ㄴ
② ㄴ, ㄹ
③ ㄱ, ㄹ
④ ㄷ, ㄹ

05 현행 「지방자치법」상 지방자치단체의 장의 보조기관에 해당하는 것은? 2011년 국가직 7급

① 부단체장
② 사업소
③ 출장소
④ 읍면동

06 2021년 1월 전부개정된 「지방자치법」에서 처음으로 도입된 주민참여 제도는? 2023년 국가직 9급

① 주민소환

② 주민의 감사청구

③ 조례의 제정과 개정 · 폐지 청구

④ 규칙의 제정과 개정 · 폐지 관련 의견 제출

정답 및 해설

03 지방의회 의장은 의결에서 표결권을 가지며, 가부동수의 경우에는 부결된 것으로 본다.

> 「지방자치법」 제64조 **【위원회의 설치】** ① 지방의회는 조례로 정하는 바에 따라 위원회를 둘 수 있다.
> ② 위원회의 종류는 다음 각 호와 같다.
> 1. 소관 의안(議案)과 청원 등을 심사 · 처리하는 상임위원회
> 2. 특정한 안건을 심사 · 처리하는 특별위원회
>
> **제89조 【의원의 사직】** 지방의회는 그 의결로 소속 지방의회의원의 사직을 허가할 수 있다. 다만, 폐회 중에는 의장이 허가할 수 있다.
> **제80조 【일사부재의의 원칙】** 지방의회에서 부결된 의안은 같은 회기 중에 다시 발의하거나 제출할 수 없다.

04 ㄱ. 규칙은 법령이나 조례의 범위 내에서 제정된다.

ㄹ. 지방자치단체의 장은 재의결된 조례가 법령에 위반된다고 판단되면, 재의결된 날부터 20일 이내에 대법원에 제소할 수 있다.

| 오답체크 |

ㄴ. 지방의회에서 의결된 조례안은 5일 이내에 지방자치단체의 장에게 이송되어야 한다.

ㄷ. 재의요구를 받은 조례안은 재적의원 과반수의 출석과 출석의원 3분의 2 이상의 찬성으로 재의요구를 받기 전과 같이 의결되면, 조례로 확정된다.

05 부단체장을 비롯한 행정기구, 소속 공무원은 「지방자치법」상 지방자치단체의 장의 보조기관이다.

| 오답체크 |

② 사업소, ③ 출장소는 소속 행정기관이고, ④ 읍면동은 보통 지방행정기관에 해당한다.

보조기관과 행정기구

구분	내용
보조기관	부단체장, 행정기구, 소속 공무원
소속 행정기관	· 직속기관(교육소방기관, 교육훈련기관, 보건진료기관, 시험연구기관, 중소기업지도기관 등) · 사업소(특정업무를 수행하는 특별행정기관) · 출장소(자치단체장의 권한을 지역적으로 분담하는 일반행정기관) · 합의제 행정기관(선거관리위원회, 인사위원회), 소청심사위원회
하부 행정기관	행정구청장, 읍장, 면장, 동장(일반직 지방공무원 신분, 당해 자치단체장이 임명)

06 2022. 1. 13. 개정된 「지방자치법」에 의해서 주민들이 자치단체장에 대해서 규칙개폐 의견을 제출할 수 있는 주민규칙의견제출제도가 처음 도입되었다.

| 오답체크 |

①, ②, ③ 기존의 「지방자치법」에도 규정되었던 제도들이다.

정답 03 ③ 04 ③ 05 ① 06 ④

CHAPTER 5

정부 간 관계와 광역행정

1 정부 간 관계(IGR: Inter-Governmental Relation)

1 의의

정부 간 관계는 중앙정부와 지방정부 간의 상호관계인 수직적 관계와 상호 대등관계에 있는 정부단위 간의 수평적 관계가 포함된다.

2 유형

1. 라이트(Wright)의 정부 간 관계모형

라이트(Wright)는 미국연방제하의 정부 간 관계를 선임(designation) · 관계(relation) · 권위(authority)라는 세 가지 기준에 의해 분류하였다.

협조권위형 (분리형)	· 연방정부와 주정부는 명확한 분리하에 상호독립적 · 완전자치적으로 운영되고, 지방정부는 주정부에 종속된 이원적 관계 · 연방정부와 주정부는 상호경쟁적 관계 · home rule의 원칙*과 관련됨
포괄권위형 (포함형)	· 연방정부가 주정부와 지방정부를 완전히 포괄하는 종속관계 · 강력한 계층제적 통제 · 게임이론 · 딜런의 법칙*과 관련됨
중첩권위형 (중첩형)	· 연방정부와 주 및 지방정부가 각자 고유한 영역을 가지면서, 동시에 동일한 관심과 책임영역을 지니는 상호의존적 관계 · 정부 기능의 연방 · 주 · 지방정부에 의해 동시적 작용 · 자치권과 재량권의 제한적 분산 · 협상 · 교환관계(재정적 상호협조와 경쟁관계)

2. 던리비(Dunleavy)의 중앙과 지방 간 기능 배분

(1) 다원주의

① 중앙과 지방 간의 기능 배분은 역사적으로 진화되어 온 점진적인 제도화의 산물이며, 기능 배분에는 행정적 합리성의 원리가 작용되어 왔다고 파악한다.

② 중앙정부는 지방정부의 의견을 중시하며, 중앙과 지방 간의 관계는 민주적이고 개방적인 관계를 유지하는 모형으로, 시민의 참여적 투입 과정을 중시한다.

(2) 엘리트 이론

① 정부수준 간 기능 배분에 관한 이원국가론(dual state thesis) 입장에서 국가기능에 관한 신마르크스주의 입장과 정부수준 간의 상이한 의사결정에 관한 신베버주의 입장을 결합한 것이다.

용어

home rule의 원칙*: 지방정부에 자치권이 광범위하게 인정되는 제도로, 지방정부의 권한이 아니라고 명백하게 부정되지 않으면 지방정부가 그 권한을 보유한다고 해석

딜런의 법칙*: 중앙위주의 하향적 · 집권적 원칙으로, 주의회가 명백하게 부여하지 않은 권한은 지방정부가 그것을 보유할 수 없다고 해석

핵심 OX

01 라이트(Wright)는 중첩권위형을 이상형으로 보았다. (O, X)

02 라이트(Wright)의 협조권위형(분리형)은 중앙집권을 의미한다. (O, X)

01 O
02 X 협조권위형(분리형)은 지방분권을 의미한다.

② 중앙정부를 움직이는 소수의 엘리트들은 지방주민들과 지방엘리트의 영향력을 배제하며, 지방정부는 중앙정부에 종속된다는 이론이다.

(3) 신우파론

공공선택론적인 입장에서 중앙과 지방 간의 기능배분 문제 또한 개인의 합리적 선택에 따른 효용극대화라는 측면으로 접근하는 관점이다. 전문가들에 의한 공익실현으로서의 '전문직업주의'와 관련 당사자들 간의 '분권화'를 강조한다.

(4) 계급정치론

막스이론적인 관점에서 지배계급들이 자신들의 이익을 추구하기 위하여, 수단으로서 정부 간 기능배분 문제를 파악하므로, 기능배분에 관한 구체적인 기준에 관심을 기울이지 않는다.

3. 정부 간 관계모형(IGR: Inter-Governmental Relations)[1]

학자	모형		
라이트(D. Wright)	분리권위형	포괄권위형	중첩권위형
엘콕(Elcock)	동반자모형	대리자모형	교환모형
로즈(Rhodes)	동반자모형	대리인모형	전략적협상형
던사이어(Dunsire)	지방자치모델	하향식모델	정치체제모델
윌다브스키(Wildavsky)	갈등-합의모형	협조-강제모형	-

[1] 로즈(Rhodes)의 전략적 협상 관계모형 - 절충모형

지방정부는 중앙정부로부터 완전독립(동등)도 예속도 아닌 상호의존관계로, 정부가 보유하는 4가지 자원에도 상호우위가 있다고 본다.

중앙정부 우위	지방정부 우위
법적 자원	정보자원
재정적 자원	조직자원

2 정부 간 갈등(분쟁) 및 갈등 조정

1 정부 간 갈등의 본질

1. 의의

정부 상호 간의 권한과 이해관계가 서로 얽히어 국가의 전체적 이익이나 공익보다 각자의 권한이나 이익에 집착함으로써 나타나는 상호 대립의 상태이다.

2. 원인

(1) 지방자치의 실시에 따른 자치단체의 자율성 강화 때문이다.

(2) 지역이기주의 때문이다.

(3) 상호의존성의 증가 때문이다. 예 광역행정 등

(4) 정책의 우선순위 차이 때문이다.

(5) 비용분담의 문제로 인한 갈등이다.

(6) 정부 상호 간의 관할권 다툼으로 인한 갈등이다.

(7) 기능과 권한의 불합리 때문이다.

(8) 민선단체장의 선거 공약 등 때문이다.

3. 유형

(1) 갈등 주체에 의한 분류

① **수평적 갈등:** 광역자치단체 간 갈등 · 기초자치단체 상호 간의 갈등이다.

② **수직적 갈등:** 광역과 기초 · 중앙과 자치단체 간의 갈등이다.

(2) 갈등 내용에 의한 분류

① **권한 갈등:** 정부 상호 간의 권한의 존부 또는 범위에 관한 갈등이다.

② **이익 갈등:** 각자의 이익추구와 관련된다.

(3) 갈등 원인에 의한 분류

① **유치 갈등:** 자기지역에 이익이 되는 조치 또는 선호시설(예 공원, 행정청, 도서관 등)을 유치하려는 성향으로 인한 갈등으로, PIMFY(Please In My Front Yard)적 이기주의에 의한 갈등이다.

② **기피 갈등:** 자기지역에 불이익이 되는 조치 또는 혐오시설(예 쓰레기 매립장, 화장장 등)이나 위험시설(예 원자력 발전소, 교도소, 핵폐기물 처리장 등), 지역개발 장애시설(예 장애인 시설, 양로원 등)을 기피하려는 성향으로 인한 갈등으로, NIMBY(Not In My Back Yard)적 이기주의에 의한 갈등이다.

2 갈등(분쟁)의 조정 양식

1. 당사자에 의한 갈등 해결

갈등 당사자에 의한 해결방법에는 당사자 간의 직접적인 협상에 의한 방법과 행정협의회, 지방자치단체조합 등 제도적 장치를 이용하는 방법이 있다.

2. 제3자에 의한 갈등 해결

정부 간 갈등은 자율적인 협상을 통해 해결하는 것이 가장 바람직하지만, 여의치 않는 경우에는 중앙정부(구역 개편)나 조정 또는 중재위원회(알선 · 조정 · 중재), 사법부(재판) 등의 조정적 역할이 필요하게 된다.

3 우리나라의 자치단체 상호 간 분쟁조정제도

1. 당사자 간 분쟁조정제도

지방자치단체 간 분쟁의 자율적인 해결을 돕기 위해 현행 법령은 행정협의회, 지방자치단체조합과 전국적 협의체 및 그 밖의 사전예방 조치로서 협의 · 협약 등의 제도를 두고 있다.

(1) 행정협의회

자치단체는 2개 이상의 자치단체에 관련된 사무의 일부를 공동으로 처리하기 위해, 관계 지방자치단체 간의 행정협의회를 구성할 수 있다.

(2) 자치단체조합

2개 이상의 지방자치단체가 하나 또는 둘 이상의 사무를 공동으로 처리하기 위해, 규약을 정하여 지방의회의 의결을 거쳐 설립하는 법인이다.

(3) 사전예방 조치로서 협의 · 협약

지방자치단체는 다른 지방자치단체의 사무처리에 관한 협의 · 조정 등의 요청이 있을 때에는 법령의 범위 안에서 협의하여야 한다.

(4) 전국적 협의체

자치단체의 장 또는 지방의회 의장은 상호 간의 교류와 협력을 증진하고 공동의 문제를 해결하기 위하여 시 · 도지사협의체, 시 · 도의회의 의장협의체, 시장 · 군수 · 자치구의 구청장협의체, 시 · 군 · 구의회의 의장협의체를 설립하여 지방자치에 영향을 미치는 법령 등에 관하여 행정안전부장관을 거쳐 의견을 제출할 수 있다.

2. 제3자에 의한 분쟁조정제도[1]

(1) 구분

① **행정안전부장관 소속의 지방자치단체 중앙분쟁조정위원회:** 시 · 도 간 분쟁, 시 · 도를 달리 하는 시 · 군 · 구 간 분쟁

② **시 · 도지사 소속의 지방자치단체 지방분쟁조정위원회:** 시 · 군 · 구 간 분쟁

(2) 지방자치단체 상호 간 또는 지방자치단체의 장 상호 간 사무를 처리함에 있어서 분쟁이 있는 때에는 다른 법률에 특별한 규정이 없는 한 행정안전부장관 또는 시 · 도지사가 당사자의 신청에 의하여 이를 조정할 수 있으며, 그 분쟁이 공익을 현저히 저해하여 조속한 조정이 필요하다고 인정되는 경우에는 직권으로 이를 조정할 수 있다. 이 경우에는 그 취지를 미리 당사자에게 통보하여야 한다.

(3) 행정안전부장관 또는 시 · 도지사가 분쟁을 조정하고자 할 때에는 관계 중앙행정기관의 장과의 협의를 거쳐 지방자치단체 중앙분쟁조정위원회 또는 지방자치단체 지방분쟁조정위원회의 의결에 따라 조정하여야 한다.

(4) 행정안전부장관 또는 시 · 도지사는 조정을 결정한 때에는 이를 서면으로 지체없이 관계 지방자치단체의 장에게 통보하여야 하며, 통보를 받은 지방자치단체의 장은 그 조정결정사항을 이행하여야 한다. 조정결정사항이 성실히 이행되지 아니한 때에는 당해 지방자치단체에 대하여 직무상 이행명령과 대집행을 행할 수 있다(실질적 구속력이 있음).

❶ 자치단체 분쟁조정위원회와 행정협의조정위원회의 비교

구분	자치단체 분쟁 조정위원회	행정협의조정 위원회
소속	행정안전부장관, 시 · 도지사	국무총리
기능	자치단체 간 분쟁 조정	중앙과 지방 간 분쟁
신청	신청 또는 직권	신청
효력	실질적 구속력 있음	실질적 구속력 없음

> ✓ 개념PLUS 중앙행정기관과 지방자치단체 간 협의 · 조정[1][2]
>
> 1. 중앙행정기관의 장과 지방자치단체의 장이 사무를 처리할 때 의견을 달리하는 경우 이를 협의 · 조정하기 위하여 국무총리 소속으로 행정협의회조정위원회를 둔다(「지방자치법」 제187조).
> 2. 행정협의조정위원회는 위원장 1명을 포함하여 13명 이내의 위원으로 구성한다.
> 3. 행정협의조정위원회는 재적위원 과반수의 출석으로 개의하고, 출석위원 3분의 2 이상의 찬성으로 의결한다.
> 4. 관계 중앙행정기관의 장과 지방자치단체의 장은 그 협의 · 조정 결정사항을 이행하여야 한다. 하지만 대집행권 등이 규정되지 않아 실질적인 구속력은 없다고 평가되고 있다.

[1] 중앙지방협력회의의 설치

「지방자치법」 제186조 【중앙지방협력회의의 설치】 ① 국가와 지방자치단체 간의 협력을 도모하고 지방자치 발전과 지역 간 균형발전에 관련되는 중요 정책을 심의하기 위하여 중앙지방협력회의를 둔다.
② 제1항에 따른 중앙지방협력회의의 구성과 운영에 관한 사항은 따로 법률로 정한다.

[2] 지방자치단체 상호 간의 협력

「지방자치법」 제164조 【지방자치단체 상호 간의 협력】 ① 지방자치단체는 다른 지방자치단체로부터 사무의 공동처리에 관한 요청이나 사무처리에 관한 협의 · 조정 · 승인 또는 지원의 요청을 받으면 법령의 범위에서 협력하여야 한다.
② 관계 중앙행정기관의 장은 지방자치단체 간의 협력 활성화를 위하여 필요한 지원을 할 수 있다.

3 지방자치단체에 대한 중앙정부의 통제

1 중앙통제의 의의

1. 개념

중앙통제는 중앙정부의 지방자치단체에 대한 통제를 의미한다. 현대의 중앙통제는 우월적 지위를 중앙이 자치단체를 지배하는 형태가 아닌, 공동의 이익을 위하여 조언 · 기술 제공 · 원조 등을 행하는 상호협력적 관계이다. 현재 신중앙집권화 경향에 맞추어 더욱 강화되는 추세에 있다.

2. 필요성

(1) 행정 기능의 양적 확대, 질적 고도화 · 복잡화 · 다양화에 대처할 지방자치단체의 행정적 · 재정적 능력의 부족 때문이다.

(2) 교통 · 통신수단의 발달로 행정의 광역화 · 전국화가 이뤄졌기 때문이다.

(3) 지방적 사무의 전국적 이해와 관련된 경우가 있기 때문이다.

(4) 신속 · 능률적 행정업무 수행의 필요성 때문이다.

(5) 국민 최저수준의 보장 등을 위해서 필요해진다.

3. 방식

(1) 입법통제

입법기관이 행하는 법률의 제 · 개정 및 국정감사 등에 의한 통제로, 중앙통제의 기본적 방식이다.

(2) 사법통제

사법기관이 행하는 통제로, 지방행정에 있어 위법 · 부정 · 비리 사실이 있을 때 법률상 소송 절차에 의해 시정 · 처벌하는 소극적 · 사후적 통제방식이다.

핵심 OX

01 국무총리 소속의 행정협의조정위원회는 중앙과 지방 간의 분쟁조정기구이다. (O, X)

02 서울특별시 관악구와 경기도 안양시 간의 분쟁은 행정안전부장관 소속의 지방자치단체 간 중앙분쟁조정위원회가 관할한다. (O, X)

01 O
02 O

(3) 행정통제

행정기관이 행하는 통제로, 오늘날 중앙통제 중 가장 광범위하고 중요한 방식이며, 명령 · 처분 · 승낙과 같은 권력적 통제, 보고와 같은 비권력적 통제가 있다.

2 우리나라의 중앙통제

1. 행정적 통제

(1) 자치단체 사무에 대한 지도 및 지원[1]

중앙행정기관의 장은 지방자치단체의 사무에 관하여 조언 또는 권고하거나 지도할 수 있으며, 필요하다고 인정할 경우 재정지원 또는 기술지원을 할 수 있다.

(2) 국가사무 처리의 지도 · 감독

지방자치단체 또는 그 장이 위임받아 처리하는 국가사무에 관하여는 시 · 도에 있어서는 주무부장관, 시 · 군 및 자치구에 있어서는 1차로 시 · 도지사, 2차로 주무부장관의 지도 · 감독을 받는다.

(3) 위법 · 부당한 명령 · 처분의 시정

① 지방자치단체의 사무에 관한 그 장의 명령이나 처분이 법령에 위반되거나 현저히 부당하여 공익을 해한다고 인정될 때에는 주무부장관이(시 · 도의 경우) 시정을 명하고 그 기간 내에 이행하지 아니할 때에는 이를 취소하거나 정지할 수 있다. 이 경우 자치사무에 관한 명령이나 처분에 있어서는 법령에 위반하는 것에 한한다.

② 지방자치단체의 장은 자치사무에 관한 명령이나 처분의 취소 또는 정지에 대하여 이의가 있는 때에는 그 취소 또는 정지 처분을 통보받은 날로부터 15일 이내에 대법원에 소를 제기할 수 있다.

(4) 지방자치단체의 자치사무에 대한 감사[2]

행정안전부장관은 지방자치단체의 자치사무에 관하여 보고를 받거나 서류 · 장부 또는 회계를 감사할 수 있다. 이 경우 감사는 법령위반 사항에 한하여 실시한다. 자치사무에 대해서는 법령위반 확인의 원칙과 중복감사 금지의 원칙이 적용된다.

(5) 지방의회 의결의 재의와 제소

① 지방의회의 의결이 법령에 위반되거나 공익을 현저히 해한다고 판단될 때에는 시 · 도에 대하여는 주무부장관이 당해 지방자치단체장에게 재의를 요구하게 할 수 있고, 지방자치단체의 장은 지방의회에 이유를 붙여 재의를 요구하여야 한다.

② 재의의 결과 재적의원 과반수의 출석과 출석의원 3분의 2 이상의 찬성으로 전과 같은 의결을 하면 그 의결사항은 확정된다.

③ 지방자치단체의 장은 재의결된 사항이 법령에 위반된다고 판단되는 때에는 재의결된 날부터 20일 이내에 대법원에 소를 제기할 수 있다. 이 경우 필요하다고 인정되는 때에는 그 의결의 집행을 정지하게 하는 집행정지 결정을 신청할 수 있다.

④ 주무부장관은 재의결된 사항이 법령에 위반된다고 판단됨에도 불구하고 당해 지방자치단체의 장이 소를 제기하지 아니하는 때에는 당해 지방자치단체의 장에게 제소를 지시하거나 직접 제소 및 집행정지 결정을 신청할 수 있다.

[1] 지방자치단체의 사무에 대한 지도와 지원

「지방자치법」 제184조 【지방자치단체의 사무에 대한 지도와 지원】 ① 중앙행정기관의 장이나 시 · 도지사는 지방자치단체의 사무에 관하여 조언 또는 권고하거나 지도할 수 있으며, 이를 위하여 필요하면 지방자치단체에 자료 제출을 요구할 수 있다.
② 국가나 시 · 도는 지방자치단체가 그 지방자치단체의 사무를 처리하는 데 필요하다고 인정하면 재정지원이나 기술지원을 할 수 있다.
③ 지방자치단체의 장은 제1항의 조언 · 권고 또는 지도와 관련하여 중앙행정기관의 장이나 시 · 도지사에게 의견을 제출할 수 있다.

[2] 지방자치단체에 대한 감사 절차 등

「지방자치법」 제191조 【지방자치단체에 대한 감사 절차 등】 ① 주무부장관, 행정안전부장관 또는 시 · 도지사는 이미 감사원 감사 등이 실시된 사안에 대하여는 새로운 사실이 발견되거나 중요한 사항이 누락된 경우 등 대통령령으로 정하는 경우를 제외하고는 감사대상에서 제외하고 종전의 감사결과를 활용하여야 한다.

(6) 회계검사기관(감사원)의 회계검사권 및 직무감찰권[1][2]

지방자치단체는 감사원의 필요적 검사대상으로 되어 있으며, 감사원은 지방공무원에서 대해서 직무감찰을 할 수 있다.

(7) 각종 유권해석 및 지침의 제공

중앙행정기관은 소관위임사무의 처리에 대한 법령해석 및 지침을 제공한다.

(8) 지방자치단체의 장에 대한 직무이행명령

「지방자치법」 제189조 **【지방자치단체의 장에 대한 직무이행명령】** ① 지방자치단체의 장이 법령에 따라 그 의무에 속하는 국가위임사무나 시·도위임사무의 관리와 집행을 명백히 게을리하고 있다고 인정되면 시·도에 대해서는 주무부장관이, 시·군 및 자치구에 대해서는 시·도지사가 기간을 정하여 서면으로 이행할 사항을 명령할 수 있다.

② 주무부장관이나 시·도지사는 해당 지방자치단체의 장이 제1항의 기간에 이행명령을 이행하지 아니하면 그 지방자치단체의 비용부담으로 대집행 또는 행정상·재정상 필요한 조치(이하 이 조에서 "대집행 등")를 할 수 있다. 이 경우 행정대집행에 관하여는 「행정대집행법」을 준용한다.

③ 주무부장관은 시장·군수 및 자치구의 구청장이 법령에 따라 그 의무에 속하는 국가위임사무의 관리와 집행을 명백히 게을리하고 있다고 인정됨에도 불구하고 시·도지사가 제1항에 따른 이행명령을 하지 아니하는 경우 시·도지사에게 기간을 정하여 이행명령을 하도록 명할 수 있다.

④ 주무부장관은 시·도지사가 제3항에 따른 기간에 이행명령을 하지 아니하면 제3항에 따른 기간이 지난 날부터 7일 이내에 직접 시장·군수 및 자치구의 구청장에게 기간을 정하여 이행명령을 하고, 그 기간에 이행하지 아니하면 주무부장관이 직접 대집행 등을 할 수 있다.

⑤ 주무부장관은 시·도지사가 시장·군수 및 자치구의 구청장에게 제1항에 따라 이행명령을 하였으나 이를 이행하지 아니한 데 따른 대집행 등을 하지 아니하는 경우에는 시·도지사에게 기간을 정하여 대집행등을 하도록 명하고, 그 기간에 대집행 등을 하지 아니하면 주무부장관이 직접 대집행 등을 할 수 있다.

⑥ 지방자치단체의 장은 제1항 또는 제4항에 따른 이행명령에 이의가 있으면 이행명령서를 접수한 날부터 15일 이내에 대법원에 소를 제기할 수 있다. 이 경우 지방자치단체의 장은 이행명령의 집행을 정지하게 하는 집행정지결정을 신청할 수 있다.

❶ 재정위기단체와 재정주의단체

「지방재정법」 제55조의2 **【재정위기단체와 재정주의단체의 지정 및 해제】** ① 행정안전부장관은 제55조 제1항에 따른 재정분석 결과와 같은 조 제3항에 따른 재정진단 결과 등을 토대로 지방재정위기관리위원회의 심의를 거쳐 다음 각 호의 구분에 따라 해당 지방자치단체를 재정위기단체 또는 재정주의단체(財政注意團體)로 지정할 수 있다.

1. 재정위기단체: 재정위험 수준이 심각하다고 판단되는 지방자치단체
2. 재정주의단체: 재정위험 수준이 심각한 수준에 해당되지 아니하나 지방자치단체 재정의 건전성 또는 효율성 등이 현저하게 떨어졌다고 판단되는 지방자치단체

❷ 긴급재정관리단체의 지정 및 해제

「지방재정법」 제60조의3 **【긴급재정관리단체의 지정 및 해제】** ① 행정안전부장관은 지방자치단체가 다음 각 호의 어느 하나에 해당하여 자력으로 그 재정위기상황을 극복하기 어렵다고 판단되는 경우에는 해당 지방자치단체를 긴급재정관리단체로 지정할 수 있다. 이 경우 행정안전부장관은 긴급재정관리단체로 지정하려는 지방자치단체의 장과 지방의회의 의견을 미리 들어야 한다.

1. 제55조의2에 따라 재정위기단체로 지정된 지방자치단체가 제55조의3에 따른 재정건전화계획을 3년간 이행하였음에도 불구하고 재정위기단체로 지정된 때부터 3년이 지난 날 또는 그 이후의 지방자치단체의 재정위험 수준이 재정위기단체로 지정된 때보다 대통령령으로 정하는 수준 이하로 악화된 경우
2. 소속 공무원의 인건비를 30일 이상 지급하지 못한 경우
3. 상환일이 도래한 채무의 원금 또는 이자에 대한 상환을 60일 이상 이행하지 못한 경우

2. 인사상 통제

(1) 행정기구의 편제 및 공무원의 정원에 대한 통제

지방자치단체의 행정기구의 설치와 지방공무원의 정원은 인건비 등 대통령령이 정하는 기준에 따라 당해 지방자치단체의 조례로 정한다.

(2) 기준인건비에 의한 통제

중앙정부가 정해주는 기준인건비 범위 안에서 각 자치단체가 조례로 정원을 운영할 수 있다.

(3) 지방자치단체에 두는 국가공무원의 임명 및 감독

지방자치단체는 법률이 정하는 바에 의하여 국가공무원을 둘 수 있으며 ① 5급 이상은 당해 자치단체의 장의 제청으로 대통령이, ② 6급 이하는 당해 자치단체 장의 제청으로 소속장관이 각각 임명한다.

3. 재정상 통제

(1) 지방채 발행의 승인

① 지방자치단체의 장은 항구적 이익이 되거나 비상재해복구 등의 필요가 있는 경우에는 지방의회의 의결을 거쳐 지방채를 발행할 수 있다.

② 예외적으로 ㉠ 한도를 초과하여 발행하거나 ㉡ 외채를 발행하고자 하는 경우에는 행정안전부장관의 승인을 얻은 범위 안에서 지방의회의 의결을 거쳐 지방채를 발행할 수 있다.

(2) 보조금 사용에 대한 감독

지방자치단체가 보조금을 다른 용도로 사용한 경우 등에는 중앙관서의 장은 보조금 교부 결정을 취소하고 보조금을 반환하게 할 수 있다.

(3) 지방재정진단제도

① **개념:** 재정진단제도는 지방재정 운영의 사후적 평가를 통해 재정운영의 책임성과 효율성을 도모하기 위한 제도이다(결산정보를 대상으로 함).

② **절차:** 지방재정진단제도는 아래 단계로 나누어진다.

㉠ 재정보고서 작성지침을 시달한다.
㉡ 재정보고서를 분석한다.
㉢ 재정진단 실시단체를 선정한다.
㉣ 재정진단을 실시한다.
㉤ 재정진단 결과를 조치한다.

③ **대상기관**

㉠ 세입예산 중 채무비율이 세입예산의 일정비율을 초과하거나 채무잔액이 과다한 지방자치단체

㉡ 결산상 세입실적이 예산액보다 현저히 감소하였거나 조상충용(繰上充用)*을 한 지방자치단체

㉢ 인건비 등 경상비 성격의 예산비율이 높아 재정운영의 건전성이 현저히 떨어지는 지방자치단체

용어

조상충용(繰上充用)*: 당해 연도의 세입으로 세출을 충당하지 못할 경우, 다음 연도의 세입을 미리 당겨 충당·사용하는 것

핵심 OX

01 지방재정진단은 통합재정의 관점에서 실시한다. (O, X)

02 지방재정진단은 결산정보를 토대로 한 사후적 평가를 실시한다. (O, X)

01 X 지방재정 진단은 일반회계만을 대상으로 하기 때문에 통합재정 관점이 아니다.
02 O

ⓔ 행정안전부장관이 재정보고서를 분석한 결과, 재정진단이 필요하다고 인정하는 지방자치단체

④ **평가결과 조치:** 평가결과 행정안전부장관 및 시·도지사는 당해 지방자치단체를 대상으로 조직개편, 채무상환, 세입의 증대 및 신규사업의 제한 등을 내용으로 하는 지방재정건전화계획을 수립하여 시행할 수 있다.

⑤ **한계:** 특별회계와 기금을 제외한 일반회계만을 대상으로 하고 있다.

4 광역행정(regional administration)

1 의의

1. 개념

(1) 기존의 행정구역 또는 지방자치단체의 구역을 초월해서 발생하는 여러 가지 행정수요를 둘 이상의 지방정부 상호 간의 협력을 통하여 통일적·종합적이고 현지성에 맞게 계획적으로 처리함으로써, **행정의 능률성·경제성·합목적성을 확보하기 위한 지방행정의 양식이다.**

(2) 주민자치가 활성화된 영미에서 시작되었으며, 지방자치에 대한 수정(위협)으로서 신중앙집권화의 원인이기도 하다. 이는 이전 분권적 형태에 제도와 사회의 변화에 대응하기 위해 집권적 성격을 강화하자는 것이다.

(3) **성격의 변화**

광역행정은 기존의 지방자치의 성격의 변화를 가져왔다.

기존		변화
무계획성	→	계획성(국가 차원)
개별성	→	종합성
-	→	현지성의 강조
독립성	→	자치단체 간 협력 (절대적 독립성 → 상대적 독립성)
보존행정	→	개발행정
민주성 우위	→	민주성과 능률성의 조화
불균형성	→	균형성 추구 등

2. 필요성과 한계

(1) 필요성(유용성, 촉진 요인)

① **교통·통신의 발달과 사회·경제권역의 확대:** 교통·통신의 발달로 지역 간 이동이 원활해지고, 지역주민의 교통권 및 사회·경제권역의 확대로 광역화가 야기되었다.

② **산업화와 도시화:** 산업화에 따른 도시화에 기인한 문제해결(㉠ 교통, 환경오염, 상·하수도 문제, 주택문제 등)을 위해 광역적 처리가 요구되었다.

③ **경비의 절약:** 공통된 문제를 개별적인 아닌 상호 공동처리(규모의 경제)함으로써 절약과 능률의 증진에 기여하게 된다.

④ **기타:** ㉠ 지역개발과 복지국가 및 서비스의 균질화(평균화), ㉡ 자치성과 능률성의 조화(지방자치 불신과는 관련 없음), ㉢ 개발행정, ㉣ 계획행정의 요구, ㉤ 행정수요에의 대응, ㉥ 중앙과 지방의 협력관계 등이 있다.

(2) 한계

① 특정 행정서비스에 대한 비용 부담과 편익 형성이 일치하지 않는다.

② 지방자치를 약화시킨다.

③ 관치행정의 만연이 우려된다.

④ 행정의 말단 침투가 곤란하다.

2 방식

1. 공동처리방식

(1) 의의

① 공동처리방식은 '둘 이상의 지방자치단체 또는 지방행정기관이 상호협력관계를 형성하여, 광역적 행정사무를 공동으로 처리하는 방식'을 말한다.

② 공동처리한다는 것은 인접한 복수의 자치단체가 공동의 이익을 증진하기 위하여, 서로 제휴·협력하여 공통의 사무나 사업을 수행함을 의미한다.

③ 일부사무조합(특별지방자치단체), 행정협의회, 공동기관의 설치(특별기관), 사무의 위탁, 직원 파견, 행정협정, 단체장 등 협의체 등이 해당한다.

④ 행정협의회 등의 공동처리방식이 「지방자치법」상 우리나라의 대표적인 광역행정방식이다.

(2) 유형

① **행정협의회:** 자치단체들이 사무의 일부를 공동으로 처리하기 위하여 규약을 정하고 설치하는 협의기관이다. 행정협의회는 법인격과 강제력을 갖지 않기 때문에 사무처리의 효과가 행정협의회가 아닌 각 자치단체에 귀속되므로, 협력의 실질적 효과가 그다지 크지 못하다.

② **일부사무조합:** 복수의 자치단체가 사무의 일부를 공동처리하기 위하여 합의하여 규약(계약)을 정하고 새로운 법인인 조합을 설치하는 방식이다. 특별자치단체로서 법인격을 갖고 독자적으로 직원을 두고 재산을 보유하며 조례를 제정할 수 있다. 법인이므로 사무처리의 효과가 조합에 귀속되고 협력의 효과가 협의회보다 크고 연합보다는 약한 형태이다. 각국에서 매우 일반화된 광역처리방식이다.

③ **공동기관**: 복수의 자치단체가 그 기관의 간소화, 전문직원 확보, 재정절약 등을 위하여 계약에 의하여 부속기관, 직원 등을 공동으로 두는 방식이다. 인접 자치단체 간의 합의에 의하여 특정 기능만을 처리하는 광역행정기관을 일반행정기관과 별도로 설치하는 방식이라고 할 수 있다.

④ **사무위탁**: 다른 자치단체에게 특정한 사무의 관리를 위탁하는 방식이다. 한 자치단체가 다른 자치단체에게 일정한 대가를 받고 서비스를 제공하는 계약을 체결하는 것을 말한다.

⑤ **연락회의**: 일정한 광역적 행정단위에 각 자치단체 대표들로 구성되는 연락회의를 두는 방식이다. 조정권이 없는 단순한 대화·연락기관에 불과하다는 의미에서 협의회 방식보다도 실효성이 약하다.

⑥ **상호원조(행정응원)**: 다른 자치단체에게 협력사항을 요구하는 방식이다.

㉮ 재해 기타 비상시 소방응원, 경찰응원 등

2. 연합방식(federation)

(1) 의의

① 연합방식은 '둘 이상의 지방자치단체가 독립적인 법인격을 그대로 유지하면서 특별자치단체인 별도의 연합단체(광역행정기관)를 설치하여 일체의 광역행정사무처리를 처리하도록 하는 방식'을 말한다.

② 연합방식은 협의회형 공동처리방식의 약점을 보완하여, 새로운 단체(연합체)가 사업 주체가 되어 스스로 의결권·과세권·명령권·집행권 등을 가지고 사무를 처리한다는 데 그 특징이 있다. 자치단체 연합체는 자치단체에 있어서의 연방제적 성격을 가진다.

③ 연합체 자체가 주체가 되어 각종 권한과 집행 능력을 가지므로 연합정부(일명 토론토 방식)을 구성하는 경우 자치단체가 독립된 법인격은 유지하지만 기존의 자치단체 구조에 중대한 변혁을 가져올 수도 있다. 다만, 과세권·집행권을 보유하지 않는다고 보는 견해도 있다.

(2) 유형

① **자치단체 연합체**: 복수의 자치단체가 각각 독립적인 법인격을 그대로 유지하면서 특별자치단체적 성격을 지니는 연합체를 구성하는 방식이다.

㉮ 캐나다의 토론토 대도시권연합, 일본의 광역연합 등

② **도시공동체**: 대도시권에 있는 기초자치단체들이 광역적 자치단체 또는 행정단위를 구성하는 방식이다.

③ **복합사무조합**: 둘 이상의 지방자치단체가 몇 가지의 사무를 공동으로 처리하기 위해 합의에 의해 규약(계약)을 정하고 설치하는 법인체, 즉 법인격을 지닌 공공기관이다. 일부사무조합의 폐단(책임소재 불분명·중복·비효율성 등)을 줄이고 사무 처리의 종합성을 확보하기 위한 방식이다. 교통·치수·쓰레기·상하수도·소방 등 복수의 사무를 별도의 법인인 조합에서 처리하도록 한 방식으로, 조합에 가입한 자치단체의 독자성이 그대로 보존된다.

3. 통합방식

(1) 의의

① '일정한 광역권 내의 여러 자치단체를 통합하여 단일의 정부를 설립하는 방식'이다.

② 각 지방정부의 개별적 특수성이 무시된 채 중앙집권화가 촉진되고 주민참여가 어려워질 수 있다. 발전도상국에서 많이 사용하는 방식이다.

(2) 유형

① **합병방식(coalition)**

㉠ **의의:** 합병방식은 '둘 이상의 지방자치단체가 종래의 법인격을 통·폐합하고 새로운 법인격을 가지는 단체를 창설하여 광역사무를 처리하는 방법'을 말한다.

㉡ **장점:** 광역행정 문제를 신속하게 처리할 수 있고, 비용 절감에 기여할 수 있다.

㉢ **단점:** 특성을 달리하는 자치단체들을 통·폐합하는 데에는 많은 부작용(지방자치 저해)이 따를 뿐만 아니라, 규모의 증대에 따라 조세의 부담이 커지고 주민들의 일체감이 희박해져 주민들이 합병에 반발할 수 있다.

② **흡수통합(권한 또는 지위의 흡수 방식):** '상급단체가 하급단체의 권한(일부)과 지위(전부)를 흡수하거나 상급자치단체가 수행하는 것'을 말한다.

③ **전부사무조합:** 복수의 자치단체가 계약에 의하여 모든 사무를 공동으로 처리할 조합을 설치하는 방식이다. 조합의 구성과 함께 기존의 각 자치단체를 사실상 소멸시키는 자연적 합병 방식으로 연합보다 강한 형태이다.

4. 특별구역방식 - 특별구(特別區)

(1) '특정한 광역행정 사무를 처리하기 위하여 일반행정구역이나 자치구역과는 별도로 특별구역을 설정하는 방식'을 의미한다. 지역상의 자치가 아니라 기능상의 자치라고 할 수 있다.

(2) 우리나라의 교육구나 관광특구 등이 이에 해당한다.

5. 특별기관방식

(1) 특별기관방식은 '특정한 광역행정 사무를 처리하기 위하여 국가가 지방자치단체와는 별도로 특정 기능만을 수행하는 하급행정기관을 설치하는 방식'을 말한다.

(2) 특별지방행정기관을 설치하는 방식은 국가에 따라 상이한데, 우리나라의 지방국토관리청 · 지방환경청 등이 있다.

6. 「지방자치법」상 4가지 광역행정방식

(1) 행정협의회[1]

① **의의:** 지방자치단체는 2개 이상의 지방자치단체에 관련된 사무의 일부를 공동으로 처리하기 위하여 관계 지방자치단체 간의 행정협의회를 구성할 수 있다. 이 경우 지방자치단체의 장은 시·도가 그 구성원인 경우에는 행정안전부장관과 관계 중앙행정기관의 장에게, 시·군 또는 자치구가 구성원인 경우에는 시·도지사에게 이를 보고하여야 한다. 행정안전부장관이나 시·도지사는 공익상 필요하다면 관계 지방자치단체에 대하여 협의회를 구성하도록 권고할 수 있다.

[1] 행정협의회
1. '지방의회 의결 → 지방의회 보고'로 간소화하였다.
2. 행정협의회의 구성
「지방자치법」 제169조【행정협의회의 구성】 ① 지방자치단체는 2개 이상의 지방자치단체에 관련된 사무의 일부를 공동으로 처리하기 위하여 관계 지방자치단체 간의 행정협의회(이하 "협의회")를 구성할 수 있다. 이 경우 지방자치단체의 장은 시·도가 구성원이면 행정안전부장관과 관계 중앙행정기관의 장에게, 시·군 또는 자치구가 구성원이면 시·도지사에게 이를 보고하여야 한다.
② 지방자치단체는 협의회를 구성하려면 관계 지방자치단체 간의 협의에 따라 규약을 정하여 관계 지방의회에 각각 보고한 다음 고시하여야 한다.
③ 행정안전부장관이나 시·도지사는 공익상 필요하면 관계 지방자치단체에 대하여 협의회를 구성하도록 권고할 수 있다.

② **문제점:** 「지방자치법」 제174조 제1항은 '협의회를 구성한 관계 지방자치단체는 협의회가 결정한 사항이 있으면 그 결정에 따라 그 사무를 처리하여야 한다'라고 규정하고 있다. 그러나 **행정협의회는 법인체가 아니기 때문에 과세권이나 집행권이 없다. 따라서 행정협의회의 합의나 결정에 대한 구속력이 담보되지 않는다.**

(2) 지방자치단체조합[1] - 특별지방자치단체의 일종으로 보는 견해도 있음

① 의의

㉠ **지방자치단체조합은 '2개 이상의 지방자치단체가 사무의 일부나 둘 이상의 사무를 공동으로 처리하기 위해 합의에 의해 규약을 정하고 설치하는 법인체, 즉 법인격을 지닌 공공기관'을 말한다.**

㉡ 우리나라의 경우 '하나 또는 둘 이상의 사무'에 관한 조합을 규정함으로써 **일부사무조합과 복합사무조합만 인정하고 전부사무조합은 인정하고 있지 않다.**

㉢ 지방자치단체조합은 특별지방자치단체의 일종으로, 조합의 명의로 공동사무를 처리할 수 있으며 법인격을 가지고 있고 규약을 제정할 수 있다.

② **권한:** 사무조합은 고유의 직원을 두고 지방채 발행 및 독자적인 재산을 보유할 수 있으나, **주민이 구성원이 아니고 관련 지방자치단체가 구성원**이기 때문에 해당 자치단체에 대하여 직원파견 및 비용부담을 요구할 수는 있어도, 주민의 청구권이나 주민에 대한 과세권은 없다.

③ 설립

㉠ 2개 이상의 지방자치단체가 하나 또는 둘 이상의 사무를 공동으로 처리할 필요가 있을 때에는 규약을 정하는 당해 **지방의회의 의결을 거쳐 시·도는 행정안전부장관의, 시·군 및 자치구는 시·도지사의 승인을 얻어 지방자치단체조합을 설립할 수 있다.**

㉡ 다만, 지방자치단체조합의 구성원인 **시·군 및 자치구가 2개 이상의 시·도에 걸치는 지방자치단체조합은 행정안전부장관의 승인을 얻어야 한다.**

㉢ 행정안전부장관은 공익상 필요하면 지방자치단체조합의 설립이나 해산 또는 규약의 변경을 명할 수 있다.

④ **현황:** 과거의 수도권쓰레기매립조합(현재는 지방공사)이 해당되며, 현재 한국지역정보개발원(자치정보화조합), 부산·거제 간 연결도로건설조합, 부산·진해경제자유구역청, 광양만권경제자유구역청, 부산·김해경량전철조합, 수도권광역교통조합 등이 있다.

(3) 자치단체장 등의 협의체

① **의의:** 자치단체장 또는 지방의회 의장은 상호 간의 교류와 협력을 증진하고, 공동의 문제를 협의하기 위하여 시·도지사, 시·도의회의 의장, 시장·군수·자치구의 구청장, 시·군·자치구의회의 의장으로 각각 전국적 협의체를 설립할 수 있으며, 전국적 협의체가 모두 참가하는 지방자치단체 연합체를 설립할 수 있다.

---

[1] 지방자치단체조합

「지방자치법」 제177조【지방자치단체조합의 조직】 ① 지방자치단체조합에는 지방자치단체조합회의와 지방자치단체조합장 및 사무직원을 둔다.
② 지방자치단체조합회의의 위원과 지방자치단체조합장 및 사무직원은 지방자치단체조합규약으로 정하는 바에 따라 선임한다.
③ 관계 지방의회의원과 관계 지방자치단체의 장은 제43조 제1항과 제109조 제1항에도 불구하고 지방자치단체조합회의의 위원이나 지방자치단체조합장을 겸할 수 있다.

제178조【지방자치단체조합회의와 지방자치단체조합장의 권한】 ① 지방자치단체조합회의는 지방자치단체조합의 규약으로 정하는 바에 따라 지방자치단체조합의 중요 사무를 심의·의결한다.
② 지방자치단체조합회의는 지방자치단체조합이 제공하는 서비스에 대한 사용료·수수료 또는 분담금을 제156조 제1항에 따른 조례로 정한 범위에서 정할 수 있다.
③ 지방자치단체조합장은 지방자치단체조합을 대표하며 지방자치단체조합의 사무를 총괄한다.

② **설립신고 및 운영**: 협의체나 연합체를 설립한 때에는 그 협의체의 대표자는 지체 없이 행정안전부장관에게 신고하여야 하며 신고사항을 변경할 때도 이를 신고하여야 한다. 협의체나 연합체는 지방자치에 직접적인 영향을 미치는 법령 등에 관하여 행정안전부장관을 거쳐 정부에 의견을 제출할 수 있으며 협의체나 연합체의 설립신고와 운영, 그 밖에 필요한 사항을 대통령령으로 정한다.

③ **타당성 검토**: 자치단체장 등의 협의체가 정부에 의견을 제출하는 경우 관계 중앙행정기관의 장은 통보된 내용에 대하여 통보를 받은 날부터 2개월 이내에 타당성을 검토하여 행정안전부장관에게 그 결과를 통보하여야 하고, 행정안전부장관은 통보받은 검토 결과를 해당 협의체나 연합체에 지체 없이 통보하여야 한다. 이 경우 관계 중앙행정기관의 장은 검토 결과 타당성이 없다고 인정하면 구체적인 사유 및 내용을 명시하여 통보하여야 하며, 타당하다고 인정하면 관계 법령에 그 내용이 반영될 수 있도록 적극 협력하여야 한다.

(4) 사무위탁

「지방자치법」 제168조(사무의 위탁)에 규정되어 있다.

① 지방자치단체나 그 장은 소관 사무의 일부를 다른 지방자치단체나 그 장에게 위탁하여 처리하게 할 수 있다.

② 지방자치단체나 그 장은 제1항에 따라 사무를 위탁하려면 관계 지방자치단체와의 협의에 따라 규약을 정하여 고시하여야 한다.

④ 지방자치단체나 그 장은 사무위탁을 변경하거나 해지하려면 관계 지방자치단체나 그 장과 협의하여 그 사실을 고시하여야 한다.

⑤ 사무가 위탁된 경우 위탁된 사무의 관리와 처리에 관한 조례나 규칙은 규약에 다르게 정해진 경우 외에는 사무를 위탁받은 지방자치단체에 대해서도 적용한다.

(5) 기타

① **특별지방행정기관의 설치 방식**: 우리나라에서는 국가가 각종의 특별지방행정기관을 설치하여 광역적 성격의 사무를 처리하도록 하는 예가 많다. 지방국토관리청, 지방우정청 등이 그 예이다.

② **특별구역 방식**: 교육구 제도가 대표적인 예이다.

학습 점검 문제

01 라이트(Wright)의 정부간관계(Inter-Governmental Relations: IGR)모형에 대한 설명으로 옳지 않은 것은?

2023년 지방직 9급

① 정부 간 상호권력관계와 기능적 상호의존관계를 기준으로 정부간관계(IGR)를 3가지 모델로 구분한다.

② 대등권위모형(조정권위모형, coordinate-authority model)은 연방정부, 주정부, 지방정부가 모두 동등한 권한을 가지고 있다고 설명한다.

③ 내포권위모형(inclusive-authority model)은 연방정부, 주정부, 지방정부를 수직적 포함관계로 본다.

④ 중첩권위모형(overlapping-authority model)은 연방정부, 주정부, 지방정부가 상호 독립적인 실체로 존재하며 협력적 관계라고 본다.

02 광역행정의 공동처리 방식에 관한 설명으로 옳은 것은? 2018년 교육행정직 9급

① 사무위탁은 둘 이상의 지방자치단체가 계약에 의하여 자기 사무의 일부를 상대방에게 위탁하여 처리하는 방식이다.

② 연락회의는 둘 이상의 지방자치단체가 광역적 갈등분쟁을 원활하게 해결하기 위하여 조정권을 갖는 연락기구를 구성하는 방식이다.

③ 공동기관은 둘 이상의 지방자체단체가 광역사무를 처리하기 위하여 조례에 의해 공동으로 법인격을 갖는 기관을 운영하는 방식이다.

④ 협의회는 둘 이상의 지방자치단체가 광역적 지역개발사업을 수행하기 위하여 규칙에 의해 법인격을 갖는 기관을 운영하는 방식이다.

03 **광역행정에 대한 설명으로 옳지 않은 것은?** 2019년 지방직 9급

① 기존의 행정구역을 초월해 더 넓은 지역을 대상으로 행정을 수행한다.

② 행정권과 주민의 생활권을 일치시켜 효율성을 촉진시킬 수 있다.

③ 규모의 경제를 확보하기 어렵다.

④ 지방자치단체 간에 균질한 행정서비스를 제공하는 계기로 작용해 왔다.

정답 및 해설

01 대등권위모형(분리형)은 연방정부와 주정부는 명확한 분리하에 상호독립적·완전자치적으로 운영되고 지방정부는 주정부에 종속된 이원적 관계이다.

라이트(Wright)의 정부간관계(Inter-Governmental Relations: IGR)모형

협조권위형(분리형)	· 연방정부와 주정부는 명확한 분리하에 상호독립적·완전자치적으로 운영되고 지방정부는 주정부에 종속된 이원적 관계 · 연방정부와 주정부는 상호경쟁적 관계 · Home rule의 원칙과 관련됨
포괄권위형(포함형)	· 연방정부가 주정부와 지방정부를 완전히 포괄하는 종속관계 · 강력한 계층제적 통제 · 게임이론 · 딜런의 법칙과 관련됨
중첩권위형(중첩형)	· 연방정부와 주 및 지방정부가 각자 고유한 영역을 가지면서 동시에 동일한 관심과 책임영역을 지니는 상호의존적 관계 · 정부 기능의 연방·주·지방정부에 의해 동시적 작용 · 자치권과 재량권의 제한적 분산 · 협상·교환관계(재정적 상호협조와 경쟁관계)

02 「지방자치법」 제168조(사무의 위탁)에 따르면 지방자치단체나 그 장은 소관 사무의 일부를 다른 지방자치단체나 그 장에게 위탁하여 처리하게 할 수 있다고 규정하고 있다.

> **「지방자치법」 제168조【사무의 위탁】** ① 지방자치단체나 그 장은 소관 사무의 일부를 다른 지방자치단체나 그 장에게 위탁하여 처리하게 할 수 있다.

| 오답체크 |

② 연락회의는 둘 이상의 지방자치단체가 광역적 갈등분쟁을 원활하게 해결하기 위하여 자치단체의 대표들로 연락기구를 구성하는 방식이다. 따라서 단순한 접촉이나 대화·연락기구일 뿐 구속력을 가지거나 조정권을 가지지는 못하므로 협의회보다 실효성이 약하다.

③ 공동기관은 둘 이상의 지방자체단체가 광역사무를 처리하기 위하여 합의에 의하여 규약을 정하고, 위원회의 위원·전문위원·보조원·부속기관 등을 공동으로 두는 방식으로, 법인격을 갖지는 않는다.

④ 지방자치단체는 2개 이상의 지방자치단체에 관련된 사무의 일부를 공동으로 처리하기 위하여 관계 지방자치단체 간에 협의회를 구성할 수 있다. 그러나 협의회는 조합과 달리 단순한 협의기구일 뿐 법인격을 갖지는 않는다.

> **「지방자치법」 제169조【행정협의회의 구성】** ② 지방자치단체는 협의회를 구성하려면 관계 지방자치단체 간의 협의에 따라 규약을 정하여 관계 지방의회에 각각 보고한 다음 고시하여야 한다.

03 광역행정은 규모의 경제에 의한 비용절감효과가 있다.

| 오답체크 |

① 광역행정(regional administration)은 상호 인접한 몇 개의 지방자치단체가 기존의 행정구역을 넘어서 발생하는 공동의 행정수요에 대응하는 행정을 말한다.

② 광역행정은 교통·통신의 발달로 사회·경제권역이 확대되고 있으므로, 국민의 생활권역과 일치시킴으로써 행정의 효율성과 주민의 편의를 높일 필요성 때문에 등장하였다.

④ 지방자치단체 간의 행정·재정적 격차로 인하여 주민의 부담과 편익의 향유 사이에 불균형이 발생한다. 따라서 지역 간 균질화와 주민복지의 국민적 평준화를 위해 광역행정이 필요하다.

정답 01 ② 02 ① 03 ③

04 다음은 지방자치단체 상호 간 관계에 대한 설명이다. ㄱ~ㄹ에 들어갈 말을 순서대로 바르게 나열한 것은? 2013년 국가직 7급

- 2개 이상의 지방자치단체가 하나 또는 둘 이상의 사무를 공동으로 처리할 필요가 있을 때에는 규약을 정하여 그 지방의회의 의결을 거쳐 시·도는 행정안전부장관이, 시·군 및 자치구는 시·도지사의 승인을 받아 (ㄱ)을/를 설립할 수 있다.
- 지방자치단체의 장이나 지방의회의 의장은 상호 간의 교류와 협력을 증진하고, 공동의 문제를 협의하기 위하여 전국적 (ㄴ)을/를 설립할 수 있다.
- 지방자치단체 상호 간이나 지방자치단체의 장 상호 간 사무를 처리할 때 의견이 달라 생긴 분쟁의 조정과 행정협의회에서 합의가 이루어지지 아니한 사항의 조정에 필요한 사항을 심의·의결하기 위하여 행정안전부에 (ㄷ)을/를 둔다.
- 지방자치단체는 2개 이상의 지방자치단체에 관련된 사무의 일부를 공동으로 처리하기 위하여 관계 지방자치단체 간의 (ㄹ)을/를 구성할 수 있다.

	ㄱ	ㄴ	ㄷ	ㄹ
①	행정협의회	지방자치단체장 협의회	지방자치단체 지방분쟁조정위원회	협의체
②	지방자치단체조합	행정협의회	지방자치단체 지방분쟁조정위원회	협의체
③	행정협의회	협의체	지방자치단체 중앙분쟁조정위원회	지방자치단체장 협의회
④	지방자치단체조합	협의체	지방자치단체 중앙분쟁조정위원회	행정협의회

정답 및 해설

04 ㄱ은 지방자치단체조합, ㄴ은 협의체, ㄷ은 지방자치단체 중앙분쟁조정위원회, ㄹ은 행정협의회에 대한 설명이다.

정답 04 ④

CHAPTER 6

지방재정

1 지방재정의 의의

1 개념

1. 의의

지방재정이란 지방자치단체의 존립 목적을 달성하기 위하여 필요한 재원을 조달하고 관리하는 활동으로, 자치단체가 행하는 예산·결산·회계 및 기타 재화에 관한 활동(지방자치를 실현하게 하는 필수 조건)을 의미한다.

2. 근거

현행 지방자치단체의 예산 및 회계에 관한 기본법은 「지방재정법」이며, 이 외 「지방세법」·「지방교부세법」·「지방공기업법」 등이 그 기초를 이루고 있다.

2 특성

1. 지방재정의 자주성

지방재정은 스스로 지방세를 부과·징수하여 예산을 편성하고 주민에 봉사하는 재정의 자주성을 근본으로 하고 있다.

2. 지방재정의 제약성(타율성)

지방재정의 자주성은 국가에 의해 한정된 범위에서 인정된다. 지방세의 종목과 세율은 법률로 결정되며, 대부분의 사용료와 수수료가 정부 방침에 의해 통제된다. 자주재원 외에 국가로부터 지원을 받는 의존재원이 있다.

3. 지방재정의 응익성(應益成)

일반적으로 (1) 국가의 재정은 소득이나 능력의 크기에 따라 재정부담을 지우는 응능주의(應能主義)인데 비하여, (2) 지방재정은 수익자가 명확하고 한정적이므로 이익의 대가만큼 비용 부담을 지우는 수익자 부담주의로서 응익성이 강조된다.

4. 지방재정의 불균형성·다양성

지역별 자원의 분포나 개발의 정도 등에 따라 지역 발전과 소득의 격차가 나게 된다. 이에 따라 재정 규모나 세입과 세출의 비중, 재정능력과 자립도 등 지방자치단체마다 그 특성이 다양하다.

핵심 OX

01 지방재정은 응능성의 원칙이다. (O, X)

02 지방재정은 조세법률주의 원칙의 예외이다. (O, X)

01 X 지방재정은 중앙재정에 비해 응익성의 특징을 가진다.
02 X 지방재정도 조세법률주의 원칙이 적용된다.

2 지방재정의 구조

1 지방재정의 세입

각급 지방자치단체는 원활한 경비지출 활동을 위하여 지속적인 재원 확보의 노력을 하게 된다. 이러한 지급재원이 지방수입이며, 지방수입을 회계연도별로 구분하여 1회계연도에 소요되는 모든 재원을 지방세입이라 한다.

2 지방세입의 종류

1. 자주재원과 의존재원

(1) 자주재원

지방자치단체가 직접 징수하는 수입으로, 자체수입이라고도 한다. 지방세와 세외수입으로 구성된다.

(2) 의존재원

국가나 상급자치단체로부터 제공받는 수입으로, 지방교부세와 국고보조금으로 구성된다.

2. 일반재원과 특정재원(자금 용도의 특정 여부)

(1) 일반재원

자금 용도가 정해져 있지 않고 지방자치단체가 그 예산 과정을 통하여 용도를 결정할 수 있는 재량의 범위가 넓은 재원이다. 지방세 중 보통세, 세외수입, 지방교부세 등이 해당된다.

(2) 특정재원

자금 용도가 지정되어 있어서 지방자치단체가 임의로 자금 용도를 결정할 수 없는 재원이며, 목적세와 국고보조금 등이 있다.

3. 경상재원과 임시재원(수입의 안정성과 규칙성 여부)

(1) 경상재원

회계연도마다 계속적 · 안정적으로 확보할 수 있는 재원을 의미하며, 지방세, 사용료 · 수수료, 보통교부세, 징수교부금 등이 포함된다.

(2) 임시재원

회계연도에 따라 불규칙적 · 가변적으로 확보할 수 있는 재원을 말하며, 특별교부세, 분담금, 기부금, 진입금, 이월금, 지방채, 변상금, 재산매각수입 등이 해당된다.

3 자주재원

1. 지방세

(1) 개념

지방자치단체가 그 기능을 수행하는 데 필요한 일반적 경비를 조달하기 위하여, 당해 구역 내의 주민으로부터 반대 급부없이 강제적으로 부과·징수하는 조세이다.

(2) 지방세의 원칙

지방세는 조세의 일반원칙 외에도 지방세의 고유한 원칙들이 있다.

재정 수입의 측면	· **충분성의 원칙**: 지방재정 수요를 충족시키는 데 충분한 수입을 가져올 것 · **보편성의 원칙**: 각 자치단체의 수입이 보편적으로 존재할 것 · **정착성(국지성, 지역성)의 원칙**: 세원은 가급적 이동이 적고 일정한 지역 내에 정착되어 있을 것 · **신장성의 원칙**: 자치단체의 발전에 따라 자치단체의 수입도 증가될 것 · **안정성의 원칙**: 세수의 안정적 확보 · **신축성(탄력성)**[1] **의 원칙**: 자치단체의 특성에 따라 탄력적으로 운영될 것
주민 부담의 측면	· **부담분임의 원칙**: 전 주민이 지방세를 부담할 것 · **응익성의 원칙**: 조세부담의 배분은 공공서비스로부터의 편익을 근거로 할 것 · 효율성의 원칙 · **부담보편(평등성)의 원칙**: 평등하고 동등한 과세
과세 행정의 측면	· 자주성의 원칙 · **편의 및 최소비용의 원칙**: 징세가 간편하고 경비가 적게 들 것 · **확실성의 원칙**: 징세가 확실히 시행될 것

(3) 우리나라의 지방세의 체계

현행 지방세는 보통세 9개와 목적세 2개로 총 11세목으로 구성되어 있으며, 과세 주체에 따라 특별시세·광역시세, 도세 및 시·군·자치구세로 구분하고 있다.

핵심정리 세목체계

1. 지방세 체계(11종)

구분	도세	시·군세	특별시·광역시세	자치구세
보통세	취득세 등록면허세 레저세 지방소비세[2][3]	주민세 재산세 자동차세 담배소비세 지방소득세[4]	취득세 주민세 자동차세 담배소비세 레저세 지방소비세 지방소득세	등록면허세 재산세[5]
목적세	지방교육세 지역자원시설세	-	지방교육세 지역자원시설세	-

[1] 탄력세율 적용
1. **대통령령**: 담배소비세, 자동차세(주행분)
2. **조례**: 취득세, 등록면허세(등록분), 재산세, 자동차세(소유분), 주민세, 지방소득세, 지방교육세, 지역자원시설세
3. 비적용: 레저세, 지방소비세, 등록면허세(면허분)

[2] 지방소비세
내국세인 부가가치세의 1,000분의 253을 지방소비세로 전환한다.

[3] 지역상생발전기금
국세의 일부를 지방에 이전하는 지방소비세를 도입과정에서 수도권의 지방정부는 재정확충을 도모할 수 있으나, 비수도권의 지방정부 재정확충은 상대적으로 미흡하다. 이러한 수도권과 비수도권 간의 재정력 격차를 해소하기 위하여 서울특별시, 인천광역시, 경기도 등 수도권 지방정부가 일정 부분 출연하는 지역상생발전 기금을 도입하여 비수도권 지방정부와 재원을 공유하는 제도를 도입하였는바, 이를 지역상생발전기금이라 한다.

[4] 지방소득세
내국세인 소득세와 법인세의 10%를 지방소득세로 부과하도록 부가세 형태로 연동되어 있던 것을 국가와 지방이 과표는 공유하되 세율과 감면기준은 자치단체가 자율적으로 정하도록 한다.

[5] 서울특별시 재산세 공동과세제도
1. **특별시**: 50% 과세
2. **자치구**: 50% 과세
3. 특별시가 과세하는 50%는 25개 자치구에 균등 배분한다.

2. 국세 체계(13종)

내국세	직접세	소득세, 법인세, 상속세와 증여세, 종합부동산세
	간접세	부가가치세, 개별소비세, 주세, 인지세, 증권거래세
목적세	교육세, 교통·에너지·환경세, 농어촌특별세	

(4) 우리나라 지방세제의 문제점

① **일부 세목의 재원조달 기능 미약:** 일부 세목이 재원조달 기능을 수행하지 못함으로써 세원이 빈약한 실정이다.

② **세원의 지역별 편차:** 대도시에의 지방세원의 편재는 지역 간·자치단체 간 재정 불균형을 심화시키고 있다.

③ **세수신장률 저조:** 현행 지방세제는 지역경제 발전의 산물인 소득과세나 소비과세보다 재산과세 위주로 되어 있어, 세수의 신장성이 부족하다.

④ **복잡한 조세체계:** 동일한 세원의 중복과세와 비과세·감면 및 중과세 등 정책과세의 과도한 활용으로 조세체계가 복잡하여, 지방세 징수비용의 과다와 부과·징수 과정에 비리가 개입될 가능성이 크다.

⑤ **과세 자주권의 제약:** 현행 지방세제는 세목의 결정권이 없으며, 과세표준과 세율의 결정에 있어 부분적인 결정권만이 인정된다. 또한 세율 적용의 상한선이 정해져 있어, 지방자치단체의 과세자주권은 상당한 제약을 받고 있다.

⑥ **세제의 획일성:** 지방세 부담의 균형화를 도모하기 위해 세목·세율·과세방법 등을 전국에 걸쳐 획일적으로 적용하고 있으며, 법정 외 세목 설정(법정외 조세)은 인정하고 있지 않다.

2. 세외수입

(1) 개념

세외수입은 일반적으로 지방자치단체의 자체수입 중에서 지방세수입을 제외한 나머지 수입을 지칭하는 것이다.

(2) 종류

① 현행 세외수입은 회계성질별로 일반회계 세외수입과 특별회계 세외수입으로 구분하고 있다. ㉠ 일반회계에는 경상적 수입과 임시적 수입이 있고, ㉡ 특별회계에는 사업수입과 사업 외 수입이 있다.

② 실질상 세외수입과 명목상 세외수입으로 나누면, 다음과 같다.

실질상 세외수입	경상적 수입	사용료수입, 수수료수입, 재산임대수입, 사업장수입, 징수교부금, 이자수입
	사업수입	상수도, 지하철, 주택, 공영개발, 하수도, 기타 특별회계
명목상 세외수입	임시적 수입	재산매각수입, 융자금회수, 이월금, 기부금, 융자금, 전입금, 부담금, 잡수입, 과년도수입
	사업 외 수입	이월금, 융자금, 전입금, 잡수입, 과년도수입

핵심 OX

01 지방세는 소득과세 위주로 되어 있어 안정성이 크다. (O, X)

02 지방세는 재산과세 위주로 되어 있어 안정성이 크다. (O, X)

01 X 지방세는 자산(재산) 과세 위주로 되어 있어 안정성이 강하다. 중앙재정이 소득과세, 소비과세 위주로 되어 있어 신장성이 크다.
02 O

3. 지방채[1]

(1) 개념

지방자치단체가 부족한 재원을 보전하기 위하여 외부로부터 조달하는 차입금으로, 상환이 복수의 회계연도에 걸쳐서 이루어지며 증서 차입 또는 증권 발행의 형식을 취하는 채무이다.

(2) 특성

① 지방채는 지방자치단체가 부담하는 채무이다.

② 자치단체가 기채연도에 있어서 세입의 일부분으로 하기 위하여 재원조달을 목적으로 하는 채무이므로, 당해 연도의 재원조달을 직접적인 목적으로 하지 않는 채무부담행위와 구별된다.

③ 자치단체가 특정한 사업을 수행하는 데 필요한 경비에 충당하려는 특정재원이다.

④ **지방채는 채무의 이행이 1회계연도 이상의 장기간에 걸쳐 이루어지므로, 1회계연도 내의 자금조달 수단인 임시차입금과는 구별된다.**

⑤ 지방채는 일반적으로 무담보 · 무보증 채무이다.

⑥ 지방채는 재원조달 측면에선 비교적 탄력적이지만, 거치기간 이후에는 '공채비'라고 하는 경직성 채무로서 경비를 지출해야 하는 양면성을 가지고 있다.

(3) 발행 방식

① 모집공채

㉠ 모집(募集)이란 '공모 방식을 통해서 공채매입을 희망하는 자들로 하여금 공채를 매입하도록 하여 자금을 조달하는 방식'을 말한다. 즉, 신규로 발행되는 유가증권을 균등한 조건으로 취득의 청약을 하도록 공중에게 권유하는 방법이다.

㉡ 신규로 발행되는 지방채 증권에 대해 청약을 받은 다음 모집이 완료된 때 대금을 수령한 후 증권을 발행하는 방법이다.

② 매출공채

㉠ 매출(賣出)이란 '이미 발행된 지방채 증권을 일정기간에 매출하는 방법으로, 지방정부로부터 특정 서비스를 제공받은 **주민 등을 대상으로 원인행위에 첨가하여 강제로 소화시키는 방식**'이다. 지방채 증권에 대하여 상환기일 · 이자율 등 필요한 내용을 공고한 후, 청약자에게 대금을 받고 증권을 발행하게 된다.

㉡ 상 · 하수도, 도로 등의 사업을 위해 특정의 인 · 허가, 등기, 등록 시에 첨가 소화하는 방식이다.

㉢ 우리나라와 같이 자본시장이 발생하지 못하고 투자 의욕이 약한 경우에 많이 이용되지만, 강제성을 띠고 있다는 것이 문제점으로 지적된다.

③ **교부공채:** 교부(交付)란 '지방자치단체가 채무 이행에 갈음하여 지방채 증권을 교부하는 방법으로, 지방자치단체가 공사대금 등 현금을 지급해야 하는 경우, 현금지급 대신 후일 지급을 약속하는 증권을 교부하는 방법'이다.

---

[1] 지방채의 발행

1. **원칙:** 지방의회의 의결로 발행한다.
2. 예외

   행정안전부장관의 사전 승인과 지방의회의 의결이 필요하다.
   - 외채발행
   - 지방자치단체조합이 지방채를 발행
   - 한도초과
3. 법령

   「지방재정법」 제11조 【지방채의 발행】

   ① 지방자치단체의 장은 다음 각 호를 위한 자금 조달에 필요할 때에는 지방채를 발행할 수 있다. 다만, 제5호 및 제6호는 교육감이 발행하는 경우에 한한다.
   1. 공유재산의 조성 등 소관 재정투자사업과 그에 직접적으로 수반되는 경비의 충당
   2. 재해예방 및 복구사업
   3. 천재지변으로 발생한 예측할 수 없었던 세입결함의 보전
   4. 지방채의 차환
   5. 「지방교육재정교부금법」 제9조 제3항에 따른 교부금 차액의 보전
   6. 명예퇴직(「교육공무원법」 제36조 및 「사립학교법」 제60조의3에 따른 명예퇴직, 이하 같음) 신청자가 직전 3개 연도 평균 명예퇴직자의 100분의 120을 초과하는 경우 추가로 발생하는 명예퇴직 비용의 충당

   ② 지방자치단체의 장은 제1항에 따라 지방채를 발행하려면 재정 상황 및 채무 규모 등을 고려하여 대통령령으로 정하는 지방채 발행 한도액의 범위에서 지방의회의 의결을 얻어야 한다. 다만, 지방채 발행 한도액 범위더라도 외채를 발행하는 경우에는 지방의회의 의결을 거치기 전에 행정안전부장관의 승인을 받아야 한다.

   ③ 지방자치단체의 장은 제2항에도 불구하고 대통령령으로 정하는 바에 따라 행정안전부장관과 협의한 경우에는 그 협의한 범위에서 지방의회의 의결을 얻어 제2항에 따른 지방채 발행 한도액의 범위를 초과하여 지방채를 발행할 수 있다. 다만, 재정책임성 강화를 위하여 재정위험수준, 재정 상황 및 채무 규모 등을 고려하여 대통령령으로 정하는 범위를 초과하는 지방채를 발행하는 경우에는 행정안전부장관의 승인을 받은 후 지방의회의 의결을 받아야 한다.

(4) 재정위기단체의 지방채 발행 제한

> 「지방재정법」 제55조의4 【재정위기단체의 지방채 발행 제한 등】 ① 재정위기단체의 장은 제11조부터 제13조까지, 제44조 및 「지방회계법」 제24조에도 불구하고 행정안전부장관의 승인과 지방의회의 의결을 얻은 재정건전화계획에 의하지 아니하고는 지방채의 발행, 채무의 보증, 일시차입, 채무부담행위를 할 수 없다.
> ② 재정위기단체의 장은 제37조에도 불구하고 행정안전부장관의 승인과 지방의회의 의결을 얻은 재정건전화계획에 의하지 아니하고는 대통령령으로 정하는 규모 이상의 재정투자사업에 관한 예산을 편성할 수 없다.

(5) 기능

① **재원조달 기능**: 주민의 복지증진을 위한 대규모 건설사업 · 재해 복구사업 등 막대한 재정지출에 필요한 재원조달을 용이하게 할 수 있다.

② **자원배분 기능**: 상수도 · 지하철 · 도로 등 사회자본을 정비 · 확충하는 데 자원을 충당함으로써 효율적인 자원배분에 기여한다.

③ **세대 간 부담의 공평화**: 내구적 사회자본시설의 확충은 현재는 물론, 미래에 편익을 누리게 될 미래의 주민들에게도 그 부담을 공평하게 분담시킬 수 있다.

④ **응급적인 재원보전 수단**: 경기변동이나 금융시장의 동향에 따른 재원 부족의 긴급 상태에 탄력적으로 대응할 수 있다.

⑤ **기타**: 불경기 시의 경기조절 기능, 외부 재원조달(민자유치)로 지역경제 활성화 등의 기능을 수행하게 된다.

(6) 역기능

① 지방채 상환을 위한 추가적인 재원의 확보가 필요하다.

② 궁극적으로 주민에게 지방채 비용 상환을 위한 조세부담으로 귀착될 수 있다.

③ 재정수지의 건전성을 저해하는 요인으로 작용할 수 있다.

④ 투자재원은 일반세입으로 충당 가능하다.

(7) 통제

① 현행 법에는 지방채 발행 시 지방의회의 의결을 거쳐 발행하도록 하고 있다.

② 예외적으로 한도를 초과하거나 외채를 발행하고자 할 때에는 행정안전부장관의 사전 승인을 받게 되어 있다.

4 지방재정조정제도(의존재원)

1. 의의

지방재정조정제도는 지방자치단체에게 기능 수행에 필요한 자체재원의 부족분을 보충하여 각 자치단체 간 재정적 불균형을 조정해 주는 제도이다(지방교부세, 국고보조금).

2. 기능

(1) 재정력 편차의 시정

주민세 부담과 재정지출의 지역적 · 계층적 불균형을 시정하게 된다.

핵심 OX

01 지방채를 발행하고자 하는 경우 원칙적으로 행정안전부장관의 사전 승인을 받아야 한다. (O, X)

02 인허가에 강제로 첨가하여 지방채를 소화시키는 방식을 모집공채라 한다. (O, X)

01 X 원칙적으로 지방의회 의결로 발행하고, 예외적으로 외채를 발행하거나 한도를 초과할 때에만 행정안전부장관의 사전 승인을 받는다.
02 X 인허가에 강제로 첨가시키는 방식은 매출공채이다.

(2) 지방재원의 보장

국민 최저수준의 실현에 소요되는 재원을 보장함으로써 국가적 차원에서의 평준화 · 균질화를 이루는 기능을 한다.

(3) 수직적 재정조정

자치단체 간의 불균형 시정 뿐만 아니라, 중앙정부와 지방정부 사이의 수직적 재정조정 기능(국가 차원의 통합성과 통일성의 유지)도 갖는다.

(4) 외부효과 시정

지방자치단체가 급부하는 공공서비스의 제공에서 비용을 부담하나 혜택을 누리지 못하거나 편익의 누출(무임승차자의 문제)이 있는 경우 등의 외부성이 발생할 때, 보조금의 교부를 통해 편익과 비용의 불균형을 시정한다.

3. 지방교부세

(1) 의의

① 지방교부세는 ㉠ 지방자치단체 간의 재정적 불균형을 시정(수평적 재정조정제도에 해당)하고, ㉡ 전국적인 최저생활을 확보하기 위하여 지방자치단체의 재정수요에 필요한 부족재원을 보전할 목적으로 국가가 지방자치단체에 교부하는 재원이다.

② 지방교부세는 지방자치단체의 일반재원 성격(보통교부세 · 부동산교부세)으로, 자치단체의 재정 자율성을 제고하는 기능을 한다.

(2) 재원

지방교부세액의 총액은 ① 내국세 총액의 19.24%에 해당되는 금액과 ② 종합부동산세 총액 및 ③ 담배에 부과되는 개별소비세의 100의 45이다.

(3) 종류

① **보통교부세**

㉠ **개념:** 지방자치단체가 기본적인 행정수요 유지를 위해 용도를 제한하지 않고 자주적으로 사용할 수 있는 일반재원이다.

㉡ **산정 기준:** 기준 재정수입액이 기준 재정수요액을 미달한 경우에 지급한다.

㉢ **지급 방식:** 행정안전부장관이 분기별로 교부한다.

② **특별교부세**

㉠ **개념:** 보통교부세의 획일적인 산정으로 포착할 수 없는 특별한 재정수요(㉰ 재해대책 수요, 재정보전 수요, 지역개발수요 등)를 보완하는 방법이다.

㉡ 연중 수시로 교부할 수 있으며, 그 교부에 있어서는 조건을 붙이거나 용도를 제한하게 된다.

㉢ **지급 방식:** 행정안전부장관이 사유발생 시 일정한 기준에 따라 지급한다.

③ **소방안전교부세**

㉠ **개념:** 재난 및 안전관리를 위한 특별한 재정수요 발생 시 교부한다.

㉡ **재원:** 담배에 부과되는 개별소비세 총액의 100분의 45이다.

㉢ **교부권자:** 행정안전부장관이 교부한다.

핵심 OX

01 지방교부세의 총재원은 내국세 총액의 19.24%와 종합부동산세 전액이다. (O, X)

01 X 내국세 총액의 19.24%+종합부동산세 전액+담배에 부과되는 개별소비세의 100의 45이다.

④ **부동산교부세**: 부동산세제 개편으로 증가하는 종합부동산세 세수 전액을 자치단체의 재산세 및 거래세의 세수감소분 보전과 지방재정 확충 재원으로 활용하기 위해 종합부동산세를 재원으로 하는 것이 부동산교부세이다.

4. 국고보조금[1]

(1) 개념

국가가 시책상 또는 자치단체의 재정 사정상 필요하다고 인정될 때, 그 자치단체의 행정 수행에 소요되는 경비의 일부 또는 전부를 충당하기 위하여 용도를 지정하여 교부하는 자금이다.

(2) 특징

① **특정재원**: 용도가 지정되어 있다.

② **의존재원**: 국가로부터의 교부에 의존한다.

③ **경상재원**: 매년 경상적으로 수입되는 경상수입이다.

④ **무상재원**: 보조금에 해당하는 반대급부를 수반하지 않는다.

(3) 유형

① **협의의(장려적) 보조금**: 자치단체가 스스로의 재원으로 충당하여야 할 사업이나 정책 등에 대해서 국가정책적인 견지에서 추진·장려·촉진할 필요가 있는 경우 지원하는 재원이다.

② **교부금**: 국가 사무를 지방에 위임한 경우에 그 소요되는 경비의 전액을 보전하기 위하여 교부되는 재원이다.

③ **분담금**: 지방자치단체가 수행하는 사무가 국가와 일정한 이해관계가 있고 또는 그 원활한 사무 처리를 위해 국가가 경비를 부담하지 않으면 안 되는 경우에 있어서 그 전부 또는 일부를 부담하는 재원이다.

(4) 지방교부세와 국고보조금의 비교

구분	지방교부세	국고보조금
용도	기본 행정수요 경비에 충당	국가시책 및 목적사업 경비
근거	「지방교부세법」	「보조금 관리에 관한 법률」
재원	· 내국세의 19.24%와 종합부동산세 총액 · 담배에 부과되는 개별소비세 총액의 100분의 45	국가의 일반회계 또는 특별회계예산
성격	일반재원, 의존재원 (공유적 독립재원)	특정재원, 의존재원
비도 제한	· 제한 없음(특별교부세는 예외) · 재량성 많음	· 엄격한 재판(사업별 용도 지정) · 재량성이 거의 없음
배정 방식	재정부족액(법정 기준)	국가시책 및 계획과 정책적 고려
기능	재정 형평화	자원배분 기능
지방비 부담	없음(정액보조)	있음(대부분 정률보조)

---

[1] 「보조금 관리에 관한 법률」
제4조【보조사업을 수행하려는 자의 예산 계상 신청 등】 ① 보조사업을 수행하려는 자는 매년 중앙관서의 장에게 보조금의 예산 계상(計上)을 신청하여야 한다.
제6조【중앙관서의 장의 보조금 예산 요구】 ① 중앙관서의 장은 보조사업을 수행하려는 자로부터 신청받은 보조금의 명세 및 금액을 조정하여 기획재정부장관에게 보조금 예산을 요구하여야 한다. 이 경우 제5조에 따른 보조사업의 경우에는 보조금의 예산 계상 신청이 없더라도 그 보조금 예산을 요구할 수 있다.
제10조【차등보조율의 적용】 ① 기획재정부장관은 매년 지방자치단체에 대한 보조금 예산을 편성할 때에 필요하다고 인정되는 보조사업에 대하여는 해당 지방자치단체의 재정 사정을 고려하여 기준보조율에서 일정 비율을 더하거나 빼는 차등보조율을 적용할 수 있다. 이 경우 기준보조율에서 일정 비율을 빼는 차등보조율은 「지방교부세법」에 따른 보통교부세를 교부받지 아니하는 지방자치단체에 대하여만 적용할 수 있다.

핵심 OX

01 소방안전교부세는 행정안전부장관이 교부한다. (O, X)

02 국고보조금은 일반재원이다. (O, X)

01 O
02 X 국고보조금은 특정재원이다.

5. 지방재정의 세입

<table>
<tr><td rowspan="8">일반 세입 (일반 회계 세입)</td><td rowspan="3">자주 재원</td><td>지방세</td><td>· 보통세와 목적세
· 특별시 · 광역시세, 도세, 시 · 군세, 자치구세</td><td rowspan="5">일반 재원</td></tr>
<tr><td rowspan="2">세외 수입</td><td>경상적 세외수입
사용료, 수수료, 예금이자, 재산임대수입, 징수교부금, 사업장 수입</td></tr>
<tr><td>임시적 세외수입
재산매각수입, 융자금회수, 잡수입, 과년도수입, 이월금, 전입금, 기부금, 부담금</td></tr>
<tr><td rowspan="5">의존 재원</td><td rowspan="4">지방 교부세</td><td>보통교부세
재정력 지수(기준재정수입액/기준재정수요액)가 1 이하인 자치단체에 교부</td></tr>
<tr><td>부동산 교부세
종합부동산세 전액을 교부</td></tr>
<tr><td>특별교부세
기준재정수요액으로는 산정할 수 없는 특별한 재정수요 발생 시 교부</td><td rowspan="3">특정 재원</td></tr>
<tr><td>소방안전교부세
· 재난 및 안전관리를 위한 특별한 재정수요 발생 시 교부
· 재원은 담배에 부과되는 개별소비세 총액의 100분의 45 + 정산액</td></tr>
<tr><td>국고 보조금</td><td>교부금, 부담금, 장려적 보조금</td></tr>
<tr><td colspan="3">공익세입(특별회계세입)</td><td colspan="2">교육특별회계, 기업특별회계, 기타특별회계</td></tr>
</table>

6. 기초자치단체에 대한 광역자치단체의 재정조정제도 – 기초의 일반재원[1]

(1) 징수교부금(「지방세법」 제53조)

특별시 · 광역시 · 도는 시 · 군 · 구에서 특별시세 · 광역시세 · 도세를 징수하여 납입한 때에는 납입된 징수금의 100분의 3에 해당되는 징수교부금을 시 · 군 · 구에 교부하여야 한다.

(2) 시 · 군 조정교부금

시 · 도지사(특별시장 제외)가 시 · 군에서 징수하는 광역시세 · 도세의 일부를 시 · 군의 재정으로 보전해주는 제도이다.

(3) 자치구 조정교부금

광역시나 특별시가 관내 자치구에 대해서는 시세 수입 중의 일정액을 확보하여 관내 자치구 상호 간의 재원을 조정하는 제도이다.

[1] 조정교부금의 재원
조정교부금의 재원이 될 수 없는 재원은 지방교육세와 지역자원시설세이다.

핵심 OX

01 중앙정부가 지방재정을 지원하는 것으로 조정교부금제도가 있다. (O, X)

01 X 조정교부금은 광역자치단체가 기초자치단체에게 주는 일반재원이다.

3 지방자치단체의 재정 건전성

1 지방재정력(총재정 규모)

자치단체의 총재정 규모로, 자주재원과 의존재원을 합한 산술적인 수치이다.

2 지방재정자립도[1]

1. 개념

지방재정자립도란 지방자치단체의 일반회계예산에서 자주재원이 차지하는 비율이다.

2. 산출방식

(1) 우리나라는 일반회계를 산정 기준으로 하고 있다.

(2) 산정공식

$$\frac{\text{자주재원}}{\text{자치단체 예산규모}} \times 100(\%)$$

① **자주재원:** 지방세 + 세외수입

② **자치단체 예산규모:** 자주재원+의존재원(지방교부세, 국고보조금, 조정교부금) + 지방채

3. 문제점

(1) 재정 규모와의 무관

재정 규모가 작아 자치단체에 부과된 기능을 제대로 수행할 수 없는 경우에 단지 재정자립도가 높다고 하여 재정 상태가 건전하다고 평가할 수는 없다.

(2) 세출 구조의 불고려

재정자립도는 자치단체의 세입 구조만을 고려하고 있어, 세출 구조에서의 투자적 경비비율 등에 의해서 결정되는 실질적인 재정력을 나타내는 데 한계가 있다.

(3) 지방교부세 효과의 미고려

지방교부세 수입은 상환을 요하지 않는 수입으로, 자치단체의 재정력을 향상시키는 데 크게 기여하나, 재정자립도는 악화시키게 된다.

(4) 기타 문제점

특별회계를 제외하고 있는 점, 기능 및 재원배분의 측면을 고려하지 않는 점 등을 들 수 있다.

[1] 자주재원주의와 일반재원주의

구분	내용
자주재원주의 (재정자립도 강조)	· 지방세나 세위수입 중심의 자주적인 세입분권이 바람직하다는 접근 · 바람직한 지방재정을 위해서는 단순히 지방재정 규모를 늘리기 보다는 지방자치단체의 재정자율성이 확대되고 지역의 경제기반과 지방재정이 직접 연계될 수 있는 지방세입의 구조를 강조
일반재원주의 (재정자주도 강조)	· 구조보다는 규모의 수준을 상대적으로 강조하며, 지역 간 재정력 격차를 조정하면서 지방세입이 확충되어야 한다는 입장 · 반드시 자주재원일 필요는 없으며, 일반재원으로 사용할 수 있는 재원의 확대를 중시

3 재정력지수

1. 개념

(1) 재정력지수란 '기준재정수입액/기준재정수요액'이다.

(2) 재정력지수가 클수록 재정력이 좋다.

2. 용도

보통교부세의 교부 여부의 판단 기준이다.

4 재정자주도

1. 개념

재정자주도란 일반회계 재정수입 중 특정목적이 정해지지 않는 일반재원의 비중을 말한다.

2. 산출 방식

아래 (1) 공식 1, (2) 공식 2는 그 내용이 같다고 보면 된다. 조정교부금은 광역자치단체가 기초자치단체에 교부하는 자금이기 때문에 광역자치단체의 수입에는 없는 항목이다. 따라서 재정자주도를 계산할 때 (2) 공식 2로 계산하되, 조정교부금 수입이 없는 경우 (1) 공식 1로 계산한다고 보면 된다.

(1) 공식 1 - 광역자치단체

$$\frac{\text{지방세} + \text{세외수입} + \text{지방교부세}}{\text{자치단체 예산규모}} \times 100(\%)$$

(2) 공식 2 - 기초자치단체

$$\frac{\text{지방세} + \text{세외수입} + \text{지방교부세} + \text{조정교부금}}{\text{자치단체 예산규모}} \times 100(\%)$$

3. 용도

자치단체의 차등보조율 및 기준 부담의 적용 기준으로 활용하는데, 최근 지방자치단체에서는 재정자립도보다 재원활용 능력을 표시할 수 있는 지표로서 재정자주도에 집중하는 경향이 있다.

개념PLUS 지방공기업(「지방공기업법」)

1. 개념 및 목적

지방공기업은 지방자치단체가 직접 설치·경영하거나 법인을 설립하여 경영하는 기업을 말하며, 「지방공기업법」은 그 경영을 합리화함으로써 지방자치의 발전과 주민복리의 증진에 이바지함을 목적으로 한다.

핵심 OX

01 재정력지수가 1보다 큰 지방자치단체에 보통교부세가 교부된다. (O, X)

01 X 재정력지수가 1 이하인 지방자치단체에 보통교부세가 교부된다.

2. 적용 범위

① 수도사업(마을 상수도사업 제외)
② 공업용 수도사업
③ 궤도사업(도시철도사업 포함)
④ 자동차운송사업
⑤ 지방도로사업(유료도로사업만 해당)
⑥ 하수도사업
⑦ 주택사업
⑧ 토지개발사업
⑨ 주택(대통령령으로 정하는 공공복리시설 포함) · 토지 또는 공용 · 공공용건축물의 관리 등의 수탁

3. 유형

① 지방직영기업 - 구성원은 공무원

㉠ 지방자치단체는 지방직영기업을 설치 · 경영하려는 경우에는 그 설치 · 운영의 기본사항을 조례로 정하여야 한다(법 제5조).
㉡ 지방직영기업에 대하여는 이 법에서 규정한 사항을 제외하고는 「지방자치법」, 「지방재정법」 그 밖의 관계 법령을 적용한다(법 제6조).
㉢ 지방자치단체는 해당하는 사업마다 **특별회계**를 설치하여야 한다(법 제13조).
㉣ 지방직영기업의 특별회계에서 해당 기업의 경비는 해당 기업의 수입으로 충당하여야 한다(독립채산체, 법 제14조).

구분		내용
지방직영기업(조례로 설립)		자치단체가 직접경영 · 행정기관 · 공무원 신분
간접경영(법인)	지방공사(조례로 설립)	자치단체가 전액 또는 50% 이상 출자(외국인 포함, 민간출자 허용) · 행정기관이 아님 · 직원도 공무원 신분이 아님
	지방공단(조례로 설립)	전액 자치단체 출자(민간출자 불용) · 행정기관이 아님 · 직원도 공무원 신분이 아님

② 지방공사

㉠ 지방자치단체는 공사를 설립하려는 경우 그 설립, 업무 및 운영에 관한 기본적인 사항을 조례로 정하여야 한다(법 제49조).
㉡ 공사의 자본금은 그 전액을 지방자치단체가 현금 또는 현물로 출자한다. 위의 경우에도 불구하고 공사의 운영을 위하여 필요한 경우에는 **자본금의 2분의 1을 넘지 아니하는 범위**에서 지방자치단체 외의 자(외국인 및 외국법인을 포함)로 하여금 공사에 출자하게 할 수 있다(법 제53조).

③ 지방공단

지방자치단체는 사업을 효율적으로 수행하기 위하여 필요한 경우에는 지방공단을 설립할 수 있다(법 제76조).

4. 경영평가 및 지도

행정안전부장관은 지방공기업의 경영 기본원칙을 고려하여 대통령령으로 정하는 바에 따라 지방공기업에 대한 **경영평가**를 하고, 그 결과에 따라 필요한 조치를 하여야 한다. 다만 행정안전부장관이 필요하다고 인정하는 경우에는 지방자치단체의 장으로 하여금 경영평가를 하게 할 수 있다(법 제78조).

개념PLUS 자치경찰

「국가경찰과 자치경찰의 조직 및 운영에 관한 법률」 제19조 【시 · 도자치경찰위원회의 구성】

① 시 · 도자치경찰위원회는 위원장 1명을 포함한 7명의 위원으로 구성하되, 위원장과 1명의 위원은 상임으로 하고, 5명의 위원은 비상임으로 한다.

② 위원은 특정 성(性)이 10분의 6을 초과하지 아니하도록 노력하여야 한다.

③ 위원 중 1명은 인권문제에 관하여 전문적인 지식과 경험이 있는 사람이 임명될 수 있도록 노력하여야 한다.

제20조 【시 · 도자치경찰위원회 위원의 임명 및 결격사유】 ① 시 · 도자치경찰위원회 위원은 다음 각 호의 사람을 시 · 도지사가 임명한다.

1. 시 · 도의회가 추천하는 2명
2. 국가경찰위원회가 추천하는 1명
3. 해당 시 · 도 교육감이 추천하는 1명
4. 시 · 도자치경찰위원회 위원추천위원회가 추천하는 2명
5. 시 · 도지사가 지명하는 1명

② 시 · 도자치경찰위원회 위원은 다음 각 호의 어느 하나에 해당하는 자격을 갖추어야 한다.

1. 판사 · 검사 · 변호사 또는 경찰의 직에 5년 이상 있었던 사람
2. 변호사 자격이 있는 사람으로서 국가기관 등에서 법률에 관한 사무에 5년 이상 종사한 경력이 있는 사람
3. 대학이나 공인된 연구기관에서 법률학 · 행정학 또는 경찰학 분야의 조교수 이상의 직이나 이에 상당하는 직에 5년 이상 있었던 사람
4. 그 밖에 관할 지역주민 중에서 지방자치행정 또는 경찰행정 등의 분야에 경험이 풍부하고 학식과 덕망을 갖춘 사람

③ 시 · 도자치경찰위원회 위원장은 위원 중에서 시 · 도지사가 임명하고, 상임위원은 시 · 도자치경찰위원회의 의결을 거쳐 위원 중에서 위원장의 제청으로 시 · 도지사가 임명한다. 이 경우 위원장과 상임위원은 지방자치단체의 공무원으로 한다.

학습 점검 문제

01 **지방재정의 세입항목 중 자주재원에 해당하는 것은?** 2020년 지방직 9급

① 지방교부세 ② 재산임대수입

③ 조정교부금 ④ 국고보조금

02 **다음 <보기>에서 특별(광역)시세로만 짝지어진 것은?** 2016년 서울시 7급

〈보기〉

ㄱ. 레저세 ㄴ. 담배소비세 ㄷ. 지방소비세
ㄹ. 주민세 ㅁ. 자동차세 ㅂ. 재산세
ㅅ. 지방교육세 ㅇ. 등록면허세 ㅈ. 지역자원시설세

① ㄱ, ㄴ, ㄷ ② ㄹ, ㅁ, ㅂ ③ ㄹ, ㅁ, ㅇ ④ ㅅ, ㅇ, ㅈ

03 **특별시 · 광역시의 보통세와 도의 보통세에 공통적으로 속하는 세목만을 모두 고르면?** 2022년 지방직 9급

ㄱ. 지방소득세 ㄴ. 지방소비세
ㄷ. 주민세 ㄹ. 레저세
ㅁ. 재산세 ㅂ. 취득세

① ㄱ, ㄴ, ㄹ ② ㄱ, ㄷ, ㅁ ③ ㄴ, ㄹ, ㅂ ④ ㄷ, ㅁ, ㅂ

04 **지방재정의 구성요소 중 의존재원의 기능으로 적절하지 않은 것은?** 2018년 국가직 7급

① 지방자치단체에 대한 유도 · 조성을 통한 국가차원의 통합성 유지

② 지방재정의 안정성 확보

③ 지방재정의 지역 간 불균형 시정

④ 지방자치단체의 다양성과 지방분권화 촉진

05 **재정수입의 측면에서 '지방세의 세원이 특정지역에 편재되어 있지 않고 고루 분포되어 있어야 한다'라는 내용과 관련된 지방세의 원칙은?** 2015년 서울시 7급

① 세수안정의 원칙 ② 책임분담의 원칙

③ 응익성의 원칙 ④ 보편성의 원칙

06 다음 설명에 해당하는 지방세의 원칙은?

2015년 사회복지직 9급

> • 납세자의 지불 능력보다는 공공서비스의 수혜 정도를 기준으로 한다.
> • 세외수입 역시 이 원칙의 적용을 받는다.

① 신장성의 원칙
② 응익성의 원칙
③ 안정성의 원칙
④ 부담분임의 원칙

정답 및 해설

01 재산임대수입만 자주재원에 해당한다. 자주재원이란 자치단체가 중앙정부의 도움 없이 자체적으로 조달 가능한 재원으로, 지방세와 세외수입이 이에 해당한다. 재산임대수입은 세외수입 경상적 세외수입에 해당한다.

| 오답체크 |

①, ③, ④ 모두 의존재원에 해당한다.

예산의 구성

> · 자주재원: 지방세 + 세외수입
> · 자치단체 예산규모: 자주재원 + 의존재원(지방교부세, 조정교부금, 보조금) + 지방채

02 특별시·광역시세에는 취득세, 주민세, 자동차세, 레저세, 담배소비세, 지방소비세, 지방소득세, 지방교육세, 지역자원시설세 등이 있다. 즉, ㄱ. 레저세, ㄴ. 담배소비세, ㄷ. 지방소비세, ㄹ. 주민세, ㅁ. 자동차세, ㅅ. 지방교육세, ㅈ. 지역자원시설세는 특별시·광역시세이며, 그 외에 ㅂ. 재산세, ㅇ. 등록면허세는 자치구세이다.

지방세 체계

구분	도세	시·군세	특별시·광역시세	자치구세
보통세	취득세 등록면허세 레저세 지방소비세	주민세 재산세 자동차세 담배소비세 지방소득세	취득세 주민세 자동차세 담배소비세 레저세 지방소비세 지방소득세	등록면허세 재산세
목적세	지방교육세 지역자원시설세	-	지방교육세 지역자원시설세	-

03 ㄴ, ㄹ, ㅂ만 옳다. 지방소비세, 레저세, 취득세는 특별시·광역시의 보통세이면서 도의 보통세에 해당한다.

| 오답체크 |

ㄱ, ㄷ. 주민세, 지방소득세는 특별시·광역시의 보통세이지만 도세가 아니라 시·군세에 해당한다.

ㅁ. 재산세는 자치구세, 시·군세에 해당한다.

04 의존재원은 자치단체가 상급단체나 중앙정부로부터 지원을 받는 조정재원으로 국가의 통제가 수반되므로, 지방자치단체의 다양성과 지방분권화를 저해한다.

| 오답체크 |

① 의존재원은 자치단체 간 재정격차를 해소하고, 국가차원의 통합성 유지를 가능하게 한다.

② 지방자치단체의 의존재원은 지방자치단체의 안정적인 재원확보를 가능하게 한다.

③ 의존재원 중 특히 지방교부세는 지방재정의 지역 간 불균형을 시정한다.

05 보편성의 원칙은 세원이 지역 간에 균형적(보편적)으로 분포되어 있어야 한다는 것이다.

| 오답체크 |

① (세수)안정성의 원칙이란 경기 변동에 관계없이 세수가 안정적으로 확보되어야 한다는 것이다(재산세 등).

② 부담분임의 원칙 또는 책임분담의 원칙이란 가급적 모든(많은) 주민이 경비를 나누어 분담해야 한다는 것이다(주민세 균등분 등).

③ 응익성(편익성)의 원칙이란 주민이 향유한 이익(편익)의 크기에 비례하여 부담되어야 한다는 것이다.

06 응익성의 원칙이란 주민이 향유한 이익(편익)의 크기에 비례하여 부담되어야 한다는 원칙이다.

| 오답체크 |

① 신장성의 원칙이란 늘어나는 행정 수요에 대응하여 세수가 확대(팽창)될 수 있어야 한다는 원칙이다.

③ 안정성의 원칙이란 경기 변동에 관계없이 세수가 안정적으로 확보되어야 한다는 원칙이다.

④ 부담분임의 원칙이란 가급적 모든(많은) 주민이 경비를 나누어 분담해야 한다는 원칙이다.

정답 01 ② 02 ① 03 ③ 04 ④ 05 ④ 06 ②

07 **다음 중 서울특별시가 자치구에 교부하는 조정교부금의 재원이 될 수 없는 것은?** 2015년 서울시 9급

① 지방소득세
② 담배소비세
③ 취득세
④ 지방교육세

08 **「지방공기업법」에 근거한 지방공기업에 대한 설명으로 가장 옳지 않은 것은?** 2019년 서울시 7급(2월 추가)

① 지방공기업은 수도사업(마을상수도사업은 제외한다), 공업용수도사업, 주택사업, 토지개발사업, 하수도사업, 자동차운송사업, 궤도사업(도시철도사업을 포함한다)을 할 수 있다.

② 지방공기업에 관한 경영평가는 원칙적으로 행정안전부장관의 주관으로 이루어진다.

③ 공사의 운영을 위하여 필요한 경우에는 자본금의 2분의 1을 넘지 아니하는 범위에서 지방자체단체 외의 자로 하여금 공사에 출자하게 할 수 있다. 단, 외국인 및 외국법인은 제외한다.

④ 지방공기업에 대한 경영평가, 관련정책의 연구, 임직원에 대한 교육 등을 전문적으로 지원하기 위하여 지방공기업평가원을 설립한다.

09 **국고보조금에 대한 설명으로 옳은 것은?** 2017년 국가직 7급(8월 시행)

① 내국세 총액의 일정비율과 「종합부동산세법」에 따른 종합부동산세 총액을 재원으로 한다.

② 사업별 보조율은 50%로 사업비의 절반은 지방자치단체가 부담해야 한다.

③ 국고보조사업의 수행에서 중앙정부의 감독을 받으므로 지방자치단체의 자율성이 약화될 우려가 있다.

④ 중앙관서의 장은 보조사업을 수행하려는 자로부터 신청받은 보조금의 명세 및 금액을 조정하여 행정안전부장관에게 보조금 예산을 요구하여야 한다.

10 **지방교부세에 대한 설명으로 옳지 않은 것은?** 2022년 국가직 9급

① 지역 간 재정력 격차를 완화시키는 재정 균등화 기능을 수행한다.

② 보통교부세, 특별교부세, 부동산교부세, 소방안전교부세로 구분한다.

③ 신청주의를 원칙으로 하며 각 중앙관서의 예산에 반영되어야 한다.

④ 부동산교부세는 종합부동산세를 재원으로 하며 전액을 지방자치단체에 교부한다.

11 현행 지방세의 탄력세율 제도에 대한 설명으로 옳은 것만을 모두 고르면? 2022년 지방직 7급

ㄱ. 지방세 일부 세목의 세율에 대해 일정 범위 내에서 지방자치단체가 자율적으로 결정할 수 있다.
ㄴ. 레저세, 지방소비세는 탄력세율이 적용되지 않는다.
ㄷ. 조례로 담배소비세, 주행분 자동차세에 대해 표준세율의 50%를 가감하는 방식과 같이 일정 비율을 가감하는 방식이 주로 활용된다.

① ㄱ
② ㄱ, ㄴ
③ ㄴ, ㄷ
④ ㄱ, ㄴ, ㄷ

정답 및 해설

07 자치구 조정교부금은 특별시나 광역시가 징수하는 보통세 수입액의 일부를 자치구에 교부하는 것이다. 따라서 지방교육세와 지역자원시설세인 목적세는 재원이 되지 않는다.

08 공사의 운영을 위하여 필요한 경우에는 자본금의 2분의 1을 넘지 아니하는 범위에서 지방자체단체 외의 자로 하여금 공사에 출자하게 할 수 있다(외국인 및 외국법인도 포함된다).

| 오답체크 |
① 「지방공기업법」상 직영공기업 대상사업들이다.
② 지방공기업에 대한 경영평가는 원칙적으로 행정안전부장관이 실시하되, 필요 시 자치단체의 장으로 하여금 평가하게 할 수 있다.
④ 「지방공기업법」 제78조의4에 규정된 옳은 지문이다.

09 국고보조금은 특정재원이므로 보조사업의 수행과정에서 중앙정부의 재정상 감독과 통제를 받아 지방자치단체의 자율성이 약화될 우려가 있다.

| 오답체크 |
① 내국세 총액의 일정비율(19.24%)과 「종합부동산세법」에 따른 종합부동산세 총액, 담배에 부과되는 개별소비세의 20%는 지방교부세의 재원이다.
② 사업별 보조율은 일률적으로 50%가 아니라 매년 예산으로 정해진다.
④ 중앙관서의 장은 보조사업을 수행하려는 자로부터 신청받은 보조금의 명세 및 금액을 조정하여 기획재정부장관에게 보조금 예산을 요구하여야 한다(「보조금 관리에 관한 법률」 제6조).

10 지방교부세는 법정교부세율에 따라 확보된 재원으로 교부하는 조정재원이다. 신청주의를 원칙으로 각 중앙관서의 예산에 반영하는 것은 국고보조금이다.

| 오답체크 |
① 지방교부세는 ㉠ 지방자치단체 간의 재정적 불균형을 시정(수평적 재정조정제도에 해당)하고, ㉡ 전국적인 최저생활을 확보하기 위하여 지방자치단체의 재정수요에 필요한 부족재원을 보전할 목적으로 국가가 지방자치단체에 교부하는 재원이다.
② 지방교부세의 종류에 해당하는 설명으로 옳은 지문이다.
④ 부동산교부세는 종합부동산세 전액을 재원으로 한다.

11 ㄱ. 탄력세율에 대한 설명이다.
ㄴ. 레저세, 지방소비세는 탄력세율이 적용되지 않는다.

| 오답체크 |
ㄷ. 조례가 아닌 대통령령으로 담배소비세, 주행분 자동차세에 대해 가감하여 조정할 수 있다.

「지방세법」 제52조【세율】 ① 담배소비세의 세율은 다음 각 호와 같다.
② 제1항에 따른 세율은 그 세율의 100분의 30의 범위에서 대통령령으로 가감할 수 있다.
제136조【세율】 ① 자동차세의 세율은 과세물품에 대한 교통·에너지·환경세액의 1천분의 360으로 한다.
② 제1항에 따른 세율은 교통·에너지·환경세율의 변동 등으로 조정이 필요하면 그 세율의 100분의 30의 범위에서 대통령령으로 정하는 바에 따라 가감하여 조정할 수 있다.
1. **대통령령:** 담배소비세, 자동차세(주행분)
2. **조례:** 취득세, 등록면허세(등록분), 재산세, 자동차세(소유분), 주민세, 지방소득세, 지방교육세, 지역자원시설세
3. **비적용:** 레저세, 지방소비세, 등록면허세(면허분)

정답 07 ④ 08 ③ 09 ③ 10 ③ 11 ②

CHAPTER 7

도시행정

1 도시행정의 의의

1 도시의 개념 및 구별 기준

1. 도시의 개념

(1) 도시는 일반적으로 인구가 밀집되어 있는 지역을 의미한다.

(2) 경제 · 사회 · 문화 · 행정적 측면에서 일정 지역의 중추를 이루고 있는 취락이라 할 수 있으며, 그 구성 요소로는 시민 · 토지와 시설 · 활동 등이 있다.

2. 도시의 기준

(1) 일반적 기준

① **인구적 기준**: 일정한 인구 규모 이상을 충족할 때 도시로 정의하는 것이다.
 ㉮ 미국 2.5천 명, 일본 · UN 2만 명 이상 등

② **물리적 기준**: 정주 인구를 수용하고 있는 도시 시설의 집결체로 도시를 파악한다.
 ㉮ 은행, 공원, 공장, 병원, 학교 등

③ **경제적 기준**: 도시는 지역산업 구조에 있어서 비농업 부문이 농업 부문보다 우위를 보이고 있는 지역이다.

④ **사회 · 문화적 기준**: 도시는 주민의 문화생활과 직업적 전문화에 의해 생활양식의 다양성과 이질성이 발견되는 장소이다.

⑤ **법률적(정치 · 행정적) 기준**: 도시란 정치 · 행정적 필요성으로 인하여 구획된 일정한 인구밀집 장소이다.

(2) 우리나라 도시의 기준

「지방자치법」상 행정 구역을 기준으로 관할 구역의 대부분이 도시의 형태를 갖추고 있으면서 ① 인구가 5만 명 이상인 경우는 시로, ② 2만 명 이상인 경우는 읍으로 지정하고 이들 지역을 도시로 간주하고 있다.

2 도시의 유형

1. 구조적 분류

도시 구조는 물적 구조와 활동 구조로 구분되며, 이러한 구조적 분류는 도시계획이나 지구단위계획에 지침을 제공하기 위해 필요하다.

(1) 단핵도시

도시의 중추 기능을 하나의 중심부에 집중시키고 있는 도시이다.

(2) 다핵도시

도시의 중추적 기능과 중심적 활동이 몇 곳에 나누어져 모인 도시를 말한다.

(3) 대상(帶狀)도시

하나의 중심축을 따라 주요 교통노선과 도시의 중추 기능이 집중되어 허리띠처럼 길게 형성되어 있는 도시이다.

(4) 선상(線狀)도시

대상도시의 초기 단계로 선처럼 뻗은 도시의 중심축에 주요 교통노선과 도시의 중심 기능을 중심시키고 있는 도시이다.

2. 법제적 분류

대도시권이 성립되는 과정에서 필요성이 제기된 도시분류 방식이다. 일반적으로 특별시, 광역시, 인구 50만 명 이상의 도시(행정구 설치 가능), 도·농 통합시, 일반시 등으로 분류된다.

2 도시화

1 개념

1. 협의의 도시화

농촌으로부터 도시로의 인구 이동과 같은 인구의 도시화(양적 변화)이다.

2. 광의의 도시화

도시성의 확산과 심화(질적 변화)를 수반하는 동태적인 과정을 의미한다.

2 도시화율

(1) 전체인구 가운데 도시인구가 차지하는 비율을 의미한다.

$$도시화율 = \frac{도시인구}{전체인구} \times 100(\%)$$

(2) 읍도 도시화율의 계산에 포함되며, 최근 들어 도·농 통합시의 설치로 주변 농촌 지역을 편입함으로써 전체 도시인구가 증가하는 도시 형태가 나타나고 있다.

3 원인

도시화를 도시로의 인구 집중이라 본다면 도시화는 도시인구의 높은 출생률에 따른 자연적 증가, 농촌인구의 도시로의 이동에 의한 사회적 증가, 도시의 신설 혹은 도시 지역의 확대로 인한 도시인구의 증가를 통해 이루어진다. 이는 도시의 흡인요인(pulling factor)과 농촌의 압출요인(pushing factor)의 상호작용에 의해 파악하는 것이 일반적이다.

1. 도시의 흡입요인

도시화의 직접적 요인으로 도시산업의 발달, 고용 기회의 확대, 각종 문화복지 혜택의 확대, 취업 · 교육 선택기회의 다양성, 규모의 경제, 정보획득의 용이성 등이다.

2. 농촌의 압출요인

도시화의 간접적 요인으로 농촌인구의 과다, 도시 · 농촌 간의 개발 격차, 농촌의 상대적 빈곤성, 영농기계화, 도시생활의 동경, 전통적 가족주의의 쇠퇴 등이다.

4 단계

1. 도시화 곡선

도시화 곡선(urbanization curve)이란 도시화율의 변화 추이를 그래프화한 것으로, 시간의 경과에 따라 도시화가 낮은 단계에서부터 높은 단계에 이르기까지 로지스틱 커브인 S자 형태를 보인다.

2. 도시화의 진행 단계

베르크(Berg)와 크라센(Klaassen)은 도시화 단계를 **(1)** 도시화, **(2)** 교외화, **(3)** 역도시화, **(4)** 재도시화의 4단계로 나누고 있다.

3. 도시화의 유형

(1) 선진국의 도시화

① **집중적 도시화:** 중심 도시의 교외 지역은 정체된 가운데 중심 도시에 인구와 산업이 집중되어 중심 도시가 급격하게 팽창하는 현상이다.

② **분산적 도시화(교외화):** 중심 도시의 주변 지역으로 인구 · 산업이 분산되어 이루어지는 도시화의 단계이다.

③ **역도시화:** 중심 도시의 인구 분산과 고용 분산이 가속화되면서 도시권 전체의 인구와 고용이 감소되기 시작하는 단계이다. 이때 저소득층의 유입으로 슬럼(slum)이나 게토(ghetto)가 형성되기도 한다.

④ **재도시화:** 고소득층을 중심으로 도심 부근에 고급 주택지나 고급 음식점, 고급 문화 · 오락활동 등이 재집중되는 재도시화 현상이 나타난다.

(2) 개발도상국의 도시화

① **종주도시화:** 다양한 규모를 가진 도시계층이 형성되지 않고, 소수의 대도시가 인구 및 경제 활동의 과도한 집중으로 과대 · 과밀화되어 가는 현상이다.

② **가도시화 또는 과잉도시화:** 도시의 산업발달이나 경제성장이라는 동기부여 없이 단순히 인구만 비대하게 증가하는 기형적인 도시화 현상으로, 도시화 수준이 산업화 수준을 앞서는 상태에 있는 것이다. 농촌경제의 파탄 등의 농촌의 압출요인이 일방적으로 작용하여 나타나는 현상이다.

③ **불법건축지구 또는 무허가주택지구(squatter):** 급속한 도시화로 인해 도시가 인구 수용 능력을 상실함에 따라 도시 변두리 지역에 불법적으로 대규모 판자촌을 형성하는 현상이다.

④ **간접도시화:** 행정구역의 개편을 통해 도시구역을 확장함으로써 주변 농촌지역을 도시지역에 포함시키는 것이다.

비교 **직접도시화:** 도시인구의 자연적 · 사회적 증가에 의한 도시화 현상

(3) 우리나라의 도시화

① **인구의 고밀도화:** 거대 도시화로 인한 과밀화 현상과 중소도시의 과속화 현상이 동시에 일어나 도시지역에 인구와 경제 · 사회적인 각종 활동이 집중되어 있다.

② **편향적 도시체제:** 소수의 대도시에 인구가 집중하는 편향적인 도시체계를 형성하고 있다.

③ **종주도시화:** 수도 서울의 거대화 현상으로 종주화 지수가 높을 뿐 아니라 전국 인구에 대비한 서울 인구의 구성비도 지나치게 높다.

④ **급격한 도시화:** 다른 개발도상국에 비하여 도시화가 짧은 시기에 급격하게 이루어졌다.

⑤ **간접도시화와 교외화:** 1990년대 들어 서울의 인구는 줄어들고 수도권 전체의 인구는 계속 증가하고 있어 서울에서 주변 지역으로의 교외화 현상이 나타나고 있으며, 도 · 농 통합적 구역개편을 통한 간접도시화 현상도 나타나고 있다.

「지방자치법」 전부개정

1 획기적인 주민주권 구현

분야	개정 전	현행
목적규정 (제1조)	목적규정에 주민참여에 관한 규정 없음	목적규정에 '주민의 지방자치행정에 참여에 관한 사항' 추가
주민참여권 강화 (제17조)	**주민 권리 제한적** ① 자치단체 재산과 공공시설 이용권 ② 균등한 행정의 혜택을 받을 권리 ③ 참정권	**주민 권리 확대** 주민생활에 영향을 미치는 정책결정 및 집행과정에 참여할 권리 신설
주민조례 발안제 도입 (제19조)	단체장에게 조례안 제정, 개·폐 청구	의회에 조례안을 제정, 개·폐 청구 가능(별도법 제정)
주민감사 청구인 수 하향조정 (제21조)	**서명인 수 상한** ① 시·도 500명 ② 50만 이상 대도시 300명 ③ 시·군·구 200명	**상한 하향조정** ① 시·도 300명 ② 50만 이상 대도시 200명 ③ 시·군·구 150명
청구권 기준 연령 완화 (제21조)	19세 이상 주민 청구 가능	조례발안, 주민감사, 주민소송 18세 이상 주민 청구 가능
자치단체 기관구성 형태 다양화 (제4조)	기관 분리형(단체장 – 지방의회)	주민투표 거쳐 지방의회와 집행기관의 구성 변경 가능(기관분리형·통합형 등) ※ 추후 여건 성숙도, 주민요구 등을 감안하여 별도법 제정 추진

2 역량강화와 자치권 확대

분야	개정 전	현행
사무배분 명확화 (제11조)	「지방자치법」에 국가 · 지방 간 사무배분 원칙 및 준수의무 등 미규정(지방분권법에서 규정)	① 보충성, 중복배제, 포괄적 배분 등 사무배분 원칙 규정 ② 사무배분 기준에 대한 국가와 자치단체의 준수의무 부과
국제교류 · 협력 근거 신설 (제10장)	규정 없음	국제교류 협력 및 국제기구 지원, 해외사무소 운영근거 마련
자치입법권 보장 강화 (제28조)	조례의 제정범위 침해 관련 미규정	법령에서 조례로 정하도록 위임한 사항에 대해 법령의 하위법령에서 위임내용 · 범위를 제한하거나 직접 규정하지 못하도록 규정
특례시 및 자치단체 특례 부여 (제198조)	규정 없음	① 100만 이상은 특례시로 하고, ② 행정수요 · 균형발전 등을 고려하여 대통령령에 따라 행정안전부장관이 정하는 시 · 군 · 구에 특례 부여 가능
지방의회 인사권 독립 (제103조)	의회 사무처 소속 사무직원 임용권은 단체장 권한 ※ 「지방공무원법」에 따라 임용권의 일부를 지방의회의 사무처장 등에 위임 가능	지방의회 소속 사무직원 임용권을 지방의회 의장에게 부여
정책지원 전문인력 도입 (제41조)	규정 없음 ※ 제주특별법에 따라 제주도만 의원정수 2분의 1 범위에서 정책연구위원 운영(21명)	모든 지방의회에서 의원정수 2분의 1 범위에서 정책지원전문인력 운영 가능 ※ 단, 2023년까지 단계적 도입
지방의회 운영 자율화 (제5장)	회의 운영 방식 등 지방의회 관련 사항이 법률에 상세 규정	조례에 위임하여 지역 특성에 맞게 정하도록 자율화

3 책임성과 투명성 제고

분야	개정 전	현행
정보공개 확대 (제26조)	지방자치단체 정보공개 의무·방법 등 미규정	① 의회 의정활동, 집행부 조직·재무 등 정보공개 의무·방법 등에 관한 일반규정 신설 ② 정보플랫폼 마련으로 접근성 제고
의정활동 투명성 강화 (제74조)	지방의회 표결방법의 원칙 관련 근거 미비	기록표결제도 원칙 도입
지방의원 겸직금지 명확화 (제43조)	① 겸직금지 대상 개념이 불명확 ② 겸직신고 내역 외부 미공개	① 겸직금지 대상 구체화 ② 겸직신고 내역 공개 의무화
지방의회 책임성 확보 (제65조)	① 윤리특별위원회 설치 임의규정 ② 윤리심사자문위원회 설치 미규정	① 윤리특별위원회 설치 의무화 ② 민간위원으로 구성된 윤리심사자문위원회 설치, 의견청취 의무화
시·군·구 사무수행 책임성 강화 (제189조)	시·군·구의 위법 처분·부작위에 대해 국가가 시정·이행명령 불가	국가가 보충적으로 (시·도가 조치를 취하지 않을 경우) 시·군·구의 위법한 처분·부작위에 시정·이행명령 가능

4 중앙 - 지방 간 협력관계 정립 및 행정 능률성 제고

분야	개정 전	현행
중앙지방 협력회의 (제186조)	규정 없음 ※ 대통령 - 시 · 도지사 간담회 운영	'중앙지방협력회의' 신설(별도법 제정)
국가 - 지방 간 협력 (제164조)	규정 없음	균형적 공공서비스 제공, 균형발전 등을 위한 국가 - 지방자치단체, 지방자치단체 간 협력의무 신설
자치단체 사무에 대한 지도 · 지원 (제184조)	중앙행정기관의 장이나 시 · 도지사는 관할 지방자치단체의 사무에 대한 조언 · 권고 · 지도 가능	중앙행정기관의 장이나 시 · 도지사의 조언 · 권고 · 지도에 대한 지방자치단체장의 의견제출권 신설
매립지 관할 결정 절차 개선 (제5조)	매립지 관할 관련 이견이 없는 경우에도 중분위 절차를 거쳐 결정	분쟁 없는 경우 별도 심의의결 절차 생략 등 결정 가능
경계조정 절차 신설 (제6조)	규정 없음	① 지방자치단체 간 자율협의체를 통해 경계조정 협의 추진 ② 미해결 시 지방자치단체중앙분쟁조정위원회 심의를 거쳐 조정 가능
단체장 인수위원회 (제105조)	규정 없음	시 · 도 20명, 시 · 군 · 구 15명 이내에서 임기 시작 후 20일 범위 내로 단체장 인수위 자율 구성
행정협의회 활성화 (제169조)	① 설립 시 지방의회의 의결 필요 ② 지방자치단체 간 협력에 대한 지원 근거 없음	① 설립 시 지방의회에 보고로 간소화 ② 관계 중앙행정기관의 장은 협력활성화를 위해 필요한 지원 가능
특별지방 자치단체 (제12장)	세부사항 미규정 ※ 현행 법 제2조 제3 · 4항에 특별지방자치단체의 설치 · 운영에 관하여 필요한 사항은 대통령령으로 정하도록 규정(대통령령 미규정)	2개 이상의 자치단체가 공동으로 광역사무 처리를 위해 필요 시 특별지방자치단체 설치 · 운영 근거 규정

찾아보기

찾아보기

ㄱ

ㄴ

ㄷ

ㄹ

ㅁ

ㅂ

ㅅ

ㅇ

ㅈ

ㅊ

ㅋ

ㅌ

ㅍ

ㅎ

기타

MEMO

송상호

약력
현 | 해커스공무원·군무원 행정학 강의
전 | 제일고시학원 행정학 강의
전 | KG패스원 행정학 강의
전 | 아모르이그잼 행정학 강의

저서
해커스공무원 명품 행정학 기본서
해커스공무원 명품 행정학 단원별 기출문제집
해커스공무원 명품 행정학 실전동형모의고사 1
해커스공무원 명품 행정학 실전동형모의고사 2
해커스군무원 명품 행정학 18개년 기출문제집
해커스군무원 명품 행정학 실전동형모의고사

2025 대비 최신개정판

해커스공무원 명품 행정학

기본서 | 2권

개정 9판 1쇄 발행 2024년 7월 4일

지은이	송상호, 해커스 공무원시험연구소 공편저
펴낸곳	해커스패스
펴낸이	해커스공무원 출판팀
주소	서울특별시 강남구 강남대로 428 해커스공무원
고객센터	1588-4055
교재 관련 문의	gosi@hackerspass.com 해커스공무원 사이트(gosi.Hackers.com) 교재 Q&A 게시판 카카오톡 플러스 친구 [해커스공무원 노량진캠퍼스]
학원 강의 및 동영상강의	gosi.Hackers.com
ISBN	2권: 979-11-7244-191-3 (14350) 세트: 979-11-7244-189-0 (14350)
Serial Number	09-01-01